JUNG E O TARÔ

SALLIE NICHOLS

JUNG E O TARÔ
Uma jornada arquetípica

Introdução
LAURENS VAN DER POST

Tradução
OCTAVIO MENDES CAJADO

Editora
Cultrix
SÃO PAULO

Título original: *Jung and Tarot – An Archetypal Journey*.

1ª edição 1988.
12ª reimpressão da 1ª ed. de 1988 – catalogação na fonte 2007.
25ª reimpressão 2024.

Publicado pela primeira vez em 1980 por Samuel Weiser, Inc. Box 612, York Beach, Maine 03910.

Dados Internacionais de Catalogação na Publicação (CIP)
(Câmara Brasileira do Livro, SP, Brasil)

Nichols, Sallie
Jung e o tarô : uma jornada arquetípica / Sallie Nichols ; introdução Laurens van der Post ; tradução Octavio Mendes Cajado. -- São Paulo : Cultrix, 2007.

Título original : Jung and tarot : an archetypal journey
12ª reimpr. da 1ª ed. de 1988.
ISBN 978-85-316-0219-1

1. Jung, Carl Gustav, 1875-1961 2. Tarô 3. Ocultismo I. Post, Laurens van der. II. Título

07-1971 CDD-133.32424

Índices para catálogo sistemático:
1. Tarô : Artes divinatórias : Ciências esotéricas 133.32424

Direitos de tradução para a língua portuguesa adquiridos com exclusividade pela
EDITORA PENSAMENTO-CULTRIX LTDA., que se reserva a
propriedade literária desta tradução.
Rua Dr. Mário Vicente, 368 – 04270-000 – São Paulo, SP – Fone: (11) 2066-9000
http://www.editoracultrix.com.br
E-mail: atendimento@editoracultrix.com.br
Foi feito o depósito legal.

Impresso por : Graphium gráfica e editora

Para
Culver Nichols

Meus agradecimentos aos seguintes amigos que ajudaram a dar início a esta Jornada do Tarô, e sem cujos incentivos e conselhos o nosso navio nunca teria chegado ao porto: Janet Dallett, Rhoda Head, Ferne Jensen, James Kirsch, Rita Knipe, Claire Oksner, Win Sternlicht, William Walcott e Lore Zeller.

Agradecimentos

A autora faz os seguintes agradecimentos pela permissão para usar material de copyright:

À Chatto and Windus Ltd. pela autorização para fazer citações de *The Savage and Beautiful Country* de Alan McGlashan.

À Wesleyan University Press pela autorização para fazer citações de *Thresholds of Initiation* de Joseph L. Henderson.

À Spring Publications, Box 1, University of Dallas, Irving, Texas, pela licença para fazer citações de *An Introduction to the Psychology of Fairy Tales* de Marie-Louise von Franz; de *Lectures on Jung's Typology* de Marie-Louise von Franz e James Hillman; de "The Influence of Alchemy on the Work of C. G. Jung" de Aniela Jaffé, publicado por *Spring, 1967*; de *Anima and Animus* de Emma Jung; de "The Spirit Mercury as Related to the Individuation Process" de Alma Paulsen, estampado em *Spring, 1966*; de *The Problem of the Puer Aeternus* de Marie-Louise von Franz; de "Interpretation of Visions" de C. G. Jung, estampado em *Spring, 1962*; de "The Shadow of Death" de Kristine Mann, estampado em *Spring, 1962*; de "Angels as Archetype and Symbol" de Amy I. Allenby, estampado em *Spring, 1963*.

À Princeton University Press pela permissão para reproduzir trechos de *The Collected Works of C. G. Jung*. Bollingen Series XX, Vol. 7: *Two Essays on Analytical Psychology*, tradução de R. F. C. Hull, copyright 1953, 1966; Vol. 9, I: *The Archetypes and the Collective Unconscious*, tradução de R. F. C. Hull, copyright 1959, 1969; Vol. 10: *Civilization in Transition*, tradução de R. F. C. Hull, copyright 1964, 1970; Vol. 11: *Psychology and Religion: West and East*, tradução de R. F. C. Hull, copyright 1953, 1968; Vol. 13: *Alchemical Studies*, tradução de R. F. C. Hull, copyright 1967; Vol. 14: *Mysterium Coniunctionis*, tradução de R. F. C. Hull, copyright 1965, 1970; Vol. 15: *The Practice of Psychotherapy*, tradução de R. F. C. Hull, copyright 1954, 1966; Vol. 17: *The Development of Personality*, tradução de R. F. C. Hull, copyright 1954; Vol. 18: *The Symbolic Life*, tradução de R. F. C. Hull, copyright 1950, 1953, 1955, 1958, 1959, 1963, 1968, 1969, 1970, 1976; Vol. 19: *General Bibliography of C. G. Jung's Writings*, compilada por Lisa Ress, com a assistência de colaboradores, copyright 1979; *Psychological Reflections* de C. G. Jung; *A New Anthology of His Writings*, organizada por Jolande Jacobi e R. F. C. Hull, Bollingen Series XXXI, copyright 1953, 1970; de *The Mythic Image* de Joseph Campbell, Bollingen Series C, copyright 1974; de *The Great Mother* de Erich Neumann, tradução de Ralph Manheim, Bollingen Series XLVII, copyright 1955.

À Macmillan Publishing Co. pela autorização para fazer citações de *Mythologies* de W. B. Yeats, copyright 1959, e de *Collected Poems*, copyright 1961.

À C. G. Jung Foundation pela permissão para fazer citações de *The Myth of Meaning* de Aniela Jaffé, traduzido para o inglês pela C. G. Jung Foundation; de *Ego and Archetype* de Edward F. Edinger, copyright 1972; de *Psyche and Death* de Edgar Herzog, publicado por G. P. Putnam's Sons, Nova Iorque, para a C. G. Jung Foundation for Analytical Psychology; de *C. G. Jung, His Myth in Our Time* de Marie-Louise von Franz, copyright 1975.

À William Morris Agency pela licença para fazer citações de *The Devil's Picture Book*, de Paul Huson, copyright 1971.

À Random House, Inc. pela permissão para fazer citações de *The Age of Anxiety* de W. H. Auden, copyright 1947.

À University of Chicago Press pela autorização para fazer citações de *The Forge and the Crucible* de Mircea Eliade, copyright 1978 pela autora.

À Viking Press, Inc. pela permissão para fazer citações de *The Portable Blake* (William Blake), copyright 1946.

À Prentice-Hall, Inc. pela licença para fazer citações de *The Far Side of Madness* de John Weir Perry.

À Oxford University Press pela autorização para fazer citações de *The Poems of Gerard Manley Hopkins* (organizado por W. H. Gardner e N. H. MacKenzie).

À Harcourt Brace Jovanovich, Inc. pela permissão para fazer citações dos *T. S. Elliot Collected Poems 1909-1962*, copyright 1963, 1964 pelo autor.

À W. W. Norton & Company pela autorização para fazer citações de *A divina comédia*, tradução de John Ciardi, edição de 1977; de *Duino Elegies* de Rainer Maria Rilke, tradução de J. B. Leishman e Stephen Spender, copyright 1939.

À Routledge & Kegan Paul Ltd. pela autorização para fazer citações de *The Tavistok Lectures* de C. G. Jung (agora C. W., Vol. 18, Princeton University Press).

À Cambridge University Press pela permissão para fazer citações de *My View of the World* de Erwin Shrödinger, copyright 1964.

À Doubleday & Company pela licença para fazer citações de "Symbolism in the Visual Arts" de Aniela Jaffé em *Man and his Symbols* de C. G. Jung, copyright 1964, Aldus Books Londres. Tarô de Marselha impresso por J. M. Simon/Grimaud, França.

Às Cartas do Baralho Suíço de Tarô IJJ (copyright 1974), ao baralho de Tarô Rider-Waite (copyright 1971) e ao Tarocchi Visconti-Sforza (copyright 1975) reimpressos com licença do U. S. Games Systems, Inc., Nova Iorque e de AGMuller, Suíça.

Ao Tarô Aquariano pintado por David Palladini, impresso por Morgan Press, Dobbs Ferry, Nova Iorque, reimpresso com autorização.

À Tate Gallery, Coleção Particular, Londres, pela autorização para reimprimir o *Satan Exulting Over Eve* de William Blake.

Ao Museu de Cluny, França, pela licença para reimprimir *A Mão de Deus* de Auguste Rodin.

À Princeton University Press pela autorização para reproduzir *Psychology and Alchemy*, de C. W. 12, Figuras 36, 60, 91, 213, 226.

Envidaram-se esforços para entrar em contato com os detentores do copyright do material citado neste livro. Entretanto, se mesmo assim infringimos algum copyright, apresentamos nossas sinceras escusas e prazerosamente agradeceremos em futuras edições.

SUMÁRIO

Introdução 15

1. Introdução ao Tarô 18
2. Mapa da Jornada 26
3. O Louco no Tarô e em Nós 39
4. O Mago: Criador e Embusteiro 59
5. A Papisa: Suma Sacerdotisa do Tarô 83
6. A Imperatriz: Madona, Grande Mãe, Rainha do Céu e da Terra 97
7. O Imperador: Pai da Civilização 111
8. O Papa: A Face Visível de Deus 127
9. O Enamorado: Vítima do Erro Dourado de Cupido 137
10. O Carro: Leva-nos Para Casa 147
11. Justiça: Há Alguma? 159
12. O Eremita: Há Alguém Aí? 169
13. A Roda da Fortuna: Socorro! 183
14. A Força: De Quem? 203
15. O Enforcado: Suspense 217
16. Morte: A Inimiga 227
17. Temperança: Alquimista Celeste 247
18. O Diabo: Anjo Negro 259
19. A Torre da Destruição: O Golpe da Libertação 279
20. A Estrela: Raio de Esperança 291
21. A Lua: Donzela ou Ameaça? 307
22. O Sol: Centro Brilhante 319
23. Julgamento: Uma Vocação 329
24. O Mundo: Uma Janela Para a Eternidade 339
25. Ao Deitar as Cartas 357

LISTA DE ILUSTRAÇÕES

Fig. 1 Cavaleiro de Ouros 19
Fig. 2 O Carro (Tarô Sforza) 21
Fig. 3 Mapa da Jornada 25
Fig. 4 O Louco (Baralho de Marselha) 38
Fig. 5 O Louco (Baralho Suíço) 41
Fig. 6 O Louco (Baralho Waite) 41
Fig. 7 O Louco (Baralho Aquariano) 41
Fig. 8 O Louco (Antigo Tarô Francês) 43
Fig. 9 Rei e Bufão 45
Fig. 10 Squeaky Fromme como O Louco 49
Fig. 11 Deus Criando o Universo 56
Fig. 12 O Mago (Baralho de Marselha) 58
Fig. 13 Moisés Tirando Água da Rocha 61
Fig. 14 A Separação dos Elementos 64
Fig. 15 A Mão de Deus 67
Fig. 16 O Mago (Baralho Waite) 68
Fig. 17 A Papisa (Baralho de Marselha) 82
Fig. 18 Astarte 88
Fig. 19 A Suma Sacerdotisa (Baralho Waite) 90
Fig. 20 "A Fêmea Surgiu da Escuridão Dele" 93
Fig. 21 Deus Criando as Duas Grandes Luzes 95
Fig. 22 A Imperatriz (Baralho de Marselha) 96
Fig. 23 *Vierge Ouvrante* (Fechada) 99
Fig. 24 *Vierge Ouvrante* (Aberta) 99
Fig. 25 A Imperatriz (Baralho Waite) 102
Fig. 26 Peggy Guggenheim como A Imperatriz 103
Fig. 27 Figura reclinada 105
Fig. 28 Kali, a Terrível 106
Fig. 29 O Rei está Morto, Viva a Rainha! 107
Fig. 30 A Condessa Castiglione segurando uma moldura como máscara 109
Fig. 31 O Imperador (Baralho de Marselha) 110
Fig. 32 Águia esquimó 113
Fig. 33 O Papa (Baralho de Marselha) 126
Fig. 34 O sinal da Excomunhão 132
Fig. 35 O Enamorado (Baralho de Marselha) 136

Fig. 36	O Carro (Baralho de Marselha)	146
Fig. 37	O Carro (Antigo Baralho Florentino)	152
Fig. 38	Três Heróis	155
Fig. 39	A Justiça (Baralho de Marselha)	158
Fig. 40	Maat, a deusa egípcia	164
Fig. 41	A Justiça (Baralho do século XV)	165
Fig. 42	O Eremita (Baralho de Marselha)	168
Fig. 43	Eremitas Zen executando jocosamente tarefas caseiras	177
Fig. 44	A Roda da Fortuna (Baralho de Marselha)	182
Fig. 45	Édipo e a Esfinge	186
Fig. 46	A Roda da Fortuna (Tarô Sforza)	188
Fig. 47	A Força (Baralho de Marselha)	202
Fig. 48	Sansão e o Leão	208
Fig. 49	Leda e o Cisne	211
Fig. 50	O Rapto de Europa	212
Fig. 51	Ártemis, Senhora das Feras	213
Fig. 52	A Cigana Adormecida	214
Fig. 53	O Enforcado (Baralho de Marselha)	216
Fig. 54	A Morte (Baralho de Marselha)	226
Fig. 55	O Buda arrependido	231
Fig. 56	A Ilha dos Mortos	235
Fig. 57	Crânio humano adornado	237
Fig. 58	Deus mexicano da Morte	238
Fig. 59	Morte: Soldado Abraçando Moça	240
Fig. 60	Calavera do Dândi Feminino	241
Fig. 61	Temperança (Baralho de Marselha)	246
Fig. 62	O Diabo (Baralho de Marselha)	258
Fig. 63	Satanás Exultando Sobre Eva	261
Fig. 64	O Diabo (Baralho de Waite)	267
Fig. 65	A Tentação de Cristo na Montanha	268
Fig. 66	Mefistófeles	273
Fig. 67	O Diabo (Tarô Italiano)	274
Fig. 68	Uma Menina Possuída	276
Fig. 69	O Diabo com Garras	277
Fig. 70	A Casa de Deus (Baralho de Marselha)	278
Fig. 71	Fotografia de um raio	282
Fig. 72	A Estrela (Baralho de Marselha)	290
Fig. 73	A Noite Estrelada	298
Fig. 74	A Lua (Baralho de Marselha)	306
Fig. 75	Lagosta de Ouro	311
Fig. 76	A Lua (Baralho de Manley P. Hall)	312
Fig. 77	A Lua (Baralho do século XV)	315
Fig. 78	A Terra	317
Fig. 79	O Sol (Baralho de Marselha)	318
Fig. 80	Gêmeos alquímicos num vaso	324
Fig. 81	O Julgamento (Baralho de Marselha)	328
Fig. 82	O Mundo (Baralho de Marselha)	338

Fig. 83	O Mundo (Tarô Sforza)	345
Fig. 84	*Anima Mundi*	347
Fig. 85	Quadrando o círculo	349
Fig. 86	O Mundo (Antigo Tarô Francês)	350
Fig. 87	Adoração na Manjedoura	355

Introdução

Uma das principais fontes de incompreensão da natureza e da magnitude da contribuição de Jung para a vida do nosso tempo deve-se à presunção de que o seu interesse maior se concentrava no que ele veio a chamar "o inconsciente coletivo" no homem. É verdade que ele foi o primeiro a descobrir e explorar o inconsciente coletivo e a dar-lhe uma importância e um significado realmente contemporâneos. Posteriormente não foi o mistério desse desconhecido universal na mente do homem, mas um mistério muito maior, que lhe obcecou o espírito e conduziu toda a sua investigação, a saber, o mistério da consciência e da sua relação com o grande inconsciente.

Não é de admirar que fosse ele o primeiro a estabelecer a existência do maior e do mais significativo de todos os paradoxos: o inconsciente e o consciente existem num estado profundo de interdependência recíproca e o bem-estar de um é impossível sem o bem-estar do outro. Se alguma vez a conexão entre esses dois grandes estados de ser for diminuída ou danificada, o homem ficará doente e despojado de significação; se o fluxo entre um e outro for interrompido por muito tempo, o espírito e a vida humana na Terra serão remergulhados no caos e na velha noite. Para ele, por conseguinte, a consciência não é, como acreditam, por exemplo, os positivistas lógicos do nosso tempo, um simples estado de mente e espírito intelectual e racional. Não é alguma coisa que dependa exclusivamente da capacidade do homem para a articulação, como sustentam algumas escolas de filosofia moderna, a ponto de afirmar que o que não puder ser articulado verbal e racionalmente não tem sentido e não é digno de expressão. Pelo contrário, ele provou empiricamente que a consciência não é apenas um processo racional e que o homem moderno, precisamente, está doente e destituído de significação porque, por séculos desde a Renascença, perseguiu cada vez mais um desenvolvimento enviesado no pressuposto de que a consciência e os poderes da razão são a mesmíssima coisa. E se alguém achar que isso é exagero, é só lembrar do "Penso, logo existo!" de Descartes e logo identificará a arrogância européia que ocasionou a Revolução Francesa, gerou uma prole monstruosa na Rússia Soviética e está produzindo a subversão do espírito criador do homem no que foram outrora cidadelas de significado vivo como igrejas, universidades e escolas em todo o mundo.

Jung apresentou provas, extraídas do seu trabalho entre os chamados "loucos" e as centenas de pessoas "neuróticas" que lhe pediam uma resposta para os seus problemas, de que a maior parte das formas de insanidade e desorientação mental eram causadas por um estreitamento da consciência e de que, quanto mais estreita e mais racionalmente focalizada fosse a consciência do homem, tanto maior seria o perigo de hostilização das forças universais do inconsciente coletivo, a tal ponto que elas se levantariam, por assim dizer, em rebelião e esmagariam os últimos vestígios de uma consciência penosamente adquirida pelo homem. Não, a resposta, para ele, era clara: apenas mediante um trabalho continuado para o aumento da consciência o homem encontrava o seu maior significado e a realização dos seus valores mais altos. Ele estabeleceu, para recolocá-lo em seu paradoxo nativo, que a consciência é o sonho permanente e mais profundo do inconsciente, e que até onde se pode traçar a história do espírito do homem, até onde ele se desfaz do mito e da lenda, o inconsciente lutou incessantemente para lograr uma consciência cada vez maior; uma consciência que Jung preferia chamar de "percepção". Essa "percepção" para ele, e para mim, incluía toda a sorte de formas não-racionais de percepção e conhecimento, tanto mais preciosas porque são as pontes no meio da riqueza inexaurível do significado ainda não compreendido do inconsciente coletivo, sempre pronto para carrear reforços destinados a expandir e fortalecer a consciência do homem, empenhado numa campanha sem fim contra as exigências da vida no aqui e agora.

Esta talvez seja uma das suas mais importantes contribuições para uma nova e mais significativa compreensão da natureza da consciência: Só poderia ser renovada e ampliada, na medida em que a vida exigisse que ela fosse renovada e ampliada, pela manutenção de suas linhas não-racionais de comunicação com o inconsciente coletivo. Por esse motivo Jung dava grande valor a todos os caminhos não-racionais ao longo dos quais o homem tentara, no passado, explorar o mistério da vida e estimular o seu conhecimento consciente do universo que se expandia à sua volta em novas áreas de ser e conhecer. Essa é a explicação do seu interesse, por exemplo, pela astrologia, e é também a explicação da significação do Tarô.

Ele reconheceu de pronto, como o fez em muitos outros jogos e tentativas primordiais de adivinhação do invisível e do futuro, que o Tarô tinha sua origem e antecipação em padrões profundos do inconsciente coletivo, com acesso a potenciais de maior percepção à disposição desses padrões. Era outra ponte não-racional sobre o aparente divisor de águas entre o inconsciente e a consciência, para carrear noite e dia o que deve ser o crescente fluxo de movimento entre a escuridão e a luz.

Em sua profunda investigação do Tarô e em sua iluminada exegese de seu padrão como tentativa autêntica de ampliação das possibilidades das percepções humanas, Sallie Nichols, numa forma que me é preciso descrever de maneira tão sucinta, prestou imenso serviço à psicologia analítica. O livro dela nos enriquece e ajuda a compreender as terríveis responsabilidades que nos são impostas pela consciência. Além disso, ela fez em seu livro alguma coisa que as pessoas que professam reconhecer a grande obra levada a cabo por Jung, tantas vezes deixam de fazer. Jung, como pessoa profundamente intuitiva, foi compelido por sua visão demoníaca a não se demorar por muito tempo em nenhum aspecto particular de sua visão. Foram-lhe precisos tudo o que ele tinha de razão e o método de cientista devoto que ele era, para dar-lhe a vontade de permanecer o tempo suficiente com determinada fase do seu trabalho a fim de estabelecer-lhe empiricamente a validade. Mas, feito isso, ela tinha, por assim dizer, de levantar acampamento e mandar a caravana de sua mente dirigir-se ao posto seguinte da jornada interminável. O seu espírito, como não podia deixar de ser numa época tão exposta ao perigo quanto a nossa (uma alma intuitiva exortou-o), era um espírito desesperadamente apressado. Em conseqüência disso, tudo o que fez necessita de ampliação. E Sallie Nichols, neste livro, prestou à psicologia junguiana e a quantos tentam servi-la, imenso serviço pelo modo com que ampliou a história e a nossa compreensão do papel de importante fonte não-racional da consciência. E o mais importante de tudo isso é que não o fez de forma árida e acadêmica, mas como um ato de conhecimento derivado de sua própria experiência do Tarô e das suas luzes estranhamente translúcidas. Em resultado do que seu livro não apenas vive mas acelera a vida em quantos venha a tocar.

Laurens van der Post

1. Introdução ao Tarô

O Tarô é um baralho de cartas misterioso de origem desconhecida. Tendo, pelo menos, seis séculos de existência, é o antepassado direto das nossas modernas cartas de jogar. No correr das gerações, as figuras pintadas nessas cartas desfrutaram de muitas encarnações. Testemunho da vitalidade e da sabedoria do antigo Tarô é o fato de que, embora tenha gerado um filho tão ativo quanto as cartas de jogar que usamos hoje em dia, o baralho-mãe não se aposentou. Na Europa Central, as estranhas cartas do Tarô têm permanecido em uso constante em jogos e na cartomancia. Agora, na América, o Tarô veio repentinamente à tona da consciência pública. Como as figuras enigmáticas que surgem de repente, inesperadamente, em nossos sonhos, os personagens do Tarô parecem estar gritando para nos chamar a atenção.

Erupções dramáticas desse gênero usualmente significam que aspectos negligenciados de nós mesmos buscam reconhecimento. Como as figuras dos nossos sonhos, sem dúvida, as personalidades do Tarô introduziram-se em nossa auto-satisfação a fim de trazer-nos mensagens de grande importância; mas o homem moderno, imerso como está numa cultura verbal, acha a linguagem pictórica não-verbal do Tarô difícil de decifrar. Nos capítulos seguintes, estudaremos as maneiras de aproximar-nos dessas misteriosas figuras e captar centelhas de compreensão.

Uma viagem pelas cartas do Tarô, primeiro que tudo, é uma viagem às nossas próprias profundezas. O que quer que encontremos ao longo do caminho é, *au fond*, um aspecto do nosso mais profundo e elevado eu. Pois as cartas do Tarô, que nasceram num tempo em que o misterioso e o irracional tinham mais realidade do que hoje, trazem-nos uma ponte efetiva para a sabedoria ancestral do nosso eu mais íntimo. E uma nova sabedoria é a grande necessidade do nosso tempo – sabedoria para resolver nossos problemas pessoais e sabedoria para encontrar respostas criativas às perguntas universais que a todos nos confrontam.

Como as nossas cartas modernas, o baralho do Tarô tem quatro naipes com dez "pintas" ou cartas numeradas em cada um deles. Os quatro naipes do Tarô são chamados bastões, taças, espadas e moedas, que evoluíram para dar os nossos naipes atuais de paus, copas, espadas e ouros. No baralho do Tarô, cada naipe tem quatro cartas "da corte": o Rei, a Rainha, o Valete e o Cavaleiro. Este último, jovem e ousado ginete montado num cavalo fogoso, desapareceu misteriosamente das cartas de baralho atuais. O belo Cavaleiro aqui representado (Fig. 1) é tirado de um baralho austríaco de transição – o que quer dizer um desenho que se situa, historicamente, em algum lugar entre as cartas originais do Tarô e o nosso baralho. Como vemos, a vitalidade do Cavaleiro era de tal ordem que ele persistiu no baralho depois que o seu naipe já havia mudado de moedas para ouros.

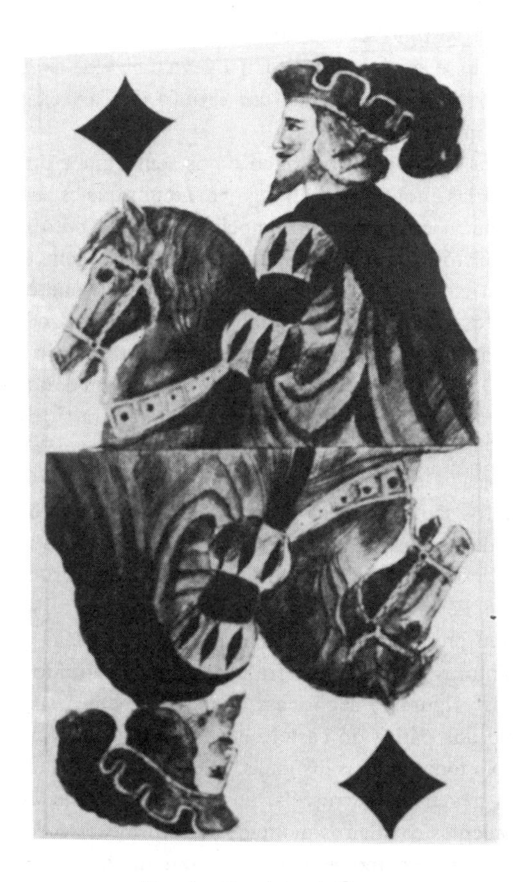

Fig. 1 Cavaleiro de Ouros

O haver este símbolo de propósito sincero, de cortesia e de coragem desaparecido das nossas cartas de jogar atuais pode indicar uma falta dessas qualidades em nossa psicologia atual. O Cavaleiro é importante porque precisaremos da sua coragem e do seu espírito de indagação se quisermos que a nossa jornada seja bem sucedida.

Igualmente significativa e, decerto, igualmente misteriosa, é a ausência, em nosso baralho moderno, dos Trunfos do Tarô, a saber, as cartas que serão os marcos da nossa viagem. Esses Trunfos – às vezes denominados *Atouts* – compreendem um conjunto de vinte e duas cartas que não pertencem a nenhum dos quatro naipes. Cada uma delas tem um nome intrigante (O MAGO, A IMPERATRIZ, O ENAMORADO, A JUSTIÇA, O ENFORCADO, A LUA, e assim por diante), e as cartas são numeradas. Arrumados em seqüência, os Trunfos parecem contar uma história pela imagem. Será o ponto central do livro examinar os vinte e dois Trunfos em seqüência e decifrar a história que eles contam.

Como o alquímico *Mutus Liber* (que, a propósito, apareceu depois), os Trunfos podem ser encarados como um texto pictórico mudo, que representa as experiências típicas encontradas ao longo do caminho antiqüíssimo da autocompreensão. Como e por que esse assunto encontrou o seu caminho até o Tarô, que era e ainda é essencialmente um baralho de cartas de jogar, é um mistério que intrigou gerações de estudiosos. Um único vestígio dos Trunfos subsiste em nossas cartas de jogar modernas: o Coringa. Esse sujeito esquisito, que leva uma vida tão indefinível em todo baralho de cartas é descendente direto de um Trunfo do Tarô chamado O LOUCO, com o qual logo travaremos conhecimento.

As teorias acerca da origem do Louco e dos seus vinte e um companheiros (os outros Trunfos) são várias e fantasiosas. Imaginam alguns que essas cartas representam as fases secretas de iniciação num culto egípcio esotérico; outros sustentam, e com maior probabilidade histórica, que os Trunfos são de origem européia ocidental. Diversos eruditos bem-conceituados, entre os quais. A. E. Waite e Heinrich Zimmer, sugerem que os Trunfos foram forjados pelos albigenses, seita gnóstica que floresceu na Provença no século XII. Acredita-se que eles tenham sido provavelmente contrabandeados para o Tarô como velada comunicação de idéias em desarmonia com a igreja estabelecida. Um escritor contemporâneo, Paul Huson, encara a origem do Tarô como um artifício mnemônico utilizado principalmente em necromancia e feitiçaria. Outra escritora contemporânea, Gertrude Moakley, foi a primeira a aventar a engenhosa teoria de que os Trunfos são de origem exotérica, simples adaptações de ilustrações de um livro dos sonetos de Petrarca a Laura. A esse livro foi dado o nome de *I Trionfi*, o qual tanto pode traduzir-se por "Os Triunfos" quanto por "Os Trunfos".

Nos sonetos de Petrarca cada uma de uma série de personagens alegóricos combate e vence o seu predecessor. Esse tema, popular na Itália renascentista, foi o assunto de muitas pinturas do período. Era também dramatizado em representações teatrais, em que as figuras alegóricas, primorosamente vestidas, desfilavam, exibindo-se, em torno dos pátios do castelo em carros decorativos, acompanhadas de cavaleiros a cavalo com todas as suas insígnias. Tais desfiles, verdadeiros carrocéis, são a origem dos nossos modernos carrosséis, nos quais, enquanto as crianças brincam fazendo o papel de valentes cavaleiros montados em formosos corcéis, os avós gozam de um passeio mais tranqüilo acomodados num carro dourado.

Eis o Tarô número sete, O CARRO (Fig. 2) tal como foi pintado num baralho comemorativo do século XV, desenhado e executado pelo artista Bonifácio Bembo, para a família Sforza de Milão. Essas cartas elegantes, algumas das quais podem ser vistas na Biblioteca Pierpont Morgan em Nova Iorque, são pintadas e iluminadas em cores brilhantes sobre um fundo de losangos de ouro sobre vermelho com toques de prata. É bom lembrar que esses carros triunfais como o que está pintado aqui constituem ainda uma característica importante dos festivais italianos, e que o delicioso espírito de cavalo de balanço dos seus cavalos permanece, como sempre, em exibição em nossos carrosséis modernos.

Com efeito, pouquíssimo se sabe a respeito da história das cartas do Tarô ou a respeito da origem e da evolução das designações de naipe e do simbolismo dos vinte e dois Trunfos. Mas as muitas hipóteses imaginativas que se referem ao advento das cartas e às numerosas visões e revisões inspiradas pela sua simbologia pictórica constituem uma prova da sua atração universal e demonstram o seu poder de ativar a imaginação humana. Para as finalidades do nosso estudo, pouco importa se os Trunfos

Fig. 2 O Carro (Tarô Sforza)

do Tarô provêm do amor a Deus dos albigenses ou da paixão de Petrarca por Laura. A essência da sua importância para nós é que uma emoção humana muito real e transformadora deve ter dado origem a elas. Parece evidente que essas velhas cartas foram concebidas no mais profundo das entranhas da experiência humana, no nível mais profundo da psique humana. É para esse nível em nós mesmos que elas falarão.

Visto que este livro visa a utilizar o Tarô como meio de entrar em contato com o citado nível da psique, escolhemos como base de discussão o Tarô de Marselha, um dos mais velhos desenhos que hoje se encontram à nossa disposição. Sendo perecíveis as cartas de jogar, o Tarô "original" já não existe e os poucos remanescentes de velhos baralhos ainda preservados em museus não correspondem com exatidão a nenhum baralho que atualmente se imprime. Destarte, nenhum Tarô dos dias de hoje pode ser chamado autêntico em qualquer sentido. Mas a versão de Marselha preserva, de um modo geral, o tom e o estilo de alguns dos desenhos mais antigos.

Existem outras razões para escolher o baralho de Marselha. Em primeiro lugar, o seu desenho transcende o pessoal. Não há provas, por exemplo, de que tenha sido criado por um indivíduo, como acontece com a maioria dos nossos baralhos contemporâneos de Tarô. Em segundo lugar (também à diferença da maioria dos baralhos contemporâneos de Tarô), o baralho de Marselha nos chega desacompanhado de um texto explicativo. Em vez disso, oferece-nos simplesmente uma história pela imagem, uma canção sem palavras, que nos acode ao espírito como um velho refrão, evocando lembranças sepultadas.

Este não é o caso dos baralhos de Tarô contemporâneos, a maior parte dos quais foi desenhada por um indivíduo ou por um grupo conhecido de indivíduos, e muitos dos quais são acompanhados de livros em que os autores expõem, com palavras, as idéias abstrusas que presumivelmente apresentaram na pintura das cartas. Esse é o caso, por exemplo, das cartas e textos criados por A. E. Waite, Aleister Crowley, "Zain" e Paul Foster Case.

Embora o texto que acompanha o Tarô em tais casos seja, de ordinário, apresentado como elucidação dos símbolos representados nas cartas, o efeito líquido é mais o de um livro ilustrado. Em outras palavras, é mais como se as cartas do Tarô tivessem sido inventadas à guisa de ilustrações de certos conceitos verbais do que como se elas houvessem irrompido espontaneamente primeiro e em seguida inspirado o texto. Em resultado disso, as personalidades e objetos representados nessas cartas parecem ter um caráter mais alegórico do que simbólico; as figuras parecem ilustrar conceitos verbalizados em lugar de sugerir sentimentos e introvisões totalmente fora do alcance das palavras.

A diferença entre um baralho de Tarô acompanhado de um texto e o baralho de Marselha desacompanhado do que quer que seja é sutil; mas é importante em função da nossa abordagem do Tarô. Para a nossa maneira de pensar, é a diferença que existe entre ler um livro ilustrado e percorrer uma galeria de arte. Ambas são experiências valiosas, mas diferem muito em seus efeitos. O livro ilustrado estimula o intelecto e a empatia, ligando-nos às introvisões e sentimentos de outros. A galeria de arte estimula a imaginação, forçando-nos a mergulhar fundo em nossa própria criatividade e experiência de amplificação e compreensão.

Outra dificuldade que nos apresentam certos baralhos de Tarô é que alguns atribuíram aos Trunfos símbolos estranhos, tomados de empréstimo a outros sistemas, subentendendo que existe uma correlação exata entre os Trunfos e outras teorias teológicas ou filosóficas. Por exemplo, em alguns baralhos cada um dos Trunfos é assinalado com uma das vinte e duas letras do alfabeto hebraico numa tentativa de ligar cada Trunfo, simbolicamente, a um dos vinte e dois caminhos do Sefiró cabalístico. Não existe, porém, uniformidade de opiniões sobre as letras hebraicas que pertencem a este ou àquele Tarô. Comentadores também atribuíram símbolos alquímicos, astrológicos, rosa-cruzistas e outros ao Tarô. Aqui também reina a confusão, como se pode ver pelo cotejo entre as idéias de Case, "Zain", Papus e Hall nesse sentido.

Visto que todo o material simbólico deriva de um nível de experiência humana comum a toda a humanidade, é verdade, naturalmente, que se podem fazer conexões válidas entre alguns símbolos do Tarô e os de outros sistemas. Mas essa camada profunda da psique, que C. G. Jung denominou o inconsciente, por definição, *não* é consciente. Suas imagens não nascem do nosso intelecto ordenado mas, antes, apesar dele. Elas não se apresentam de maneira lógica.

Cada sistema filosófico é mera tentativa, da parte do intelecto, de criar uma ordem lógica no aparente caos de imagens nascidas do inconsciente. As categorias intelectuais são um modo de sistematizar a nossa experiência desse mundo não-verbal. Cada uma delas é uma espécie de sistema de grade superposto, se assim o quiser o leitor, à experiência crua da nossa natureza humana mais profunda. Cada sistema desses é útil e, nesse sentido, "verdadeiro" – mas cada um deles é único. Encarados um por um, os vários padrões nos oferecem escaninhos convenientes para organizar experiências psíquicas. Sobrepor, todavia, as muitas grades uma à outra seria distorcer-lhes a simetria e destruir-lhes a utilidade.

Para não perdermos, na confusão, o caminho dos Trunfos, não fazemos tentativa alguma neste livro de correlacionar o simbolismo do Tarô com o de outras disciplinas. Limitaremos, na maior parte das vezes, a discussão aos Trunfos tais e quais se apresentam no baralho de Marselha, só descrevendo outras versões das cartas quando estas pareçam oferecer introvisões que lhes enriquecem o significado. Tentaremos, como o fez Jung com material simbólico, amplificar pela analogia, deixando o sentido final do símbolo, como sempre, livre e sem limites.

Ao definir a finalidade de um símbolo, Jung acentuava amiúde a diferença entre o símbolo e o sinal. O *sinal*, disse ele, denota um objeto ou idéia específica, que podem ser traduzidos em palavras (como, por exemplo, um poste listrado significa barbearia, ao passo que um X quer dizer cruzamento de estrada de ferro). O *símbolo* representa alguma coisa que não pode ser apresentada de nenhuma outra maneira e cujo significado transcende todos os específicos e inclui muitos opostos aparentes (como, por exemplo, a Esfinge, a Cruz, etc.).

As figuras nos Trunfos do Tarô contam uma história simbólica. À semelhança dos nossos sonhos, elas nos vêm de um nível que a consciência não alcança, e muito distante da nossa compreensão intelectual. Parece apropriado, portanto, comportar-nos em relação a esses personagens do Tarô de maneira muito parecida com a que usaríamos se eles nos tivessem aparecido numa série de sonhos que retratassem uma terra desconhecida e longínqua, habitada por estranhas criaturas. Com tais sonhos, as associações puramente pessoais têm valor limitado. Podemos fazer melhor a conexão com o seu significado através da analogia com mitos, contos de fadas, dramas, quadros, acontecimentos históricos, ou qualquer outro material com motivos similares, que evocam universalmente grupos de sentimentos, intuições, pensamentos ou sensações.

Uma vez que os símbolos retratados no Tarô são ubíquos e eternos, as utilidades dessas amplificações não se limitarão a este livro. As figuras do Tarô estão sempre presentes em nossa vida de várias maneiras. À noite, surgem no sono, para nossa mistificação e pasmo. De dia, nos instigam à ação criativa ou fazem travessuras com os nossos planos lógicos. Esperamos que o material aqui apresentado nos ajude a estabelecer a conexão com os nossos sonhos – não apenas com os que nos visitam durante a noite, mas também com as esperanças e os sonhos de nossas horas diurnas.

Fig. 3 Mapa da Jornada

Nota: Veja, nas orelhas deste volume, a reprodução colorida dos Trunfos do Tarô.

2. Mapa da Jornada

Antes de encetar uma jornada, é uma boa idéia arranjar um mapa. A Fig. 3 é esse mapa. Mostra o território que estaremos cobrindo neste livro. Retratados aqui estão os vinte e dois Trunfos tais como aparecem no Tarô de Marselha, o qual, como já foi dito, se baseia em alguns dos mais antigos desenhos sobreviventes. O modo com que as cartas estão arrumadas nesse mapa nos oferece uma pré-estréia dos tipos de experiências que podemos esperar encontrar ao longo do caminho.

A melhor maneira de alcançar o significado individual das cartas é abordá-las diretamente, como faríamos com os quadros de uma galeria de arte. Como as pinturas, os Trunfos são os chamados detentores da projeção, o que quer dizer simplesmente que são os ganchos para apresar a imaginação. Falando psicologicamente, *projeção* é um processo inconsciente, autônomo, pelo qual vemos primeiro nas pessoas, nos objetos e nos acontecimentos as tendências, características, potencialidades e deficiências que, na verdade, são nossas. Povoamos o mundo exterior de feiticeiras e princesas, diabos e heróis do drama sepultado em nossas profundezas.

A projeção do nosso mundo interior no exterior não é coisa que fazemos de propósito. É simplesmente a maneira como funciona a psique. Em realidade, a projeção acontece de forma tão contínua e inconsciente que costumamos não dar tento de que ela está acontecendo. Não obstante, tais projeções são instrumentos úteis à conquista do autoconhecimento. Contemplando as imagens que atiramos na realidade exterior, como reflexos de espelho da realidade interior, chegamos a conhecer-nos.

Em nossa viagem através dos Trunfos do Tarô estaremos utilizando as cartas como detentores da projeção. Os Trunfos são ideais para esse propósito porque representam simbolicamente as forças instintuais que operam de modo autônomo nas profundezas da psique humana e que Jung denominou *arquétipos*. Tais arquétipos funcionam na psique de maneira muito parecida com a que os instintos funcionam no corpo. Exatamente como um recém-nascido chega com uma tendência inerente para mamar ou para assustar-se com um barulho forte, assim a sua psique mostra tendências hereditárias cujos efeitos podem ser observados de maneira semelhante. Está claro que não podemos ver essas forças arquetípicas, como, de fato, não podemos ver os instintos; mas experimentamo-las em nossos sonhos, visões e pensamentos de vigília onde aparecem como imagens.

Conquanto a forma específica que as imagens podem assumir variem de cultura para cultura e de pessoa para pessoa, o seu caráter essencial é universal. Pessoas de todas as idades e culturas têm sonhado, historiado e cantado acerca da Mãe, do Pai, do Enamorado, do Herói, do Mago, do Louco, do Diabo, do Salvador e do Velho Sábio arquetípicos. Já que os Trunfos do Tarô retratam todas essas imagens arquetípicas, examinemos rapidamente algumas delas tais como aparecem em nosso mapa. Fazendo-o, começamos a familiarizar-nos com as cartas e a mostrar quão poderosamente esses símbolos atuam em todos nós.

Em nosso mapa, os Trunfos, desde o número um até o número vinte e um, dispostos em seqüência, formam três fileiras horizontais de sete cartas cada uma. O LOUCO, cuja designação é zero, não tem posição fixa. Perambula acima da fileira superior, olhando do alto para as outras cartas. Visto que não tem escaninho, O LOUCO está livre para espiar os demais personagens e pode também irromper inesperadamente em nossa vida pessoal, do que resulta que, a despeito de todas as intenções conscientes, acabamos fazendo o papel de loucos.

O Vagabundo arquetípico, com a sua trouxa e o seu cajado, está muito em evidência em nossa cultura atual. Mas, sendo um produto do nosso mundo mecanizado, prefere viajar sentado a caminhar. Podemos ver-lhe o equivalente atual, de pé à beira do caminho, de barba e mochila, estendendo um sorriso esperançoso e um polegar em nossa direção. E se esse personagem representa um aspecto inconsciente de nós mesmos, não podemos deixar de reagir emocionalmente a ele de um modo ou de outro. Alguns se sentirão imediatamente levados a parar e a dar uma carona ao moço que a pedia, lembrados de que eles também, em seus dias de juventude, viveram um período de perambulações despreocupadas antes de sossegar e passar a levar uma vida mais estável. Outros, que nunca bancaram o louco na mocidade, estenderão instintivamente a mão ao caminhante porque este representa um aspecto não vivido de si mesmos, a que eles se sentem inconscientemente atraídos.

Pode acontecer, todavia, que outra pessoa tenha uma reação negativa em relação ao jovem – uma reação tão instantânea e violenta que o fará, de repente, tremer literalmente de raiva. Nesse caso, o motorista calcará o acelerador, rilhará os dentes e fugirá literalmente da vista daquele espectador inocente, murmurando imprecações contra os seus "modos sujos". Desejará poder deitar as mãos ao "jovem maluco", tosar-lhe os cabelos, dar-lhe um bom banho e uma boa escanhoada e, em seguida, instalá-lo numa semana de quarenta horas de trabalho, "que é o seu lugar". "Tanta irresponsabilidade me deixa doente", resmungará. Na realidade, a sua hostilidade é tão avassaladora que ele talvez comece até a sentir-se doente. Ao voltar para casa, poderá surpreender-se totalmente exaurido de energia e inexplicavelmente cansado. Mas no dia seguinte, quando (e se) a trepidação obsessiva em sua cabeça se tiver atenuado um pouco, poderá abrir-se nela um espaçozinho dentro do qual uma pergunta encontre uma saída sussurrante: "Por que não pode aquele moço com que topei na estrada perambular por aí, se o quiser? Que mal estará fazendo?" Mas o "mal" para o observador já foi feito. A simples vista do sujeito abriu uma lata de minhocas, que saíram da lata serpeando e tropeçando umas nas outras como uma dúzia de perguntas, cada qual exigindo resposta: Como seria levar a vida que levava aquele sujeito? – arrebentar o despertador? – atirar pela janela tudo o que se possuía? – passar a primavera e o verão inteiros vagabundeando debaixo do amplo céu azul? – e assim por diante.

Como não há maneira de tornar a enfiar as minhocas dentro da lata, o nosso motorista poderá sentir-se imobilizado em casa tentando responder às perguntas e sonhando sonhos impossíveis. Com um pouco de sorte, talvez consiga encontrar meios de transformar alguns sonhos em realidade. Coisas estranhas podem acontecer quando defrontamos com um arquétipo.

As reações ao Louco serão, naturalmente, tantas e tão variadas quantas forem as personalidades e experiências de vida dos que se defrontarem com ele. Mas o ponto está em que o ser tocado por um arquétipo sempre evocará uma reação emocional de alguma espécie. Explorando essas reações inconscientes, podemos descobrir o arquétipo que nos está manipulando e livrar-nos, até certo ponto, da sua compulsão. Em resultado disso, da próxima vez que encontrarmos essa figura arquetípica na realidade externa, a nossa resposta não precisará ser tão irracional quanto a acima descrita.

No exemplo que acabamos de citar, a desordem emocional que a vista do "louco" desencadeou e o auto-exame que se seguiu podem não ter redundado em nenhuma mudança dramática no estilo de vida da pessoa em apreço. Mas, depois de refletir seriamente em outras possibilidades, ele pode chegar à conclusão de que a vida de vagabundo não lhe convém. Pode achar que, considerando todas as coisas, prefere a estabilidade e a conveniência de um lar, e que gosta tanto de ter um automóvel e outras propriedades que se sente disposto a suar a camisa no escritório para adquiri-las. Mas através do exame de outras possibilidades, terá escolhido o seu estilo de vida mais conscientemente; e, tendo feito as pazes com o seu impulso oculto de bancar o louco, pode encontrar maneiras de expressar essa necessidade no contexto de sua vida atual.

Seja como for, da próxima vez que passar por um vagabundo feliz na estrada, sentirá mais empatia por ele. Tendo agora escolhido sua própria vida, estará mais disposto a deixar que os outros escolham a sua. E, tendo chegado a um acordo com o renegado na realidade interior, não se sentirá tão hostil e defensivo quando uma figura assim se lhe deparar na realidade exterior. O mais importante de tudo, porém, é que terá experimentado o poder de um arquétipo. Da próxima vez que sair dirigindo o automóvel por aí, compreenderá que não está sentado sozinho no assento do motorista. Saberá que forças misteriosas estão em atividade dentro dele, capazes de guiar-lhe o destino e absorver-lhe a energia de maneiras imprevistas. E estará de sobreaviso. O Louco é um arquétipo compulsivo e, como vimos, muito em evidência nos tempos que correm. Mas todas as figuras do Tarô têm a sua espécie própria de poder e, por serem eternas, estão todas ainda ativas em nós mesmos e em nossa sociedade. À guisa de ilustração, seja-nos agora permitido examinar os sete Trunfos retratados na fileira superior do mapa.

O primeiro deles é O MAGO. Representa um mago em vias de executar alguns truques. Chama-lhes truques, e é exatamente o que são. Está se aprontando para nos enganar. Sua aparente magia será feita com espelhos, cartas especialmente construídas, cartolas com fundo falso e truques de prestidigitador. Sabemos ser esse o caso, e nosso intelecto está cheio de epítetos como "charlatão" e rótulos como "droga". Mas, para nosso assombro, observamos que o resto do nosso corpo já se move na direção do mágico, e que a nossa mão se estende agora para o bolso a fim de tirar dali uma moeda com a qual pagaremos o ingresso no espetáculo de mágica. É roubar o nosso dinheiro sujeitar-nos ao logro.

E mais tarde, quando estivermos sentados na platéia à espera do início do espetáculo, notaremos que o nosso coração bate mais depressa do que o normal e que estamos retendo a respiração. Embora a nossa mente saiba que o que vamos ver será, quando muito, uma demonstração de habilidade e destreza manual, o resto de nós se comporta como se alguma coisa realmente milagrosa estivesse por acontecer. Comportamo-nos dessa maneira porque, nos níveis mais profundos do nosso ser, ainda habitamos um mundo de verdadeiro mistério e maravilha – um mundo que opera fora dos limites do espaço e do tempo e além do alcance da lógica e da causalidade. Sentimo-nos atraídos por esse mago externo de maneira tão compulsiva e irracional porque dentro de cada um de nós existe um Mago arquetípico, ainda mais atraente e irresistível do que o que se acha à nossa frente, um mago pronto para demonstrar-nos a milagrosa realidade do nosso mundo interior toda vez que nos sentirmos preparados para dispensar-lhe atenção.

Não admira que o nosso intelecto pare de repente e finque os calcanhares no chão à mera idéia de mágica. Se a nossa mente admitir esse tipo de realidade, arriscar-se-á a perder o império que sua razão construiu, tijolo por tijolo, no decorrer dos séculos. E, contudo, a compulsão do Mago é tão forte em nossa cultura atual que estão sendo finalmente construídas muitas pontes entre o mundo dele e o nosso, sobre as quais a razão pode começar a caminhar com alguma segurança. Vários fenômenos parapsicológicos estão sendo examinados em condições cientificamente controladas. A Meditação Transcendental está atraindo milhares de seguidores ao oferecer provas objetivas dos efeitos salutares da meditação sobre a pressão arterial e os estados de ansiedade. Por meio do uso de máquinas de *biofeedback* e outros dispositivos, várias formas de meditação estão sendo exploradas, e está em andamento uma pesquisa convincente dos efeitos da meditação sobre o câncer. Parece que, em nosso século, as palavras magia e realidade estão se tornando uma só. Estudando O MAGO talvez possamos criar uma nova unidade dentro de nós.

A segunda carta na fileira superior do nosso mapa é LA PAPESSE, ou A Papisa, às vezes denominada A SUMA SACERDOTISA, que pode ser vista simbolizando o arquétipo da Virgem, arquétipo familiar nos mitos e escritos sagrados de muitas culturas. O parto virgem é um motivo tão freqüentemente observado nas crenças de tantos povos, separados assim no tempo como na geografia, que sua origem só pode ser explicada como padrão arquetípico inerente à psique humana.

O arquétipo da Virgem celebra uma humilde receptividade ao Espírito Santo e uma consagração à sua encarnação numa nova realidade como o Filho Divino, ou Salvador. Em nossa cultura, o relato bíblico da Virgem Maria dramatiza o arquétipo. LA PAPESSE é uma representação algo grosseira da Virgem da Anunciação tal como é retratada na arte católica, onde a pintam amiúde sentada, com o Livro dos Profetas aberto à sua frente, como no Tarô.

O arquétipo da Virgem prendeu a imaginação de artistas e escultores durante séculos e, para cada mulher, a gravidez a assinala como a pessoa escolhida para ser portadora de um novo espírito. Hoje, porém, ela se tornou ativa de outro jeito. Pois foi a Virgem, ao que parece, que inspirou o que é mais verdadeiramente feminino e corajoso no movimento de libertação das mulheres. Assim como a Virgem Maria foi escolhida para um destino unicamente seu, no qual não havia "quarto na estalagem", assim a mulher é hoje convocada a fim de realizar-se de maneiras para as quais a nossa sociedade coletiva ainda fecha suas portas. Como a Virgem foi obrigada, por vocação, a abrir mão do anonimato e da segurança confortáveis da vida familial tradicional, carregando o seu fardo sozinha, e dando à luz o seu novo espírito nas circunstâncias mais humildes, assim hoje as mulheres, para as quais a nova anunciação soou claramente, precisam sacrificar sua segurança e suportar a solidão e a humilhação (não raro em circunstâncias mais árduas do que a rotina do governo da casa e da maternidade) a fim de dar realidade ao novo espírito que se mexe dentro delas. Nessa diligência, poder-se-ia muito bem conceder à Virgem um nicho especial para veneração, porque ela ainda brilha hoje como símbolo único da força universal do princípio feminino. Se bem que dedicada ao serviço do espírito, a Virgem nunca perdeu contato com a própria feminilidade. Parece significativo que Maria, uma das figuras mais poderosas da nossa herança judeu-cristã, tenha permanecido em nossa cultura como paradigma da mulher totalmente feminina.

As duas cartas seguintes na seqüência do Tarô, A IMPERATRIZ e O IMPERADOR, simbolizam os arquétipos da Mãe e do Pai em escala grandiosa. Pouca necessidade haverá de nos estendermos aqui acerca dos poderes das duas figuras, pois todos os experimentamos em relação a nossas mães e pais pessoais ou a outros seres humanos que representavam para nós seus substitutos. Como crianças, todos vimos, provavelmente, nossos pais entronizados como a "boa" mãe "nutriz" e "protetora", e como o "onisciente", "corajoso" e "poderoso" pai. Quando, por serem humanos, eles deixaram de representar esses papéis de acordo com o nosso texto, nós, muitas vezes, encaramos nossa mãe como a arquetípica Bruxa Negra ou a Madrasta Má e nosso pai como o Diabo Vermelho e o Cruel Tirano. Foram precisos muitos anos de projeção exótica para podermos, afinal, ver nossos pais como seres humanos que, à nossa semelhança, possuíam muitas potencialidades tanto para a felicidade quanto para o infortúnio.

Até como adultos, se nossos pais estiverem vivos, ainda poderemos descobrir algumas áreas em que revertemos aos padrões de hábitos da mocidade e brincamos de "filhos". Quando isso acontece, podemos sentir-nos impelidos a procurar nossos pais e "desabafar" com eles. Mas do ponto de vista junguiano, a proposta confrontação com os pais, mesmo possível, não é necessariamente o primeiro passo para o esclarecimento do nosso problema. Pois aqui também (como no caso do motorista e do caronista) os arquétipos estão em atividade. Inteiramente à parte das personalidades e ações de nossos pais (por mais limitados e inconscientes que estes pudessem ser), estaríamos tendo problemas semelhantes com quem quer que estivesse no lugar deles enquanto não tivéssemos entrado em acordo com os arquétipos da Mãe e do Pai dentro de nós mesmos. As probabilidades são de que tanto nós quanto nossos pais sejamos bonecos no drama arquetípico, manipulados por figuras gigantescas que operam por cima e por trás da nossa percepção consciente.

Enquanto este for o caso, por mais boa vontade, determinação, confissão, ou o que quer que ocorra numa confrontação entre os próprios bonecos, o resultado só pode ser um maior emaranhamento nas cordas. Obviamente, a primeira coisa a fazer é dar meia-volta e encarar com os marioneteiros de modo que possamos ver o que eles tencionam fazer e, se possível, desatar ou afrouxar algumas cordas. Em capítulos ulteriores confrontaremos a Imperatriz e o Imperador e sugeriremos algumas técnicas para libertar-nos dos ardis ocultos desses mestres manipuladores. O descobrimento da camada arquetípica do inconsciente e a apresentação de técnicas de confrontação são algumas das maiores contribuições de Jung à psicologia. Pois sem o conceito dos arquétipos, estaríamos presos para sempre numa dança de roda interminável com pessoas na realidade exterior. Sem técnicas para separar o pessoal do impessoal, estaríamos projetando incessantemente em nossos pais, ou em outros em nosso meio, padrões arquetípicos de comportamento que nenhum ser humano pode, possivelmente, encarnar.

O Trunfo do Tarô número cinco é O PAPA. Segundo o dogma da Igreja, o Papa é o representante de Deus na Terra. Como tal, infalível. Representa uma figura de autoridade arquetípica, cujo poder ultrapassa o do pai e imperador. Em termos junguianos, representa o Velho Sábio arquetípico. Claro está que projetar tal sabedoria e infalibilidade sobre-humanas em qualquer ser humano – incluindo o próprio papa – pode ser discutível.

O arquétipo do Velho Sábio, dramatizado nos profetas hebreus bíblicos e nos santos cristãos, é poderoso ainda hoje. Aparece em nossa sociedade, não raro, como um guru com a cabeça embrulhada num turbante ou como um caminhante idoso e barbudo, envolto numa túnica branca e com sandálias nos pés. Às vezes, terá sido submetido a um treinamento em alguma disciplina espiritual, oriental ou ocidental, e, às vezes, aparece sem pasta. Se recebermos um novo conhecido dessa espécie com lisonjas servis ou se lhe voltarmos as costas em rejeição instantânea, poderemos ter a certeza de que o arquétipo está em ação. Mas o fato de conhecer uma pessoa assim como ser humano pode ajudar-nos a ver que a iluminação espiritual é, afinal de contas, uma questão mais pessoal do que institucional.

Sendo ele mesmo velho e sábio, o Tarô retratou o Velho Sábio arquetípico de duas maneiras. O PAPA da carta número cinco mostra-o em sua forma mais institucional, e O EREMITA da carta número nove o retrata como frade mendicante. Quando estudarmos as duas cartas, teremos ocasião de entrar em contato com essas figuras como forças dentro de nós mesmos. O conhecimento de tais arquétipos nos ajudará a determinar a extensão em que as qualidades que eles simbolizam estão incorporadas em nós mesmos e em pessoas de nossas relações.

A carta que se segue a O PAPA chama-se O ENAMORADO. Aqui se vê um jovem paralisado entre duas mulheres, cada uma das quais parece requisitar-lhe a atenção, senão a própria alma. Não há dúvida de que o eterno triângulo é uma situação arquetípica vívida em nossa própria experiência pessoal. A trama retratada em O ENAMORADO não precisa de elaboração aqui pois é, praticamente, a base de noventa por cento da literatura e do drama existentes no mundo de hoje. A quem quiser refrescar a memória nesse sentido bastará ligar o seu televisor mais ou menos ao acaso.

No céu, acima e atrás do Enamorado, um deus alado munido de arco e seta está prestes a infligir-lhe um ferimento mortal, que talvez lhe solucione o conflito. O deusinho, Eros, é, naturalmente, uma figura arquetípica, e assim também é o moço. Este personifica um ego jovem. O ego é tecnicamente definido como o centro da consciência. É quem, em nós, pensa e fala de si mesmo como "eu". Em O ENAMORADO, esse jovem ego, que se livrou, até certo ponto, da influência compulsiva dos arquétipos parentais, é agora capaz de ficar só. Mas ainda não é dono de si pois, como vimos, permanece preso entre duas mulheres. Está impossibilitado de mover-se. A ação principal nessa figura acontece no reino inconsciente dos arquétipos escondidos de sua atual percepção.

Talvez a seta envenenada lançada do céu o inflame e ponha em movimento. Se isso ocorrer, observaremos com interesse o que acontecerá depois porque, doravante em nossa série do Tarô, este jovem ego será o protagonista principal do drama do Tarô. Nesse sentido nos referiremos amiúde a ele como ao herói, pois é a sua jornada ao longo do caminho da autocompreensão que estaremos acompanhando.

Na carta número sete, chamada O CARRO, vemos que o herói encontrou um veículo para transportá-lo em sua jornada, pilotado por um jovem rei. Quando o jovem rei aparece em sonhos e mitos, costuma simbolizar a emergência de um novo princípio diretivo. Na quarta carta, surge O IMPERADOR como a figura de autoridade. Mais velho, sentado, foi desenhado tão grande que enche a tela toda. Em O CARRO o novo soberano está em movimento e reduzido à escala humana, o que significa que se tornou mais ativo e mais acessível do que o imperador; e, o que é mais importante, não está só. Vê-se funcionando como parte de uma totalidade com a qual o herói principia a sentir-se ligado.

Mas o rei aqui pintado é tão jovem e inexperiente quanto o próprio herói. Se o nosso protagonista tiver coroado rei o próprio ego, colocando-o no comando do seu destino, sua jornada dali por diante não será fácil.

Com O CARRO chegamos à última carta da fileira superior do nosso mapa. Damos a essa fileira o nome de Reino dos Deuses porque retrata muitos dos principais personagens entronizados na constelação celestial de arquétipos. Agora o carro do herói leva-o para baixo, para a segunda fileira de cartas, à qual daremos o nome de Reino da Realidade Terrena e da Consciência do Ego, porque aqui o moço sai para procurar a sua fortuna e estabelecer sua identidade no mundo exterior. Livrando-se cada vez mais da contenção dentro da "família" arquetípica, retratada na fileira superior, sai com a intenção de buscar sua vocação, constituir família e assumir seu lugar na ordem social.

Tendo discutido "os deuses" da fileira superior, examinaremos agora as cartas das duas fileiras seguintes muito mais depressa a fim de obter uma visão global do plano geral que se segue. A primeira carta da segunda fileira é A JUSTIÇA. O herói precisa agora avaliar problemas morais para si mesmo. Necessitará da ajuda dela para pesar e cotejar questões difíceis. Em seguida vem O EREMITA, que carrega uma lanterna. Se o herói já não puder encontrar a iluminação que procura dentro de uma religião estabelecida, esse frade pode ajudá-lo a encontrar uma luz mais individual.

A carta que se segue a O EREMITA é A RODA DA FORTUNA, símbolo de uma força inexorável na vida que parece operar além do nosso controle e com a qual teremos todos de chegar a um acordo. A carta seguinte, chamada A FORÇA ou A FORTALEZA, apresenta uma dama domando um leão. Ela ajudará o herói a enfrentar sua natureza animal. É possível que o enfrentamento inicial não seja de todo bem sucedido pois, na carta seguinte, O ENFORCADO, vemos o moço pendurado de cabeça para baixo por um dos pés. Dá a impressão de não estar ferido mas, pelo menos de momento, está completamente desamparado. Na carta seguinte ele enfrenta A MORTE, figura arquetípica diante de cujo alfanje todos nos vemos desamparados. Mas na carta final da segunda fileira, A TEMPERANÇA, surge uma figura prestimosa. É um anjo ocupado em deitar o líquido de um vaso em outro. Nesse ponto, as energias e esperanças do herói voltam a fluir, numa nova direção. Antigamente, ele estivera empenhado em libertar-se da compulsão dos arquétipos na medida em que eles o afetavam pessoalmente no mundo dos seres e eventos humanos, e em estabelecer um *status* para o ego no mundo externo. Agora ele está pronto para voltar suas energias mais conscientemente na direção do mundo interior. Ao passo que antes buscava o desenvolvimento do ego, sua atenção volta-se agora para um centro psíquico mais amplo, que Jung denominou o *eu*.

Se definirmos o ego como o centro da consciência, poderemos definir o eu como o centro que abrange toda a psique, incluindo tanto o consciente quanto o inconsciente. Este centro transcende o "euzinho" insignificante da percepção do ego. Isso não quer dizer que o ego do herói deixará de existir; quer dizer simplesmente que ele já não o experimentará como a força central que lhe motiva as ações. Doravante o seu ego pessoal se dedicará, cada vez mais, a prestar serviços além de si mesmo, o herói perceberá que o seu ego é tão-só um planetazinho que gira ao redor de um gigantesco sol central – o eu.

Ao longo de toda a jornada o herói terá tido vislumbres desse tipo de introvisão; mas à proporção que lhe seguirmos os passos através dos arquétipos da fileira inferior, veremos a sua percepção dilatar-se e a sua iluminação aumentar. Por esse motivo chamaremos à fileira inferior do nosso mapa Reino da Iluminação Celestial e da Auto-realização.

A primeira carta da fileira inferior é O DIABO. Representa Satanás, a infame estrela caída. Toda a vez que esse sujeito chega inesperadamente ao nosso jardim, traz consigo, quer queira quer não, um lampejo de luz, como veremos quando o estudarmos mais tarde. As quatro cartas seguintes, chamadas A TORRE DA DESTRUIÇÃO, A ESTRELA, A LUA e O SOL, retratam várias fases de iluminação em ordem ascendente. A carta que se segue às quatro denomina-se O JULGAMENTO. Aqui um anjo com uma trombeta irrompe na percepção do herói num glorioso esplendor de luz para despertar os mortos adormecidos. Na terra, embaixo, um moço levanta-se do túmulo enquanto duas figuras mais velhas se vêem por perto em atitudes de prece e de assombro diante do milagroso renascimento.

Com a carta final da série do Tarô chamada O MUNDO, o eu, agora plenamente compreendido, é representado como um gracioso bailarino. Aqui todas as forças antagônicas com que o herói vem lutando unem-se num mundo. Nesta última figura do Tarô, o bom-senso e o despropósito, a ciência e a magia, o pai e a mãe, o espírito e a carne, todos fluem juntos numa dança harmoniosa de puro ser. Nos quatro cantos da carta, quatro figuras simbólicas testemunham o milagre final.

Agora completamos nossa breve pré-estréia dos vinte e dois Trunfos tais como se apresentam em nosso mapa. À medida que seguirmos as fortunas do herói através dessas cartas, estaremos observando suas interconexões no eixo horizontal – o modo com que cada experiência encontrada ao longo do caminho evoca a experiência que a ela se segue. Quando estudarmos as cartas da fileira inferior, estaremos também fazendo conexões no eixo vertical entre esses Trunfos e os que ficam diretamente acima deles no mapa.

Permitam-nos ilustrar o que queremos dizer. Pela maneira com que estão arranjadas em nosso mapa, as cartas podem ser vistas não só como três fileiras horizontais de sete cartas cada uma, mas também como sete fileiras verticais de três cartas cada uma. Como logo veremos, as três cartas de cada fileira vertical estão ligadas uma à outra de modo significativo. Por exemplo: a primeira fila vertical apresenta O MAGO em cima, O DIABO embaixo e, no meio, A JUSTIÇA servindo de mediadora entre os dois. Muitas conexões podem ser feitas entre essas três cartas, mas uma das mais óbvias é que tanto O MAGO aparentemente benigno da carta número um quanto O DIABO mágico da carta número quinze precisam ser tomados em consideração em nossa vida. Porque, se não "dermos ao diabo o que lhe é devido", ele o tomará de qualquer maneira; se o ignorarmos, ele operará nas nossas costas de forma destrutiva. Assim, as cartas da primeira fileira vertical poderão estar dizendo que, enquanto usarmos os pratos da balança da JUSTIÇA, qualquer um dos dois magos terá menores oportunidades de nos pregar peças à nossa revelia.

Como veremos depois, as cartas da segunda fileira horizontal, o Reino da Realidade Terrena e da Consciência do Ego, atuam muitas vezes como mediadoras entre o Reino dos Deuses, acima, e o Reino da Iluminação e da Auto-realização, abaixo. De fato, todos os Trunfos da segunda fileira, como a sua primeira carta, A JUSTIÇA, relacionam-se especificamente com o equilíbrio. Por exemplo: A FORÇA se empenha em estabelecer um equilíbrio entre ela mesma e um leão, e a A TEMPERANÇA está absorta em criar uma interação equilibrada entre as urnas que tem nas mãos. De maneiras mais sutis, pode ver-se que todas as outras cartas desta fileira simbolizam alguma espécie de equilíbrio harmonioso entre forças que se opõem umas às outras. Por essa razão talvez nos convenha acrescentar um subtítulo à segunda fileira horizontal: Reino do Equilíbrio.

Pelo que já ficou dito, é fácil compreender por que Jung decidiu chamar de *individuação* esse tipo de autocompreensão. Pela confrontação dos arquétipos e pela relativa liberação da sua compulsão, tornamo-nos cada vez mais capazes de responder à vida de maneira individual. Como vimos, o comportamento dos que têm pouca percepção dos arquétipos é predeterminado por forças invisíveis. É quase tão rigidamente programado quanto o comportamento instintual dos pássaros e das abelhas, que sempre reagem a certos estímulos de modo pré-ordenado, de modo que o acasalamento, a nidificação, a migração, etc., são levados a cabo em padrões idênticos através das gerações. Mas quando um ser humano adquire determinado grau de autopercepção, é capaz de fazer escolhas diferentes das da multidão e de expressar-se de um jeito só seu. Tendo contato com o seu próprio e verdadeiro eu, já não será presa da tagarelice de outros eus, interiores e exteriores. O que "eles" estão fazendo e dizendo influirá menos na sua vida. Será capaz de examinar costumes sociais e idéias correntes e adotá-los ou não, como bem entender. Estará livre para agir conforme as necessidades mais profundas e o mais verdadeiro eu.

Releva notar aqui que, assim como uma pessoa ganha independência para ser não-conformista, assim também ganha confiança para ser conformista. Como Jung acentuou inúmeras vezes, a pessoa *individuada* não é idêntica à pessoa *individualista*. Não é levada a conformar-se com o costume, mas também não é compelida a desafiá-lo. Não tenta afastar-se dos seus pares envergando roupas peculiares nem adotando um comportamento inusitado. Ao contrário, visto que se experimenta tão verdadeiramente como expressão única da divindade, não sofre nenhuma compulsão para prová-lo.

Quando encontramos uma pessoa nessas condições, ela, de ordinário, não se distingue à primeira vista dos demais componentes do mesmo grupo. Seu comportamento e seus trajes em público não têm nada de notáveis. Ela tanto pode estar ativamente empenhada numa conversação, quanto pode manter-se relativamente calada; mas, quase instantaneamente, uma qualidade indefinível de sua maneira de ser nos atrairá para ela. Dir-se-ia que tudo nela – as roupas, os gestos, o jeito de sentar-se ou de ficar de pé – lhe pertence. Nada é sobreposto. Tudo o que diz ou faz parece provir do seu centro mais profundo, de modo que até a sua observação mais corriqueira se reveste de um novo sentido. Se permanece em silêncio, o seu silêncio também parece pertencer-lhe. É um silêncio confortável tanto para ela quanto para nós. Muitas vezes, uma pessoa assim em silêncio parece mais presente e mais ativa do que as que participam de maneira mais evidente. Por se achar ela em contato com o seu eu mais profundo, o nosso eu profundo lhe responde, de sorte que o fato de estarmos sentados em silêncio com esse tipo de ser humano pode abrir-nos novas perspectivas de percepção. Estando à vontade consigo mesmo, ela está instantaneamente à vontade conosco – e nós com ela. Temos a impressão de conhecê-la desde sempre. A comunicação entre nós é tão aberta e tão fácil que nós a compreendemos; e, no entanto, ela nos intriga. De um lado, é a pessoa mais incomum que já conhecemos e, de outro, é exatamente como nós. É um paradoxo.

O eu, com efeito, é a mais paradoxal e enganosa de todas as forças que operam no inconsciente profundo. É o eu que propelirá o herói para a frente desde o ventre materno, a fim de buscar o seu destino no mundo exterior: e é o eu que o trará de volta a casa, afinal, para a compreensão de sua própria unicidade. Enquanto seguimos o herói ao longo da sua jornada, partilhamos vicariamente suas experiências tais como são retratadas nos Trunfos.

Existem muitas técnicas para nos pormos em contato com as cartas. Cada pessoa encontrará seu próprio jeito de lidar com as figuras, mas nós oferecemos aqui umas poucas sugestões que se revelaram úteis a outros. Por exemplo: alguns gostam de manter um álbum do Tarô. Acham que os Trunfos começam a viver quando se colige material importante a respeito deles. Quando se lhes dá atenção, os personagens do Tarô costumam aparecer-nos de maneiras inesperadas. Acontece amiúde, por exemplo, que notícias, fotografias, publicações e referências relacionadas com o Tarô começam a surgir magicamente e com pasmosa freqüência.

Acontece também que o estudo de uma carta específica parece descerrar estoques ocultos de imaginação criativa de modo que súbitas introvisões e idéias irrompem na consciência – vindas, aparentemente, de lugar nenhum. Essas criaturas insignificantes da imaginação são tão efêmeras quanto as borboletas. Se não as apanharmos logo, poderão desaparecer para sempre. Mas quando ocorrem tais eclosões de criatividade, muitas vezes não temos tempo para sentar-nos e dar-lhes toda a nossa atenção. Vale a pena ter algum lugar fixo pronto para as capturar e segurar, a salvo de qualquer dano com vista a uma futura referência: um lugar onde podemos rascunhar a simples trama de uma história, desenhar o rápido esboço de um quadro futuro, ou rabiscar os versos iniciais do que poderá vir a ser um poema. Se tivermos alguma aptidão para as artes, poderemos querer desenvolver essas idéias mais tarde. Se não, poderemos desejar recorrer de novo a elas em conexão com a nossa excursão pessoal do Tarô. Em qualquer caso, um álbum ou um caderno de notas de folhas soltas, com diversas páginas dedicadas a cada Trunfo, pode armazenar de modo conveniente esse material e oferecer um sistema já pronto de registro para proporcionar fácil acesso a ele.

Todos nós reagimos de maneiras diferentes a diferentes cartas. Algumas nos atraem: outras nos causam aversão. Algumas nos lembram pessoas que conhecemos, agora ou no passado. Outras são como figuras de sonhos ou fantasias. Outras ainda nos trazem episódios dramáticos inteiros. O importante aqui talvez seja que, quando focalizamos realmente uma carta do Tarô e depois seguimos dirigidos pela própria carta, nós nos abrimos para novas e emocionantes experiências.

A melhor maneira de estudar os Trunfos é examiná-los um depois do outro. A sua ordem numérica cria um padrão através do baralho e dentro de nós mesmos. E para seguir esse padrão, a imaginação oferece o passaporte. Há inúmeras maneiras de estimular a imaginação. E aqui se incluem umas poucas idéias que já se revelaram úteis para outros.

Aborde cada carta diretamente antes de ler o capítulo a seu respeito. Isso lhe oferece uma oportunidade de reagir com liberdade e franqueza ao que quer que nela esteja pintado. É uma boa idéia estudá-la por uns poucos minutos e, em seguida, rascunhar tudo o que lhe acudir à cabeça, quaisquer reações, idéias, lembranças e associações (ou até palavras de quatro letras) que lhe tenham vindo à mente. Lembre-se de que as notas são só para os seus olhos, portanto deixe voar a pena. Não censure nada, por mais forçado que pareça, pois isso poderá ligá-lo a introvisões importantes mais tarde.

Visto que as primeiras impressões são, amiúde, mais significativas do que parecem ser na ocasião, como acontece com as personalidades humanas, tome nota de *tudo*, palavra por palavra. Por favor não tente analisar, avaliar nem rotular o que quer que tenha escrito. Limite-se a registrar tudo para futura consideração. Mais tarde, quando vier a conhecer esse Trunfo do Tarô, será interessante confrontar suas primeiras impressões com suas reações mais recentes. Aconteça o que acontecer, contente-se com ruminar o assunto enquanto trata dos seus negócios cotidianos. Conserve tais acontecimentos no coração, como o faria se se tratasse de um poema – mas mantenha a razão ao alcance da mão. A gente do Tarô são criaturas da imaginação. O holofote do intelecto fará que se enfiem correndo debaixo da terra.

Visto que os personagens do Tarô não podem falar-nos verbalmente a respeito de si mesmos, pecisamos recorrer a todos os meios sensoriais para buscar-lhes a essência. Um modo surpreendentemente eficaz de fazê-lo é colorir as cartas. O baralho de Marselha não se encontra à venda numa versão não-colorida, mas é possível criar com facilidade uma seqüência não-colorida de Trunfos por meio de reproduções xerográficas das cartas do baralho normal. Invariavelmente, os estudantes que coloriram suas próprias cartas dessa maneira descobriram que, fazendo-o, acrescentaram uma nova dimensão à sua compreensão.

Seja o que for que você faça (ou deixe de fazer) em relação às cartas, não se esqueça de que todas as sugestões aqui apresentadas são oferecidas apenas *pour le sport*. São principalmente úteis como artifícios para aquecer a nossa imaginação e atrair os personagens do Tarô para o nosso mundo, onde podemos examiná-los melhor.

É axiomático que os símbolos e sentimentos ou intuições que eles inspiram não trazem os rótulos de "certo" ou "errado". Como será repetidamente demonstrado neste estudo, é característico do material simbólico abarcar muitos opostos e incluir aparentes paradoxos. Vivendo como vivemos a maior parte do tempo num mundo de Ou/Ou de opostos fixos, talvez nos conforte saber que, no mundo dos sentimentos, das intuições, das sensações e das idéias espontâneas em que estamos a pique de ingressar, podemos perfeitamente desfazer-nos da medida Ou/Ou que geralmente utilizamos para fazer escolhas práticas na vida de todos os dias. Vamos entrar na terra da imaginação, o mundo mágico cujas palavras-chave são Ambos/E. Em nossa reação a determinado Trunfo do Tarô podemos estar "certos" se o tentarmos – e pelo mesmo sinal não podemos estar "errados". Por conseguinte, seja-nos permitido reagir ao Tarô da maneira que bem entendermos, com o coração leve e a mão livre. Dêem espaço a tudo; não esperem nada. Deixem folgar a imaginação. Divirtam-se – divirtam-se.

Estas são, portanto, algumas das maneiras de explorar o significado das cartas. De tempos a tempos adicionaremos outras sugestões do tipo faça-o-você-mesmo a quem quer que esteja interessado. Nos capítulos seguintes ampliaremos o significado de cada Trunfo, apresentando temas do mito, da literatura, do drama e das artes pictóricas que parecem enriquecer-lhe a mensagem. Estes não serão oferecidos como conclusões senão antes como trampolins para a imaginação. A dimensão final do estudo, a dimensão da profundidade, é uma que só o leitor pode explorar plenamente; só ele poderá relacionar estes achados com a sua vida individual.

Cada pessoa precisa descobrir o próprio caminho para chegar ao mundo não-verbal do Tarô. Embora devamos obedecer a alguns postes de sinalização ao longo do caminho, as próprias cartas, como vimos, não são sinais; são símbolos. Não se pode dar-lhes definições precisas. São expressões pictóricas que apontam, para lá de si mesmas, para forças que nenhum ser humano chega a compreender completamente. Hoje, o homem está, pelo menos, começando a compreender que quanto menos consciência tiver das forças arquetípicas, tanto maior poder terão elas para governar-lhe a vida.

Portanto, contemplemos os símbolos. Observemo-los em movimento, ligando-nos às raízes mais profundas da nossa história e às sementes dos nossos eus não-descobertos.

Fig. 4 O Louco (Baralho de Marselha)

3. O Louco no Tarô e em Nós

Se o homem persistisse em sua
loucura, tornar-se-ia sábio.

William Blake

O LOUCO é um andarilho, enérgico, ubíquo e imortal. É o mais poderoso de todos os Trunfos do Tarô. Como não tem número fixo, está livre para viajar à vontade, perturbando, não raro, a ordem estabelecida com as suas travessuras. Como vimos, o seu vigor o impulsionou através dos séculos, onde ele sobrevive em nossas modernas cartas de jogar como o Coringa. Aqui ainda se diverte confundindo o Estabelecimento. No pôquer fica louco, capturando o rei e toda a sua corte. Em outros jogos de cartas surge quando menos se espera, criando deliberadamente o que decidimos denominar um erro de carteio.

Às vezes, quando perdemos uma carta, pedimos ao Coringa que a substitua, função que se adapta muito bem à sua coloração variegada e ao seu amor do arremedo. Na maior parte do tempo, entretanto, ele não serve a nenhum propósito manifesto. Talvez o conservemos no baralho como uma espécie de mascote, como as cortes de antanho conservavam o seu bobo. Na Grécia, acreditava-se que o fato de ter um bobo em casa afastava o mau-olhado. A retenção do Coringa em nosso baralho servirá, porventura, a uma função similar, de vez que as cartas de jogar, segundo se afirma, são "as figuras do diabo".

O Coringa liga dois mundos – o mundo contemporâneo de todos os dias, onde quase todos nós vivemos a maior parte do tempo, e a terra não-verbal da imaginação habitada pelos personagens do Tarô, que visitamos de quando em quando. Como Puck, o bobo do Rei Oberon, o nosso Coringa move-se livremente entre esses mundos: e, como Puck, às vezes, os confunde um pouco. A despeito dos seus modos enganadores, parece importante conservar o Coringa no baralho moderno para que ele possa ligar os modernos "jogos que a gente joga" ao mundo arquetípico dos antepassados. Ele, sem dúvida, observa e relata o que fazemos a Alguém Lá em Cima.

Agir como espião do rei, com efeito, era uma função importante do bobo da corte. Personagem privilegiado, o louco podia misturar-se facilmente a qualquer grupo que estivesse metendo o nariz onde não era chamado ou mexericando e avaliando a situação política. Existe um dito italiano, ainda corrente, que aconselha: "Ser como o Louco em *Tarocchi*" (Tarô), o que significa ser bem recebido em toda a parte.

O bobo shakespeariano podia agir como o *alter ego* do rei de outras maneiras importantes também, notadamente no Rei Lear, onde parece simbolizar uma sabedoria real não atingida pelo próprio Lear até o fim da peça. De acordo com James Kirsh,[1] o bobo de Lear personifica a essência central da psique, a força condutora que Jung denominou o eu. Na série do Tarô, como veremos, o Louco representa, às vezes, um papel semelhante. E como o seu equivalente shakespeariano, esse Coringa se agita – por toda a extensão do palco – aparecendo súbita e inesperadamente ora aqui, ora ali, e depois desaparecendo antes que possamos agarrá-lo. Gosta de estar onde está a ação e, quando não há nenhuma, cria-a.

Os retratos de bobos da corte apresentam-nos freqüentemente acompanhados de cachorros. Como o cachorro do rei, acreditava-se que o louco pertencesse ao soberano, e ambos acolitavam o seu senhor a toda a parte. Como se pode imaginar, a relação entre os dois "animais" há de ter sido íntima, mais ainda que a relação entre o senhor e o animal, pois eles eram, de certa forma, irmãos.

Em muitos baralhos de Tarô, o Louco aparece com um cachorrinho que o está mordiscando, como se quisesse comunicar-lhe alguma coisa. No Tarô de Marselha (Fig. 4) só podemos fazer conjecturas sobre a natureza da mensagem do cão. Na versão de Waite (Fig. 6) o animal parece estar avisando o companheiro de um perigo iminente. De qualquer maneira, o Louco se acha em tão estreito contato com o seu lado instintual que não precisa olhar para onde vai no sentido literal: sua natureza animal guia-lhe os passos. Em algumas cartas do Tarô o Louco é retratado como se tivesse os olhos vendados, o que lhe enfatiza ainda mais a capacidade de agir antes por introvisão do que pela visão, utilizando a sabedoria intuitiva em lugar da lógica convencional.

À semelhança do temerário terceiro irmão dos contos de fadas, que se precipita onde os anjos receiam passar e, ao fazê-lo, conquista a mão da princesa e o seu reino, a espontânea abordagem da vida levada a efeito pelo Louco combina sabedoria, sandice e desatino. Quando ele mistura esses ingredientes nas proporções exatas, os resultados são milagrosos, mas quando a mistura coalha, tudo pode acabar numa confusão pegajosa. Nessas ocasiões, o Louco parece totalmente sandeu, o que (sendo louco) ele tem o bom senso de não levar a sério. É amiúde retratado como Bottom, usando orelhas de burro, porque sabe que o mais alto conhecimento é admitir a ignorância – condição necessária de todo o saber.

O nosso louco interior nos empurra para a vida, onde a mente reflexiva pode ser supercautelosa. O que se afigura um precipício visto de longe pode revelar-se um simples bueirozinho quando enfocado com a volúpia do Louco. Sua energia varre tudo o que estiver à frente, levando outras criaturas de roldão como folhas impelidas por um vento forte.* Sem a energia do Louco todos seríamos meras cartas de jogar.

Em seu livro *The Greater Trumps*,[2] Charles Williams explora uma idéia semelhante. Aqui o Louco é o personagem central dos Trunfos do Tarô. Vê-lo dançar

1. James Kirsh, *Shakespeare's Royal Self*, Nova Iorque, C. G. Jung Foundation for Analytical Psychology, Inc., 1966.

* O aspecto energizante do Louco é bem descrito na *An Encyclopedia Outline of Masonic, Qabalistic and Rosicrucian Symbolic Philosophy*, de Manley Hall, The Philosophical Research Society, 1968, Estampa CXXIX, onde o Louco, "em tamanho natural", passeia pela página trazendo pregado na roupa o resto dos Trunfos do Tarô, que parecem cartas pequenas.

2. Charles Williams, *The Greater Trumps*, Grand Rapids, Michigan, William B. Erdman's Publishing Company, 1976.

Fig. 5 Baralho Suíço

Fig. 6 Baralho Waite

Fig. 7 Baralho Aquariano

é sondar o mistério de toda a criação, pois tem uma essência oniabrangente e múltiplos paradoxos. Caminha para a frente, mas olha para trás, ligando assim a sabedoria do futuro à inocência da infância. Embora inconsciente e não-dirigida, sua energia parece ter um propósito próprio. Move-se fora do espaço e do tempo. Habitam-lhe o espírito os ventos da profecia e da poesia. Se bem vagabundeie sem morada fixa, subsiste intacto através dos séculos. Sua roupa multicor faz girar a roda de um arco-íris e nos oferece vislumbres da eternidade. Assim como os padrões de um caleidoscópio aparecem e desaparecem, assim o Louco entra e sai do nosso mundo, irrompendo entre os Trunfos do Tarô de tempos a tempos, como adiante veremos.

Sua natureza multifacetada é expressa pelo emblema, réplica da própria cabeça embarretada, com a qual, não raro, ele é visto entretido em ardorosa conversação, idéia essa embelezada de muitas maneiras sutis. Em alguns baralhos, um Louco sério segura um espelho cuja imagem sorri ou mostra a língua. Num baralho austríaco do século XV um coringa do sexo feminino segura um espelho para – para nós! A imagem no espelho, figura masculina de torvo aspecto, traz a seguinte inscrição: "Coringa feminino olhando para o seu rosto de idiota risonho ao espelho."[3]

Muitas ambigüidades do Louco arquetípico são ilustradas num baralho francês de origem desconhecida, que me foi dado há cerca de trinta anos, e que ainda não vi estampado em nenhum outro lugar (Fig. 8). Nesta carta, o Louco é pintado como um velho mendigo, de barba branca e olhos vendados. Na mão direita segura um emblema (seu *alter ego*) de tal maneira que o emblema lhe precede e guia os passos trôpegos. Talvez sacuda os guisos a fim de chamar a atenção do Louco para o crocodilo que ali está de atalaia. O cãozinho que late nos calcanhares do amo faz vibrar num aviso de perigo iminente. Como indicação adicional de que está afinado com o seu lado instintual, o velho mendigo carrega um violino debaixo do braço esquerdo, cuja música o acompanhará quando ele cantar por um jantar na aldeia mais próxima e ajudará a conservar-lhe a alma em harmonia e em paz ao longo da estrada solitária.

Em acentuado contraste com o jovem Louco de Waite, que vimos na iminência de partir para as suas aventuras, este velho andarilho está concluindo a longa viagem de regresso a casa. Não é cego, mas usa uma venda nos olhos, o que indica disposição voluntária para renunciar aos estímulos das cenas e eventos exteriores, de modo que possa contemplar a vida com o olho interior. Também superou a necessidade de companhia humana. Agora se dedica ao diálogo com o seu eu intuitivo, personificado pelo emblema, e à muda companhia do cãozinho. A antiqüíssima tradição do Louco arquetípico, triste e sábio, mantida viva no drama e na arte através dos séculos, é hoje dramatizada no palhaço chapliniano e pelos bobos tristes cujo olhar para o mundo encontra o nosso nas telas de Picasso, Rouault e Buffet. O Louco triste é parente próximo do arquetípico Velho Sábio, personagem que veremos personificado no Eremita do Tarô número nove.

O lugar do Coringa na seqüência dos Trunfos é apropriadamente quixotesca. Em alguns baralhos, como número zero, dirige as outras cartas. Em outros, confere-se-lhe o número vinte e dois, de modo que ele cerra a fila da parada dos Trunfos. Em nossa

3. William Willeford, *The Fool and His Scepter*, Evanston, Illinois, Northwestern University Press, 1969, Estampa 12, pág. 39.

Fig. 8 O Louco (Antigo Tarô Francês)

opinião, a questão de saber se o Louco é o primeiro ou o último não tem a menor importância: ele não é uma coisa nem outra, e é as duas ao mesmo tempo. Pois, sendo uma criatura em perpétuo movimento, dança através das cartas todos os dias, ligando o fim ao princípio – interminavelmente.

Como seria de esperar, os pormenores das roupas do Louco combinam muitos pares de opostos no seu desenho. O barrete, conquanto tenha sido originalmente concebido como sátira ao capuz do frade, trai uma séria conexão com o espírito. Sua campainha, que ecoa o momento mais solene da missa, chama o homem de volta à fé infantil dos loucos, fazendo soar a exortação de São Paulo: "Sejamos loucos por amor de Cristo."

O talismã do Coringa, um barrete de bufão com campainhas, combina de forma semelhante uma verdade séria com adornos alegres. O galo vaticina a aurora de uma nova percepção, um redespertar para antigas verdades. Dir-se-á que esse milagre não será representado nos céus estrelados lá em cima, porém mais uma vez na sujeira e no rebuliço do terreiro. Em lugar de pombas iridescentes e anjos com trombetas de ouro, o

Louco nos oferece o cocoricar de um galo, pássaro brilhante e fértil com ligações no Getsêmani. À luz desses comentários, parece duplamente apropriado que os albigenses, prováveis originadores dos Trunfos, houvessem decidido disfarçar-se em loucos. Sentindo-se traídos pela corrupção da Igreja, também proclamaram um novo espírito: e devem ter-se divertido enganando as autoridades, transmitindo suas idéias revolucionárias com a ajuda de um maço de cartas de jogar.

A roupa colorida do Louco é o símbolo por excelência da união de muitas espécies de opostos. Suas cores variegadas e o seu desenho fortuito parecem indicar um espírito discordante: no entanto, dentro daquele caos aparente, discerne-se um modelo. Dessa maneira, o Louco se apresenta como ponte entre o mundo caótico do inconsciente e o mundo ordenado da consciência. Dessa maneira, ele se relaciona com o arquétipo do Embusteiro, como será discutido mais tarde.

A palavra "fool" (louco, em inglês) deriva do latim *follis*, que significa "par de foles, cornamusa". Um Tarô austríaco mostra o Louco com um capuz de monge e campainhas, tocando uma gaita de foles.[4] Hoje, os palhaços de circo carregam, às vezes, uma série de foles ou batem na cabeça uns dos outros com bexigas vazias, conservando assim uma conexão com a loucura borrascosa das suas origens. Os foles fornecem o oxigênio necessário à combustão de maneira muito semelhante àquela com que o Louco fornece o espírito, ou ímpeto, para a ação. Ele "nos inflama". O Louco do Tarô, ocasionalmente, usa uma pena no barrete, enfatizando ainda mais a sua ligação com o espírito celeste. Mas o Coringa também pode ser um fole de cornamusa, cheio de ar quente, como o sugere a palavra "bufão" (do latim *bufo*, que significa "sapo", e do italiano *buffare*, bufar).

Em se tratando do Louco *les extrêmes se touchent* sempre. William Willeford chama-nos a atenção para o fato de que o bobo tem sido tradicionalmente ligado ao falo, tanto no sentido da devassidão quanto no da fertilidade.[5] O falo era usado pelos equivalentes gregos e romanos do Louco e pelo *Arlecchino* da Renascença. Um exemplo mais contemporâneo desse tema é ilustrado por Punch – a figura-título da revista humorística britânica – que tem um falo colossal. O bobo da corte européia carregava, não raro, uma bexiga em forma de falo. O seu emblema com as duas campainhas pendentes, obviamente, é um símbolo de fertilidade, o seu "instrumento". Ao mesmo tempo esse brinquedo constitui também o cetro do Louco, que o liga diretamente ao rei como um *alter ego*.

Às vezes o Louco, retratado mais claramente como o equivalente do rei, apresenta-se com uma coroa. Simbolicamente, a coroa é um halo dourado, aberto em cima para receber a iluminação do alto, de modo que assim o rei como o louco são vistos recebendo a inspiração divina. E assim como o rei governava por direito divino, assim o seu equivalente tinha o direito igualmente divino de criticá-lo e oferecer-lhe sugestões desafiadoras.

4. E. Tietze-Conrat, *Dwarfs and Jesters in Art*, Londres, The Phaidon Press, 1957, Estampa 65, pág. 59.

5. Willeford, *op. cit.*, pág. 11.

Fig. 9 Rei e Bufão

Retratados aqui (Fig. 9) vemos um rei moderno e o seu bufão. De feições pasmosamente semelhantes, esses dois personagens usam coroas idênticas de um gênero muito especial. São barretes quadrados, pretos e sólidos na parte superior, de tal sorte que produzem o efeito de telhados em miniatura, que protegem os usuários não só da iluminação do céu mas também das suas lágrimas. Muitos acham tais coroas imprestáveis hoje em dia, e os que as usam têm sido chamados de "quadrados". Essas coberturas de cabeça parecem fazer que todos os seus portadores sejam parecidos uns com os outros e se comportem de maneira idêntica. Como mostra a ilustração, às vezes é difícil dizer qual dos dois é o rei e qual dos dois é o louco. Era função do bobo do rei recordar-lhe as suas loucuras, a mortalidade de todos os homens e ajudá-lo a guardar-se do pecado da arrogância e do orgulho jactancioso. Um bobo quase idêntico ao rei não pode exercer adequadamente essas funções; nem pode afastar o "mau-olhado". E, como o demonstrou a "tragédia de Watergate" do início dos anos setenta, uma corte composta inteiramente de pessoas que sempre concordam com o rei está destinada à ruína.

Porque o Louco encerra os pólos opostos de energia, é impossível segurá-lo. No momento em que cuidamos haver-lhe captado a essência, ele se transforma ladinamente no seu oposto e tripudia, escarninho, nas nossas costas. Todavia, é justamente a ambivalência e a ambigüidade que o tornam tão criativo. Referindo-se a esse aspecto do Louco, disse Charles William: "(Ele) é chamado de Louco porque a humanidade julga tratar-se de loucura até conhecê-la. É soberano ou não é nada e, se não for nada, o homem nasceu morto."[6] O Louco abarca todas as possibilidades.

Parece significativo que hoje os jovens de coração de todas as idades usem com freqüência uma mistura de cores e andem com andrajos e remendos, emblemas e campainhas. Muitos também se tornam andantes, viajando por toda a parte com os seus bens terrenos atirados com displicência às costas. Em seu livro *The Savage and Beautiful Country,* Alan McGlashan[7] vê nesses fenômenos tentativas inconscientes de retroceder até o solo criativo do Éden a fim de reativar o poder sem limites da primeira criação. Inúmeros jovens contemporâneos largam instituições reconhecidas de instrução superior para procurar a sabedoria mais profundamente enraizada no solo do seu ser essencial. Talvez as cores psicodélicas dos anos sessenta e setenta pressagiassem a aurora de uma nova consciência para toda a espécie humana.

O nome do Louco em francês, *Le Fou*, cognato da palavra "fogo", repete sua conexão com a luz e a energia. Como o próprio Bufão poderia dizer: "Eu *sou* luz (*light*) e *viajo* leve (*light*)." (Eles adoram fazer trocadilhos.) Símbolo do fogo prometéico, o Louco arquetípico personifica o poder transformador que criou a civilização – e que também pode destruí-la. O seu potencial para a criação e a destruição, para a ordem e a anarquia, reflete-se no modo com que é apresentado no velho Tarô de Marselha, onde o retratam seguindo à vontade, liberto de todos os estorvos da sociedade, sem ter sequer um caminho para guiá-lo; não obstante, enverga o trajo convencional do bobo da corte, a indicar que ocupa um lugar aceito dentro da ordem reinante. Na corte, desempenha o papel singular de companheiro, confidente e crítico privilegiado do rei. À semelhança do malandrim navajo Coyote, confere-se ao louco um papel especial na ordem social. Sua presença serve às forças governantes de lembrete constante de que o impulso para a anarquia existe na natureza humana e precisa ser tomado em consideração.

A mantença de bobos na corte e nas casas de famílias nobres começou em tempos remotos e continuou até o século XVII. Essa prática dramatiza o fato de que precisamos dar espaço ao fator renegado em nós mesmos e admiti-lo em nossa corte interior, o que significa psicologicamente que precisamos *reconhecê-lo*. É geralmente uma boa idéia colocar o nosso Louco bem diante de nós, onde possamos trazê-lo de olho. Excluído da consciência, ele pode pregar-nos peças que, embora "inocentes", são difíceis de apreciar. Aceito em nosso conselho interior, o Louco pode oferecer-nos idéias frescas e nova energia. Se quisermos ter o benefício da sua vitalidade criativa, precisamos aceitar-lhe o comportamento não-convencional. Sem as observações bruscas e os sábios epigramas do Louco, a nossa paisagem interna poderia converter-se

6. Williams, *op. cit.*, pág. 227.

7. Alan McGlashan, *The Savage and Beautiful Country*, Boston, Houghton Mifflin Company, 1967.

num deserto estéril. Nessas condições, a crença de que "manter um louco na corte afasta o mau-olhado" não é uma superstição antiquada; representa uma verdade psicológica de duradouro valor.

Outra técnica utilizada em épocas anteriores para garantir a sociedade contra explosões inesperadas de impulsos destrutivos latentes consistia em pôr de parte certos períodos de permissividade universal, como a célebre Festa dos Loucos, quando todas as convenções eram temporariamente suspensas. Nessas ocasiões, a ordem natural das coisas virava de cabeça para baixo. Os rituais mais sagrados eram parodiados de maneira obscena; metiam-se a ridículo dignitários da Igreja e do Estado, e permitia-se a todos os pobres-diabos oprimidos que dessem vazão ao que eles haviam reprimido durante o ano inteiro em matéria de hostilidade, lascívia e rebelião.

Hoje em dia, o espírito dessas saturnais sobrevive de forma aguada em carnavais, no *Mardi Gras*, no *Fastnacht* e, em menor extensão, em ocasiões como a Véspera do Dia de Todos os Santos, a Véspera do Ano-Novo, o Dia 1º de Abril, circos, paradas, rodeios, festivais de *rock* e outros eventos em que prevalece o espírito dos dias feriados. A recente irrupção em nossa cultura da magia negra e o aumento do interesse pelas atividades de feiticeiros e bruxos indicam que precisamos abranger o irracional de maneiras mais aceitáveis.

Existem muitas possibilidades menos dramáticas de admitir o Louco em nossa vida. Uma delas é reconhecer livremente a nossa própria loucura. Toda a vez que formos capazes de fazê-lo numa situação de conflito, os resultados serão desarmantes. Não encontrando resistência, o antagonismo fica com a cara no chão, e o nosso adversário brandirá em vão o punho no ar. E o que é mais significativo, a energia que despendíamos antigamente defendendo a nossa própria estupidez é agora liberada para um emprego mais criativo. Toda a vez que um protagonista abre o coração e admite o Louco, a hostilidade quase sempre se dissipa em risos, e todos os participantes do conflito acabam meneando a cabeça em companhia de Puck diante da insensatez do homem mortal. De modo geral, o Louco é um bom personagem para consultar todas as vezes que descobrimos que os nossos planos mais bem arquitetados foram para o vinagre, deixando-nos desesperadamente desorientados. Nessas ocasiões, se prestarmos atenção, ouvi-lo-emos dizer com um encolher de ombros: "Quem não tem meta fixa nunca perde o caminho."

Como já dissemos, existem muitas versões do Tarô. Diversos exemplos do Louco do Tarô são aqui apresentados porque cada um dramatiza um lado importante da sua personalidade complexa. O primeiro deles, uma velha carta suíça (Fig. 5) mostra-o como o *puer aeternus*, moço de vigor imortal – com vários séculos de idade. O seu cetro sugere a flauta mágica de Papageno, que fazia seus inimigos dançar e assim dissipava-lhes a cólera. Trata-se, por certo, de uma bela maneira de evitar a desarmonia e a guerra, bastando para isso capturar a melodia.

A flauta sugere também aquele infame escroque, o *Pied Piper*. (Existe, com efeito, um baralho alemão que retrata o coringa especificamente como o *Pied Piper* seguido de um bando de ratos enfeitiçados.) De maneira semelhante, o *Piper* suíço enfeitiçador pode desviar-nos das maneiras convencionais de pensar e levar-nos de volta à terra da fantasia e da imaginação das crianças. Precisamos, porém, precatar-nos da sua mágica; se nos esquecermos de pagar o flautista, este Maroteiro do Tarô poderá manter-nos prisioneiros no mundo instintual, dançando como ratos indefesos ao som da sua melodia, enquanto não tivermos ajustado nossas contas com ele. Convém-nos manter um bom relacionamento com o nosso Louco. Assim, como ele, poderemos jornadear livremente de um lado para outro entre os mundos da fantasia etérea e da realidade terrena.

Um bom exemplo desse arranjo de trabalho entre o mundo adulto e o da eterna criança é simbolizado na história de Peter Pan, o famoso menino que, à semelhança do *Pied Piper*, atraía crianças para fora do Estabelecimento. Conquanto não usasse um barrete e campainhas de bobo, Peter sabia voar e gostava de cocoricar como galo. Como o Louco arquetípico, ele abarcava os opostos, pois tinha uma sombra escura, que mantinha sabiamente costurada em si mesmo para que ela não se perdesse nem fosse esquecida.

Quando Peter Pan raptou os filhos da Sra. Darling a fim de levá-los à Terra do Nunca-Nunca, ela ficou desolada, de modo que Peter fez um trato com o Estabelecimento: Wendy poderia viver em casa a maior parte do tempo, contanto que passasse, de vez em quando, pela Terra do Nunca-Nunca, a fim de ajudar a limpar a casa na primavera. Se dermos ao Louco as boas-vindas ao nosso mundo, ele talvez nos ensine a voar e nos ofereça salvo-conduto para viagens semelhantes ao seu mundo, contanto, naturalmente, que o ajudemos a arrumá-lo um pouco. Está visto que ele precisa do nosso intelecto ordenado na sua Terra do Nunca-Nunca tanto quanto nós precisamos da sua vitalidade e criatividade em nossa Terra do Sempre-Sempre.

O aspecto maroto do Louco é, com efeito, um aspecto maroto. Como observa Joseph Henderson, o Embusteiro é totalmente amoral. Não se submete a disciplina alguma e é inteiramente guiado por sua atitude experimental em relação à vida; sem embargo disso, da figura do Embusteiro evolui finalmente o Herói-Salvador. Um concomitante necessário dessa transformação é que o moço Embusteiro precisa sofrer um castigo pela sua insolente presunção. Daí, para citarmos Henderson, "o impulso do Embusteiro proporciona a mais vigorosa resistência à iniciação e é um dos mais duros problemas que a educação tem de resolver porque parece uma espécie de ilegalidade divinamente sancionada que promete tornar-se heróica".[8] É porventura em reconhecimento, e reconhecimento tardio do potencial heróico da juventude que a sociedade hoje tolera os trajes e o comportamento não-convencionais e até a ilegalidade nos jovens. O fato de que muita gente mais idosa também está adotando as roupas e os hábitos dos moços talvez indique uma tentativa inconsciente de estabelecer contato, em si mesmos, com um potencial heróico não realizado.

Às vezes, essa tentativa inconsciente de estabelecer contato com o potencial heróico interior não realizado pode estourar de maneiras estranhas e até violentas. Exemplo notório em anos recentes foi a tentativa de uma mulher jovem, chamada Squeaky Fromme, de assassinar o Presidente Ford. Não contente de desempenhar o papel arquetípico do Bufão, um errante sem pudor conforme as regras e costumes estabelecidos, Squeaky propôs-se a eliminar completamente o Estabelecimento. "Não deu certo", relatou. Conseguiu, entretanto, certa imortalidade quando apareceu sua fotografia completa, com o barrete vermelho do bobo, na capa da revista *Newsweek* do dia 15 de setembro de 1975 (Fig. 10).

8. Joseph L. Henderson, *Thresholds of Initiation*, Middletown, Connecticut, Wesleyan University Press, 1967, pág. 36.

Fig. 10 Squeaky Fromme como O Louco (Copyright 1975, da Newsweek, Inc. Todos os direitos reservados. Reproduzido com autorização.)

Em nossa jornada para a individuação, o Louco arquetípico demonstra com freqüência não só a resistência mas também a iniciativa inerentes à sua natureza, influindo em nossa vida de maneira menos drástica e mais criativa. A sua curiosidade impulsiva impele-nos para sonhos impossíveis, ao passo que sua natureza folgazã tenta atrair-nos de volta ao *laissez-faire* dos dias da infância. Sem ele nunca empreenderíamos a tarefa do autoconhecimento; mas com ele estamos sempre tentados a vagabundear à beira da estrada. Visto que ele é parte de nós mesmos destacada da consciência do ego, pode pregar peças à nossa mente pensante; as escorregadelas embaraçosas da língua e os lapsos convenientes de memória são as menores dentre elas. Às vezes, suas brincadeiras, ainda mais pesadas, nos atraem para situações em que o ego nunca se arriscaria a aventurar-se.*

Parece evidente que o Louco, Herói-Embusteiro, prega peças boas ou más, dependendo do nosso ponto de vista. Para citar Marie-Louise von Franz, uma figura dessas, "metade diabo e metade salvador... ou é destruída, ou reformada ou transformada no fim da história".[9] Nos capítulos seguintes observaremos o Louco e/ou herói do Tarô nas vinte e uma fases ao longo do caminho da sua transformação. Sem dúvida alguma muitos milagres terão de acontecer antes que o louco conglomerado de energias simbolizado pelo saracoteante Bufão da carta número zero emerja na carta número vinte e dois como o Mundo, sereno dançarino que se move ao ritmo das harmonias das esferas.

No baralho suíço, O Louco é chamado *Le Mat*, o que significa literalmente "o obtuso". Muitas vezes, os bobos da corte eram, na verdade, retardados mentais. Posto que obtusos em questões de intelecto, acreditava-se que tivessem um relacionamento especial com o espírito. Chamando esse bobo de "figura religiosa arquetípica", von Franz liga-o à *função inferior*, termo de Jung para um aspecto pouco desenvolvido da psique. Em suas *Lectures on Jung's Typology*, ela equipara o Louco a "uma parte da personalidade, ou mesmo da humanidade, que ficou para trás e, por conseguinte, ainda tem a inteireza da natureza".[10]

Considerados afetuosamente como os amigos de Deus, ou *les amis de Dieu*, tais loucos eram tratados e queridos pela sociedade. O costume subsiste em forma vestigial entre pessoas do campo cujo "idiota da aldeia" é sustentado e protegido pela cidade inteira. Entretanto, nas comunidades chamadas civilizadas, já não se toleram tais aberrações da norma, de modo que essas pessoas são trancafiadas em instituições.

Se o Louco usasse o nome italiano, *Il Matto* (O Louco), seria, sem dúvida, posto de lado pela nossa sociedade, pois a insanidade é uma condição do espírito humano muito temida hoje em dia. Aqui também o Estabelecimento se tornou cada vez mais intolerante com o comportamento que aberra do que quer que se tenha decidido chamar normal. É indubitável que o aumento alarmante do uso de drogas pode imputar-se, em parte, ao aumento da rigidez da geração anterior. Segundo parece, só as drogas poderiam fazer adormecer suficientemente a consciência para que se pudessem quebrar as barreiras artificiais erguidas entre os dois mundos. Agora muitos que recorreram às drogas para sair à força de uma prisão cultural demasiado rígida se vêem encalhados do outro lado, incapazes de encontrar abrigo de alguma espécie nos ventos caóticos da psicose. A doença mental está aumentando num ritmo alarmante. Ironicamente, mas não inesperadamente, a coisa que mais temíamos desceu sobre nós.

* O meu Louco interior, por exemplo, levou-me à análise junguiana há mais de vinte anos "só por uma hora – só para ver como é!". Em certo sentido, ainda estou lá, pois a jornada nunca tem fim.

9. Marie-Louise von Franz, *An Introduction to the Psychology of Fairy Tales*, Nova Iorque, Spring Publications, 1970, Cap. 19, pág. 10.

10. James Hillman e Marie-Louise von Franz, *Lectures on Jung's Typology*, Nova Iorque, Spring Publications, 1971, Parte 1, págs. 6, 7.

Paradoxalmente, o caminho para a verdadeira sanidade passa através da infantilidade e da loucura. Em certas cerimônias primitivas, o médico e o paciente "agem como loucos" a fim de converter a ordem má prevalecente no seu oposto. No *Rei Lear*, a figura central, desamparada como uma criança, é obrigada a peregrinar pela charneca, exposta a tempestades furiosas dentro e fora, antes de chegar a uma nova e real claridade de alma. É característico da introvisão de Shakespeare que Edgar, disfarçado de bufão, conduza Lear à sanidade. O Louco pode bancar o diabo, atraindo-nos para a loucura; mas também pode ajudar-nos a encontrar a salvação.

Comentando o aspecto de Salvador tanto da criança quanto do louco, McGlashan diz o seguinte:

> O homem precisa voltar às suas origens, pessoais e raciais, e aprender de novo as verdades da imaginação. E nessa tarefa seus estranhos instrutores são a criança, que mal entrou no mundo racional do tempo e do espaço, e o louco, que apenas escapou dele. Pois somente esses dois estão, até certo ponto, libertados da pressão desapiedada dos acontecimentos diários, o impacto incessante dos sentidos externos, que oprimem o resto da humanidade. Esse curioso par viaja ligeiro e empreende jornadas distantes e solitárias, às vezes trazendo, ao voltar, um ramo luzente da Floresta de Ouro pela qual vagueou.[11]

O Louco como Salvador em potencial é encantadoramente retratado num Tarô desenhado na primeira década deste século sob a direção de A. E. Waite. Esse delicioso jovem pajem, com suas vestes floridas e sua rosa, parece quase andrógino, combinando qualidades masculinas e femininas numa mistura feliz. Em muitas culturas primitivas se acreditava que os deuses e os primeiros humanos fossem bissexuais, simbolizando assim o estado primordial de inteireza que existia antes da separação dos opostos – céu e terra, macho e fêmea.

A roupa desse Louco, portanto, liga-o não só ao poder primitivo do Criador mas também à inocência do recém-criado. Apesar do precipício hiante à sua frente, o jovem Louco de Waite pavoneia-se ali sem cuidado. Tem a cabeça envolta em sonhos nebulosos de um mundo perfeito, livre de todo infortúnio, e seu coração anseia por amores e aventura. Parece tão ingênuo quanto Parsifal. À semelhança de Parsifal, o Grande Louco, não tem a menor noção da pergunta que deve fazer à vida, nem mesmo de que seja necessário fazer-lhe alguma pergunta; mas tem um cãozinho capaz de farejar o perigo e ajudá-lo a fugir.

Como acontece com Parsifal, a conexão do Louco com o seu lado instintual tem o poder não só de salvá-lo, mas de salvar toda a humanidade também. Nesse sentido, Joseph Campbell tem afiançado amiúde que era precisamente a completa confiança de Parsifal na sua intuição nativa que o induzia a não dar atenção às boas maneiras convencionais e aos conselhos dos mais velhos, de modo que no fim ele fez a única pergunta simples necessária à redenção da Terra Maninha. Talvez o Louco sonhador de Waite se acabe salvando – e salvando-nos. Como o Príncipe Mishkin em *O idiota* de Dostoievsky, o Louco de Waite personifica o poder redentor da simplicidade acrescida da fé. E como todos os loucos, ele foi tocado pela mão de Deus.

11. McGlashan, *op. cit.*, pág. 39.

Deus tocou o louco de muitas maneiras. Em tempos idos, as deformidades físicas eram consideradas marca especial do Senhor; assim, anões, corcundas e coxos eram freqüentemente escolhidos para bobos da corte ou de casas reais. Às vezes, pais ambiciosos criavam tais deformidades por meio de amarrações ou outros expedientes, de modo que os filhos pudessem aspirar ao cobiçado cargo de bufão. Independentemente de terem sido esses estropiados tocados pela mão de Deus ou pelos truques desleais do homem, revelavam-se seres humanos de profundidade e sabedoria incomuns. Excluídas pelas deficiências físicas das atividades e interesses do homem comum, tais pessoas eram obrigadas, através da solidão e do sofrimento, a descobrir recursos no interior de si mesmas. A ironia do palhaço triste, tema freqüente nas artes, foi imortalizada na tela por Picasso e Rouault e, no palco, nomeadamente em *Rigoletto* e *Pagliacci*, se bem que talvez em parte alguma de forma tão eloqüente, em termos de dignidade humana e da capacidade que tem o espírito de transcender o sofrimento, como em *Don Sebastian de Morro*, de Velasquez.

O Louco, seja ele bobo da corte, embusteiro ou palhaço de circo, é sempre tocado da tristeza e da solidão de qualquer figura que se destaca do aconchegante anonimato de que desfruta o homem médio. Uma figura do Tarô que capta essa nota solene é, significativamente, um Louco recém-saído da casca de um baralho contemporâneo chamado Tarô Aquariano (Fig. 7). À diferença dos Loucos de muitos outros baralhos, apresentados movendo-se para a direita (tradicionalmente a direção da consciência), esse andarilho está virado para a esquerda (o lado sinistro, inconsciente). Todos os outros Loucos, saindo para o mundo extrovertido da ação, simbolizam a evolução da consciência através da experiência externa. O Louco Aquariano, diferente da maioria dos moços das gerações passadas, arredou-se dessa espécie de realidade para deter-se reflexivamente no limiar de outro mundo. Talvez tencione, como muitos jovens dessa idade, explorar o mundo interior dos sonhos e das visões.

De longe o mais solene de todos os Loucos, esse sujeito é o único que parece estar olhando para onde vai. Dá a impressão de estar dirigindo o olhar para algum alvo distante. Embora retratado como um jovem, não há nele nada da alegria ou da vivacidade temerárias da juventude. É como se estivesse enveredando conscientemente pelo caminho da autocompreensão com uma dedicação e um propósito que, de ordinário, só se adquirem na segunda metade da vida. Dir-se-ia que fugisse da vida antes de tê-la vivido. Pode ser que entenda que o nosso mundo e os seus valores não lhe oferecem a oportunidade de autocompreensão. Idealmente, voltará da sua jornada interior inspirado para criar um mundo novo e provocante, mais digno dos seus esforços.

O Louco Aquariano espelha a seriedade e a tristeza dos moços de hoje, cujo destino foi nascer num mundo diferente, em todos os sentidos, do mundo que seus pais conheceram. Como assinalou muitas vezes Margaret Mead, quem quer que tenha nascido depois da Segunda Guerra Mundial está ingressando num clima científico e cultural desconhecido de seus pais e para eles sempre incognoscível. O problema não consiste tão-somente no hiato entre as gerações, mas num abismo cultural tão grande que é quase como se os jovens de hoje tivessem todos desembarcado num novo planeta, assim física como psicologicamente.

Não há dúvida de que este é precisamente o abismo que o jovem pajem de Waite não viu chegar. Que contraste entre o Louco da virada do século e o Louco Aquariano contemporâneo! Quando olhamos para o novo viandante sentimo-nos confiantes em que esse moço também tem a capacidade de tornar-se o Herói-Salvador que mata o dragão e leva-nos a todos para um novo reino. Primeiro, contudo, parece que todos nós, jovens e velhos, precisamos tirar a cabeça de entre as nuvens e enfrentar juntos o abismo da realidade. Talvez nos seja até preciso cair no abismo para encontrar um solo comum, no qual possamos construir um novo mundo.

No Tarô de Marselha, o Louco tem o número zero, fato digno de atenção, pois o número sob o qual "nasce" uma carta projeta luz sobre o seu caráter e o seu destino. Como as estrelas, os números brilham com uma eterna realidade, que transcende a língua e a geografia. Deu-se-lhes o nome de "ossos do universo" porque são arquétipos que simbolizam as inter-relações de todas as coisas, mortais e imortais. As palavras expressam as idéias do homem; os números expressam as realidades de Deus.

O conceito de zero, desconhecido do mundo antigo, só apareceu na Europa a partir do século XII. O descobrimento desse "nada" ampliou de maneira importante a capacidade de pensar do homem. Praticamente, criou o sistema decimal e, filosoficamente, concretizou o assombroso paradoxo de que o "nada" é realmente alguma coisa, ocupa espaço e contém poder. Afigura-se apropriado que o zero tenha sido atribuído ao Louco. No velho jogo italiano de *Tarocchi*, o Louco, fiel à forma, não tem valor por si mesmo, mas aumenta o de qualquer carta com que esteja combinado. Como o zero vazio e imprestável, a magia do Louco pode transformar o um em um milhão.

O poder do zero inere à sua forma circular. Para experimentar as qualidades essenciais dessa forma, ponha-se em contraste a impressão de um círculo e a de um quadrado. Imagine que você queira desenhar um círculo perfeito. Em primeiro lugar, colocará uma perna do compasso no lugar que há de ser o centro do círculo. Agora está pronto para traçar-lhe a circunferência, pois enquanto não lhe tiver localizado com precisão o centro, não poderá começar a traçá-lo. Aí não cabe a história de saber quem nasceu primeiro, se o ovo, se a galinha: o centro vem primeiro e é, de fato, central para todo o conceito do "círculo", fato esse que não se aplica a nenhuma outra figura geométrica.

Um círculo com um ponto no centro é o sinal universal para indicar o Sol, fonte de todo o calor, de toda a luz, de toda a força. Esse hieróglifo também representa o Ovo do Mundo, de cujo centro fértil proveio, e continua a provir, toda a criação. O Louco, cuja roupa colorida tem sido chamada a vestimenta sempre móvel do centro imóvel, como o seu número zero, não expressa nada e contém tudo.

Tente desenhar um círculo à mão livre no ar. O movimento é tão natural e fácil que, tendo-o começado, é quase impossível parar. Podemos sentir como o círculo veio a simbolizar a inteireza natural, o movimento perpétuo e a infinidade. Já não se dá o mesmo, naturalmente, com o quadrado. Para desenhar o retângulo mais primitivo são necessários quatro movimentos separados, e para desenhar um quadrado perfeito fazem-se mister medições precisas. Não é coisa que se faça com uma torção do pulso. Em parte alguma da natureza se encontra o quadrado perfeito; este é, definitivamente, uma criação do homem.

O homem está intimamente ligado ao movimento circular em cada segundo de sua vida através do padrão da sua respiração e do fluir da sua corrente sangüínea. A jornada da nossa vida também é circular, visto que partimos da intuição inconsciente da infância, passamos pelo conhecimento e voltamos à percepção intuitiva, que é a sabedoria da velhice. O círculo tem propriedades únicas; indivisível e indestrutível, é, portanto, imortal. O mesmo já não se dá com o quadrado. Tente fazer este experimento. Recorte um círculo de papel ou de papelão, corte-o em duas metades e depois pergunte a alguém o que são as duas peças. O mais provável é que a pessoa responda que são "dois semicírculos" ou "um círculo cortado em dois". Depois apresente um quadrado cortado em metades, quer diagonal quer verticalmente, perguntando novamente o que são aquelas partes. Desta feita o seu interlocutor responderá provavelmente que se trata de "dois triângulos" ou "dois retângulos", conforme o caso. Seja como for, o quadrado original se perde, ao passo que o círculo mantém sua identidade do começo ao fim. O zero também é similarmente indestrutível, pois não pode ser modificado por adição, subtração, multiplicação ou divisão.

O círculo reflete a forma dos eternos planetas e do grande domo do céu, ligando-os ao globo terrestre e recordando-nos que também flutuamos no espaço celeste. Se estivéssemos num aposento circular, cuja parede externa fosse inteiramente construída de vidro, poderíamos abraçar o universo. Mas preferimos, ao contrário, viver em caixas quadradas cujas janelas exibem paisagens pré-escolhidas para a nossa inspeção, encortinadas para excluir a natureza. Preferimos repartir o mundo de acordo com o padrão do homem a expor-nos ao fluxo livre de toda a natureza, que é a habitação do louco despadronizado.

De tudo o que foi dito até agora é fácil ver que o emblema do Louco se tornou o símbolo da divindade não manifestada, desde o caos ou vazio primevo, do qual surgiram o cosmo e todas as suas criaturas. Tem sido ligado ao cabalístico *En Soph*, ou Luz Ilimitada, princípio ativo da existência antes da sua manifestação na matéria – o nada do qual provêm todas as coisas. Como tal é também a *prima materia* alquímica, ou substrato do ser, "a coisa com que todos começamos".

O círculo também simboliza o Jardim do Éden, o paraíso, o bem-aventurado estado de inconsciência e inocência que a espécie humana experimentou antes de cair nas duras realidades da consciência. Representa o ventre feliz em que todos estivemos encerradas "uma vez" quando crianças, antes que o conhecimento dos opostos proibidos resvalasse para o nosso jardim. Muitas quadros mostram o Jardim do Éden como um círculo, notadamente a *Expulsão* de Paolo, no centro do qual há um belo mundo verde redondo cercado por um arco-íris. É o mundo do Louco – e suas cores – a habitação de que ele sai para visitar-nos de quando em quando, arrastando nuvens de glória eterna.

No céu acima do Éden, Paolo nos mostra o Senhor apontando um dedo severo para Adão e Eva, que acaba de expulsar do jardim e condenar a errarem sem pátria para todo o sempre. Podemos identificar-nos com os dois. Como todos anelamos voltar para casa – arrastar-nos confortavelmente de novo para o ventre do tempo! A saudade que sentimos da infância e do lugar onde nascemos reflete esse grande anseio de nos vermos encerrados mais uma vez no Círculo Perfeito.

Em muitos quadros, um círculo nos céus representa um sítio sagrado, um *têmeno*, onde aparecem milagrosamente poderes celestiais – em que o divino "irrompe" na percepção humana. Em nosso Tarô o mesmo desenho é usado em várias cartas, como será discutido em capítulos subseqüentes. Neste sentido é interessante que a palavra "cifra" esteja ligada ao Sefiró hebreu, os dez pontos da Árvore cabalística da Vida onde o poder de Deus se manifestou.

Em seu *Deus Criando o Universo*, William Blake utilizou esse expediente eficazmente para retratar o que denominou "a habitação secreta da Divindade sempre invisível" (Fig. 11). Aqui uma Divindade barbuda, aliás muito visível, estende um braço comprido a partir de um círculo sagrado onde, com o compasso na mão, está prestes a criar o nosso mundo microcósmico à imagem e semelhança do Ser Perfeito acima. Visto que a Divindade não pode criar o nosso mundo sem primeiro fixar-lhe o centro, o quadro de Blake nos tranqüiliza no sentido de assegurar-nos que o nosso mundo também tem um núcleo central de ordem e significação no interior de suas profundezas; basta que possamos encontrar o caminho até lá.

Há mil maneiras com que o nosso mundo reflete o Grande Círculo acima. Muitos séculos e culturas criaram templos e igrejas em forma circular, dos quais Stonehenge, Hagia Sophia e o Templo de Delfos são exemplos proeminentes. A etimologia da palavra "círculo" volta a ligar-nos com muita coisa do que já foi dito. As palavras "church" (igreja) e "kirk" (igreja nacional da Escócia) estão relacionadas com círculo, e a palavra grega *kirkos* (falcão) foi o nome dado ao sacerdócio. Por isso podemos ver que, como viajante do espírito, o Louco conquista honestamente o seu zero e ganha também a pluma no barrete.

Acreditava-se que um círculo mágico mantinha afastados os maus espíritos e concentrava energias no interior dos seus limites. A Távola Redonda do Rei Artur tinha essa misteriosa significação e é às vezes pintada com o Santo Graal aparecendo milagrosamente no centro, para assombro dos cavaleiros sentados à sua volta. Qualquer mesa, relógio de parede ou zodíaco ilustra também outra característica do círculo mágico do Louco; ajunta pessoas ou idéias *dentro* de um relacionamento em lugar de separá-las umas das outras numa hierarquia de importância. O círculo não tem pés nem cabeça, e qualquer pessoa ou coisa na sua circunferência está eqüidistante do seu ponto central. É por isso que os diplomatas costumam sentar-se em torno de uma mesa redonda para discutir problemas internacionais.

Discos de grande interesse contemporâneo (e muito ligados ao Louco) são os discos voadores, circulozinhos que fazem pontaria ao nosso mundo vindos de mundos presumivelmente acima e além da nossa compreensão. O fato de se ver um novo e estranho "círculo celeste", ou de acreditar que se vê, tão freqüentemente nos dias de hoje, pode significar, como Jung sugeriu (em *Flying Saucers: A Modern Myth*),[12] que uma nova imagem de inteireza está em vias de irromper na consciência. Mas esses discos voadores sofrem o destino de todas as novas introvisões; são dispensados por "tolos" e rotulados de "nada", como acontece com o próprio Bufão. *Nada* é um símbolo perfeito para o estado de inteireza indivisa antes da criação das coisas. O mundo da experiência cotidiana, descrito pelos hindus como "As Dez Mil Coisas", é realmente uma ilusão criada pelo homem. Tanto psicológica quanto fisicamente criamos o mundo que vemos. Tudo nele vem do nada, quando nascemos, e voltará ao nada, quando morrermos. Fora do tempo e do espaço, esse nada é natureza pura, a essência por trás do véu.

"Nós fazemos vasos de barro", observou Lao-tzu, "mas a verdadeira natureza deles está no vazio interior". Fazer contato de novo com o vazio natural, tornar a encher o nosso espírito com o seu inexaurível poço de silêncio, tal é o objetivo da maioria dos exercícios de meditação. Não podemos encontrar uma palavra criativa nova sem haver sondado o silêncio fundamental que existia antes da primeira Palavra da Criação.

12. C. G. Jung, *Civilization in Transition*, The Collected Works of C. G. Jung, Princeton, Nova Jersey, Princeton University Press, Vol. 10, § 723. Daqui para frente as Collected Works de Jung serão indicadas pelas iniciais C. W.

Fig. 11 Deus Criando o Universo
(*O Ancião dos Dias*, de William Blake.
Reproduzido do original na Biblioteca
e Galeria de Arte Henry E. Huntington.)

A idéia do círculo como princípio e fim da jornada é simbolicamente expressa pelo Uroboros, ou Comedor da Cauda, a mítica serpente que se cria, alimenta e transforma engolindo a própria cauda. Sua forma circular representa o estado original da natureza inconsciente, o ventre primevo antes da criação dos opostos e o estado de inteireza, a união dos opostos, desejada no fim da jornada.

De acordo com São Boaventura, "Deus é uma esfera inteligível, cujo centro está em toda a parte e cuja circunferência não está em parte alguma".[13] Segurar o Louco, mesmo dentro do amplo mundo do círculo, é impossível. Talvez possamos dizer que ele representa um fator redentor dentro de nós mesmos, que nos impele para a individuação. É essa parte nossa que, inocente mas, de certo modo, conscientemente, se vê embarcada na busca do autoconhecimento. Através dela, incidimos em experiências

13. São Boaventura, *Itinerarium* (trad. por James), citado por Jung, *Mysterium Coniunctionis*, C. W. Vol. 14, § 41.

aparentemente insensatas que, mais tarde, reconhecemos como cruciais para o padrão da nossa vida.

Jung definiu o ego como "o centro da consciência". O eu foi o termo que ele usou para denotar o centro de toda a psique, um centro de percepção e estabilidade ampliadas. Como o Louco do Tarô nos mostrará em sua dança circular, o eu não é uma coisa que criamos, nem uma espécie de cenoura de ouro que a vida nos balança diante do nariz. O eu está lá desde o princípio. O ego, se se puder dizer, *é feito* – mas o eu é *dado*. Existe em nosso nascimento – e antes do nosso nascimento e depois da nossa morte. Está sempre conosco, esperando que voltemos para Casa e, no entanto, instando conosco que continuemos, pois não há como voltar. A nossa viagem, como a do Louco, é circular. Para citar Jung:

> O ego está para o eu como o movido está para o motor, ou como o objeto está para o sujeito. . . O eu, como o inconsciente, é um *a priori* existente, do qual evolve o ego. É, por assim dizer, uma prefiguração inconsciente do ego. Não sou eu quem me crio a mim mesmo, antes aconteço para mim mesmo.[14]

A iridescência do Louco não pode ser apresada e espetada em palavras. Mas a citação supra parece capturar, pelo menos, algumas das suas cores dançarinas. Seja-nos permitido dizer que o Louco do Tarô é o eu como prefiguração inconsciente do ego. Tenho a impressão de que até o Louco será capaz de achar isto suficientemente ambíguo! Se ele estiver rindo será para lembrar-nos de que o humor é um ingrediente importante em todas as nossas relações e um artigo necessário para qualquer viagem.

William Butler Yeats compreendeu-o. Pôs-se a campo colecionando histórias divertidas dos camponeses da Irlanda. Numa delas, denominada "A Rainha e o Louco", ficamos sabendo que o nosso Louco do Tarô ainda está vivo hoje na Irlanda e continua pregando as peças costumeiras. Os que o viram dizem que usa uma barbicha em ponta e gosta de aparecer inesperadamente em lugares estranhos.

> Ouvi um Hearne, feiticeiro, que mora na divisa de Clare e Galway, dizer que "em todas as casas" do País das Fadas "existe uma Rainha e um louco", e que, se você for "tocado" por qualquer um deles nunca se recobrará, embora possa recobrar-se do toque de qualquer outro habitante do lugar. Ele disse do louco que "talvez fosse o mais sábio de todos", e descreveu-o vestido como um dos "mascarados que costumavam andar por lá". . . A esposa do velho moleiro ajuntou: "Dizem que eles (os do País das Fadas) são quase todos bons vizinhos, mas para o toque do louco não existe cura: quem quer que o receba está perdido."[15]

Do toque do Louco ninguém se recupera. E quem haveria de querer recuperar-se!

14. C. G. Jung, *Psychology and Religion: West and East*. C. W. Vol. 11, § 391.

15. W. B. Yeats, "The Queen and the Fool", *Mythologies*, Nova Iorque, The Macmillan Company, 1959, págs. 112-113.

Fig. 12 O Mago (Baralho de Marselha)

4. O Mago: Criador e Embusteiro

De outras coisas nunca farás o Um,
enquanto não te houveres, primeiro,
convertido no Um.

Dorn

O Louco, dissemos, expressa o espírito do folguedo, livre e despreocupado, com uma energia sem limites, que perambula, incansável, pelo universo sem nenhuma finalidade específica. Sem se preocupar com o que pode acontecer, até olha para trás por cima do ombro. O Mago (Fig. 12) veio descansar, pelo menos temporariamente. Sua energia é dirigida para os objetos à sua frente, que ele separou para dar-lhes atenção especial. Estão colocados sobre a mesa da realidade que lhe restringirá a atividade dentro dos seus limites para que a sua energia não extravase e não lhe fuja. Ele, evidentemente, tem um plano. Está a pique de fazer alguma coisa – de representar para nós.

Se o Louco é o impulso profundo do inconsciente que nos incita a buscar, o Mago simboliza um fator em nós que dirige essa energia e ajuda a humanizá-la. Sua varinha mágica liga-o ao seu antepassado, Hermes, o deus das revelações. Como o alquímico Mercúrio, que possuía poderes mágicos, o Mago pode iniciar o processo de autocompreensão, que Jung denominava individuação, e guiar nossa viagem pelo mundo inferior dos nossos eus mais profundos. O homem sempre reconheceu a existência de um poder que transcende o ego, e procurou propiciá-lo através de ritos mágicos.

Tanto o Louco quanto o Mago se acham à vontade no mundo transcendental. O Louco dança nele como criança inconsciente; o Mago cruza-o como viajante amadurecido. Ambos estão relacionados com o arquétipo do Embusteiro, porém de maneiras diferentes. As diferenças entre o Louco e o Mago a esse respeito assemelham-se às que existem entre uma brincadeira e um ato mágico. O Louco nos prega peças; o Mago nos arranja demonstrações. O Louco perpetra suas surpresas nas nossas costas; o Mago é capaz de realizar sua mágica diante de nós, bastando para isso que assistamos às suas representações. O Bufão nos engana e faz-nos rir; o Mago nos mistifica e faz-nos pensar.

O Louco é um solitário, seu método é reservado. Aparece de repente cantando "Primeiro de abril!" e vai-se embora outra vez. O Mago nos inclui em seus planos. Acolhe com prazer a nossa presença em seu espetáculo de mágicas, convidando-nos, às vezes, a subir no palco como seu cúmplice. Certo grau de cooperação de nossa parte é necessário para o bom êxito da sua mágica. Com o Louco, todavia, a nossa completa inconsciência é o *sine qua non* do sucesso.

O Louco é um amador despreocupado; o Mago é um profissional sério. Como a mágica do Louco é totalmente espontânea, ele, muitas vezes, fica tão surpreso quanto nós com o resultado. Se a coisa não dá certo, pouco se incomoda, e salta para a nova aventura com um encolher de ombros. Com o Mago, porém, a situação é totalmente outra, pois, sendo um artista dedicado, quando uma de suas criações falha, fica preocupado e procura compreender o porquê. Como a designação do Louco é zero, o mundo inteiro é a sua ostra. Interessa-se por tudo e não quer saber de nada. Como o Menino Eterno de todos os tempos, tece sonhos caprichosos, deixando a outrem a sua execução. Mas o Mago, que é o Trunfo número um do Tarô, tem uma psicologia muito diversa. Interessa-lhe descobrir o princípio criativo único por trás da diversidade. Quer manipular a natureza, domesticar-lhe as energias. Os ritos mágicos mais primitivos, ligados à fertilidade, eram cerimônias para propiciar os deuses a fim de assegurar colheitas abundantes e mulheres férteis. O Louco não tem nenhum plano desses. Deseja tão-somente desfrutar a natureza.

O Mago de Marselha segura a varinha numa das mãos e, na outra, uma moeda de ouro. A mão é essencial para todas as mágicas. Simboliza o poder do homem de domar e afeiçoar a natureza conscientemente, de canalizar-lhe as energias para um emprego criativo. Mais rápida que o olho, a mão do Mago cria a ilusão mais depressa do que a nossa mente pensante é capaz de segui-la. Sua mão é também mais célere, no sentido de "mais viva", do que o intelecto laborioso do homem. A mão humana parece ter uma inteligência própria; já foi chamada "o momento fugaz de criação que nunca pára".

O talento do Mago para o milagre e para o engano é múltiplo. Dirigindo nossa atenção para longe da moeda de ouro, pode iludir-nos e confundir-nos com a sua prestidigitação. Como a própria consciência humana, um aspecto da qual simboliza, o Mago cria *maya*, a ilusão mágica das "dez mil coisas". Pois, fazendo *des*aparecer os objetos sobre a sua mesa, dramatiza a simples verdade de que todo objeto, tudo, é apenas *aparência* de realidade. É ele quem cria o mundo que parece existir. Transformando um objeto ou elemento em outro, revela outra verdade; a saber, que debaixo das "dez mil coisas", todas as manifestações são uma só; todos os elementos são um só; e todas as energias são uma só. O ar é fogo, é terra, é coelhos, é pombos, é água, é vinho, é UM! Todos são inteiros e todos são santos. O Mago nos ajuda a compreender que o universo físico não resulta do Poder Original da Vida atuando *sobre a matéria*, resulta antes do Poder da Vida atuando *sobre si mesmo. Fora de si mesmo* o Poder Uno constrói todas as formas, toda a força e miríades de estruturas.

No princípio, acreditava-se que só os deuses ou os seus representantes terrestres, os padres, tinham tal poder mágico. Uma dessas figuras foi Hermes Trismegisto, figura mítica variamente associada ao deus egípcio Tot e ao deus grego Hermes. Foi ele quem nos deixou este resumo sucinto do tópico ora discutido: "Todas as coisas são deste Um, pela meditação do Um, e todas as coisas têm sua origem neste Um." Como já se indicou, isso expressa uma verdade tanto no plano macrocósmico quanto no plano microcósmico da existência.

A magia é às vezes chamada ciência das relações ocultas. Seja ela milagre ou truque, uma base essencial dessa arte é a revelação. O Mago tem o poder de revelar a realidade fundamental, o estado de ser que constitui a base de tudo. Representa um aspecto de nós mesmos realizador de prodígios, que pode adivinhar as fontes ocultas da vida e abri-las para uso criativo. Esse gênero de revelação é lindamente simbolizado na história de Moisés, que, adivinhando a existência de águas ocultas, bateu na rocha com o seu cajado milagroso até que as nascentes abriram a jorrar para mitigar a sede do seu povo. "Benditos são os que saciam a fome e a sede..." A serviço de uma necessidade vital, humana, os milagres podem ocorrer. É possível dizer-se que os milagres *só* podem ocorrer em resposta a uma necessidade que transcende o ego.

A gravura *Moisés Tirando Água da Rocha* (Fig. 13), ilustra a importância dessa necessidade transcendente da maneira mais dramática. Aqui as pessoas sedentas, pintadas com mais destaque do que o próprio Moisés, são vistas apinhadas à saída das águas, todas ocupadas em beber à vontade. Ninguém parece preocupar-se com quem operou o milagre, muito menos o próprio Moisés, entretido em brandir o cajado, concentrado na tarefa. Ele não está localizado no centro da cena nem isolado dos outros. Ao contrário, aparece como mero componente do grupo, unido ao seu povo pictórica e emocionalmente pelo advento do líquido milagroso. O fluir das águas e o ritmo circular do desenho parecem enfatizar a idéia de que estamos assistindo a um evento que envolve dois pólos de importância igual: à esquerda, a necessidade e a esperança do povo; à direita, a percepção e a dedicação de Moisés. Sem os dois fatores, nenhum milagre poderia ter-se registrado. Se as pessoas sedentas tivessem sido

Fig. 13 Moisés Tirando Água da Rocha

eliminadas da ilustração, o mago se teria tornado, inevitavelmente, a figura central, e sua mágica, se fosse operável, não teria passado de um truque arrogante, um passeio do ego a serviço da simples vaidade pessoal.

De acordo com Jung, todos os acontecimentos mágicos, parapsicológicos, todos os milagres têm um ingrediente em comum; uma atitude de esperançosa expectativa da parte dos participantes. Jung descobriu que essa atitude esperançosa foi um ingrediente importantíssimo do sucesso das experiências do Reno na Duke University em que os participantes "adivinham" o símbolo impresso num cartão que não podem ver. Comentando o fenômeno, diz Jung:

> A pessoa que está fazendo o teste ou *duvida* da possibilidade de conhecer alguma coisa que não se pode conhecer, ou *espera* que isso seja possível e que o milagre aconteça. Seja como for, a pessoa submetida ao teste, confrontada com uma tarefa aparentemente impossível, vê-se na situação arquetípica que ocorre com tanta freqüência em mitos e contos de fadas, em que a intervenção divina, isto é, o milagre, oferece a única solução.[1]

Descrevendo esses acontecimentos, Jung também empregou as expressões "arquétipo do milagre" e "arquétipo do efeito mágico".

É compreensível que o Mago que vive nas profundezas, no nível psicóide do inconsciente, onde não existem divisões de tempo, espaço, corpo e alma, matéria e espírito (e onde nem mesmo os quatro elementos foram separados do grande vazio), tivesse o poder de pôr-nos em contato com a grande Unidade da perfeição, da saúde e da harmonia. Mas já que esse grande vazio é também o Todo de que tudo nascerá, há de conter, por força, todos os opostos. Não é muito para admirar, portanto, que o caráter do Mago seja um labirinto de contradições. Como Sábio, pode conduzir-nos à manjedoura ou realizar o Milagre de Camelot. Como Embusteiro, pode ser encontrado na feira da aldeia, onde não se pejaria de confundir fregueses intrujáveis, fazendo, às vezes, até desaparecer o dinheiro deles. É um consolo saber que, sendo descendente do astuto Mercúrio, o Mago herda-lhe honestamente a duplicidade. Como Mercúrio, mensageiro dos deuses, liga o interior e o exterior, o acima e o abaixo, compartindo de ambos.

Alguns baralhos modernos de Tarô (notadamente a versão Waite) apresentam o Trunfo número um como o eclesiástico "bom" Mago, eliminando inteiramente os seus aspectos mais duvidosos. Voltaremos ao assunto mais tarde mas, por enquanto, registre-se que só a versão de Marselha nos oferece o pleno encantamento das múltiplas facetas do Mago. À primeira vista, a sua roupa colorida (Fig. 12) nos recorda o Louco, conexão apropriada, uma vez que ambos os personagens partilham do arquétipo do Embusteiro. Como acontece com o Louco, as cores variegadas do Mago insinuam a incorporação de muitos elementos díspares, mas aqui as cores opostas estão mais conscientemente arrumadas umas em relação às outras. Comparados com o desenho mais fortuito das vestes do Louco, os remendos coloridos alternados do Mago parecem

1. C. G. Jung, citado por Ira Progoff em *Jung, Synchronicity, and Human Destiny*, Nova Iorque, The Julian Press, Inc., 1973, págs. 104, 105.

deliberadamente dispostos para sugerir, a um tempo, oposição e interação, contraste e coordenação. Cada pé, perna, quadril e ombro parecem vestidos com um pouco caso estudado pelas cores do membro oposto. Suas cores vibram distinta e alternadamente de repulsão e atração, de forma que parecem emitir faíscas de energia elétrica.

O tema da antítese criativa é ainda mais acentuada na aba do chapéu do Mago que dá a impressão de um oito deitado de lado. Esse padrão, chamado "lemniscata", é o sinal matemático que representa o infinito. Como é aqui retratado, a curva do contorno vermelho da aba, quase hipnótica, denota o movimento dos opostos, cada qual se transformando interminavelmente no outro, como no símbolo chinês Tai Chi, que mostra a incessante interação de yang e yin, as forças positiva e negativa inerentes a toda a natureza. Se você se concentrar na aba do chapéu do Mago à luz de uma vela numa noite sem luar, ele a fará mover-se para você. Vista assim, ela se torna o movimento perpétuo da criação.

As duas elipses da lemniscata, unidas no meio por uma grande corcova ou ponte, também podem ser vistas como um par de óculos gigantescos. Se você puser esses óculos mágicos, vislumbrará novas dimensões da realidade. As lentes não são cor-de-rosa. O que veremos na nova dimensão é um fenômeno natural. Não é nenhuma promessa de felicidade depois do sofrimento presente, nem a manifestação de algum vago "outro mundo". As experiências que o Mago nos oferece são tão inerentes à nossa natureza e tão arraigadas em nosso meio terrestre quanto as plantas que vemos crescer aos seus pés.

É significativo, nesse sentido, relembrar que a roupa do Louco não tem nenhum toque de verde. Como observamos, ele não está plantado em nossa realidade. É sua a energia que flui livre do totalmente não manifestado. Aqui o Mago organiza essa energia para a criação, preparatória para a sua incorporação na realidade. O barrete do Louco é amarelo, cor do poder flamejante do sol, e à sua extremidade está presa minúscula bola vermelha, ou talvez campainha, usada airosamente como se se tratasse de uma gota simbólica de sangue. Com o Mago, o sangue vermelho revive, seguindo e fluindo através da lemniscata da aba do chapéu. Ele "dá o sangue" para a situação, empenhado na tarefa que tem diante de si. O amarelo do ouro, agora centrado e modelado numa grande bola, passa a ser a coroa do chapéu do Mago. Que o poder mágico do sol pertence também à pessoa do Mago é sugerido pelo fato de que os anéis dos seus cabelos têm as pontas pintadas de ouro, cabelos que parecem os tufos serpentinos da cabeça da Medusa, o que volta a lembrar a dupla natureza desse Embusteiro.

A varinha do Mago, como a batuta de um condutor de orquestra, é um instrumento destinado a concentrar e dirigir a energia. A energia necessita de direção. Somente com a cooperação consciente do homem é que ela pode ser afeiçoada para uso humano. O maestro no pódio usa a batuta para coordenar e modular as energias dos músicos, tirando, de um som aliás caótico, um modelo harmonioso e rítmico. Assim parece que o maestro do Tarô está em vias de orquestrar as energias dos objetos que tem diante de si. Segura a varinha com a mão esquerda, indicando que o seu poder não é o resultado do intelecto e do treinamento, mas um dom natural e inconsciente. Muitas vezes os magos se valem do próprio dedo indicador como de uma varinha mágica para chamar a atenção e concentrar energia. Uma das mais belas representações pictóricas disso é a conhecida *Criação* de Miguel Ângelo no teto da Capela Sistina. Nessa pintura, o dedo indicador do Mago Supremo, semelhante a um falo, transmite a força de vida criativa à mão de Adão. Podemos sentir o fluir amoroso da energia inseminadora, que passa da mão de Deus para a de Adão e, através dele, para todas as criaturas de Deus.

Falamos da natureza ambígua do Mago; de como, de um lado, ele pode pôr-nos em contato com o Grande Círculo da unidade e de como, de outro, pode ajudar-nos a separar-lhe os elementos para exame. Que um ser exerça funções tão diversas e aparentemente tão antitéticas parece mágico; mas que as exerça ao mesmo tempo parece um milagre de proporções inacreditáveis.

Numa ilustração feita por Goltzius para *As Metamorfoses* de Ovídio (Fig. 14), vemos o Grande Mago em pessoa operando realmente esse milagre. O quadro se chama *A Separação dos Elementos*, mas é inegável que essa atividade não destrói, de modo algum, a inteireza do Grande Círculo. Pelo contrário, é como se a sua verdadeira essência agora se apresentasse, pela primeira vez, plenamente revelada. O nosso Mago interior realiza o mesmo tipo de mágica ajudando-nos a examinar e discriminar os elementos de nossos mundos internos de maneira que revele, ao invés de destruir, sua unidade essencial.

Fig. 14 A Separação dos Elementos (Goltzius, Hendrick. De uma série de ilustrações para *As Metamorfoses* de Ovídio. The Metropolitan Museum of Art, Nova Iorque. Presente da Sra. A. S. Sullivan, 1919.)

Visto que essa é uma tarefa iniciada e exemplificada pelo Criador, convém-nos examinar mais uma vez a dramatização que dela fez Goltzius, para que possamos compreender o que está acontecendo aqui. Nessa gravura, Deus – ou "a natureza mais bondosa" como lhe chama Ovídio – parece estar inteiramente absorto em sua dança da revelação. Ao que tudo indica, a separação dos elementos é uma operação difícil, até para o Criador. Requer, evidentemente, perfeita concentração. Às vezes parece um negócio pegajoso, cheio de truques, meio parecido com chupar uma bala puxa-puxa. De outras vezes mais parece a dança dos véus, que envolvesse uma destreza sobre-humana e perfeita regulação do tempo. O problema pode ser como rasgar os véus que escondem a realidade central sem nos enredarmos nas pompas externas e sem nos deixarmos asfixiar por elas. Que apaixonada intensidade requer essa dança de dervixes, por cujo intermédio se revela uma nova unidade e um novo mundo é dado à luz!

No nível microscópico, só o ego é capaz de efetuar essa mágica. Somente o nosso Mago interior tem condições de dominar a intrincada coreografia da revelação. Só ele pode demonstrar a correspondência entre o núcleo central e os seus envoltórios externos; só ele pode revelar que ambos são feitos da mesma substância.

De maneira diferente, a mágica dos alquimistas demonstrava uma correspondência entre o interno e o externo. Eles viam nos elementos e nas transformações que ocorriam em suas retortas químicas, os elementos e transformações dentro de sua própria natureza psíquica. O seu propósito confesso era puramente externo e químico: aplicando calor a certas misturas, esperavam (diziam eles) descobrir a semente ou essência criativa que estava na base de toda matéria e, por esse modo, transformar os metais inferiores em ouro. Chamavam a isso "a libertação do espírito escondido ou aprisionado na matéria".

Em seus escritos, contudo, os alquimistas davam a entender repetidamente que o ouro que de fato procuravam não era o ouro exterior, senão o ouro interior transcendente, no centro da psique que Jung chama de eu. Em *Psychology and Alchemy*, Jung faz um relato pormenorizado das várias fases da Grande Obra, nome que os alquimistas davam aos seus experimentos. Jung demonstra que as várias fases alquímicas a que aludem em seus escritos (liquidificação, destilação, separação, coagulação, etc.), correspondem, de muitas maneiras, às várias fases através das quais a psique humana evolui, amadurece e se encaminha para a individuação. Jung descreve como, trabalhando com os elementos "lá fora", os alquimistas alcançaram uma conexão intuitiva com espécies semelhantes de transformações dentro de sua natureza interna. Mostra como, através do trabalho externo, eles se ligaram também ao trabalho interno, compreenderam-no intuitivamente e por esse modo também exerceram influência sobre ele. Em outras palavras, os alquimistas, compreendessem conscientemente ou não o que estavam fazendo, utilizavam, na verdade, os seus experimentos químicos como "detentores de projeção" do mesmo modo com que nós utilizamos as cartas do Tarô. O conteúdo das suas retortas reduzia-se a ar, terra, sal, chumbo, mercúrio e outras coisas desse gênero, cujas reações estudavam, chegando, assim, a compreender, de certo modo, sua própria química interior. Nossos materiais são os vinte e dois Trunfos, cuja interação estamos estudando de maneira semelhante e por motivos semelhantes.

Essencial para o trabalho dos alquimistas era uma figura chamada Mercúrio, cujos paradoxos não conheciam limites. Os alquimistas referiam-se a ele intitulando-o de "espírito criador do mundo" e "espírito escondido ou aprisionado na matéria". Alcunhavam-no também de "substância transformadora" e, ao mesmo tempo, de "espírito que habita em todas as criaturas vivas". Em suma, Mercúrio era não só o transformador mas também o elemento que precisava ser liberado e transformado.

O nosso espírito mercurial (que poderíamos rotular de Mago interior) também compartilha dessas ambigüidades. É o "espírito criador do mundo" – e, no entanto, está "escondido e aprisionado" na matéria da nossa escura inconsciência. Para que funcione como "substância transformadora" precisamos encontrar meios de libertá-lo do cativeiro e trazê-lo para fora, para a luz da percepção consciente.

Consoante os alquimistas, o próprio homem representava o seu duplo papel de criador do mundo e prisioneiro – de redentor e precisado de redenção. Pois entendiam que a salvação e a redenção não eram concedidas do alto, senão conseguidas tão-somente através da Grande obra a que consagravam suas vidas: a liberação do espírito contido neles e em toda a natureza.

Nós também precisamos encontrar maneiras de libertar o nosso espírito aprisionado de modo que possa funcionar como "substância transformadora" com o poder de alterar o nosso mundo interior e afetar o exterior. Necessitaremos dessa ajuda a fim de encontrar o caminho através da escuridão da natureza interior e desvelar afinal o eu, o sol central do nosso ser agora eclipsado na escuridão, de sorte que ele possa brilhar de forma nova. Na medida em que conseguirmos fazê-lo, nós como indivíduos nos modificaremos e a própria natureza humana se transformará.

Psicologicamente falando, é através da interação entre a consciência humana e os primitivos arquétipos inconscientes que o inconsciente se move na direção da luz e a qualidade da própria consciência humana evolve lentamente na direção da percepção ampliada. Estamos chegando cada vez mais a compreender que a psique humana, como o corpo humano, não é estática; que ambos, assim como nós mesmos, são (à semelhança de todos os fenômenos naturais) processos em evolução. Já não tendemos a pintar a Criação como um momento fixo quando o Criador "fez" isto ou "disse" aquilo para todo o sempre. Ao contrário, encarâmos a Criação como um acontecimento contínuo – eterno diálogo, por assim dizer, entre o nosso pequeno Mágico e Deus, o Grande Mago.

Artistas de todas as épocas tentaram retratar a Criação. Já discutimos diversas dessas representações pictóricas. Nenhuma, porém, capta tão bem a essência da Criação como um processo em que estão envolvidos assim o Criador como o Criado, quanto a escultura de Rodin intitulada *A Mão de Deus* (Fig. 15). Nesse estudo maravilhoso, vemos Adão e Eva abraçados, embalados e abrigados na mão sustentadora do Todo-Poderoso. Aqui as figuras humanas realmente parecem estar evolvendo da substância da mão do Criador, de tal modo que o humano e o sobre-humano, juntos, formam um Todo supremo. Nesta imagem, o milagre da Criação não é apresentado como *fait accompli*, ato levado a cabo unicamente pelo Grande Mago. Em vez disso, Criador e Criado igualmente estão envolvidos, juntos, no ato de vir a ser. São co-criadores num processo que a ambos transcende.

O Mago do baralho de Marselha, com o seu colorido elétrico e o seu chapéu em forma de lemniscata, simboliza o processo. O sentimento de "deveniridade" também se reflete no simbolismo do número do Mago, que é um. O número um é simbólico do *yang*, ou poder masculino. Leve, brilhante, ativo, penetrante, está associado ao céu e ao espírito. Entretanto, apesar de toda a sua aparente sinceridade, esse número tem ambigüidades ocultas, pois o seu próprio conceito supõe *outro*. A idéia de um só pode ser experimentada em relação, pelo menos, com um outro. Diz-se que o número um representa a consciência do homem porque, como o homem, mantém-se erecto, ligando o céu e a terra. Mas a consciência também supõe uma dualidade – observador e observado. É como se, escondido na costela do nosso Mago, já estivesse contido o princípio feminino, cujo número é dois. Como o "peixe" branco *yang* do símbolo do Tai Chi traz os olhos escuros do seu equivalente, assim, engastado no espírito puro do Mago, está em ponto preto de ambivalência feminina.

Fig. 15 A Mão de Deus (Auguste Rodin)

Só o baralho de Marselha capta estes matizes sutis. Na versão Waite, por exemplo, só se mostram os aspectos positivos *yang* do Mago (Fig. 16). Não sendo nenhum Embusteiro nas encruzilhadas, esse mago contrasta com um pano de fundo de luz de ouro pura entre lírios e rosas. Enverga roupas sacerdotais e tem uma expressão solene. Na mão direita segura, bem erguida, uma vara indicando que os seus poderes, mantidos sob um controle consciente, são dedicados ao espírito celeste lá no alto. Com a mão esquerda aponta para a terra, dramatizando a máxima hermética "Como em cima, assim embaixo". Releva notar que, embora a vara do Mago tenha dois pólos, ambos são brancos. Dessa maneira o espírito masculino é duplamente enfatizado, ao passo que o *yin* feminino escuro é totalmente excluído. "Branco em cima e branco embaixo" sugere um universo estático e estéril, regido por um rígido perfeccionismo.

Fig. 16 Baralho Waite

O cenário nesta carta parece planejado: em lugar do pano de fundo informal, natural, do baralho francês, Waite plantou o seu Mago num caramanchão simbólico, cultivado de lírios e rosas. Waite elimina a maior parte das ambigüidades da versão de Marselha e, com elas, muito da sua vitalidade. O chapéu vistoso, com a aba que evoca uma montanha-russa e a copa dourada, desapareceu de todo, deixando em seu lugar uma pequena lemniscata preta, que paira qual fantasma sobre a cabeça do Mago, oferecendo-nos pouca coisa para alimentar a imaginação. Os cachos serpentinos, com pontas de ouro, do Mago foram substituídos pelo severo toucado, nada insensato, do Estabelecimento sacerdotal. A mesa do mago também foi arrumada – artigos suspeitos, como dados, bolas e outras ninharias de origem desconhecida e propósito dúbio, foram varridos, por assim dizer, para baixo da mesa. Em seu lugar encontramos apenas os quatro objetos que representam os quatro naipes do Tarô, muito bem arrumadinhos e prontos para serem usados.

Levando tudo em conta, a espécie de magia pintada na carta inglesa do século XX é muito diferente da magia pintada na carta francesa. Essas diferenças refletem duas atitudes mutuamente exclusivas a respeito da maneira de individuação e a respeito do papel do Mago no processo. O Mago de Waite, por exemplo, parece experimentar o poder transcendente como se este fosse localizado "lá em cima". Seu corpo, sua posição e seus gestos rígidos indicam que ele trará iluminação à Terra num ato de vontade, de acordo com o ritual estabelecido. Só se acentua o eixo vertical; seus gestos não incluem o horizontal, que é a dimensão da relação humana.

Em contraste, a postura do Mago francês e o amplo movimento do seu chapéu incluem também a dimensão horizontal. Ele parece operar menos por vontade e mais por jogo da imaginação. O seu cenário casual dá margem ao inesperado e, acima de tudo, a sua postura não é tensa nem rígida, pois esse sujeito vivaz não está preocupado com a perfeição futura. É surpreendido no momento criativo do *agora* sempre presente. A atmosfera de improvisação da carta de Marselha nos recorda que os milagres de Jesus foram também realizados de maneira totalmente casual, à beira da estrada, e que as suas parábolas mais sábias foram respostas espontâneas ao momento vivo.

O nome do Mago francês, Le Bateleur, significa "o ilusionista". Podemos imaginá-lo atirando para o ar todos os objetos que estão sobre a sua mesa, num contínuo desenho rítmico, não dessemelhante ao do seu chapéu em forma de lemniscata. Numa pintura de Marc Chagall intitulada *O Ilusionista*, a figura central manipula o próprio tempo, simbolizado por enorme relógio de bolso, que ostenta quase como uma bandeira. A capacidade de transcender as restrições do tempo ordinário sempre pareceu mágica de um gênero particularmente divino. O Mago a demonstra de várias maneiras. Primeiro, como vidente, traz para a realidade presente idéias e potencialidades que, de ordinário, jazem escondidas de nós "no futuro". A capacidade de adivinhar é, de fato, divina pois, através dela, tocamos o mundo eterno dos imortais.

Outro modo com que o Mago faz prestidigitações com o tempo é através da sua capacidade de acelerar processos naturais em aparente desafio às leis do tempo. Como um ferreiro acelera a transformação de metais intensificando o calor, assim pode o Mago efetuar transformações da consciência aplicando o calor do envolvimento emocional. Antigamente os ferreiros eram considerados mágicos, cujo poderes se reputavam divinos, como o evidencia o fato de que um deles era o deus olímpico Hefesto.

Como ilusionista, o Mago cria padrões mágicos no espaço-tempo. Todos os artistas são mágicos, pois fazem sortes com as formas de vida cotidiana, convertendo-as em padrões transcendentais. Despem-nas de todos os pormenores essenciais, expondo de tal maneira a estrutura básica que jaz debaixo de todas as aparências que, através de cada dúzia de pinturas diferentes de uma dúzia de árvores individuais, brilha a essência do estado de árvore.

A escultura também é uma espécie de revelação mágica. Os artistas nesse meio dizem amiúde que não criam suas figuras, mas simplesmente desbastam com o cinzel todo o material supérfluo, de modo que a imagem, já implícita na pedra básica, pode libertar-se. Essa idéia é magnificamente dramatizada na famosa estátua de Miguel Ângelo tão bem denominada *O Cativo*, que retrata um escravo lutando para livrar-se de um bloco de mármore em que ainda está parcialmente aprisionado. Da mesma maneira, os escritores forcejam por libertar suas idéias da massa de verbosidade emaranhante que tende a obscurecê-las. O problema não é tanto encontrar palavras quanto extirpar o excesso, de modo que a imagem possa surgir clara. Todos experimentamos, sem dúvida, a verdade desse adágio: "Se tivéssemos mais tempo escreveríamos menos palavras."

Como vimos, os alquimistas também dedicavam suas vidas a libertar o espírito aprisionado na matéria. Significativamente, conquanto fossem tidos pelos contemporâneos como mágicos, diziam-se artistas. Os psicólogos analistas também são artistas e, no sentido em que temos usado o termo, mágicos. Valendo-se da *massa confusa* de nossas vidas diárias, nossos impulsos conflitantes e imagens confusas ajudam-nos a descobrir o padrão subjacente: o único um em nós que toca o Um universal de toda a espécie humana.

A palavra "magia" é afim da palavra imaginação, ingrediente necessário para toda a criatividade nas artes e nas ciências. Quem teria imaginado que pudéssemos, um dia, voar até a lua? Não obstante, alguém o fez, e assim chegamos lá. Realizamos essa mágica porque uma porção de "alguéns" tinha a mesma imagem e concentrou nela as suas energias. Imaginem simplesmente o que poderia acontecer se todo ser humano vivo "imaginasse" a paz e dirigisse suas energias para essa realização. Nós, mágicos, poderíamos, com efeito, operar milagres.

Mas a magia da consciência humana é uma arma de dois gumes. Podemos usá-la para modelar um corajoso mundo novo ou para abrir a caixa de Pandora de demônios escondidos e destruir o nosso mundo e toda a vida sobre o planeta. A tentação de abusar do poder é um aspecto oculto de qualquer figura arquetípica; mas visto que os poderes do Mago são tão primitivos, essa tentação é a sua *bête noire* especial. É talvez em reconhecimento desse fato que a "besta negra" do Mago seja especificamente retratada na carta número quinze, onde a conheceremos como a sombra do Mago, o Diabo.

Em termos junguianos, *a sombra* é uma figura que aparece em sonhos, fantasias e na realidade externa, e personifica qualidades em nós mesmos que preferimos não pensar que nos pertencem, porque admiti-las seria deslustrar a nossa imagem de nós mesmos. Por isso projetamos em outrem tais qualidades aparentemente negativas. Essa pessoa parece estar sempre visitando nossos sonhos, perturbando a atmosfera ao dizer ou fazer coisas inadequadas ou até positivamente diabólicas. Na realidade externa, a pessoa na qual projetamos a nossa sombra age, de ordinário, como um constante arreliador ou maçador. Quase tudo o que diz ou faz nos exaspera. Até a sua observação mais casual tem o condão de mexer com os nossos nervos, que ele inflama durante dias, semanas, ou até meses. Isso não nos deixa em paz, de modo que nos vemos a todo momento envolvidos emocionalmente com essa indesejável personalidade. Muitas vezes o envolvimento, assim externo como interno, produz um resultado: como se fosse por artes do demo, a pessoa odiosa, que "nunca mais queremos ver", continua aparecendo persistente e irracionalmente, em nossa vida de todos os dias.

Como a famosa sombra de Robert Louis Stevenson, ela está sempre presente em nosso jardim, "onde entra conosco e de onde sai conosco" de maneira tão desoladora que nós também gritamos: "Que utilidade pode ter ela?" Que ela possa ter alguma utilidade é coisa que não nos entra na cabeça. Mas se ela e nós formos persistentes, descobriremos que essa personagem é útil – e até necessária – ao nosso bem-estar de muitas, muitas maneiras.

Em primeiro lugar, ela mantém escravizadas durante a mágica da projeção não só as características negativas que nos pertencem mas também muitas potencialidades positivas. E, como logo descobrimos, se formos reivindicar como nossas essas boas qualidades, teremos de aceitar também as negativas. Chegar a conhecer e aceitar a nossa sombra como um aspecto de nós mesmos é um importante primeiro passo no sentido do autoconhecimento e da inteireza. Sem a nossa sombra continuaríamos sendo apenas seres bidimensionais, papel de seda, sem substância.

Ampliando a nossa abertura de percepção para admitir a sombra como membro da nossa família interior é difícil; mas, de certa maneira, é mais fácil do que parece. Porque, quando chegamos a conhecer esse escuro personagem, descobrimos que muito da sua escuridade foi principalmente causada pelo fato de que ele habitava a escuridão da nossa própria inconsciência. À medida que lhe permitimos, aos poucos, sair à luz, começamos a descobrir que até as suas qualidades mais aborrecíveis parecem menos escuras e o seu peso menos difícil de suportar. Idealmente, quando (e se) o nosso sol atingir o zênite, poderemos ter incorporado em nós mesmos tantos desses aspectos sombrosos que, como a criança no jardim de Stevenson, quase poderemos dizer da nossa sombra: "nada existe dela". Entrementes (o que, decifrado, quer dizer *uma vida inteira*) a sombra estará em evidência em algum lugar porque, à proporção que as energias, anteriormente destinadas a resistir à sombra, ao poucos se tornam disponíveis para um emprego mais criativo, encontramos coragem e força para olhar cada vez mais profundamente a nossa própria escuridão e descobrir figuras ainda mais umbrosas.

Uma vez que figuras de sombra podem aparecer de muitas maneiras, lutar contra elas é uma batalha sem fim. Logo que reconhecemos e aceitamos um aspecto espelhado numa pessoa de nossas relações, ela surge de novo em outra forma. Já não é o velho amigo da casa ao lado, mas um novo vizinho do outro lado da rua que nos faz rilhar os dentes. E, mais uma vez, nos vemos enfeitiçados, fascinados, obcecados. Desta feita, porém, agimos com cautela. Antes de permitir que nos atraiam para rondas estéreis de reflexões circulares, fumegantes e emocionados, podemos lembrar-nos de enfrentar o nosso Mago interior e persuadi-lo a desistir de pregar-nos as suas peças diabólicas. Se a abordarmos com firmeza, mas cortesmente, ele poderá até ajudar-nos a recuperar a parte de nós mesmos que, de uma forma ou de outra, passou para o lado oposto da rua.

Felizmente nunca teremos de aceitar o Diabo como nossa sombra pessoal, nem nos surpreenderemos projetando todo o seu peso no vizinho. Embora o vizinho possa perfeitamente personificar a *sombra pessoal*, o diabo representa para nós o que Jung denominou a sombra *coletiva*, querendo com isso significar uma figura de sombra tão enorme e oniabrangente que só pode ser suportada coletivamente por toda a humanidade. Nem a criatividade sobre-humana do Mago nem a infra-humana destrutividade do Diabo nos pertencem pessoalmente. Os dois personagens são figuras arquetípicas que representam tendências instintuais cujos plenos poderes estão acima e além do nosso alcance. Não obstante, cada um de nós possui um pouco da magia da consciência e, na medida em que temos esse tipo de poder, somos presa da tentação demoníaca de abusar dele. Resistir à tentação requer alto grau de disciplina e autoconhecimento.

Shakespeare compreendeu o problema. Em *A tempestade*, dramatiza tanto o problema quanto a sua solução com verdadeira introvisão poética. Aqui Próspero, um duque despojado do seu ducado pelas maquinações de antigos amigos, retira-se para uma ilha deserta, onde estuda as artes mágicas e planeja vingar-se dos que o traíram. Através da sua magia, libera o espírito Ariel, aprisionado muito tempo atrás no tronco de um árvore por uma feiticeira malvada. Mas Próspero, por seu turno, sujeita Ariel à escravidão, obrigando esse bom espírito a servir aos seus negros propósitos, que envolvem o conjuro de uma tempestade fatal capaz de provocar o naufrágio e a morte dos que o traíram. Mais tarde, através da boa influência de Ariel, Próspero abandona voluntariamente o plano de vingança, faz amizade com os inimigos e liberta Ariel e outros que escravizara à sua magia negra. No fim, renuncia para sempre a essa espécie de mágica, deixa a ilha onde reinara absoluto, e regressa ao continente da humanidade coletiva, onde jura viver a vida e usar os talentos criativos que possui de maneira mais humana e consciente.

Isolado em seu mundo mágico, Próspero é um exemplo excelente do Mago arquetípico. Nenhum de nós é um Mago nessas condições. Não podemos provocar tempestades à vontade nem, literalmente falando, libertar espíritos aéreos aprisionados na matéria e obrigá-los a cooperar. Mas, através da magia milagrosa da ciência moderna, o nosso Próspero cindiu o átomo, dando liberdade a espíritos muito mais poderosos do que qualquer tempestade. Já vimos essa energia muitíssimo mal-utilizada, e sabemos que forças potencialmente ainda mais horrendas poderão ser soltas no mundo.

Nenhum de nós, como indivíduo, é responsável pela magia da ciência nem pelos horrores do abuso que dela se faz. Mas todos, coletivamente, temos de suportar essa carga. A não ser que possamos libertar o nosso bom espírito da sua atual servidão ao nosso materialismo, à nossa cobiça e à nossa vingança, seremos seguramente destruídos pela nossa própria magia negra. Na décima primeira hora precisaremos, de um modo ou de outro, ajudar o nosso Próspero a encontrar o caminho de volta ao continente da humanidade comum.

Quase todos nos sentimos inermes nessa situação. E, provavelmente, há muito pouca coisa que a pessoa comum pode fazer diretamente para efetuar uma mudança na cúpula. Somos, na verdade, minúsculas gotinhas num balde muito grande. Felizmente, porém, há uma conexão direta entre a clareza de cada gotícula e a qualidade das águas coletivas como um todo. Toda a vez que renunciamos, em nossa vida pessoal, à magia confortável de uma projeçãozinha negra, ou toda a vez que abandonamos a viciosa tentação de vingar-nos, a consciência do mundo se aclara e a sombra escura que paira sobre o nosso planeta se aligeira. Toda a vez que, à semelhança de Peter Pan, nos demoramos a recuperar a nossa própria sombrazinha e a costuramos seguramente ao nosso pequenino eu, teremos feito mais do que imaginamos possível para mitigar as angústias do mundo.

A razão disso – e o ponto é crucial – é que a correspondência entre o interior e o exterior já não pode ser considerada apenas uma analogia: tornou-se fato provado, científico. A conexão entre espírito e matéria, intuída pelos alquimistas, místicos e poetas de muitas culturas, e expressa de modo vago e metafórico, é, conforme descobriram os cientistas, muito mais real e direta do que até agora se imaginou possível. A idéia alquímica de que o nosso Mago interno era um "espírito criador de mundos" foi demonstrada de tantas maneiras que é hoje muito mais do que mera verdade poética.

Provavelmente a prova mais familiar de que nós, com efeito, criamos o mundo objetivo é oferecida pelas experiências científicas levadas a efeito com a luz. Nelas ficou provado de forma conclusiva que, debaixo de duas séries diferentes de condições experimentais controladas com cuidado (cada qual igualmente válida), observou-se que a natureza da luz era, de um lado, "ondas" e, de outro, "corpúsculos". E, a despeito de todos os esforços subseqüentes nesse sentido, os dois fatos científicos diametralmente opostos se recusaram a harmonizar-se. A "verdadeira" luz não se apresentará nem permitirá que a conheçamos. A essência fundamental da natureza permanece escondida. E a Natureza tampouco se revelará, afirmam os cientistas.

A imperfeição, explicam eles, não está nos instrumentos feitos pelo homem para observar a realidade externa, mas nos nossos eus humanos – com as limitações do nosso aparelho sensorial. Nenhum instrumento inventado, por mais refinado e exato que seja, poderá algum dia oferecer-nos uma visão desobstruída do mundo "lá fora". Ao que parece, estamos condenados para sempre a experimentar a natureza da luz como "ondas" e como "corpúsculos", ambos os quais, segundo se admite, não foram criados "lá fora" senão "aqui dentro", dentro dos nossos eus psicofísicos. Nós mesmos "criamos" o mundo. A natureza continua sendo, e continuará para sempre, um mistério.

Agora parece evidente que a realidade da psique é a realidade – a única realidade. Há muito tempo, um monge zen colocou-o deste modo: "Este mundo instável é apenas um fantasma, fumaça momentânea." *Sir* Arthur Eddington, o astrofísico, depois de dedicar a vida à investigação da chamada realidade externa, resumiu os seus descobrimentos, mais ou menos, nestas palavras: "Alguma coisa lá fora – não sabemos o quê – está fazendo alguma coisa que não sabemos o que é."

Assim sendo, estamos lidando com um mundo que, às vezes, experimentamos como "externo" e, às vezes, como "interno". Parece hoje menos surpreendente do que parecia outrora que a correspondência entre os dois aspectos da realidade única se tenha revelado científica e matematicamente exata. Mas a dualidade do nosso intelecto está tão arraigada que essas revelações ainda parecem mágicas. Por exemplo: o fato de poderem os físicos postular e descrever com acurácia um novo elemento potencial que, mais tarde, de fato se manifesta na natureza exterior. Ou de terem os matemáticos (independentemente de observações astronômicas) conseguido descobrir as leis da órbita planetária com tal exatidão que se verificou depois que suas fórmulas correspondiam precisamente à maneira com que os planetas se comportam na natureza.

Em *The Myth of Meaning*, Aniela Jaffé comenta a forma milagrosa com que esses cálculos matemáticos independentes correspondem com tanta exatidão ao fato científico. "Isso parece assombroso", diz ela, "e só pode ser explicado satisfatoriamente pela postulação de uma 'ordem objetiva independente' que 'marque' assim o homem como a natureza, ou o pensamento humano e o cosmo".[2] Como se, no nível psicóide, os padrões arquetípicos do mundo interior correspondessem exatamente aos da realidade externa.

2. Aniela Jaffé, *The Myth of Meaning*, Nova Iorque, C. G. Jung Foundation, 1971, pág. 32.

Quase todos podemos citar exemplos pasmosos em que um padrão interno corresponde, de súbito, a um padrão externo de modo milagroso, quando nenhuma conexão causal poderia ser encontrada entre os dois eventos. Em tais situações, a imagem interna se materializa de repente em realidade externa, exatamente como se a tivéssemos conjurado. Somos, por exemplo, visitados pela lembrança persistente de um amigo de infância, do qual não tivemos notícia nos úlimos vinte anos. Depois, de improviso, como que caída do céu, recebemos uma carta, um telefonema ou uma visita totalmente inesperada desse amigo.

Sincronicidade foi o termo usado por Jung para denotar esse tipo de coincidência entre estados internos e eventos externos. Jaffé aclara ainda mais o que Jung quer dizer, elucidando-o da seguinte maneira:

> Por "fenômenos sincronísticos" Jung subentende a coincidência significativa de um evento psíquico com um evento físico, que não podem ser causalmente ligados um ao outro e estão separados no espaço ou no tempo (por exemplo, o sonho que se realiza e o acontecimento que o prediz). Tais coincidências nascem do fato de que o espaço, o tempo e a causalidade, que para a nossa consciência são discretos determinantes de acontecimentos, se tornam relativos ou são abolidos no inconsciente, como foi estatisticamente demonstrado pelas experiências de percepção extra-sensorial de J. B. Rhine. A consciência reduz a processos aquilo que é ainda unidade no inconsciente e, por esse modo, dissolve ou obscurece a relação recíproca de acontecimentos no "mundo uno".
>
> Os fenômenos sincronísticos são como uma irrupção daquele mundo unitário transcendente no mundo da consciência. Sempre imprevisíveis e irregulares, porque não se baseiam na causalidade, despertam espanto ou medo porque reduzem a disparates nossas categorias habituais de pensamento. A unidade paradoxal de ser que eles revelam foi identificada por Jung como o *unus mundus* de Dorn.[3]

É o nosso Mago interno, naturalmente, o responsável pelas milagrosas erupções do mundo unitário no mundo cotidiano de espaço e tempo, causa e efeito. A fim de observar como isso funciona, digamos que você está sentado (como é provável que esteja) lendo este livro. Em circunstâncias "normais", seria de esperar que a leitura se processasse através da série dos Trunfos, página por página, passando revista às cartas, em seqüência numérica, como foi delineado. Examinando-as assim, numa seqüência, no espaço-tempo, esperamos ver o modo com que cada carta evolve da precedente: como a primeira, em certo sentido, causa a segunda, e assim por diante. De acordo com o pensamento linear a que nos acostumamos, só deveríamos esperar ver a carta número vinte e dois, O Mundo, no fim do livro. "No correr do tempo", como se diz, teremos "viajado através" da série de Trunfos, chegando finalmente à última carta que retrata o mundo unitário, o alquímico *unus mundus*, que existe além do espaço e do tempo.

3. Aniela Jaffé, "The Influence of Alchemy on the Work of C. G. Jung", *Spring 1967*, Irving Texas, Spring Publications, University of Dallas, págs. 21, 22.

Suponhamos agora, porém, que no momento em que nos acode este pensamento, o livro nos cai inexplicavelmente no chão, aberto na página que mostra O Mundo. Todos provavelmente concordaríamos em que a correspondência entre o pensamento interior e o acontecimento exterior foi uma coincidência milagrosa, que transcende as categorias lógicas de espaço e tempo, causa e efeito. Oferecendo-nos tal vislumbre inesperado do mundo transcendente, nosso Mago interno teria descarrilado temporariamente o nosso trem mecanístico de pensamento e oferecido uma experiência espiritual do Um permanente além de todas as categorias feitas pelo homem.

Enquanto o nosso Impostor mistura a ordem das cartas, podemos ouvi-lo dizer com um sorriso: "Como vêem – tudo estava *aqui* durante o tempo todo. É apenas porque a sua abertura de percepção é uma fenda tão estreita que você experimenta acontecimentos em seqüência, um por um. Vamos! Dê outra espiada no mundo com os grandes olhos redondos dos meus óculos mágicos!"

Toda a vez que um evento sincronístico irrompe em nosso mundo complacente, ordenado, sacode-nos até os ossos e faz-nos olhar para o mundo com grandes olhos redondos à procura do seu possível significado.

Em seu trabalho pioneiro nesse campo, Jung definiu a sincronicidade como *coincidência significativa*. Mais tarde, porém, o conceito mais objetivo de *grau de ordenação acausal* veio substituir a idéia de *significação preexistente*. No inconsciente coletivo, o arquétipo é visto como o fator ordenador: o significado é uma qualidade que o homem precisa criar por si mesmo. Jaffé prossegue elucidando o assunto da seguinte maneira:

> A experiência mostrou que os fenômenos sincronísticos têm maior probabilidade de ocorrer na vizinhança de acontecimentos arquetípicos, como a morte, um perigo mortal, catástrofes, crises, sublevações, etc. Também se pode dizer que no paralelismo inesperado de sucessos psíquicos e físicos, que caracteriza esses fenômenos, o arquétipo psicóide, paradoxal, se "ordenou": aparece aqui como imagem psíquica, ali como fato físico, material, externo. Visto que sabemos que o processo consciente consiste numa percepção de opostos que se colocam uns aos outros em relevo, o fenômeno sincronístico pode ser compreendido como um modo inusitado de tomar consciência de um arquétipo.[4]

Quando comecei a trabalhar com as cartas do Tarô, as sincronicidades em conexão com os Trunfos começaram a acontecer com freqüência cada vez maior. Uma das mais surpreendentes dizia respeito, muito apropriadamente, ao Mago. Afinal, esse acontecimento fez-me olhar para o mundo – e para mim mesma – com olhos novos. A princípio, contudo, não liguei à idéia expressa por Jaffé o fato de que um fenômeno assim "poderia ser compreendido como um modo insólito de ter consciência de um arquétipo". Levei vários anos para encontrar as chaves desse significado oculto.

O incidente diz respeito a uma estampa da *Mão de Deus* de Rodin (Fig. 15). Eu pedira emprestada uma cópia da estampa para estudar e desejava muito ter uma igual.

4. Aniela Jaffé, *The Myth of Meaning*, Nova Iorque, C. G. Jung Foundation, 1971, pág. 152.

Parecia-me que a mão, tal como era representada aqui, tornava maravilhosamente reais as qualidades andróginas do Criador. Expressava a força masculina e o apoio do pai combinados com o abrigo em forma de ventre e a ternura da mãe. Gosto do modo com que esses dois pólos da criação, o *yang* e o *yin*, eram apresentados como parte do Primordial, e voltavam a manifestar-se no abraço de Adão e Eva. Sendo mulher, eu estimava sobretudo o fato de que Eva estivesse diretamente ligada ao Criador por intermédio do seu próprio contato pessoal e não por intermédio de Adão como costela ou propriedade sua. Comovia-me o modo com que a mão do Todo-Poderoso e as duas figuras humanas pareciam envolvidas juntas num processo. Com essas emoções muito presentes no coração, pus-me a procurar em toda a parte uma estampa da escultura de Rodin, mas não encontrei nenhuma. Depois, um dia, enquanto esperava uma amiga na sala de estar de sua casa, casualmente tirei uma revista do meio de muitas outras que se achavam na última prateleira de uma mesa. A revista caiu no chão aberta numa fotografia da *Mão de Deus* de Rodin.

Fiquei assombrada, naturalmente, e, no mesmo instante, procurei a página de rosto da revista para averiguar que tipo de publicação eu escolhera assim às cegas. E qual não foi o meu pasmo ao descobrir que a revista que tinha nas mãos deixara havia muito de ser publicada; aquele número saíra à luz mais de doze anos atrás! Intitulava-se *Wisdom* (Sabedoria) e tinha a data de janeiro de 1957. Que o Mago tivesse escolhido *Wisdom* como seu veículo era mais do que apropriado. Igualmente apropriado fora o modo mágico com que ele escamoteara o tempo para que a publicação estivesse ali, à minha espera, depois de tantos anos. Senti que alguma coisa além do puro acaso estava operando nesse caso. Não senti que o meu desejo de possuir a estampa *causara* o seu aparecimento, mas senti que esse evento sincronístico devia conter uma mensagem especial para mim.

Não há dúvida de que eventos sincronísticos ocorrem com muito maior freqüência do que compreendemos e, é claro, todos se revelariam dignos de reparo se pudéssemos, pelo menos, aprender a ser mais atentos. Felizmente, para mim, o milagroso aparecimento da estampa de Rodin não poderia escapar à minha atenção nem sepultar-se nas trivialidades dos dias e semanas que se seguiram. Senti que a *Mão de Deus* me oferecera preciosa introvisão, mas eu estava perplexa, sem saber como decifrar-lhe a mensagem.

Isso exigiu de mim um ano de *sturm und drang*, de ensaio e erro, para entrar em contato com o significado pessoal da experiência. Mas, como sói acontecer com esses sucessos milagrosos, o esforço para sintonizar-lhe o significado especial revelou-se recompensador. Uma vez que os acontecimentos sincronísticos são um dos modos com que o nosso Mago interno melhor se comunica conosco, é importante aprender a decifrar-lhe a linguagem oculta.

Como faz uma pessoa para decifrar um acontecimento sincronístico a fim de determinar-lhe o significado? Cada um de nós precisa encontrar o jeito próprio de fazê-lo. Partilho aqui de algumas experiências pessoais, esperando que algumas técnicas, que evolveram através delas, sejam úteis a outros. Esses acontecimentos me ensinaram muita coisa acerca dos usos (e abusos) da magia.

Quando comecei a escrever sobre as cartas do Tarô, ocorreram vários incidentes como o que acabei de descrever, em que uma gravura ou uma informação de que eu precisava me foi "magicamente" oferecida. A princípio fiquei tão excitada com as circunstâncias exteriores de cada evento e tão fascinada pela milagrosa ocorrência que perdi de todo as suas implicações mais profundas. Senti que tais acontecimentos indicavam tão-somente que eu estava destinada a ter a gravura ou a informação em tela. Senti que a vida devia estar dizendo sim ao meu desejo de escrever o livro. As conclusões não eram desarrazoadas, mas o caso é que evitavam as implicações mais pessoais e emocionais dos acontecimentos. Em resultado disso fiquei fascinada com a magia externa dos eventos em lugar de sentir-me impelida a estabelecer um contato emocional com o seu possível significado. Quando as sincronicidades entraram a ocorrer com freqüência cada vez maior, comecei a ficar cada vez mais enfeitiçada por elas. Não demorei a desenvolver uma noção bem empolada a respeito de minhas próprias qualidades mágicas. Pus-me a imaginar senhora de poderes singulares de atração (em todos os sentidos da palavra). Certos chavões apropriados a esse estado de espírito matraqueavam no meu crânio: "Preciso viver direito", "Estou em Tao", etc. Eu não alimentava exatamente a noção de que o Todo-Poderoso era meu co-piloto, mas estava principiando a sentir-me preciosa e especial.

Felizmente, antes que eu decolasse inteiramente para a estratosfera, esbarrei na seguinte advertência oportuníssima de Jung:

> Os milagres só empolgam o entendimento dos que não podem perceber-lhes o sentido. São meros substitutos da realidade não compreendida do espírito. Isso não quer dizer que a presença viva do espírito não é ocasionalmente acompanhada de maravilhosos acontecimentos físicos. Desejo enfatizar apenas que tais acontecimentos nem podem substituir o espírito nem podem provocar-lhe a compreensão, que é a única coisa essencial.[5]

Comecei a compreender que a enorme fascinação exercida pelos acontecimentos parapsicológicos, tão prevalecentes em nossa cultura, poderiam de fato tornar-se "mero substituto da não compreendida realidade do espírito", e vi que eu também permitira a mim mesma ficar tão encantada pela sua magia que me esquecera de usar as sincronicidades como ponte para a autocompreensão. Pareceu-me mais prático, então, refrear minha tendência para bater asas e entoar louvores às minhas "maravilhosas sincronicidades" e desviar a energia a fim de explorar o possível significado desses eventos para mim.

Concedido (supunha eu) que eu talvez estivesse "destinada" a ter figuras e outras informações sobre o Tarô, por que (larguei a perguntar a mim mesma) algumas dessas coisas me caíam magicamente nas mãos, ao passo que o resto tinha de ser procurado das maneiras usuais? Cheguei à conclusão de que os itens que simplesmente apareciam em resposta ao meu desejo deviam satisfazer a um desejo mais profundo e mais pessoal do que a necessidade manifesta da própria gravura. Aplicando essa introvisão especificamente ao aparecimento milagroso da *Mão de Deus* de Rodin, pus-me a fazer esse tipo de perguntas: "Que deficiência (ou potencial não reconhecido) de minha vida representa essa estampa? Em que ponto da minha vida diária anseio que a mão de Deus toque?" Naturalmente, as respostas a tais perguntas são tão pessoais que chegam a ser quase incomunicáveis.

5. C. G. Jung, *Psychology and Religion: West and East*, C. W. Vol. 11, § 554.

Embora este incidente tenha ocorrido há vários anos, escrevo sobre ele no presente, pois continuam a desdobrar-se camadas da sua significação oculta. Estou descobrindo que, à medida que diminui a minha confusão diante da "mágica" das sincronicidades, fico mais livre para entrar em contato com as introvisões que elas têm para oferecer. Em outras palavras, como acontece com a gravura de *Moisés Tirando Água*, quando a "sede do povo" está no quadro, o Mago não pode ser central. *Juntos* criam o milagroso evento que a ambos transcende mas que, ao mesmo tempo, tem os pés bem fincados na boa terra da realidade humana.

De acordo com Jung, quando ocorrem sincronicidades a razão é porque um poder arquétipo foi ativado. Visto que os Trunfos do Tarô simbolizam tais poderes é compreensível que estimulem acontecimentos desse gênero. Se você estiver mantendo um caderno de apontamentos do Tarô talvez seja útil registrar toda e qualquer experiência dessa natureza que aconteça. Aqui se sugerem umas poucas maneiras de chegar ao sentido oculto desses eventos milagrosos. Você, sem dúvida, descobrirá muitos outros.

Um modo de começar é formular as espécies de perguntas acima sugeridas: *O que em mim necessitava desse acontecimento? Que deficiência (ou potencial) em mim representa isso?* Você pode querer escrever quaisquer respostas que lhe venham à mente. Procure captar com palavras o sabor das pessoas ou objetos envolvidos na sincronicidade. Deixe a caneta vagabundear como quiser: em versos ruins, em versos livres, ou em disparates mais livres ainda. Procure rabiscar ou desenhar casualmente quaisquer formas ou figuras que surjam na sua tela interior. Compreenda que, nessa tentativa, não visa a nenhuma realização artística. Se você "não tem talento", tanto melhor, pois não se sentirá tentado a buscar a perfeição e poderá divertir-se brincando com os seus sentimentos de forma despreocupada.

Às vezes, um acontecimento sincronístico não se presta a nenhuma das abordagens acima. Nesse caso, podemos ocasionalmente chegar à sua mensagem *retrospectivamente*, pela simples observação do que realmente aconteceu *depois* do evento sincronístico (se é que aconteceu alguma coisa). Mais uma vez, uma experiência pessoal servirá para ilustrar. Isso ocorreu há muitos anos em Zurique, aonde eu fora fazer análise pessoal e estudar. O meu Mago se encontrava, naquele dia, com o mais manhoso dos humores, pois, fosse como fosse conseguiu fechar-me *dentro* do meu apartamento no momento exato em que eu me dispunha a sair para ir ao consultório do analista. Quando, na semana seguinte, contei a estranha coincidência ao meu terapeuta, já antecipava em resposta um discurso profundo sobre o significado da sincronicidade. Ao invés disso, o médico caiu na gargalhada. Quando pôde falar outra vez, fez-me uma pergunta significativa: "*Em vez disso,* o que foi que você fez do seu tempo?" O exame circunstanciado do que eu fizera naquela hora "em vez disso" revelou-se tão recompensador que, volvidos vinte anos, ainda considero o acontecimentozinho um dos eventos mais significativos de minha vida, pois dramatizou, de maneira inesquecível, o modo com que reagi à frustração. Em vez de aceitar o inevitável e utilizar criativamente a hora perdida, desperdicei-a em fúteis tentativas de vencer o destino em esperteza. Depois de falharem todos os truques para sair da minha prisão por meios externos, escapei psicologicamente tomando um pilequinho.

Uma vez que é mais artista do que ditador, o Mago pede que intercalemos aqui uma palavra de cautela. Ao seguir quaisquer sugestões por nós apresentadas, mantenha o leitor um toque leve e um estado de espírito brincalhão. Não se tenciona, como projeto de trabalho, chegar a um acordo com o sentido de eventos sincronísticos. A atmosfera que se sugere é, antes, uma atmosfera de exploração. Pretende-se que todas as perguntas e técnicas apresentadas neste livro sejam poéticas e sugestivas, e não didáticas e diretivas. Abordar um evento milagroso como uma tarefa ou como um dever de casa só pode servir para sepultar o conteúdo muito emocional que procuramos. Talvez fosse melhor ponderarmos no sentido dos eventos sincronísticos enquanto estivéssemos empenhados em nossa rotina diária. Os "ah! ah!" mais capazes de abalar o mundo geralmente ocorrem quando estamos debaixo do chuveiro ou lavando louça.

As sincronicidades são fenômenos naturais. Não há provas de que sejam gizados pelo destino para dar à espécie humana lições de moral. Como as frutas e as flores, são produtos da natureza. Crescem espontaneamente no nosso jardim, à espera do descobrimento. Apresentam-se para o nosso sustento e para o nosso deleite.

Muitos acontecimentos sincronísticos envolvem imagens internas, que se materializam milagrosamente no mundo externo. Todas as imagens tendem a materializar-se dessa maneira; é da sua natureza procurarem expressão na realidade externa. Como o *Cativo* de Miguel Ângelo, visões anseiam por nascer, lutando contra a nossa letargia e indiferença para se livrarem do inconsciente. Sabedores disso, às vezes empregamos imagens conscientemente – contando carneiros, por exemplo, para chamar o sono, ou visualizando uma cena plácida ou uma mandala para acalmar-nos quando nos sentimos confusos. Quantidades cada vez maiores de pessoas reservam determinado espaço de tempo por dia para tentar implantar imagens favoráveis no inconsciente através da auto-hipnose ou de outras técnicas. Mas tais processos têm valor limitado. Por definição, o inconsciente é inconsciente. Não podemos manipular-lhe as atividades pelo poder da vontade. Uma técnica mais útil talvez seja *observar* simplesmente nossos pensamentos, sentimentos e imagens mais íntimos – permitir que imagens, sejam elas quais forem, apareçam espontaneamente e atravessem a nossa tela interior. O choque que sentirmos ao observar como "somos realmente" por baixo já efetuará uma mudança. O Mago interno pode ajudar-nos a ter consciência das visões de poder, vingança, cupidez, ou seja lá o que for, que existem realmente dentro de nós; de modo que possamos confrontar tais aspectos com um ponto de vista mais consciente. O Mago pode também ajudar-nos a descobrir nossas fantasias criativas e trazê-las à realidade. Destarte, o consciente e o inconsciente se relacionarão de forma significativa.

Reza uma velha máxima alquímica: "O que a alma imagina só acontece na mente, mas o que Deus imagina acontece na realidade." Quando o Mundo Unitário irrompe em nossa consciência, talvez captemos um vislumbre do mundo como Deus o imaginava.

Como, então, haveremos de encarar o Mago do Tarô em termos junguianos? É ele a consciência do ego que cria a ilusão ou a autopercepção que a dissipa? É a vontade do homem ou a Intenção Divina? A resposta é: ambos. Pois é através da consciência que nos enredamos no mundo das coisas e das categorias, e é através da consciência que nos libertamos das suas confusões. O Mago cria a confusão e nos guia através dela. Nesse sentido, o homem pode ser encarado não só como o redentor mas também como o que deve ser redimido. Com o Louco, o ego e o eu eram intimamente aliados, pois é do eu que o ego evolui. Se o Louco simboliza "o eu como prefiguração inconsciente do ego", o Mago pode ser visto como a encarnação de um elo conetivo mais consciente entre o ego e o eu.

Chamando-lhe "o conviva não convidado", Alan MacGlashan equipara o Mago ao personagem central dos nossos sonhos, o Sonhador, que é, a um tempo, o sujeito da experiência e o objeto observado dos sonhos, um "guia fantasmagórico" nos reinos do inconsciente. Acerca desse Sonhador diz McGlashan:

> Como o misterioso Embusteiro do Baralho do Tarô, o Sonhador está continuamente fazendo o que parece impossível, virando de pernas para o ar nossos solenes princípios fundamentais do nascimento e da morte, manipulando o espaço e o tempo com empolgante impudência, sem nenhuma consideração pelas nossas convicções mais estimadas e mais seguras.[6]

Sabemos que alguns sonhos se realizam. Nós "sonhamos" o mundo em que vivemos, nossas personalidades e metas de muitíssimas maneiras – tudo de acordo com nossas imagens interiores. Algumas imagens ocorrem em devaneios, quando estamos acordados, quando o motor da mente consciente funciona em marcha lenta. Estas são fáceis de apanhar. Mas as imagens arquetípicas que aparecem em sonhos, quando a mente consciente está completamente desligada, vêm dos níveis mais profundos da psique e são mais difíceis de relembrar. Aqui, mais uma vez, o Mago pode ajudar ensinando-nos o truque de entrar nesse mundo de sonho.

O primeiro passo, naturalmente, é recordar os nossos sonhos. Para aqueles que "não sonham" é útil substituir esse pensamento negativo por uma atitude de esperançosa expectativa. Muitas pessoas que não sonham descobrem que o fato de ter um lápis e um pedaço de papel à cabeceira da cama costuma estabelecer uma conexão entre a consciência diurna e o mundo dos sonhos. O papel pode ficar em branco por vários dias – ou por mais tempo ainda – mas se você se conservar quieto ao despertar, de olhos fechados, um fragmento do sonho da noite anterior atravessará afinal a sua tela interior. Pode ser que, a princípio, você capte apenas uma frase ou um quadro vago. Não obstante, escreva o que captou. Muitas vezes isso, por si mesmo, suscitará outras imagens ou até um drama completo. É muito importante escrever tudo imediatamente, pois os sonhos se esquecem com facilidade.

Visto que as imagens de sonhos desempenham um papel tão grande no afeiçoamento da nossa vida, convém-nos conhecê-las. É precisamente nisso que versa este livro. Os vinte e dois Trunfos retratam personalidades e situações arquetípicas. Conhecendo as figuras do Tarô aprendemos a reconhecê-las quando nos aparecem em sonhos. A atenção que prestarmos aos sonhos – ainda que não façamos nada mais com eles – terá um efeito em nossa vida. O modo com que nos comportarmos em relação ao inconsciente será o modo com que ele se comportará em relação a nós. Os personagens de sonho, como os amigos e parentes, precisam ser levados a sério. Gostam de sentir que estamos interessados neles e no que fazem – que estamos envolvidos com eles.

O Mago nos ajuda a envolver-nos no mundo dos sonhos. Ao passo que o Louco vagueia, de vez em quando, pelo nosso mundo, entrando e saindo dele, o Mago se posta diante de nós. O Louco pode trazer-nos sonhos aparentemente impossíveis, mas o

6. McGlashan, *op. cit.*, pág. 147.

Mago os colocará sobre a mesa a fim de examiná-los. É ele quem nos ajuda a fazer que nossos sonhos se realizem.

Todos compartimos do poder mágio do Mago. Nosso é o potencial de iluminação e empreendimentos ainda não sonhados. Nosso é também um poder destrutivo de gigantescas proporções. Podemos fazer explodir o planeta; podemos sepultá-lo, a ele e a nós, debaixo do peso de um bilhão de bugigangas de plástico; ou podemos amar e proteger o nosso meio natural e a humanidade. A escolha é nossa. Talvez na medida em que o nosso Mago interior nos tornar conscientes dos sonhos que sonhamos, nossos pesadelos nunca precisarão realizar-se.

Fig. 17 A Papisa (Baralho de Marselha)

5. A Papisa: Suma Sacerdotisa do Tarô

> O mundo mudará menos
> com as determinações do homem do que
> com as adivinhações da mulher.
>
> Claude Bragdon

O Trunfo número dois do Tarô retrata uma papisa de antiga e misteriosa origem (Fig. 17). Historicamente nunca houve uma papisa mas, por vários séculos, uma muher chamada "Papisa Joana" desfrutou de uma existência alegre na imaginação pública. Disfarçada de padre, esse personagem lendário finalmente subiu através das ordens para tornar-se papa. Ninguém suspeitava de que o "Papa João" era mulher, até que o fato, um dia, se revelou de maneira constrangedora. No meio de solene procissão papal, o "Papa João", de repente, deu à luz uma criança!

Essa lenda não teve origem num fato externo mas, como todos os mitos, envolve uma verdade interior tão óbvia que é amiúde ignorada. A principal atividade criadora que distingue Joana de João – o fator relevante e revelador – é o parto. O gênio para fazer bebês é o poder secreto da mulher e sua fraqueza pública.

Se bem pudesse governar vastos reinos espirituais e temporais, o verdadeiro Papa João não poderia ter realizado esse milagre de todos os dias. O homem pode propagar e celebrar o Espírito Divino mas somente através da mulher o espírito se faz carne. É ela quem capta a centelha divina em seu ventre, a protege e alimenta e, finalmente, a gera na realidade. Ela é o vaso da transformação.

Do ponto de vista masculino da lei e da ordem, o ato criativo de Joana pode parecer um infeliz acidente que interrompe a procissão civilizada. Que choque há de ter sido o ver-se diante da sanguinolenta confusão da realidade – o infante a berrar e todos aqueles cueiros – no meio da pompa e circunstância! Que falta de consideração da Natureza desmazelada interromper tão rudemente a celebração do puro espírito! Mas até quando diz isto, o homem se vê obrigado a reconhecer a tremenda importância do poder da mulher. "Puro espírito" é puro disparate. A menos de ser apanhada, trazida ao terreal e instalada na realidade, a inspiração alada se espalha sem finalidade e sem propósito. Sem o nascimento não haveria procissão. A não ser que o espírito fosse realmente feito carne, a celebração papal não teria sentido.

Portanto, aqui, diante de nós na carta número dois, está sentada a Mulher. Embora chamada Papisa, não é literalmente a esposa do papa. Visto que, na seqüência, ela se segue ao Mago, que é um sábio revestido da dignidade sacerdotal, ou mago, podemos pensar nela como numa Suma Sacerdotisa, nome, aliás, que lhe dão alguns baralhos modernos. O Mago representa o *yang* primário, ou princípio criativo masculino. A Papisa pode ser vista como representação do *yin* primário, ou aspecto feminino da divindade. Personifica as qualidades de Ísis, Ishtar e Astarte, todas deusas que reinaram sobre os rituais dos mistérios das mulheres. Em seus aspectos espiritualizados surge como a Virgem Maria e como Sofia, a Sabedoria Divina. O seu número dois é um número sagrado para todas as divindades femininas.

A Papisa é uma figura feminina substancial, pesada, sentada – possivelmente entronizada. Ostenta as vestes cerimoniais e a tiara da Igreja, representando, assim, o poder espiritual além da sua pessoa individual. Segura na mão um livro aberto, sem dúvida um livro sagrado, simbólico da Palavra Divina. Talvez esteja refletindo sobre o que acabou de ler. Talvez mantenha o livro aberto para podermos ver a Palavra... vede como estava escrito "no princípio". Nos quadros da Anunciação, a Virgem Maria, não raro, se apresenta com um livro aberto; segura o livro dos Profetas, que lhe prediz o destino como portadora do Divino Infante. Aqui no Tarô se diria que o livro tem significação semelhante, indica que, através da Papisa, o espírito será *real*-izado, trazido à realidade. Tradicionalmente, não é a mulher quem faz a lei, ela é o instrumento da sua promulgação; não controla o próprio destino, que evolverá como estava escrito. A mulher não se põe a agir para procurar o seu fado, pois a essência do feminino é a receptividade. Não escolhe; é escolhida. Suceder-lhe-á como estava predito "no princípio".

A pala amarela que atravessa o peito da Papisa de um lado a outro pode indicar que ela aceita o destino, que suportará o fardo com paciência bovina e servirá o espírito com humildade. A pala enfatiza o eixo horizontal da cruz, a dimensão da realidade terrena. Liga o direto ao esquerdo, o consciente ao inconsciente, unindo-os de um modo prático. De maneira semelhante, suas mãos se unem para segurar o livro da profecia; ela aceita a Palavra com todo o seu ser. Esse sentimento de compromisso ecoa na touca branca, parecida com a que ostentam certas ordens de monjas e as mulheres ao fazerem a primeira comunhão. Usada de um modo geral nos tempos medievais, a touca hoje se conserva como sinal de dedicação especial ao Espírito Santo. Esconde os cabelos da mulher, sua "glorificação", símbolo de atração sexual e de poder de sedução. A Papisa, porém, está enfeitada com uma tiara cravejada de jóias, que chama a atenção para uma glória mais preciosa do que os cabelos mortais, e cuja forma de colmeia indica fertilidade perpétua, organização instintiva e nutrição doadora de vida. Suas três camadas mostram que esse poder se manifesta em todos os mundos: no celeste, no terrestre e mesmo debaixo d'água.

O toucado de três camadas também liga a pessoa que o usa à feiticeira de três caras, Hécate, escura personagem pré-olímpica, de cujo domínio partilhará a Papisa nos três mundos. A dama do nosso Tarô simboliza um requinte e uma espiritualização de natureza instintual aparentemente muitas eras distantes da vingativa Hécate: sem embargo disso, a Papisa não se senta satisfeita no trono. O toucado em forma de colmeia lhe serve de constante lembrete de que os instintos, contrariados, podem atacar com ferrões maldosos. Atrás da Papisa estendeu-se um grande véu ou cortina sustentada por dois pilares, rapidamente vislumbrados debaixo do véu à sua direita e também debaixo do seu cotovelo esquerdo. É evidente que ela está sentada à entrada de alguma coisa – talvez um templo ou santuário íntimo, de cujos mistérios é a guardiã.

Podemos apreciar as qualidades misteriosas da Papisa colocando-a em contraste com o Mago, retratado fora de casa, num campo aberto. Tudo nele – a forma de lemniscata do chapéu, a varinha empunhada no alto por uma das mãos, a bolinha segura com tanta delicadeza entre o dedo e o polegar da outra mão, juntamente com os implementos e instrumentos do seu ofício sobre a mesa à sua frente – tudo sugere ação. Ele está em vias de fazer alguma coisa. Até os cabelos, com cachos dourados, caindo livremente debaixo do chapéu, parecem vivos. Sua posição com os pés espalhados é a do maestro no pódio, pronto para dirigir uma execução. Como o condutor, o Mago não está fixado permanentemente no lugar. Concluída a execução, mudar-se-á para outros campos. Tampouco está constrangido pelas limitações do tempo terrestre. As curvas extravagantes da lemniscata do chapéu ligam-no ao infinito – indicando que quem o usa tem aceso a dimensões mágicas de percepção impessoal, transcende as realidades mundanas do tempo e do espaço.

Não assim com a Papisa. Ela está quase enraizada no lugar, passivamente sentada, imóvel. Sentimos que sempre esteve ali sentada e assim continuará até o fim dos tempos. Ao passo que o chapéu e a varinha do Mago sugerem ação e experiência, a tiara e o livro dela indicam contenção e tradição. Em contraste com a liberdade do Mago no espaço, os pilares da Papisa marcam as limitações da dura realidade.

O poder do Mago é o fogo: o poder quente, brilhante, rútilo do sol. O poder da Papisa é a água: o poder frio, escuro, fluido da lua. Ele controla por meio da força rápida, do conhecimento e da idéia. Ela governa pela lenta persistência, pelo amor e pala paciência feminina.

Os pilares reiteram a dualidade expressa no número dois da Papisa. Sua essência é o paradoxo. Ela abrange tudo, abarca assim o bem como o mal – até a vida e a morte. Ela, que é a mãe da vida, também preside à morte, já que tudo o que vive na carne precisa, um dia, morrer na carne. Somente a luz não confinada do puro espírito é imortal.

A magia do Mágico, como o seu sexo, está na frente. A magia da Papisa, velada e oculta como os seus cabelos, está escondida pelas cortinas atrás dela? Ou ela a guarda "debaixo do chapéu"? Ou a sepultou entre as águas do seu ventre? Onde quer que esteja escondido, o segredo da mulher, como o da natureza, permanecerá sempre oculto à penetração da consciência masculina. Na base da estátua de Ísis em Sais, estão inscritas as seguintes palavras: "Sou tudo o que era, que é, e que sempre será. Nem mortal algum jamais pôde descobrir o que jaz debaixo do meu véu." Dela é o reino da profunda experiência interior; dela não é o mundo do conhecimento exterior.

Sentimos que o poder do Mago está, de certo modo, sob o seu controle consciente, que ele pode "usar de franqueza". Não é este o caso da Papisa: a natureza da sua magia está escondida até mesmo dela. Acontece, em parte, "nas suas costas", como está representado. Guardiã do nascimento e do renascimento, ela nos guarda mas não os controla.

Nas culturas primitivas, a mulher era vista como a única fonte da vida, porque não se considerava o ato sexual ligado de algum modo à gravidez. Entendia-se que o homem não representava papel algum no processo da concepção. Era até conhecido como intruso, uma força destrutiva da criação, como está exemplificado mitologicamente na história do rapto de Perséfone. Uma vez que não se compreendia o papel do homem no processo da vida, cada mulher que engravidava havia de sentir-se misteriosa e incompreensivelmente escolhida pelos deuses. Como aconteceu a Maria, a notícia do seu destino devia parecer ter descido inexplicavelmente como anunciação do céu. O parto era um santo mistério, e um mistério da *mulher*. Os primeiros limites sagrados que se conheceram foram os destinados ao parto. Mais tarde, erigiram-se templos nesses sítios. Assim o princípio feminino personificado em Ísis, Ishtar, Astarte e, depois, em Maria, vieram a ser ligados não só ao nascimento no corpo mas também ao renascimento numa nova dimensão de percepção, que transcende a carne.

Hoje em dia, a despeito da pílula, da educação sexual e da liberação das mulheres, o parto continua a ser, graças a Deus, um mistério sagrado. O planejamento familiar é mencionado com desenvoltura, mas a verdade é que cada gravidez ocorre (ou não) pela graça de Deus. Toda mãe em perspectiva, por mais disposta que esteja, ainda precisa ser escolhida pelo destino para assumir esse papel. O próprio acontecimento milagroso ainda é um mistério, e ainda é um mistério da mulher. Acontece a ela. Com o homem, o ato da propagação acontece fora dele, tanto física quanto psicologicamente. O homem pode procriar uma dúzia de filhos sem jamais ter conhecimento de que o fez. Mas, em se tratando da mulher, a concepção e o próprio filho acontecem dentro do seu corpo – no próprio centro do seu ser. A partir do momento em que ela concebe, quer o saiba quer não, a mulher está literalmente grávida de um filho. Seja qual for a sua atitude intelectual, no fundo do inconsciente de cada mulher a gravidez ainda é experimentada com uma anunciação profética. Para ela, cada nascimento é uma recriação do Divino infante.

Parece significativo que as mulheres estejam começando hoje a restabelecer uma conexão consciente com a *experiência* do parto. Através do parto natural e de outras técnicas que dispensam o emprego de drogas, as mulheres permanecem conscientes no momento de parir, de modo que podem ligar-se emocional e espiritualmente à experiência e participar conscientemente desse supremo ato de criação. Mais significativo ainda é o fato de que os maridos, longe de serem excluídos do "recinto sagrado", são convidados a participar do ritual do parto e a partilhar da experiência como co-criadores. Finalmente, a criatividade feminina e o princípio feminino (negado por um período demasiado longo em nossa cultura) estão conquistando os seus direitos.

A liberação das mulheres é encarada, às vezes, estreitamente, como um movimento que visa a libertar as mulheres da maçada do trabalho de casa e dos preconceitos dos homens em todas as áreas da vida. Mas o que está sendo realmente almejado é a libertação, tanto dos homens quanto das mulheres, da subserviência ao princípio masculino, um dirigente cuja autonomia há muito estabelecida converteu-se em tirania para homens e mulheres ao mesmo tempo. Em seu nível mais profundo, esse movimento não é uma guerra entre os sexos mas, antes, uma luta árdua da parte de ambos os sexos para libertar a Papisa das masmorras do inconsciente e para elevá-la ao lugar a que tem direito como co-soberana do seu equivalente masculino. A atual revolução psicológica e social pode ser vista como a promulgação, em termos humanos, da Assunção da Virgem Maria, recém-dogmatizada pela Igreja Católica. Teologicamente, a Virgem tem agora um lugar seguro no céu à mão direita de Deus. Mas depois de séculos de genuflexão espiritual diante do princípio do pai (que dominou por tanto tempo nossa cultura judeu-cristã), é difícil, tanto para as mulheres quanto para os homens, dar o mesmo destaque ao princípio feminino.

Um dos nossos problemas pode ser que o conceito "igual mas diferente" é de aceitação difícil para uma sociedade competitiva, em que cada pessoa, lugar ou coisa é instantaneamente computadorizada, avaliada e rotulada. Dir-se-ia que em nosso esforço por experimentar os sexos como iguais às vezes tendemos a obliterar-lhes as diferenças. Compreensivelmente, a atual fase transicional é uma fase de confusão para todos; mas parece particularmente assim para os que dentre nós fomos educados numa era em que as diferenças sexuais, por mais distorcidas que fossem pela cultura, eram claramente definidas. O mesmo não acontece hoje. Simples donas de casa passam por nós nos supermercados vestidas como alguma coisa saída dos Anjos do Inferno; heróis do futebol, antigamente pouco amigos das fitas do avental, agora posam para a imprensa vestindo o avental inteiro – e com os cabelos encaracolados! Mais desconcertantes ainda são os trajos e o procedimento uniformes do chamado unissexo, em que todos trazem cabelos compridos e *blue jeans* e todos carregam os próprios cobertores e mochilas; e não é fácil achar uma pista do verdadeiro sexo da pessoa.

Talvez não mereçamos nem precisemos saber quem é o quê (supondo, naturalmente, que os próprios indivíduos tenham uma boa compreensão dos fatos da vida). Mas podemos compreender a confusa admiração de Ogden Nash pela tartaruga, em que o sexo é similarmente escondido: "Creio que é muito esperta a tartaruga / sendo, em tais condições / tão fértil." E podemos esperar que esteja prestes a nascer um novo papel "igual mas diferente" tanto para os homens quanto para as mulheres. Um dos modos com que talvez possamos ajudar-lhe o parto é através de uma experiência mais plena e mais consciente do princípio feminino, por tanto tempo negligenciado, e da compreensão de como opera em todos nós, homens e mulheres.

Como primeiro passo, seja-nos permitido esclarecer a nossa terminologia. Não se pretende que os termos feminino e masculino, tal como Jung os emprega, se correlacionem com a dicotomia fisiológica homem-mulher. Eis por que são úteis conceitos como *yang-yin* ou Logos-Eros, pois deixam claro que o que nos interessa aqui são dois princípios de vida, ambos os quais operam em todos os homens, em todas as mulheres e em toda a natureza. Entretanto, parece importante também conservar alguns tons harmônicos em nossa linguagem. O sexo é um paradigma na experiência humana para a compreensão dos opostos e sua transcendência final. Através da não-identidade da relação sexual chegamos a experimentar a força dinâmica dos opostos em nossas entranhas e, através do êxtase da sua reconciliação, vislumbramos sugestões de uma totalidade que transcende a carne moral.

Assim os termos masculino-feminino são usados aqui para denotar pólos positivos e negativos de energia, cuja interação dinâmica propaga, motiva e ilumina nossas vidas. Por exemplo, assim como o corpo do homem tem características femininas secundárias, assim a sua psique – seus humores e comportamento – sofre a influência do chamado lado feminino, a cuja personificação Jung deu o nome de *anima*. Quando o homem não tem consciência da sua *anima*, pode ser inteiramente dominado e destrutivamente influenciado por ela. Quando toma consciência dela e das suas necessidades, ela pode inspirá-lo e conduzi-lo à sua própria totalidade. Em termos junguianos, a Papisa representaria para o homem um desenvolvimento muito elevado da *anima*. Simbolizaria a figura arquetípica que o relaciona com o inconsciente coletivo. Sendo mulher, a Papisa seria uma forma altamente diferenciada de Eros; simbolizaria a feminilidade, um eu espiritualmente desenvolvido.

As muitas facetas da feminilidade espiritual não podem ser captadas em palavras, nem mesmo em imagens; mas escolhi algumas ilustrações que podem ampliar e enriquecer o significado dessa carta. Examinando essas imagens talvez possamos ligar-nos à "magia da Lua" em nós mesmos. Pois todos, homens e mulheres, temos ao nosso alcance dentro de nós os poderes assim do Mago como da Papisa. Se esses dois pólos não interagissem em nós não haveria vida – nem criatividade.

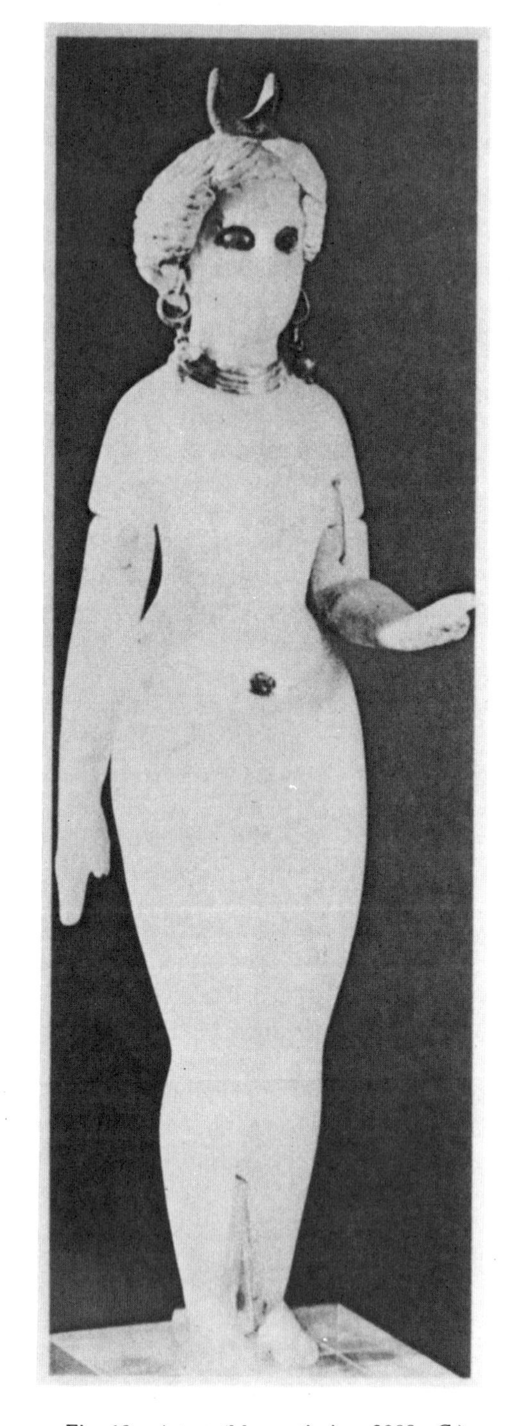

Fig. 18 Astarte (Mesopotâmia c. 2000 a.C.)

Uma das ilustrações (Fig. 18) mostra uma estátua de alabastro de antiga deusa da Lua, símbolo de fertilidade e reprodução, provavelmente Astarte. Ela representa uma forma muito mais primitiva do princípio feminino do que o que temos estado examinando; mas debaixo dos vestidos da civilização, o sangue de Astarte corre nas veias da Papisa – e nas nossas. As divindades femininas eram deusas da Lua porque se acreditava que as fases da Lua controlassem o nascimento, o crescimento e a decadência. Ainda hoje muitos lavradores chamados "civilizados" consultam o almanaque antes de deitar na terra as suas sementes.

O poder da Lua é muito sutil, porém muito forte. Controla as poderosas marés, daí o dizer-se que as lágrimas de Ísis governam as águas do Nilo. À diferença do Sol, que é constante, predizível e brilhante, a Lua é inconstante, velada e escura. A natureza da mulher é melancólica, mutável como a Lua, que pode trazer a nutrição dadora de vida, a seca ou as enchentes destrutivas, dependendo da fantasia da Grande Deusa.

Ambos os sexos estão sujeitos aos caprichos da deusa, mas as mulheres, graças ao seu parentesco com ela, acham-se habitualmente mais cônscias da sua influência e mais preparadas para lidar com ela. O ritmo do ciclo menstrual, com as mudanças de humor que o acompanham, ajuda a mulher a esperar o inesperado e a reconhecer e aceitar o irracional como parte da vida. O temperamento da mulher, como o da deusa, está mais relacionado com ritmos da natureza do que com sistemas de lógica.

A situação do homem é diferente. Tanto fisiológica quanto psicologicamente, o homem, de ordinário, está menos afinado com a vazante e a enchente de seus estados de espírito do que a mulher. Em resultado disso, a deusa pode pegá-lo de surpresa. Às vezes, ela lhe usurpa toda a personalidade, de tal sorte que o homem nesse estado quase parece falar com a voz dela, de um jeito efeminado, irracional e até histérico. Podemos imaginar a Deusa da Lua (Fig. 18) vingativa e impiedosa quando contrariada. Olhem só para aqueles olhos! Observem também o "terceiro olho", localizado não na testa mas na barriga dela, no umbigo, centro de tudo.

O elemento a que ela se liga é a água. Na maioria dos mitos da criação, a água é descrita como o poder original receptivo, produtivo e construtor de forma. Das profundezas do oceano, do berço eternamente balouçante, se ergueu toda a criação – todas as formas de vida. Das profundezas do inconsciente se ergueu a própria consciência. Pois assim como o embrião individual está contido e alimentado no líquido amniótico, assim cada identidade individual está contida e é alimentada no profundo inconsciente de todo recém-nascido. Assim sendo, é do inconsciente que nasce a consciência.

Simbolicamente, a mulher, de fato, é água: *mare, mer, mère* e *Maria*. Sua conexão com a água é enfatizada na versão inglesa do século XX da Papisa aqui pintada (Fig. 19). Essa carta, do Tarô de Waite, chama-se A Suma Sacerdotisa. Aqui as roupas da dama fluem para a água e tornam-se água. A corrente, feminil, seguirá a linha de menor resistência, adaptando-se aos contornos terrestres, movendo-se sempre para baixo a fim de juntar-se em poças e lagos que espelham o céu. A natureza feminina é refletiva. Mergulhando nas profundezas da mulher, o homem chega a conhecer-se. Olhando para as imagens no inconsciente profundo, chegamos a conhecer-nos.

A duplicação, a duplicidade e também a lembrança pertencem ao lado feminino. Em seu livro *The Two Hands of God*[1] Alan Watts nos recorda que, quando recolheu o

1. Alan Watts, *The Two Hands of God*, Nova Iorque, Collier Books, 1969.

Fig. 19 Baralho Waite

corpo desmembrado de Osíris, Ísis, literalmente, remembrou-o. A remembrança não é um mero ato mecânico, como tirar uma fotografia de um arquivo. É, basicamente, um ato de restauração e criação. Pois quando nos lembramos de alguém, recriamos a sua imagem. Às partículas e pedaços do fato espalhado a respeito da pessoa ou situação em tela acrescentamos importante pedaço de nós mesmos: um conteúdo emocional tirado da nossa própria experiência. Assim, lembrando-nos de alguém, criamos uma nova entidade. Trazemos o esquecido de volta a uma nova totalidade e o reintegramos no mundo coletivo.

O ato criativo da memória é a província especial do princípio feminino, sempre colorido pela emoção. De fato, como Watts nos recorda, a palavra inglesa "memory" deriva do inglês antigo *mournan*, que quer dizer "to mourn" (prantear). Assim, com efeito, "mourning" (o pranto) "se torna Electra". A capacidade de ligar-se de forma criativa às emoções também pertence a homens em contato com o seu lado feminino. O dom particular dos poetas consiste em ajudar-nos a "chorar por Adonai".

Nossa cultura ocidental tende a enfatizar o aspecto leve, puro, da condição da mulher, de modo que se torna difícil encontrar exemplos na arte européia que retratem a mulher espiritual como *arraigada no corpo*. Um caso a propósito é a Papisa, tal como foi retratada no baralho Waite. Esse baralho inglês da virada do século, desenhado sob a direção do estudioso A. E. Waite, foi executado por Pamela Smith, que criou os cenários para as peças de Yeats. Nele, a papisa sofre mudanças significativas. Esta sacerdotisa é pintada como uma formosa jovem sentada, orgulhosa e erecta. As águas a seus pés refletem uma lua crescente. Conquanto entronizada entre os Pilares de Salomão, diante de um fundo de quadro de antigos símbolos de fertilidade, com um rolo de pergaminho com a palavra "Tora" no colo e ostentando a própria coroa de Hathor, a dama parece britânica até os ossos. A despeito da complexa simbologia do cenário – ou talvez por causa dele – ela se me afigura um rosto sem paixão, distante de tudo o que a cerca, e desligada do corpo. Como essa casta donzela pós-vitoriana está longe da cornuda Astarte – a do ventre brilhante e dos olhos chamejantes!

A sacerdotisa do século XX de Waite é perfeita e bela e talhada para o papel – mas alguma coisa lhe falta. Em comparação com a Papisa, com seu corpo confortável e seus velhos olhos sábios, essa moça parece intocável e pura – boa demais para ser verdadeira. De maneira semelhante, a Virgem Maria, às vezes, é tão romantizada e idealizada que se diria incorpórea e etérea. Hoje, com a Doutrina da Assunção, o corpo da Virgem tornou-se aceitável ao Céu – e a nós. Talvez tenha chegado o momento de se restituir à palavra "virgem" a força e o significado originais.

Hoje em dia damos o nome de virgem a uma pessoa sexualmente pura. Originalmente, porém, a palavra "virgem" não tinha relação alguma com a castidade física. "Virgem" significava simplesmente "a mulher não casada". Como assinala Esther Harding,[2] visto que não pertencia a homem nenhum, a virgem pertencia a si mesma de um modo especial. Estava livre, portanto, para dar-se a Deus; psiquicamente aberta ao Espírito Santo. Virgem nesse sentido era o Oráculo de Delfos. Não se tratava de nenhum espírito desencarnado, que pairava por ali em pálida gaze e ectoplasma. A deusa pítica sentava-se, robusta e sólida, em sua carne; pois a fim de receber o impacto do Espírito Santo, o vaso precisava ser forte. O significado de ser "escolhida por Deus" é comoventemente dramatizado no romance de Par Lagerkvists, *A sibila*. Esse livro, que conquistou o Prêmio Nobel de Literatura nos anos cinqüenta, merece ser relido como amplificação de certos aspectos da Papisa.

Como os poderes da Papisa são essencialmente não-verbais, você poderá achar (como eu achei) que uma boa maneira de enriquecer o seu sentimento por esse aspecto arquetípico de si mesmo é procurar imagens que lhe personifiquem as muitas qualidades. Outra técnica proveitosa para vir a conhecer a figura misteriosa é abordá-la diretamente. Se a atmosfera (e as estrelas) estiverem certas, você poderá ganhar novas introvisões.

Como explicação desse método, incluo aqui uma conversação elucidante que tive recentemente com a Papisa sobre a sua posição como número dois na seqüência do Tarô. Eu estivera imaginando se o fato de ser a segunda poderia fazê-la sentir-se de qualidade inferior. Fossem quais fossem os seus sentimentos, percebi que ela não se estava esforçando ao máximo. Lá sentada, como sempre, há séculos, imóvel e serena, sabendo o que sabia e aparentemente segura da sua sabedoria. Qual era o seu segredo?

2. M. Esther Harding, *Woman's Mysteries*, Nova Iorque, Longmans, Green and Co., 1935.

Quando me aproximei do trono da Papisa com essa pergunta engatilhada, ela enrijeceu imperceptivelmente o corpo e parte dela fugiu à procura de abrigo (como acontece com os introvertidos). Quando se certificou de que todos os seus postigos internos estavam fechados, a dama reconheceu minha presença e concedeu-me uma audiência com graciosa inclinação da cabeça.

Senhora Papisa, muitas mulheres acham hoje que a senhora deveria ser a número um do Tarô. Concorda com elas?

"De maneira nenhuma!" replicou ela. "Veja bem, faz séculos que o número um pertence ao Mago. Aliás, fica-lhe perfeito, não lhe parece? O número um é esguio e móvel como a varinha dele, ideal para o seu tipo de mágica. Mas não serviria de maneira alguma para carregar um bebê, cozinhar um caldeirão de sopa ou tramar uma intriga. Não, para a minha mágica não há nada melhor do que esse gozado e gordo número dois. Sinto-me felicíssima com ele."

Depois disso, a dama ficou em silêncio, deixando-se cair no antigo poço da memória. Ao fazê-lo, os anos foram desaparecendo e o seu rosto principiou a brilhar com o frescor do jardim do Éden.

"Sabe de uma coisa", voltou ela com um dar de ombros e uma risada de meninota que lembrava Eva, "para um número par, o dois é meio esquisito, não lhe parece? Quero dizer, o dois é gordo e substancial como um pote mas, ao mesmo tempo, é meio enrolado e esquivo, como uma cobra"...

Nesse ponto, a oradora fechou os olhos e deixou-se levar outra vez com um sorriso recordativo... Por fim, despertou com um esforço, reassumindo a pose e o comportamento da Papisa.

"Não dê atenção a esses freudianos, filha", disse ela. "Eles não entendem de cobras. Há um montão de coisas de que eles não entendem em relação ao nosso malvado, manhoso, maravilhoso número dois! Sim, estou muito satisfeita com o lugar da mulher", concluiu suavemente, cantarolando uma melodiazinha na garganta.

Mas a senhora não preferiria ser a primeira?

Seguiu-se outra longa pausa.

"Você deve ler da esquerda para a direita, com certeza", disse ela finalmente, com os olhos fitos num ponto cerca de trinta centímetros acima da minha cabeça e com vários séculos de profundidade.

Mas, Senhora, seja qual for a direção em que se lê, ao contar, o número um sempre vem primeiro!

"Isso é verdade, minha querida", assentiu ela placidamente, "e o número dois vem depois. A matemática foi difícil para mim, também, a princípio, mas a gente logo se acostuma a ela".

Mas sem dúvida é melhor ser primeira?

"Ah, meu Deus!" suspirou ela. "Quanto trabalho vocês, modernos, arranjam para si mesmos com toda essa avaliação! Não admira que tenham inventado computadores a fim de trabalharem um pouco para vocês."

Quer dizer que a senhora é contra a avaliação? Deve achar, então, que a gente ser primeira ou segunda dá no mesmo?

"Oh, não. É claro que não dá no mesmo. É diferente. Muito diferente. Aí bate o ponto, entende? Nem melhor nem pior – apenas diferente. Cada lugar tem o seu sabor – como as especiarias – ou os perfumes. Gosto de pensar que somos flores – o Mago, uma virga-áurea e eu, uma rosa."

Sim, percebo. Mas há duas coisas que ainda me intrigam. Dizem que Eva foi uma idéia tardia do Criador – a costela de Adão, a senhora sabe. Isso é verdade?

"Tolice! A costela de Adão foi completada antes que ele o fosse. O fato é que Adão só deu por ela mais tarde. Foi isso que aconteceu.

"Tenho aqui uma gravura, em algum lugar, que conta a história toda. Mostra exatamente o que se deu no Éden por ocasião da Criação, e o que ainda está se dando hoje. Você sabe", disse ela, olhando atentamente para mim enquanto procurava a gravura nas dobras da túnica, "você sabe", repetiu, "que vocês, crianças, ainda estão presos ao Éden de muitas maneiras. A sua criação ainda não acabou – esse é um serviço que vocês (como todos os filhos de Deus em toda a parte) terão de acabar pessoalmente... Ah, aqui está a gravura!" gritou, mostrando esta excelente ilustração de William Blake (Fig. 20).

"Por aqui se vê perfeitamente que Eva não é a *costela* de ninguém! É, antes, uma deusa e, como todos esses imortais, nasce adulta – um nascimento milagroso. Atrás dela, ergue-se a sua gloriosa serpente. *Não são lindas as duas?* Mas Adão está dormindo; nem sabe que ela existe. Hoje ele começa a despertar para a realidade dela, mas ainda não sabe muita coisa a seu respeito. Na verdade, nem mesmo Eva está plenamente convencida da própria realidade. Se olhar para o rosto dela, você a verá ainda absorta num sonho, colocada, como a Miranda de Shakespeare, no limiar de um Corajoso Mundo Novo.

"Blake deu ao quadro o nome de *A Fêmea Surgiu da Escuridão Dele*. Muitas pessoas, hoje em dia, dizem que foi *apesar da* escuridão de Adão, e não *dela*, que Eva

Fig. 20 "A Fêmea Surgiu da Escuridão Dele"
(*A Tentação de Eva*, de William Blake. Copyright de Crown.
Victoria and Albert Museum, Inglaterra. Reproduzido com autorização.)

conseguiu nascer. Enfatizam também as palavras *apesar de*, ao contar como Eva (coitadinha) tem lutado todos esses anos contra a inconsciência do seu homem, sofrendo os muitos olhares torvos (e olhos pretos) que ele lhe deu ao longo do caminho! Não foi esse, porém, o modo com que Blake o pintou, ou disse. E também não é o modo com que o vejo. Segundo Blake, foi *da* escuridão de Adão – quase que se poderia dizer *por causa* dela, que Eva veio a nascer. (Eu gostaria que ela pudesse encontrar em seu coração, para oferecer a ele, um pouco mais de gratidão – e um pouco menos de rancor!)

"Imagine só: o mundo deles era um mundo de Jeová, de rigorosos mandamentos e proibições, e o Senhor Adão era o seu herdeiro presuntivo. Só na sombra da escuridão adormecida de Adão se poderia encontrar um ventre seguro para a concepção e um espaço secreto para o crescimento de Eva. Adão (bendito seja) guardou sua escuridão para ela e alimentou-a com seus sonhos. Ele sonhava com ela constantemente, você sabe – e suspirava por ela. De modo que foi, na verdade, por causa dos sonhos e da necessidade de Adão que Eva encontrou um jeito de realizar-se. Entende?

"Naturalmente, a Eva dos sonhos não correspondia à Eva da realidade. Mas, a princípio, nenhum deles sabia disso. E visto que surgira dos sonhos dele, ela simplesmente os incorporou, pois ainda não encontrara sua essência própria. Hoje, quando ela descobrir quem ela é, ele descobrirá novos sonhos para sonhar. Um dia sonhará às deveras. Você verá.

"Oh, não se pode negar que os primeiros sonhos foram inadequados. Os primeiros sonhos muitas vezes o são. Mas são também as sementes de toda realidade, minha querida. Lembre-se disso."

Por alguns momentos, a Papisa e eu permanecemos em silêncio, matutando juntas no Adão adormecido. Depois, ela disse, de repente:

"Não se incomode com o que poderão dizer quando estiverem acordados, filha. Eles nos alimentam com os seus sonhos e suspiram pela nossa verdadeira realidade. *Nunca se esqueça disso!*"

Após uma pausa, enquanto eu me lembrava de não esquecer, a Dama voltou-se para mim e perguntou-me gentilmente:

"Parece que você tinha mais uma pergunta?"

Bem, esta se relaciona com o Sol e a Lua. Há um boato segundo o qual a luz da Lua é de qualidade inferior, pois ela não passa de um refletor da poderosa glória do Sol – ela não tem essência nem divindade próprias. Que é que a senhora pensa sobre isso?

"Ora", disse a Papisa, meneando a cabeça. "Quem quer que dê curso a boatos assim – não há de ser mulher, você pode estar certa! Felizmente, tenho aqui uma coisa que lhe sossegará o coração." Dizendo isso, a dama tirou do seu volumoso manto uma gravura. "Como está vendo", prosseguiu, "eis aqui um excelente quadro de Rafael – *Deus Criando as Duas Grandes Luzes*. Veja com os seus próprios olhos como Ele fez, pessoalmente, o Sol e a Lua ao mesmo tempo, com cada uma das suas mãos. (Fig. 12)

"Não", continuou ela, "toda essa questão de primeiro ou de segundo não tem importância alguma. O dois é o número de toda a vida; sozinho, o um não pode fazer nada. Até o Senhor, como você não ignora, precisou do dois para poder encetar a tarefa da criação. Há outro famoso retrato d'Ele que o demonstra com perfeita clareza – o *Deus Criando o Universo*, de Blake (Fig. 11). Mostra o barbudo Criador com um compasso na mão, estendendo um braço comprido desde o Grande Círculo do Céu, em vias de traçar o círculo microscópico à imagem e semelhança do macroscópico. Para poder fazê-lo, Ele – até Ele – precisou usar as duas pernas do compasso: uma para fixar e estabilizar o centro do Seu círculo e outra para descrever-lhe a circunferência. Sim, até o Todo-Poderoso teria ficado impotente com um só. Para fazer um todo é indispensável o dois. . . é indispensável o dois".

Fig. 21 Deus criando as Duas Grandes Luzes
(Rafael. Afresco do Vaticano.
Reproduzido com autorização.)

Fig. 22 A Imperatriz (Baralho de Marselha)

6. A Imperatriz: Madona, Grande Mãe, Rainha do Céu e da Terra

> A geração é o mistério pelo qual o espírito se une à matéria; em razão disso, o Divino se torna humano.
>
> Papus

À primeira vista, a Imperatriz (Fig. 22) se parece tanto com a Papisa que poderia ser sua irmã. Toda a vez que surgem em mitos, sonhos e contos de fadas, as irmãs representam amiúde dois aspectos diferentes da mesma família ou essência – neste caso o princípio feminino. Se fôssemos julgar pelos seus nomes apenas, poderíamos concluir que a Papisa representa a feminilidade espiritual, ao passo que a Imperatriz governa o reino mundano. Mas não é este o caso, pois o cetro de ouro da Imperatriz ostenta o orbe da realidade terrena encimado pela cruz do espírito. Essa capacidade de ligar o céu à Terra, o espírito à carne é, com efeito, um dos principais atributos da Imperatriz, ainda mais evidenciado pelo modo com que o seu trono lembra um par de asas de ouro. Em algumas versões do Tarô ela chega a ser pintada como deusa alada. A águia de ouro que lhe adorna o escudo é mais uma prova da sua conexão com o espírito. Alça-se a águia a tremendas alturas; o seu *habitat* é tão inacessível quanto o Monte Olimpo. No mito de Eros e Psique foi, significativamente, uma águia quem ajudou Psique a pegar as águas da vida e encerrá-las num vaso.

Na carta precedente, a atmosfera, estática, enraizada, enfatiza a proteção e a contenção. Nesta carta, a águia sugere movimento ao longo do eixo vertical, indicando liberação e transformação. Como se a Papisa nos mostrasse o espírito preso no ventre da matéria, ao passo que a Imperatriz nos mostra o espírito renascido da carne, criando assim uma nova entidade que comparte de ambos. A conexão da Imperatriz com o espírito é ainda mais acentuada pelo modo com que ela abraça a águia de ouro, quase como se esta fosse viva, pois o pássaro real representa obviamente uma força viva a que ela se sente emocionalmente ligada. O fato de um pássaro semelhante aparecer também no escudo do Imperador (Trunfo número quatro) indica que a águia de ouro é o escudo de armas ou talismã da família. Como tal, sua imagem exerce uma influência poderosa, muito sutil, sobre este casal real e seu império.

Talvez por ser a águia fêmea maior do que a águia macha, esta ave, não raro, é um símbolo feminino. É este o caso na alquimia, onde a águia pode ser trocada pela fênix, pássaro que simboliza a espiritualização do instinto. A águia do Imperador parece, apropriadamente, estar subindo. No reino da Papisa (a Virgem) o espírito desceu à matéria. No caso da Imperatriz (Mãe), o espírito, liberado da matéria, ascende na direção do céu como o Filho, o Redentor.

Neste contexto, o pássaro de ouro da Imperatriz, que liga o céu à Terra, tem hoje para nós um significado especial porque (como Jung assinalou muitas vezes) o Cristianismo em nossa era perdeu o corpo, a terra, a emoção. Precisamos, como ele diz, voltar ao corpo a fim de recriar o espírito – a fim de dar-lhe nova realidade na experiência humana.

Uma das mais eloqüentes representações pictóricas do espírito contido ou criado no corpo é a *Vierge Ouvrante*, estatueta do século XV feita de madeira pintada (Figs. 23 e 24). Como Erich Neumann a descreve:

> Vista por fora, a "Vierge Ouvrante" é a mãe familiar e despretensiosa com seu filho. Quando aberta, porém, revela o segredo herético em seu interior. Deus, o Pai, e Deus, o Filho, usualmente representados como senhores celestiais que, num ato de pura graça, erguem a mãe humilde, presa à terra, para ir morar com eles, provam estar contidos nela: provam ser o "conteúdo" do seu corpo, que tudo agasalha.[1]

Que os albigenses também conheciam esse "segredo herético" parece evidente pelo abraço protetor com que ela enlaça a águia de ouro e pelo modo com que empunha o cetro na mão esquerda (inconsciente), mostrando que a sua ligação com o Espírito Santo é instintual – que vem de dentro, em lugar de descer. Além disso, o cetro não se mantém erecto mas descansa casualmente enviesado – mais uma indicação de que a Imperatriz governa intuitivamente, em lugar de governar de acordo com leis feitas pelo homem. O seu domínio é flexível, quase quixotesco às vezes, porque o seu coração tem razões inacessíveis à mente. Mas embora ela permita que o cetro lhe fuja, aconchega a águia a si. É manifesto que o poder do amor lhe é mais caro do que o amor do poder.

O símbolo do orbe e da cruz de cabeça para baixo, naturalmente, é o signo de Vênus. Parece muito apropriado que ela segure o símbolo obliquamente, inclinado (digamos assim) na direção de Vênus, pois o amor é a força unificadora e regenerativa que liga *yang* e *yin*, o espírito e a carne, o céu e a Terra, unindo os opostos num abraço criativo até que alguma coisa inteiramente nova possa nascer incluindo os dois.

Toda a vez que encontrarmos nossa vida bloqueada por rígidas dicotomias, podemos procurar a ajuda da Imperatriz. Um modo de fazê-lo é iniciar um diálogo com ela semelhante à nossa conversação anterior com a Papisa.

Visto que tanto a Papisa quanto a Imperatriz incorporam o princípio feminino, elas presidem conjuntamente aos quatro mistérios femininos: formação, preservação, nutrição e transformação. Mas cada qual enfatiza aspectos diferentes, como se pode ver cotejando os retratos das duas irmãs.

Ao passo que a Papisa mantém os braços em posição fechada, protegendo os segredos do corpo, o braços da Imperatriz, abertos, indicam uma natureza mais sociável. Esta não esconde os cabelos numa touca; ao contrário, deixa-os cair

1. Erich Neumann, *The Great Mother*, Princeton, Nova Jersey, Princeton University Press, 1955, pág. 331.

Fig. 23 *Vierge Ouvrante* (Fechada) Fig. 24 *Vierge Ouvrante* (Aberta)
(Madeira pintada. França do século XV)

livremente. Lançou de si a pala da Papisa, quase ligniforme, para apresentar-se como mulher. Em lugar do hábito de monja, veste uma túnica e uma camisa ornamentadas com graciosos bordados e faixas. Em lugar da tiara sólida, em forma de ovo, usa uma coroa de ouro aberta, semelhante a um halo, de centro carmesim, cor de sangue, pois é essencialmente a Imperatriz quem enche a coroa oca com o sangue materno da realidade terrena e do amor quente.

Estes conceitos são ainda ilustrados pelo fato de não estar a Imperatriz encerrada entre os pilares de um templo; em vez disso, é pintada num cenário aberto, natural. O potencial criativo escondido na Papisa não é trazido para a realidade. Enquanto a Papisa está ligada a Ísis e à gestação, a Imperatriz está associada a Ceres e à vegetação. Com efeito, uma maneira de olhar para as duas irmãs é considerá-las como se fossem a mesma entidade pintada em períodos sucessivos de tempo:

A Papisa é Suma Sacerdotisa e Virgem; a Imperatriz é Madona e Rainha Imperial.

A Papisa serve ao espírito; a Imperatriz satisfaz ao espírito. Com a Papisa, o espírito (o Espírito Santo) desce à matéria para fazer-se carne; com a Imperatriz, o espírito nasce para a realidade externa como o Filho do Homem e, finalmente, torna a subir ao céu como o Filho Espiritual, o Redentor.

A Papisa é paciência e espera, passiva; a Imperatriz é ação e conclusão.

A Papisa é governada pelo amor; a Imperatriz governa pelo amor.

A Papisa guarda algo velho; a Imperatriz revela algo novo.

Em resumo, a Papisa segura o livro da profecia e a Imperatriz representa e realiza a profecia. O livro já não é necessário, pois o novo Rei nasceu. Como Madona, Grande Mãe e Rainha do Céu, a Imperatriz é o elo de conexão entre a ardente energia *yang* do Mago e o pálido poder *yin* da Papisa. Podemos dizer que a varinha mágica do Mago tocou as profundezas da Papisa e, dessa união, através da mediação da Imperatriz, algo novo passou a existir... um mundo que inclui os dois aspectos. Numerologicamente, o número um do Mago, mais o número dois da Papisa, adicionados um ao outro, produzem o número três da Imperatriz, que une esses opostos e a ambos abraça.

Falando de um modo geral, a função do número três se reflete em todos os conjuntos de trindades: Pai, Filho e Espírito Santo; passado, presente e futuro; mãe, pai e filho; Ísis, Osíris e Horo. Em todos eles o número três age como fator de equilíbrio, combinando por tal arte os "números pais" que produzem uma realidade completamente nova. Segundo interessante informação nesse sentido, Pitágoras considerava o número três o primeiro número *real*. Os dois primeiros números, dizia, eram simples *essências*, pois não correspondiam a nenhuma figura geométrica e, por conseguinte, não tinham realidade física. Mas o número três cria o triângulo, uma superfície plana com princípio, meio e fim; uma realidade tangível que corresponde à experiência humana.

A verdade poética da afirmação de Pitágoras está belamente ilustrada na composição *Deus Criando o Universo* (Fig. 11), de Blake. Olhando para o compasso do Criador, podemos ver que as suas duas pernas divergem num ângulo tal que se distanciam cada vez mais uma da outra. A fim de poderem funcionar juntas precisam ser assentadas em algum lugar. Antes de poder criar o mundo microscópico à imagem do macroscópico, o Criador precisa colocar os dois pontos do compasso na realidade. Quando Ele o faz, as duas pernas do compasso ligam-se a uma base, criando assim uma figura de três lados – o primeiro triângulo. A visualização desse triângulo dramatiza a verdade da introvisão de Pitágoras. Demonstra que a Intenção Divina se concretizou com o advento do triângulo, e a essência nebulosa se tornou manifesta em termos de experiência humana.

Gosto de retratar a Imperatriz como a base desse triângulo, pois é através dela que o efêmero chega, pela primeira vez, ao reino da experiência humana. Ela nos liga à realidade externa da maneira mais dramática, e de modo familiar a todos. Pois todos temos momentos em que, tocadas pela varinha do Mago, nossas águas criativas se movimentam. Estamos todos familiarizados com o longo e escuro período de gestação melancólica, que se segue à nossa quase submersão no pálido mundo lunar da Papisa. Então, com sorte, nasce um novo dia, um momento de ouro quando as idéias e imagens vagamente sentidas começam a estourar na realidade! De inopino, a tela branca e vazia se enche de cores e revive; ou a massa de barro em nossa mão, quase sozinha, começa a tomar forma; ou o pedaço de papel em branco em nossa máquina de escrever se enche de palavras. Ou talvez aconteça que os dois cornos aparentemente irreconciliáveis e um dilema que nos torturou semanas a fio se ligam magicamente, oferecendo uma solução inteiramente nova para o nosso problema. Estas são algumas das maneiras com que a Imperatriz trabalha por nós em relação aos nossos esforços criativos. Claro está que o seu império, como a vegetação da natureza, tende a ser excessivamente luxuriante e um tanto ou quanto confuso. A realidade que ela produz não é o produto acabado. Para isso, como veremos, precisamos da discriminação e da organização do Imperador. Uma das principais funções da Imperatriz é ligar as energias primárias de *yin* e *yang* a fim de dar-lhes um corpo no mundo da experiência sensorial.

Até muito recentemente, a ciência moderna tinha uma visão pitagórica do universo, equiparando a experiência externa à realidade científica e descrevendo como "meras essências" as formas que aparecem no misterioso mundo interior, a psique humana. Mas com o advento do princípio da incerteza de Heisenberg e da física de Einstein, tornou-se manifesto que a realidade externa não pode ser sentida nem medida com acurácia pelo homem porque, no mesmo ato de observar os fenômenos externos, ele os distorce. De mais a mais, parece que, em virtude da natureza da luz e das limitações do aparelho sensorial humano, nunca se poderão engenhar instrumentos capazes de restabelecer a realidade externa como a pedra de toque da verdade final. E como isso é irrevogável, precisamos, por fim, voltar-nos para o mundo interior, para a própria psique humana, em nossa busca da verdade. A equação puramente matemática $E = mc^2$, já não é "mera essência" e agora resplandece como a verdade eterna, tão incorruptível quanto o ouro.

A Imperatriz nos liga a essa nova dimensão da percepção; pois é muito mais através da sua compreensão intuitiva do que através da lógica masculina que o espírito salta para o espaço externo a fim de ligar-se a introvisões celestes. Que a poesia da física moderna não nasceu no estéril laboratório do homem mas saiu, plenamente desabrochada, do jardim da imaginação da Imperatriz, é comoventemente documentado em *The Creative Process*, livro organizado por Brewster Ghiselin,[2] em que muitos cientistas, escritores, pintores e outras pessoas criativas relatam como suas idéias originais lhes ocorreram por intermédio de devaneios, imagens ou outras manifestações irracionais subidas espontaneamente do inconsciente.

É, portanto, a Imperatriz quem faz as vezes de ponte entre o Mundo Mãe de inspiração criativa e o Mundo Pai de lógica e laboratórios – o reino do Imperador, onde as idéias e intuições dela serão expurgadas e postas à prova. É ela a portadora da semente da qual brotará, afinal, uma nova percepção transcendental em que o misticismo e a ciência, o espírito e a carne, o interior e o exterior, podem ser experimentados como um mundo só.

A Imperatriz, todavia, tem muitas facetas, todas ativas hoje. No intuito de melhor compreender-lhe a influência em nossa cultura presente, incluímos aqui três ilustrações quase contemporâneas do seu arquétipo. A primeira (Fig. 25) mostra a Imperatriz tal qual aparece no baralho do século XX de Waite, onde é retratada como uma madona de cabelos de ouro envolta num vestido florido, sentada num divã de veludo vermelho, no meio de um jardim luxuriante. Ao lado dela flui um regato que irriga o jardim. Ela traz na cabeça uma coroa de estrelas e segura, bem alto, um orbe sem cruz. Encostado no divã vê-se um escudo que ostenta o emblema de Vênus. Trigo maduro viceja em primeiro plano e sua cor de ouro se repete num dramático céu amarelo.

2. Brewster Ghiselin, org., *The Creative Process*, Nova Iorque, The New American Library, 1952.

Fig. 25 Baralho Waite

A surpreendente justaposição do divã de veludo com sua borda de borlas, ao jardim selvagem, natural, combinado com o céu dramático, dá a impressão de um cenário de teatro. Isso parece apropriado, uma vez que o modo com que a Imperatriz aparece para nós é amiúde muito dramático. Tudo em seu jardim, toda a vida nova, se manifesta como um drama. Seja um broto novo, uma borboleta, uma repentina floração, seja o nascimento de uma criança, ela sempre funciona com um instinto dinâmico.

Tanto ela quanto a irmã virgem foram figuras centrais do amor palaciano, porém de maneiras diversas. O tipo da Virgem inspirava seus cavaleiros a feitos de temerária e criativa atividade. Trovadores lhe entoavam madrigais e artistas tentavam captar-lhe a essência em pinturas e esculturas. Sua influência tranqüila levou Dante e Petrarca à imortalidade. O tipo da Imperatriz agia mais francamente como *femme inspiratrice*. Manifestava-se, às vezes, literalmente, como rainha ou imperatriz cuja corte se tornou centro de artes criativas. A Rainha Elizabeth I foi um exemplo desse tipo de imperatriz, que sempre revelou um grande talento para juntar pessoas e idéias de forma dinâmica. As damas dos grandes salões eram mulheres assim. Tal como surge em nossa cultura atual, o tipo da Imperatriz ainda gosta de dramatizar-se a si e às suas idéias. Exemplo contemporâneo desse tipo de mulher foi Peggy Guggenheim, que reinou, suprema, não

Fig. 26 Peggy Guggenheim como A Imperatriz

só como generosa patrona das artes, mas também como mulher verdadeiramente liberada, cujo estilo de vida independente e ousada inovação marcaram o caminho para outras mulheres que buscavam a auto-expressão. Vemos aqui a Imperatriz Guggenheim sentada em seu trono, cercada de quatro cortesãos (Fig. 26). Atriz, líder comunitária, patrona das artes ou dos artistas – esposa, mãe, amante ou psicóloga, ela incita outros à ação e à autocompreensão. A chave do seu poder é a ativa inspiração e o amor.

Como expoentes da liberação das mulheres, esses dois tipos de irmãs podem ser ativos, mas de maneiras distintas: o tipo da Virgem dando um exemplo; o tipo da Imperatriz por meio da atividade pública. Na categoria da Virgem encontramos, de ordinário, freiras, professoras, enfermeiras e poetisas, ao passo que o tipo da Imperatriz aparece com mais freqüência como ativista que defende os direitos da mulher. Às vezes, a força da sua personalidade nos ergue, impelindo-nos para uma atividade que vai além dos nossos limites.

Outro tipo de Imperatriz pode sufocar-nos, submergindo nossa individualidade na doçura excessiva da sua isca inconsciente. Por exemplo, a loira rechonchuda de Waite com o seu divã e o seu escudo sugere esse tipo de magia wagneriana. Podemos quase ouvir a música de Venusberg subindo do poço para submergir-nos e afogar-nos, puxando-nos de volta para o ventre. Essa tendência ao amor sufocante é às vezes característica do tipo moderno de Imperatriz, sobretudo quando representa o papel de Mamãe. Aparece também em outras áreas, onde o encanto de uma mulher assim pode atrair-nos para o seu reino de maneira tão sutil que não nos damos conta do que aconteceu.

A própria mulher-Imperatriz é, muitas vezes, tão inconsciente dos seus poderes quanto as demais. Parece-lhe que toda a gente deveria, muito naturalmente, partilhar dos seus entusiasmos. Tocada por Vênus, ama a beleza em todas as formas e é, não raro, eclética em seus gostos, combinando as coisas de modo novo e interessante. Por exemplo, repare no vestido florido que ela escolheu para usar no retrato destinado ao baralho inglês. Você não o reconhece? É semelhante aos vestidos criados pelo famoso artista italiano Sandro Botticelli. A Imperatriz, provavelmente, tomou-o emprestado de uma das dançarinas da *Primavera* de Botticelli.

Nesta carta, Waite decidiu dar ênfase às qualidades de Ceres e Vênus. Omitiu a águia de ouro do espírito e a cruz que encima o orbe. Em compensação, deu à Imperatriz uma coroa de estrelas, que a liga à figura do Apocalipse, da qual está escrito: "E surgiu uma grande maravilha no céu; uma mulher vestida de Sol e com a Lua debaixo dos pés e, sobre a cabeça, uma coroa de doze estrelas." A Madona como Rainha do Céu é freqüentemente pintada com uma coroa assim e com uma lua crescente debaixo dos pés. Em seu aspecto mais elevado e mais brilhante, a Imperatriz ilumina os céus, sintetizando todos os seus poderes: Sol, Lua e a grande roda do zodíaco. Em seus aspectos inferiores, mais terrenos, a fertilidade desenfreada da deusa pode levar ao excesso de indulgência e à estagnação.

Na figura contemporânea de Henry Moore (Fig. 27), a Imperatriz aparece sob um aspecto mais terreno, porém igualmente dominador, como a Grande Mãe. Inclinada para trás, examina, completamente à vontade, o seu império, que é toda a natureza. Embora relaxada, está sempre atenta à atividade silenciosa e secreta, escondida de nós: o movimento da seiva nas plantas, o abrir das minúsculas sementes enterradas na terra. Ouve a música das correntes subterrâneas.

Mas a Grande Mãe nem sempre é a Boa Mãe. Na escala grandiosa, o seu aspecto negativo, devorador e asfixiante, denomina-se a Mãe Terrível. Nos contos de fada encontramo-la como a rainha malvada ou a madrasta cruel que, invejosa, procura impedir Cinderela de erguer-se do borralho para encontrar o príncipe e tornar-se rainha. Nos mitos, aparece como a mãe devoradora que come os próprios filhos. Conhecemo-la como a cruel Mãe Natureza, que procura repossuir toda a vida – toda a civilização – com a finalidade de colocar tudo de novo dentro do ventre primevo. Como terremoto, abre literalmente o ventre para sugar o homem e suas criações de

Fig. 27 Figura reclinada (Henry Moore. Hirschorn Museum and Sculpture Garden, Smithsonian Institute. Reproduzido com autorização.)

volta a si mesma. Como vulcão, cospe fora a lava ardente para enterrar vivas cidades inteiras. Todos os dias em nossos jardins vemos sua alma ambivalente em atividade. Durante o dia, parece sorrir para as nossas diligências, protegendo e alimentando nossas flores. À noite, porém, enquanto dormimos, ocupa-se em plantar um sem-número de ervas daninhas, que fomenta e zela com igual solicitude. Em relação a todas as culturas e realizações humanas é igualmente paradoxal; pois foi ela quem forneceu a inspiração criadora que tornou possíveis as nossas espaçonaves; e é ela também, através da sua atração gravitacional, quem procura puxá-los de volta para o seu bojo. Ela é, com efeito, uma deusa ciumenta, sobretudo onde a curiosidade do homem se dirige para a província da mulher, a Lua!

Por vezes, pintam-na como dragão, que guarda o tesouro indispensável, a "pérola de grande preço". Nessa qualidade, representa o aspecto devorador, regressivo, da natureza inconsciente que o Herói (símbolo da humanidade que forceja por alcançar a consciência) precisa matar a fim de obter a pérola da sabedoria, que transcende a mera existência animal. Outra representação familiar desse aspecto de Mãe Terrível é Kali, a esposa de Xiva, sedenta de sangue. Aqui está ela retratada segurando pelos cabelos a vítima humana que será o seu próximo bocado, com a incrível língua vermelha babando na antecipação desse deleite (Fig. 28). O aspecto

Fig. 28 Kali, a terrível

devorador da deusa torna-se aparente toda a vez que a mulher negligencia o seu verdadeiro reino, que é o relacionamento, e se torna faminta de poder; nesse momento, ela vira realmente a devoradora do homem. Sua força, que já não é a força sutil do amor, transforma-se no amor estridente do poder.

Às vezes, a transição da primeira para a segunda é tão gradual que só pode ser observada retrospectivamente, de modo que a mulher que cai vítima do próprio anseio

Fig. 29 O Rei está morto, viva a Rainha!

de poder talvez se afaste do seu eu mais profundo sem compreender o que acontece. Alguma coisa parecida ocorreu no movimento de liberação das mulheres. Fascinadas pelo poder, muitas mulheres deram a impressão de haver perdido o contato com a muito feminina criatividade que pretendiam demonstrar. Nas profundezas do seu ser, a maioria das mulheres, dentro e fora desse movimento, procura realmente uma igualdade pacífica e um relacionamento criativo com os homens, mais do que a predominância e o poder sobre eles. Entretanto, a despeito da freqüente advertência "Façam amor, não façam guerra!", o nosso é um tempo de terrível violência, em sua grande parte totalmente irracional. Na confusão geral, o grito sanguinolento da feminista devoradora de homens é ouvido em todo lugar. Dir-se-á que a Imperatriz, a quem foi negado por tempo demasiado longo o reino que por direito lhe pertence, se ergue das profundezas com a fúria infernal da mulher escarnecida.

Uma caricatura contemporânea satiriza muito bem esta situação (Fig. 29). Aqui a "devoradora do homem", em lugar de desenvolver a própria feminilidade criativa para assumir o lugar que lhe cabe ao lado do Rei Logos como co-dirigente do nosso reino, propõe-se antes matá-lo e usurpar-lhe o trono.

Mas essa feiticeira, que semelha Hécate, tem muitas caras. Se a tratarmos com civilidade, poderá mostrar-nos um aspecto mais civilizado. Afinal de contas, mulher, como o seu equivalente psicológico, a *anima*, é ainda uma criatura primitiva. Foi ontem ainda que Eva, emergindo da sua prisão como função de Adão, permaneceu exposta às influências culturais e às oportunidades de diferenciação que por muito tempo foram o privilégio do homem. É compreensível que, na busca da sua verdadeira essência, a mulher apareça sob muitos aspectos. Como sucedeu à Imperatriz Cleópatra, uma de suas encarnações terrenas, "A idade não pode murchá-la, nem o costume pode tornar cediça a sua infinita variedade".

A Imperatriz em seu aspecto mais "vário" e caprichoso é o estudo de câmara do século XIX feito por Braun, pioneiro na arte da fotografia (Fig. 30). Aqui está a Mulher, surpreendida, afinal, em sua própria carne e sangue reais, embora a essência ainda permaneça oculta. Paradoxalmente, a moldura de ébano e ouro que atrai os nossos olhos (e os dela) também lhe serve de máscara. Ela é a Condessa Castiglione, descendente, sem dúvida, do famoso humanista da Renascença, Baldassare Castiglione, cujo livro *O cortesão* era um modelo para a vida palaciana do seu tempo. Indiscutivelmente, essa condessa moderna também tinha seus cortesãos, segundo a grande tradição estabelecida pelo famoso antepassado. A postura frívola e feiticeira indica que a mesma condessa pode ter-se tornado vítima do próprio feitiço.

Que é a Imperatriz? Feiticeira ou deusa, mãe devoradora ou Madona, *femme fatale* ou *femme inspiratrice?* A resposta, provavelmente, é todas elas – pois quem, entre as mulheres, não o é? E que homem não tem, emboscado em suas profundezas, um poderoso aspecto feminino, ora criativo, ora vingativo; movido à compaixão num momento e presa de ciúme furioso no momento seguinte? Estudando essas figuras talvez possamos chegar a uma compreensão mais profunda de nossos próprios poderes e potenciais – de nossa própria infinita variedade.

Fig. 30 A Condessa Castiglione segurando uma moldura como máscara (Braun, Adolphe, 1811-1877. The Metropolitan Museum of Art, Nova Iorque. Presente de George Davis, 1948.)

Fig. 31 O Imperador (Baralho de Marselha)

7. O Imperador: Pai da Civilização

Um se transforma em dois, dois se transforma em três, e do terceiro vem o um como o quarto.

Maria Prophetissa

Aqui está o Imperador. Trunfo número quatro (Fig. 31). Pode ser visto como princípio masculino ativo vindo para pôr ordem no jardim da Imperatriz, o qual, entregue à própria sorte, pode converter-se em jângal. Cavará espaço para o homem erguer-se, criará caminhos para a intercomunicação, supervisionará a construção de lares, aldeias e cidades. Protegerá o seu império contra as incursões não só da natureza hostil mas também dos bárbaros. Em suma, criará, inspirará e defenderá a civilização.

Até aqui estivemos lidando com o mundo primitivo da natureza inconsciente: agora ingressamos no mundo civilizado do homem consciente. Com o advento do Imperador deixamos o reino não-verbal, matriarcal, da Imperatriz com seus ciclos automáticos de nascimento, crescimento e decadência. Aqui começa o mundo patriarcal da palavra criativa, que inicia o domínio masculino do espírito sobre a natureza. Esse dominador é uma personificação do Logos, ou princípio racional, que é um aspecto do arquétipo do Pai. Ordena nossos pensamentos e energias, ligando-os à realidade de um modo prático.

Embora represente, como a Imperatriz, um poder arquetípico, o Imperador é obviamente mais humano e, portanto, mais acessível à consciência do que ela, pois não assume a postura rígida de uma figura de proa entronizada acima da massa da humanidade. Em vez disso, senta-se à vontade, relaxado, com as pernas cruzadas, oferecendo-nos, sem medo, uma vista de perfil do seu lado esquerdo, ou seja, do seu lado inconsciente. Somente um soberano seguro da própria autoridade pode dar-se ao luxo de expor-se desse jeito. Que o seu é um reino de paz, que não teme ataques do exterior e traições no interior, indica-o o fato de que o monarca não veste armadura e não traz espada à cinta. O seu escudo, em que se vê cinzelada a águia de ouro, já não é necessário à defesa. Mostra-se aqui como emblema que simboliza sua conexão com os poderes celestiais, seu império por direito divino. Ele não tem nada para recear dos homens ou das feras e tampouco dos deuses lá em cima.

O Imperador se apresenta informalmente assentado sobre terra firme, no campo de ação, a denotar que, em vez de operar como um deus por trás das cenas (de modo inconsciente), é um líder prático, aberta e intimamente ligado à espécie humana e suas atividades. Em consonância com essa idéia, traz na cabeça o elmo de campo, uma cobertura utilitária, mais graciosa e individual do que a severa coroa usada pela Imperatriz. As linhas elegantes do elmo repetem-se na ornamentação da cadeira régia e no escudo, cujo desenho se mostra mais bem trabalhado e menos severo que o da Imperatriz. É evidente que o império criado por este soberano é um império de refinamento cultural; mas é igualmente evidente que isso não foi sempre assim. Reparem no tamanho e na força da mão com que ele empunha o cetro, em contraste com a mão esquerda, que se diria atrofiada e efeminada. Não há dúvida de que a espada do velho guerreiro foi posta à prova em muitas batalhas. O seu império, ele o conquistou a duras penas. A luta do homem para alcançar a consciência envolve feitos quase sobre-humanos de força, pois a Mãe Natureza guarda ciosamente o seu reino. Nas culturas matriarcais, a sucessão real se fazia através da linha feminina. Destarte, o novo rei foi o que venceu e conquistou a princesa. E foi ele, muitas vezes, o responsável pela morte do velho rei.

Historicamente, e em nossas biografias pessoais, a transição da fase matriarcal para a era patriarcal é sempre difícil. Deixar o mundo amoroso, protegido e nutritivo da infância, para enfrentar a exposição e as responsabilidades da idade adulta, representa uma tarefa tremenda. A vida na comunidade é o passo intermediário indispensável entre a identidade inconsciente com toda a natureza experimentada na infância e o ponto de vista mais consciente e individual da idade adulta. Durante essa fase de transição, idealmente, necessitamos experimentar-nos como membro de um grupo cada vez mais amplo (família, clã, estado, nação) a cuja testa se acha uma poderosa e justa figura de autoridade.

O Imperador aqui retratado parece ser a representação ideal de uma figura assim, pois transcende o pai meramente pessoal, ou mesmo o líder de um clã ou estado homogêneo, já que o império abrange, não raro, diversos povos e climas. Conquanto seguro no próprio reino, o Imperador ainda retém uma conexão com o mundo matriarcal da Imperatriz, pois se apresenta com a vista voltada para ela. O par real está também ligado pelas duas águias cinzeladas nos respectivos escudos. Não somente os dois pássaros estão olhando um para o outro, mas também o modo com que cada um foi pintado parece ligar o Imperador à Imperatriz de maneira sutil. Enquanto a águia da Imperatriz, de asas erguidas, dá a impressão de estar-se alçando na direção do céu, simbolizando assim o espírito masculino da esposa, que enxerga longe, o pássaro do Imperador é desenhado de maneira tão estilizada que suas asas repetem a forma das aparentes "asas de anjos" que se vêem no desenho do trono da Imperatriz.

Disse William Blake: "Quando vês uma Águia, vês um destino de gênio; levanta a cabeça!" Por mais que a águia de ouro do Imperador possa ligá-lo ao espírito celestial e inspirar-lhe um governo divino, bem lhe faria lembrar-se de que a águia é também uma ave de rapina. Representado aqui, está o lado de sombra da águia de ouro do Imperador (Fig. 32). Esta criação dos índios esquimós mostra a águia como pássaro rapace, desapiedado e cruel, símbolo adequado ao governo ensandecido pelo poder que amiúde empolga reis e outros em posição de autoridade quando o áureo ideal do "direito divino", deslustrado e corroído, se transforma na "força do ego".

Felizmente, há evidências de que o Imperador do Tarô não será presa da sombra arquetípica da águia. O seu número quatro dá a entender que a perspectiva do monarca, não limitada por uma visão de túnel, inclui as quatro dimensões da vida.

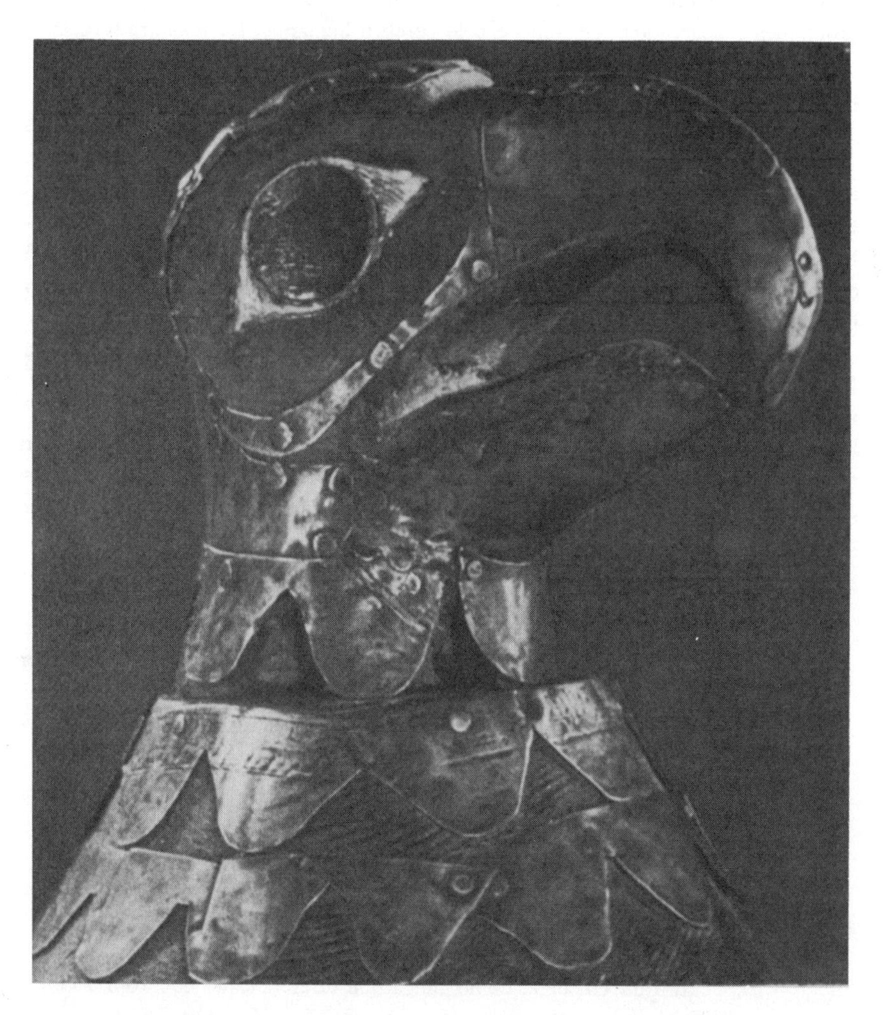

Fig. 32 Águia esquimó

O número quatro simboliza a totalidade. Indica a nossa orientação para a dimensão humana. Seu equivalente geométrico, o quadrado, representa a lei e a ordem sobrepostas à desordem caótica da Mãe Natureza. As quatro direções da bússola nos impedem de sentir-nos perdidos em áreas não mapeadas. As quatro paredes de um aposento dão-nos uma sensação de contenção segura, que nos ajuda a concentrar energias e focalizar com precisão a atenção de modo racional e humano. As janelas retangulares de uma casa reduzem proporcionalmente ao tamanho humano o amplo panorama da natureza, de sorte que a sua essência e o seu pormenor possam ser mais prontamente abarcados pelo olho e pelo cérebro humanos. De maneira semelhante, o espírito diretor do Imperador nos ajuda a examinar as realidades da condição humana e referir-nos a elas de modo consciente e criativo, talento especificamente humano.

O número quatro do Imperador nos traz à realidade de muitas maneiras. As três dimensões do tempo (passado, presente e futuro) são meras abstrações enquanto não as localizamos no espaço. De idêntica maneira, os eventos no espaço tridimensional só se tornam concretos depois que os situamos precisamente no tempo. Para civilizar-se, o homem precisa colocar-se no espaço e no tempo. O Imperador traz permanência, estabilidade e perspectiva. Coloca-se como a figura de proa do Estado. Representa o princípio do qual depende a fertilidade e o bem-estar do reino. Se for ferido, toda a comunidade sofrerá. (Significativamente, na lenda da Terra Maninha, foram os ferimentos produzidos no seu Rei Pescador que provocaram a infertilidade e a improdutividade do reino.)

Nesta fase do desenvolvimento cultural, a estrutura do reino ou estado terreno espelhava a suposta estrutura do cosmo. Chamando a esse período do progresso da civilização "a era arcaica do mito encarnado", John Perry discute-a ainda mais em seu livro *The Far Side of Madness:*

> . . . naquela breve época o mundo humano e o mundo mítico eram vistos como reflexos um do outro, e o governo da sociedade como afeiçoado à imagem da ordenação do cosmo. O mundo mítico foi personificado em formas sociais e a cidade-estado foi um modelo do cosmo no plano humano. Neste, o rei à testa do seu reino equivalia ao deus rei no reino divino; cada qual era agora "Rei do Universo" ou "Senhor dos Quatro Quadrantes".[1]

Como Perry continua dizendo, foi nesse ponto da história do homem que ocorreu a primeira diferenciação dos deuses míticos. E elucida-o da seguinte maneira:

> Eles entraram em cena como função da diferenciação da própria cultura, a qual, por seu turno, era uma expressão da diferenciação da psique. Só podemos supor que a feitura da cultura é, ao mesmo tempo, a feitura da

1. John Weir Perry, *The Far Side of Madness*, Englewood Cliffs, Nova Jersey, Prentice-Hall, Inc., 1974, pág. 43.

psique, que o trabalho criativo de estruturação de um equivale ao mesmo trabalho em relação ao outro.

Tanto no plano celeste quanto no terreno, o número quatro desempenha um papel decisivo como fator de ordenação. Aqui está uma lista parcial de alguns dos muitos "quatros" que nos ordenam os pensamentos:

As quatro direções da bússola
Os quatro cantos da Terra
Os quatro ventos do céu
Os quatro rios do Éden
As quatro qualidades dos antigos (quente, seco, úmido e frio)
Os quatro humores (sangüíneo, fleumático, colérico e melancólico)
Os quatro Evangelistas (Mateus, Marcos, Lucas e João)
Os quatro profetas (Isaías, Jeremias, Ezequiel e Oséias)
Os quatro anjos (Miguel, Rafael, Gabriel e Fanel)
As quatro bestas do Apocalipse
Os quatro elementos (terra, ar, fogo e água)
Os quatro ingredientes alquímicos (sal, enxofre, mercúrio e azoto)
As quatro estações
As quatro figuras geométricas básicas (círculo, reta, quadrado e triângulo)
As quatro fases da Lua
As quatro letras hebraicas do sagrado nome do Senhor (Yod, He, Vau, He)
As quatro operações básicas da aritmética (adição, subtração, multiplicação e divisão)
As quatro virtudes cardeais (justiça, prudência, temperança e fortaleza)

A lista dos "quatros" que ajudaram o homem no discorrer dos séculos a dirigir-lhe a vida espiritual e física não tem fim. O quatro é também um número ligado à criação do homem. O livro sírio *Livro da caverna dos tesouros* conta a história da seguinte maneira:

> E eles viram Deus pegar um grão de pó da terra inteira, e uma gota de água de todo o mar, e um sopro de vento do ar superior, e um pouco de calor da natureza do fogo. E os anjos viram que esses quatro elementos fracos, o seco, o úmido, o frio e o quente, foram colocados no oco da sua mão. E Deus fez Adão.[2]

2. C. G. Jung (citado por), *Mysterium Coniunctionis*, C. W. Vol. 14, § 552.

Em resumo, portanto, o número quatro simboliza a orientação do homem para a realidade como ser humano. A nossa representação pictórica do número quatro é um quadrado, símbolo da ordem superposta por Logos, ao acaso, à natureza. No quadrado, porém, os elementos, separados, ainda são hostis uns aos outros. Com o número cinco, a quinta-essência, ocorrerá um novo desenvolvimento no rumo da unidade, como veremos ao examinar a próxima carta, que é o Trunfo número cinco.

Na carta do Tarô que está sendo discutida, as pernas do Imperador, cruzadas, formam o número quatro, dando a entender que ele não só conhece com a mente, mas também compreende de modo mais básico, arraigado, as responsabilidades que incorpora como portador da consciência humana.

Numerologicamente, o número quatro tem propriedades inusitadas e mágicas. Não somente assinala o fim de um ciclo mas também fornece o ímpeto para um ciclo novo. A razão da dupla valência é a seguinte: quando somamos os números, em seqüência, de um a quatro, obtemos o número dez, que dá início a um novo ciclo. Assim como o Mago (número um) forneceu a energia que iniciou o ciclo de sua criação, assim o Imperador completa agora essa fase e, ao mesmo tempo, enceta uma nova espécie de criação – a civilização. Como a semente de cereal, ele é o resultado de tudo o que veio antes e é, ao mesmo tempo, a semente de um crescimento inteiramente novo.

Talvez tenha sido essa qualidade mágica inerente ao número quatro que inspirou o sábio dito de Maria Prophetissa, segundo o qual "Um torna-se dois, dois torna-se três, e do terceiro vem o um como o quarto". Seja como for, a verdade da asserção é evidente em muitos níveis da experiência porque, psicologicamente, é de fato o número três que traz consigo o quatro e oferece uma nova experiência de totalidade e unidade. Isso pode ser demonstrado da seguinte forma. Quando desenvolvemos a consciência do ego, pensamos em nós mesmos como *um*. Mas à proporção que crescemos em percepção, aos poucos chegamos a compreender que somos *dois* – consciente e inconsciente, ego e sombra (aquele que se levanta cedo e o outro que prefere ficar na cama). Para poder conciliar os dois aspectos opostos de nós mesmos, precisamos descobrir um mediador interior, um número *três* capaz de correlacionar os dois de modo que trabalhem juntos harmoniosamente. Quando isso acontece, "dos três" – através da atividade do terceiro fator – vem "o um como o quarto", sentimento emergente de totalidade, personalidade unificada que pode funcionar de novo como *um*, mas agora num novo nível de percepção.

Na psicologia de Jung o número três também traz o quatro, resultando em novo sentimento de unidade. Foi de Jung a observação de que todo ser humano nasce com quatro potenciais característicos para apreender a experiência pura e selecioná-la a fim de lidar com ela. Ele chamou aos quatro potenciais *as quatro funções*, porque representam os meios característicos com que funciona a psique. Às duas funções por cujo intermédio *apreendemos* o mundo deu os nomes de *sensação* e *intuição*. Porque as duas funcionam mais espontânea do que racionalmente, caracterizou-as como *funções irracionais*. E denominou as outras duas, *pensamento* e *sentimento*, *funções racionais*, porque descrevem os modos com que ordenamos e avaliamos nossa experiência.

Segundo Jung, todos nascemos com o potencial necessário para desenvolver cada uma das quatro funções até certo ponto. Mas logo no começo da vida se torna geralmente manifesto que mostramos uma aptidão especial para uma função que recebe o nome de *função especial*. Depois descobrimos gradativamente em nós mesmos certo grau de competência em duas outras áreas, de modo que, afinal, temos à nossa disposição, de forma limitada, uma segunda e uma terceira funções. Jung chamou à segunda e à terceira *funções auxiliares* porque podemos apelar para elas a fim de ajudar a função superior.

A quarta função, todavia, sempre permanece relativamente inconsciente e, portanto, não se usa. Jung chamou-lhe a *função inferior*, porque não é diretamente acessível ao treinamento consciente. Por conseguinte, o seu desempenho, comparado ao das três outras funções, não inspira confiança.

Porque tendemos a escolher tarefas mais fáceis, evitando as difíceis, quase todos nós, automaticamente, desenvolvemos e aprimoramos as funções mais acessíveis, deixando a inferior não reconhecida e não desenvolvida. De ordinário, nossas famílias e a sociedade reforçam essa tendência chamando-nos para servir em áreas em que demonstramos alguma competência. Em conseqüência disso a função inferior vai ficando cada vez mais para trás. Freqüentemente, só quando essa função se intromete de maneira inesperada, inadequada e imatura, nos damos conta da sua existência. Nesse meio tempo, a função superior pode ter aprendido a operar tão suave e automaticamente que perdeu a vitalidade original.

À medida que o tempo passa, começamos a ser "tipificados" de acordo com a nossa função superior e até chegamos a considerar-nos aleijados psíquicos, obrigados pela natureza a nos havermos adequadamente em apenas uma – ou no máximo duas – áreas de percepção. Aqui estão algumas das mais óbvias características de uma pessoa "tipificada" segundo a sua função superior.

O *intuitivo* não é grande observador do mundo que o cerca. Vive primariamente num mundo de possibilidades futuras. Não se preocupa muito com a realidade presente e detesta pormenores. Depois de assistir à reunião e uma comissão, por exemplo, é provável que o intuitivo saia da conferência relativamente inconsciente de muitos pormenores, mas com uma dúzia de idéias sobre projetos que o seu grupo poderia, "algum dia", realizar. E, mesmo assim, tenderá a deixar para os outros os problemas práticos envolvidos na obra.

O tipo cuja função principal é a *sensação* estaria melhor observando as realidades práticas que a comissão se veria obrigada a enfrentar se as idéias do intuitivo fossem levadas a sério. Uma pessoa nessas condições não é dada a noções extravagantes; sua percepção sensorial está voltada para a realidade. Como bom repórter, interessa-se por especificidades: quem, o quê, quando, onde, por quê e como. Precisamente *como* podem os sonhos do intuitivo para o futuro ser adaptados às condições existentes? Pode um piano passar pela porta? Há dinheiro no orçamento para esse projeto?

Cada um dos dois tipos reage à vida espontaneamente. O intuitivo fareja possibilidades futuras e tem palpites sem saber como chega à informação. De maneira semelhante, a pessoa em que prepondera a sensação registra automaticamente a experiência sensorial. Por exemplo: ao passo que o intuitivo se ocupa em "farejar" um futuro de ouro, o sensitivo pode estar observando que o ar, naquele momento, recende a gás, que deve estar vazando, e que isso, se não for imediatamente remediado, poderá obstar a qualquer necessidade de pensar no futuro. Em ambos os casos, as observações são imediatas e automáticas. Chegam inconscientemente e apresentam-se como fatos comprovados, a despeito de qualquer lógica ou raciocínio em contrário.

O pensar e o sentir, por outro lado, operam mais deliberadamente. O tipo *pensante* organiza sua experiência em categorias lógicas e as dispõe em ordem sistemática. Numa comissão, por exemplo, faz uma lista das coisas que deverão ser feitas antes da reunião seguinte, e elabora uma agenda para essa reunião. Se for preciso que haja um orador no programa, o pensante pode querer que o conferencista seja uma autoridade em seu campo.

O tipo *sensível* reagiria de maneira diferente. Pouco lhe faz que o orador seja uma autoridade, contanto que saiba expressar-se e apresente o material de maneira interessante. Avaliaria qualquer programa mais de acordo com o espírito do que com o conteúdo. "Sentimento", como Jung emprega o termo, não significa emoção desenfreada. Pelo contrário. Jung caracteriza o sentimento como função racional, porque pode ser exatamente tão preciso e discriminativo quanto o pensamento. É também um meio de avaliar a experiência. Numa comissão, a pessoa sensível exerce com proficiência as funções de diretor social ou encarregado dos brindes. Ajudaria toda a gente a sentir-se à vontade mas, ao mesmo tempo, não demoraria a desencorajar qualquer procedimento que não "sentisse" apropriado à ocasião. Faria tudo isso, provavelmente, com tato, mas poderia fazê-lo com muita firmeza – e até com sangue frio – se as circunstâncias justificassem.

Esta brevíssima descrição dos quatro tipos de função, naturalmente, é supersimplificada. Mas o ver-nos à luz deste resumo pode valer a pena em termos de autocompreensão. Mais valiosa ainda é a introvisão que um estudo dos tipos fornece no tocante ao modo com que os outros funcionam. Pode, por exemplo, ajudar-nos a compreender que uma criança do tipo intuitivo não vive perdendo coisas por ser estúpida ou desobediente: ela simplesmente não dá valor aos objetos materiais. De forma semelhante, o fato de compreendermos que o vizinho é um tipo pensante poderá ajudar-nos a perceber que ele não está sendo desagradável de propósito quando perturba a atmosfera de uma reunião social, inserindo, sem tato, verdades que lhe parecem adequadas. Ou ainda: se o nosso marido opera por intuição, podemos evitar problemas práticos num passeio de automóvel lembrando-nos de enfiar um mapa no porta-luvas. Mais um exemplo: suponhamos que o pensar seja a sua melhor função, ao passo que o seu companheiro é um tipo sensível; se vocês dois compreenderem a situação, poderão aproximar-se de áreas de atrito mais consciente e cooperativamente. Quando sua cara-metade, num impulso, gasta o dinheiro reservado no orçamento para necessidades futuras, na compra de um vaso antigo que "ficará lindo" na sala de estar, você pode compreender que, para um tipo sensível, esse objeto tem um valor que transcende a lógica a que você obedece. Sabedor disso, poderá evitar uma colisão frontal, que arruinaria a atmosfera do momento com brigas fúteis. Mais tarde, porém, você e a sua parceira poderão ajudar a resolver problemas futuros desse tipo sentando-se juntos para revisar o orçamento e incluir nele valores importantes para ambos os tipos, sensível e pensante.

Esse esboço de discussão das quatro funções oferecerá ao leitor não iniciado algumas pistas para o descobrimento do seu próprio tipo de função. Apresento aqui, todavia, duas sugestões que achei proveitosas. A fim de descobrir a sua função superior, observe como você se comporta, ou poderia comportar-se, numa emergência. Imagine-se numa floresta, ao cair da noite, longe da civilização e separado dos companheiros. Você se sentaria para elaborar um plano de ação? Ou tentaria intuir para onde seus companheiros podem ter ido e seguido nessa direção? Ou faria um balanço das realidades da sua posição (calor, abrigo, água, etc.) e planejaria arranchar onde elas estivessem ao seu alcance? Ou faria o quê?

Às vezes não é fácil descobrir a sua primeira função porque a superior e a primeira auxiliar estão ambas tão bem desenvolvidas que se torna difícil dizer qual delas representa o seu tipo inato. Nesse caso, às vezes, é menos trabalhoso localizar a função inferior. Um jeito de fazê-lo consiste em observar a espécie de tarefas cuja execução você adia sistematicamente porque "não tem tempo" para elas. Muitas vezes descobrirá que certos tipos de serviços são ignorados dia após dia, enquanto outras tarefas (que, na realidade, demandam mais tempo e são mais complicadas) acabam sendo executadas. Depois que você descobrir a sua função inferior, localizará com facilidade a superior, porque será, invariavelmente, a *outra* função na mesma categoria da primeira. Por exemplo, se a sua função inferior for irracional (digamos, a intuição), isso quer dizer que a superior será a outra função irracional (a sensação) e vice-versa. Se a sua função inferior for racional (digamos, o sentimento), a superior tenderá a ser a função racional remanescente (o pensamento), ou vice-versa. A razão por que essa fórmula é tão digna de confiança será discutida mais adiante, em outro capítulo.

Para os que desejam mergulhar mais fundo nessa área, recomendamos a leitura de *Lectures on Jung's Typology* de Hillman e von Franz,[3] que oferece uma descrição completa dos quatro tipos de função e ilustra o modo com que operam na vida prática. Mas o esboço sucinto aqui apresentado é suficiente, como princípio diretor, para a seguinte exploração da teoria dos tipos de Jung em relação ao dito sábio de Maria Prophetissa acima citado.

À medida que tomamos consciência dos quatro potenciais dentro de nós, tendemos a rotular-nos de acordo com a função superior. Em outras palavras, o ego se identifica com a função superior. Podemos não descrever nossos sentimentos com a exata terminologia aqui usada, mas tendemos a considerar-nos uma *unidade* – uma pessoa com uma aptidão especial, excluindo outros potenciais de que temos menos consciência. Tornamo-nos reconhecidos, por nós mesmos e por outros, como "aquele que é hábil com as mãos", ou "aquele que é bom em matemática", e assim por diante. Mais tarde, porém, acabamos reconhecendo e desenvolvendo as funções secundárias – ponto em que "um se torna dois". Somos bons com as mãos, mas também gostamos de ler e escrever poesias, por exemplo. Chega depois uma percepção incipiente de capacidades numa terceira área, correspondente à terceira função. Mas essa se acha tão enterrada na inconsciência que é difícil de escavar, e muitas vezes são necessários vários anos para começarmos a ter consciência de nós mesmos como donos de *três* áreas de competência.

Durante todo esse tempo, a quarta função, de ordinário, permanece escondida, tão imersa na escuridão, tão inaproveitada e, portanto, tão ameaçadora para o *status* do nosso ego, que não podemos abordá-la diretamente. Mas à proporção que continuamos a desenvolver e usar a terceira função, a quarta também começa a emergir na consciência. Empregando a terceira função, "através da terceira", é que chegamos à

3. James Hillman e Marie-Louise von Franz, *Lectures on Jung's Typology*.

quarta. Quando isso acontece, ocorre "o um como o quarto". Pois agora há potencial para a unidade – uma totalidade que inclui os quatro aspectos da psique e transcende a unidade do ego com que principiamos as explorações.

Seja-me permitido ilustrar o modo com que os tipos funcionam citando um breve exemplo de minha própria experiência. Sou uma intuitiva e tenho o sentimento como segunda melhor função. A terceira é o pensamento e a quarta (ainda não desenvolvida), a sensação.

Está visto que a redação de um livro e o seu preparo para a publicação exigirão habilidades nas quatro áreas. Meu interesse pelo Tarô surgiu primeiro através da intuição. Eu me sentia atraída pelo mistério das cartas e pressenti a possibilidade de ligá-las às figuras dos meus sonhos. Durante muito tempo não fiz coisa alguma nesse sentido a não ser pensar nas cartas e fazer tentativas esporádicas para penetrar-lhes o possível significado.

Uma vez que o meu pensamento ainda não está bem desenvolvido, levei vários anos para organizar minhas intuições e sentimentos e encontrar as palavras para expressá-los. Eu não queria pensar nas cartas do Tarô nem ler livros fatuais sobre o assunto. Não me interessava aprender a história do Tarô. Sendo intuitiva, com escasso interesse pela realidade, fatos e datas me entediam. Durante muito tempo me satisfiz com a vaga generalização de que o Tarô era "muito velho" e não fiz nenhum esforço para explorar-lhe a origem específica. Eu estava mais interessada pelas imagens das cartas do que pela realidade delas.

Ao fazer palestras e seminários sobre o Tarô, tenho tido constantes problemas com os fatos indiscutíveis da realidade em muitas áreas – sobretudo os que envolvem o espaço e o tempo. Eu, por exemplo, arranjo as cadeias para os participantes num círculo convidativo, o que faz que todos se sintam bem, mas depois descubro que as cadeiras estão dispostas de tal maneira que vários participantes não podem ver os objetos expostos, que serão o tópico de interesse. Minha inconsciência do tempo provoca transtornos também, até que consegui resolver o problema planejando chegar meia hora mais cedo e indicando um cronometrista para me fazer sinal quando se esgota o tempo de que posso dispor.

Aos poucos, minha terceira função, o pensamento, vai-me ajudando a fazer contato mais direto com essas realidades. Lembrando-me constantemente de fazê-lo, estou começando a reparar na sinalização das ruas e em outros pontos de referência quando vou a algum lugar pela primeira vez. Estou até aprendendo a desenhar mapas toscos, mas ainda encontro dificuldades para estabelecer proporções exatas. A fim de melhorar o meu sentido do tempo, jogo jogos comigo mesma. "Que horas são agora?" pergunto-me de súbito. (Tenho de responder, naturalmente, sem consultar um relógio.) O fato de aprender a observar o ângulo do Sol e a ouvir o "plop" do jornal da noite na calçada está-me ajudando a adivinhar a hora de pôr a capa na minha máquina de escrever, encerrando assim o trabalho do dia, e dirigir-me à cozinha para que o jantar esteja pronto quando o meu faminto marido chegar do escritório. De muitas maneiras semelhantes, pensando e planejando, sou capaz de estender uma ponte até a minha quarta função, a inferior, a sensação. Daqui a pouco serei capaz de estabelecer contato sensorial mais direto com a percepção sensorial. Quando isso acontecer, espero experimentar o novo sentimento unitário descrito por Maria Prophetissa como "o um como o quarto".

Tanto cultural quanto pessoalmente, o número quatro do Imperador anuncia um novo começo, pois é ele quem inicia o princípio simbolizado pelo Verbo. Com o seu advento, deixamos o mundo matriarcal da ordem primitiva, não-verbal, que se expressou largamente através da música, da dança e das imagens. Aqui entramos no mundo da ordem verbal, da ordem do logos.

Nas narrativas bíblicas há dois princípios descritos. O primeiro nos conta que "No princípio Deus criou o céu e a Terra". Poderíamos ver nisso o mago supremo criando o *yang* e o *yin* primários (representados pelo Mago e pela Papisa do Tarô), reunidos, como vimos, no mundo matriarcal da Imperatriz. Mas agora, com o Imperador, vem um *segundo* princípio, que podemos equiparar ao da segunda narrativa bíblica, que reza: "No princípio era o Verbo." Originalmente, o Verbo (símbolo de idéia, alento, espírito) estava "com Deus". Agora, com o advento do Imperador, o poder do Verbo é conferido à humanidade.

O significado mais antigo de "Logos" é "aquilo por que se expressa o pensamento interior". As palavras são a base de todo o pensamento organizado, de todo o auto-exame, de toda a ciência, de toda a história registrada, de toda a civilização. São os instrumentos por cujo intermédio aprendemos a abstrair idéias e a separar os nossos eus do mundo primário, unitário, do inconsciente. O momento em que a criança diz "eu" pela primeira vez assinala um passo importante na estrada da autocompreensão, porque registra o primeiro rompimento entre ela e a identidade infantil com toda a criação em que nascem todos os bebês. Essa fase mágica de identificação com a natureza é, às vezes, denominada mais poeticamente *participation mystique*. À proporção que se torna mais eficiente no emprego das palavras vai-se a criança, a pouco e pouco, distanciando gradativamente do reino da magia primitiva e do Eros feminino para ingressar no mundo civilizado da ordem masculina e do Logos, que é o domínio do Imperador.

Tendemos a pensar nas palavras principalmente como instrumentos para nos comunicarmos uns com os outros; mas precisamos delas, primeiro que tudo, para comunicar-nos conosco. A partir da primeira infância, as palavras são a chave principal do autoconhecimento e do crescimento intelectual. Precisamos delas para pensar – para selecionar as imagens e eventos caóticos do mundo que nos cerca e estabelecer nossa própria identidade em relação a eles. Sem o dom da língua seríamos semelhantes a animais selvagens, presos para sempre num estado de *participation mystique* com tudo o que nos rodeia.

Esse fato foi dramatizado na história de Helen Keller, a qual, surda e cega ao mesmo tempo, não tinha acesso às palavras. Criancinha, sentia-se um animal subumano e, portanto, como tal se comportava. Depois, com o auxílio de uma professora abnegada, surgiu o momento tão longamente esperado em que a pequenina Helen foi capaz, afinal, de ligar a palavra "água" (telegrafada na palma da sua mão por uma espécie de código Morse) ao fluido frio que conhecia pelo toque e pelo gosto. Nesse momento mágico nasceu a humanidade de Helen.

As palavras, com efeito, são uma nova espécie de magia, diferente dos poderes do Mago. São instrumentos úteis, indispensáveis para ajudar-nos a nomear e classificar os objetos à nossa volta. Ajudam-nos a destacar-nos das coisas para podermos experimentar o mundo em derredor de nós mais objetivamente. Elas nos valem com a recordação de nossas experiências não-verbais e com a transmissão a outros dessa recordação. Está visto, contudo, que as palavras não substituem a experiência. Sozinha, a palavra "água" não teria podido saciar a sede física de Helen Keller nem mitigar-lhe a sede de conhecimentos. Sem a experiência, o mundo tem pouco a oferecer.

Em tempos idos o homem usava as palavras com maior parcimônia. Os antigos egípcios só falavam inspirados pelo espírito; a palavra era a ação do espírito. Hoje em dia falamos a esmo – nossas palavras são meras pegadas, a substância foi-se.

Dir-se-ia que em nossa atual cultura superverbalizada de computador, nos afastamos tanto da matéria-prima da vida que nós mesmos nos transformamos em abstrações, perdidos numa confusão verbal. Comportamo-nos em relação às palavras como se elas fossem as experiências a que nos referimos, engolimo-las inteiras como se fossem realidade nutritiva, temos indigestões espirituais. Em resultado disso, o pêndulo oscila agora para trás, na direção da experiência não-verbal. Os jovens estão deixando os livros e voltando à natureza. Abundam os grupos de percepção sensorial, encontro corporal e meditação. Tornou-se até moda denegrir as palavras como inúteis, secas e puramente intelectuais.

"Como", formula-se às vezes a pergunta, "expressaria você uma fuga de Bach ou um quadro de Klee com simples palavras?" Como, de fato? Igualmente impossível, podemos replicar, seria captar o *Hamlet* de Shakespeare num meio que não fosse o das palavras. Quanto a isso, é até industível que esta ou qualquer outra obra criativa possa ser adequadamente traduzida em palavras de outra língua. Pois as palavras não são apenas sinais ou fichas, usados tão-somente para designar coisas específicas. As palavras são símbolos cujas reverberações, para o ouvido educado, sempre incluem matizes que transcendem o significado manifesto. Tendemos a esquecer que as palavras, como a música e outras formas de arte, não são apenas instrumentos do intelecto. Também surgiram no nível corajoso da experiência humana. Historicamente, as palavras nos chegam, em todas as línguas, "puxando atrás de si nuvens de glória". Cada qual reverbera os ecos ocultos da experiência humana da qual inicialmente proveio, tendo sido refinada e remodelada por gerações sucessivas.

Portanto, longe de atirá-las todas pela janela, poderíamos usar as próprias palavras como outra técnica para captar a percepção sensorial. O estudo da etimologia das palavras que usamos pode ser um instrumento valioso para nos ajudar a ligar-nos à tonalidade exata de sentimento da experiência que elas descrevem. Por exemplo, num capítulo anterior fez-se uma ligação entre o nosso verbo "to remember" (recordar) e a palavra do inglês antigo *mournan*, que queria dizer "to mourn" (carpir). Para mim, esse conhecimento acrescentou nova tonalidade de sentimento não só à palavra discutida mas também à experiência da recordação. Poder-se-ia dizer que adicionou dimensão à "recordação de coisas passadas".

As palavras têm poder – muitas espécies de poder. Produzem vibrações na natureza. Diz-se que as vibrações da palavra sagrada AUM estão em correlação com as três forças da natureza: criação, preservação e desintegração. Consoante uma idéia primitiva, ainda viva nas partes mais civilizadas do globo, as palavras exercem uma influência mágica sobre as pessoas ou objetos aos quais estão ligadas. Na tradição judaica, o sagrado nome de Javé nunca deve ser proferido e um dos Dez Mandamentos nos admoesta a não "Pronunciar o santo nome de Deus em vão".

Convém notar aqui que até na primeira narrativa da Criação a palavra desempenha um papel mágico. Pois foi apenas no ponto em que Deus *disse* "Faça-se a luz" que o princípio do Logos pôde ser criado. Como se até o Criador precisasse separar o conceito de luz do seu próprio caos interior e dar-lhe um nome antes de poder torná-lo manifesto na realidade exterior.

Os nomes afeiçoam a realidade e exercem influência sobre o seu caráter. Como prova disso, dedicamos tempo e reflexões aos nomes que damos a nossos filhos. Antes de escolher um nome artístico, o ator, às vezes, consulta um numerologista. Os industriais, não raro, promovem concursos a fim de descobrir um nome com suficientes "vibrações" para um novo produto. Outra superstição ligada a nomes que ainda corre, silenciosa, em nosso sangue, é a idéia de que o fato de conhecermos o nome de uma pessoa, lugar ou objeto nos dá um poder específico sobre ele. Ao conhecermos uma nova pessoa podemos sentir-nos perturbados antes de conhecer-lhe o nome, muito embora o nome, por si mesmo, não a identifique de nenhum modo real. Inversamente, relutamos em dar a conhecer o nosso nome com demasiada presteza a certos estranhos.

Dar nomes às coisas é uma parte importante da tarefa do Imperador. Longe de ser uma questão puramente intelectual, o descobrimento do nome correto para as coisas é uma arte criativa – arte que envolve não só a faculdade pensante mas também o sentimento, a intuição e uma boa conexão com a experiência sensorial. A título de demonstração do exposto, a seguinte lenda antiga vem a propósito. Parece que Satanás, invejoso da atenção que Deus dispensava a Adão, foi queixar-se ao Senhor e pediu-lhe que o encarregasse dos pássaros e dos animais em lugar de Adão. O Senhor decidiu instituir um concurso entre Satanás e Adão para ver quem poderia nomear corretamente todas as criaturas. E ordenou que o vencedor do concurso governasse o reino cujas criaturas nomeara corretamente.

É claro que Satanás foi reprovado no exame, pois a discriminação imaginativa e a dedicação paciente à ordem disciplinada são os últimos talentos do repertório daquele cujo gênio é pandemônio. Nessas condições, Adão venceu o concurso de dar nomes aos bichos e tornou-se imperador do Éden. E foi assim que Adão, e não Satanás, veio a ser o nosso antepassado. O Senhor, porém, não baniu Satanás totalmente do jardim. Ele ainda anda por aqui e tem-se mostrado extremamente ativo. Uma de suas funções talvez seja a de lembrar-nos o quanto foi duro o tal concurso.

Em reconhecimento desse fato, e temendo a confusão acima de tudo, nossos maiores tenderam a idolatrar o princípio do logos do Imperador, deixando a Imperatriz quase que inteiramente fora do quadro. Agora, muito pelo contrário, tendemos a denegrir o Imperador e adorar a Imperatriz. A nossa monstruosa unilateralidade fez que a razão, a lei e a ordem estabelecida parecessem, e até certo ponto se tornassem, excessivamente rígidas. Muitos indivíduos, jovens e velhos, têm-se revoltado contra a ordem estabelecida. Alguns esperam destruir-lhe inteiramente o império, enquanto outros voltaram as costas à civilização na vã tentativa de recapturar o mundo matriarcal pré-consciente de vagos sonhos e sentimentos.

A verdade óbvia, evidentemente, é que o Imperador e a Imperatriz são, como o indicam os seus nomes, um par de cônjuges. Um não pode funcionar criativamente sem o outro. O cetro de cada qual ostenta o orbe da Natureza encimado pela cruz do Espírito, simbolizando a união harmoniosa das suas energias e dos seus dois reinos. Cada qual ostenta a águia de ouro, o que indica que os poderes de ambos foram dados igualmente por Deus e que os direitos de ambos são igualmente divinos. Com o advento do Imperador inicia-se um novo ciclo que envolve novas aspirações e novas e mais sofisticadas conexões entre o reino mundano e os céus acima dele. Sob a influição do Imperador, o homem alcançará, não apenas de maneira simbólica mas de fato, o Sol, a Lua e as estrelas.

Inevitavelmente, se quisermos dar asas ao nosso espírito ambicioso, não poderemos manter sempre um pé no jardim da Imperatriz. Há momentos, tanto na vida cultural quanto na pessoal, em que um ou o outro desses grandes poderes governantes terá uma influência mais forte em nossa vida do que o seu número oposto. Na realidade, como todos os opostos, os dois operam melhor numa espécie de corrente alternada. Momentos há em que é até necessário manter um deles em suspenso a fim de experimentar os benefícios do outro.

O Imperador reina essencialmente por meio do Logos e do pensamento; a Imperatriz se vale sobretudo de Eros e do sentimento. Para o Imperador, o fato objetivo é a verdade honesta; para a Imperatriz, o fato interior é fundamentalmente importante. Em seu reino, revelar um fato objetivo que pode ferir um relacionamento seria desonesto, ao passo que, no mundo do Imperador, ocultar um fato dessa natureza seria repreensível. Está claro que, numa dada situação, ambos não podem reinar ao mesmo tempo. Mas se dermos a cada um, por sua vez, o ensejo de falar, poderemos encontrar uma solução legítima para o fato da realidade externa sem violentar o fato, igualmente importante, do sentimento interno.

Em todos os tipos de trabalho criativo, é particularmente útil arranjar uma audiência com cada uma dessas figuras poderosas – mas, nunca, é lógico, ao mesmo tempo. Por exemplo, durante o que podemos chamar a fase de criatividade da Imperatriz, quando imagens e idéias estão subindo, borbulhantes, das nossas profundezas de forma abundante e espontânea, geralmente é melhor pedir ao Imperador que fique de prontidão enquanto nós, sem espírito de crítica, abiscoitamos o prêmio de tudo o que se apresenta. Mais tarde, convidaremos o nosso Logos a fazer as vezes de editor, ajudando-nos a joeirar e escolher, arranjar e ordenar as idéias. Mas se ele intervier demasiado cedo, poderá murchar os frescos e novos rebentos de nossa imaginação que precisam, como todas as coisas jovens e tenras, primeiro que tudo, de uma mãe que os alimente e sustente.

Excelente maneira de observar com pormenores gráficos como trabalham juntos o Imperador e a Imperatriz dentro de nós consiste em comparar sucessivos trechos, digamos, de um poema de Keats. Ali se pode ver como a rica imaginação do lado feminino, sensível, do poeta foi podada, refinada e modelada pelo Logos crítico para criar o produto final. Ficamos impressionados não só com a perfeição do que sobrou mas igualmente com a pura beleza do muito que se sacrificou. Para essa tarefa delicada de discriminação, o Imperador do artista precisa ser sensível, cheio de introvisões e corajoso.

Um dos empregos específicos do número quatro do Tarô é ajudar-nos a tomar consciência do tipo de Imperador, simbolicamente falando, que exerce influência sobre a nossa cultura e a nossa vida pessoal. Ele é relaxado, enérgico, imaginativo? Ou é rígido, desencantado, não-receptivo? Quais são algumas das noções inconscientes que constituem a base do nosso "império" pessoal e cultural? O nosso Imperador interior acredita na perfectibilidade? Na utopia? Na permanente abolição do mal? Na supremacia branca? Na supremacia negra? Em quê?

Uma forma de examinar o Imperador pode ser estudar-lhe o retrato por alguns momentos e depois rabiscar, sem organização e sem censura, o que você acha que ele pode responder aos tipos de perguntas acima formuladas. Você concorda com as respostas dele? Se não concorda, em que ponto vocês diferem? Se acha difícil penetrar o caráter do Imperador, uma técnica útil é colocá-lo em contraste com outros tipos semelhantes de figuras. Confrontar esta carta com a sua equivalente em outros baralhos do Tarô é muito proveitoso. O Imperador retratado no baralho Waite, por exemplo, parece muito mais velho e imponente do que a figura que estamos discutindo. O Imperador de Waite galhardeia uma longa barba grisalha, está sentado num amplo trono, tem as pernas envoltas em malhas. Poder-se-á imaginar que suas respostas a algumas das nossas perguntas são diferentes das do Imperador de Marselha.

Sejam quais forem as respostas que você consiga obter, registre-as, por favor, em seu caderno de apontamentos do Tarô. Mais tarde, depois de estudar outras cartas, talvez seja interessante "entrevistar" de novo esse personagem. Pode ser que lhe tenham acudido idéias novas neste ínterim.

Fig. 33 O Papa (Baralho de Marselha)

8. O Papa: A Face Visível de Deus

A alma do homem é naturalmente religiosa.

Orígenes

Por enquanto, cada carta discutida retratou apenas uma figura, um personagem de tendências mágicas ou de proporções sobre-humanas. A carta número cinco (Fig. 33) mostra algo novo. Em adição ao costumeiro caráter arquetípico (neste caso o Papa) vemos, pela primeira vez, figuras de tamanho humano. São apresentadas como dois homens do clero ajoelhados diante do Papa. O da esquerda traz o que parece ser um chapéu de cardeal, e ambos ostentam tonsuras clericais que, quais halos em miniatura, lhes proclamam a dedicação ao espírito.

O Papa, sentado no trono como a figura central, emoldurado pelos dois homens ajoelhados à sua frente e pelos dois pilares erguidos atrás, reitera o seu número, cinco – número simbólico da quinta-essência, a preciosa e indestrutível qualidade só conhecida do homem e que transcende os quatro elementos terrenos, comuns assim aos homens como aos animais. Podemos ver o Papa, nesse caso, como a personificação exteriorizada da luta do homem pela conexão com a divindade – da sua dedicação à busca do significado, que coloca o homem acima dos animais.

Enquanto Freud via nessa tendência religiosa simples sublimação da libido sexual, Jung via no impulso do homem para o significado transcendente um instinto *sui generis* da psique humana – como uma predisposição inata da espécie humana – força criativa mais coativa até do que o anseio da procriação física. À semelhança do instinto sexual, o impulso religioso visa a unir os opostos. Como símbolo dessa unificação, o Papa, com sua barba e suas vestes ondeantes, é andrógino, une em sua pessoa tanto os elementos masculinos quanto os femininos.

O Papa é uma figura poderosa, não só simbolicamente mas também no mundo da realidade. Como o Mago, liga o mundo interno ao externo, porém de maneira mais consciente e mais franca. Poder-se-ia dizer que a função do Papa consistia em tornar acessível ao homem o mundo transcendental até aqui alcançado apenas pela intuição. Ele foi chamado "A face visível de Deus" por ser dotado do maná do mesmo Senhor.

Como sempre acontece com esses poderes arquetípicos que nos movem no interior, precisamos primeiro experimentá-los como existentes em nosso meio externo. De tempos a tempos, todos temos projetado em outros as qualidades do Mago, da Papisa, da Imperatriz e do Imperador. Experimentando essas qualidades como se pertencessem (não raro erradamente) a pessoas de nossas relações, chegamos por fim a compreender que nós também temos potenciais e características de natureza semelhante. À medida que nos tornamos cada vez mais conscientes de nossos poderes internos para o bem e para o mal, as projeções exageradas com as quais vestimos nossos amigos e inimigos aos poucos desaparecem. À medida que amadurecemos, os pregadores, professores, psicólogos e políticos de nossas relações já não são portadores, para nós, das características que, na realidade, nos pertencem. No fim, eles (e nós) assumem proporções mais humanas.

Mas esta é uma trilha muito, muito comprida – não só historicamente como também em nosso próprio desenvolvimento pessoal. A consciência humana – a própria humanidade – é jovem e fraca. Precisamos de detentores de projeção fortes e dignos de confiança a fim de nos tornarmos cônscios das muitas forças que operam dentro da nossa psique humana. Um portador ideal da nossa fé e das nossas aspirações é o Papa aqui retratado. Em contraste com as duas figuras insignificantes diante dele, parece ter um tamanho sobre-humano. E com toda a razão, uma vez que é o representante de Deus na Terra. A palavra "pope" (papa) é da mesma família do *pater* latino e do *papa* italiano. Como o Imperador era o pai supremo no governo da vida da comunidade secular, o Papa é a figura do pai supremo da Igreja, que governa seus "filhos" na comunidade religiosa.

Seu título de "pontiff" (pontífice) relaciona-se com o *pontifex* latino, que significa ponte. Uma ponte entre o homem e Deus. Liga a experiência codificada da Igreja (simbolizada pelos pilares que se vêem atrás dele) com a experiência viva e humana das figuras à sua frente. Em áreas em que elas ainda não aprenderam a prestar atenção à própria voz interior, ou perderam a conexão com ela, o Papa lhes oferece a sabedoria de um sistema de valores coletivos para apoiá-las e guiá-las ao longo do caminho.

No mundo primitivo do Mago, da Papisa e da Imperatriz, homens e mulheres viviam em íntima conexão com o seu lado instintual. Não funcionavam como indivíduos discretos, senão como átomos que giram à volta de um centro, e cada qual vivia certa função para o grupo, de modo um tanto ou quanto semelhante ao das abelhas numa colméia. Antes do advento do Imperador, com a ênfase que colocava nos feitos e nas palavras, que são a matéria da civilização, as pessoas ainda sabiam ouvir a voz do inconsciente quando lhes falava através de sonhos e visões.

Mas com o Imperador, essa *participation mystique* entre os humanos e a natureza principiou a enfraquecer-se. A energia era necessariamente liberada para abater florestas e construir um império. Na paisagem interior, igualmente, ilhas de percepção do ego principiaram a elevar-se acima da massa primeva da consciência tribal. Quanto mais o homem perdia contato com a própria experiência imediata do espírito, tanto mais passou a depender do dogma destilado da mística experiência dos outros. E, gradativamente, através dos séculos, à medida que se envolvia nas complexas relações pessoais inerentes a uma sociedade individualista, competitiva, o homem chegou a sentir cada vez mais a necessidade da confissão individual e do aconselhamento em questões de consciência pessoal. Dessas necessidades surgiu e cresceu a Igreja, que tem o Papa como chefe titular. Como porta-voz de Deus, é o árbitro final de todas as questões morais. É também ele quem determina a autenticidade final de toda experiência mística.

O Papa do Tarô mostra-nos simbolicamente a extensão do seu domínio. A mão direita, erguida no sinal tradicional da bênção, revela dois dedos estendidos, a indicar que os problemas morais que envolvem os opostos do bem e do mal estão sob o seu domínio, para serem amplamente reconhecidos e manipulados. O polegar e dois dedos restantes, que ele mantém escondidos, podem significar que a Trindade é um mistério sagrado, que não deve ser examinado cientificamente, senão emocionalmente. O Papa segura a chave desse mistério sagrado escondida na palma da mão.

Como a ponte entre o dogma e a experiência, entre o código e sua aplicação prática, o Papa interpreta a lei espiritual. Determina problemas difíceis de pecado e santidade. Protege a Igreja para que ela não se cinda em seitas individuais; ao mesmo tempo, no entanto, emenda a lei quando necessário para ajustar-se a circunstâncias individuais que lhe pareçam excepcionais. À diferença da Papisa, não segura livro algum; não consulta a lei – ele *é* a lei. Como porta-voz terreno de Deus, infalível, seu poder é supremo, acima de toda a humanidade. O próprio Imperador tem de ajoelhar-se diante dele.

O Papa aqui retratado empunha o cajado que lhe simboliza o cargo com a mão enluvada, a indicar talvez que não é a sua mão individual, humana, que possui a infalibilidade e o poder supremo. O seu é um dever sagrado, não suscetível às tentações da carne mortal. Em sua luva está assinalada a cruz *patée*, antiga forma de cruz, indicativa da grande idade da Igreja. A luva pode ser tão antiga quanto a instituição que ela serve. Foi, sem dúvida, usada por muitos papas antes deste, e o será de novo por muitos outros depois que este se for. Sua coroa de três tiaras, semelhante à usada pela Papisa, é repetida na cruz tripla do cajado. O domínio do Papa sobre os três mundos (espírito, corpo e alma) é reafirmado e tornado mais franco. Mas ele segura o cajado com a mão esquerda; governa mais pelo coração do que pela força da vontade.

Os dois prelados aqui pintados parecem ser quase gêmeos. Em nossos sonhos toda vez que uma nova qualidade ou função está a pique de emergir na consciência, muitas vezes surge assim: gêmeas – símbolo por excelência dos aspectos duplos inerentes a toda a vida. Os dois sacerdotes nesta carta podem simbolizar os muitos conjuntos de impulsos gêmeos na natureza religiosa do homem, da qual ele só agora está tomando consciência. Pode-se imaginar que no meio deles estariam os conflitos entre o fato exterior e o significado interior, impulsos ambíguos para o bem e para o mal, problemas que envolvem o poder público contra a consciência, e as muitas sutilezas do relacionamento individual – problemas de que o Imperador e seus súditos eram relativamente inscientes.

As duas figuras ajoelhadas têm as costas voltadas para nós e, embora esteja emergindo, a percepção dos opostos ainda é inconsciente. Os prelados não enfrentam os conflitos diretamente; voltam-se para o Papa em busca de orientação. Confrontados com a imponente figura do pontífice, parecem pequenos e fracos. Inclinam-se diante da autoridade. Quase idênticos nos trajes e na postura, ainda não têm um ponto de vista individual. O seu título, "irmãos", indica que ainda são funções de uma unidade familial maior, filhos da Igreja Mãe e, no entanto, estão começando a ensaiar-se como indivíduos com questões e problemas pessoais.

O Papa, com sua barba patriarcal e suas vestes ondeantes, representa o papel de mãe e pai, ao memo tempo, desses irmãos. Expressa a preocupação da Igreja Mãe pelo desenvolvimento pessoal de cada um dos seus paroquianos, embora enuncie, preserve e defenda a lei geral. Em contraste com a Papisa, que se comunica amplamente através da intuição e do sentimento, o Papa é capaz de organizar e verbalizar suas idéias, juntando-as num sistema formal, racional. Como o Imperador, personifica o Logos masculino, mas as suas preocupações são mais abrangentes que as do Imperador, que se interessava sobretudo pelo bem-estar físico e social dos súditos; o Papa também se preocupa com o mundo interior da consciência e da responsabilidade.

As diferenças entre o Imperador e o Papa estão claramente indicadas no modo com que cada uma dessas figuras arquetípicas é retratada no Tarô. Mostra-se o Imperador olhando para horizontes distantes; os seus olhos abarcam a totalidade do império. O Papa fita o olhar nos indivíduos à sua frente; concede-lhes uma audiência – comunica-se com eles. A interação entre o arquetípico e o humano marca um passo importante no desenvolvimento histórico da consciência humana. É nesse ponto que o homem emerge como entidade separada e começa a experimentar a própria qualidade de ser em relação com os poderes suprapessoais. Até aqui na série do Tarô, as figuras arquetípicas ocuparam a tela inteira; tiveram o pleno domínio.

Em nossa infância, e na infância da consciência humana, os poderes simbolizados pelo Mago, pela Papisa, pela Imperatriz e pelo Imperador controlaram nossa vida sem serem desafiados nem questionados. A sua magia parecia tão poderosa que a frágil consciência do ego não poderia enfrentá-los. De fato, o ego humano infantil ainda estava informe. Como as quatro primeiras cartas da série do Tarô revelam plenamente, a consciência do ego individual não tinha lugar no palco e muito menos fala. Na carta do Papa, pela primeira vez, *a humanidade confronta o arquétipo.* Está-se verificando um diálogo entre a consciência e os poderes instintuais da psique. Com efeito, as figuras ajoelhadas ainda não têm forças para resistir ao poder suprapessoal; mas o procuraram com perguntas e problemas.

Embora entronizado, como convém à sua estatura, que semelha a de um deus, o Papa também é humano – existe na realidade terrena. Como o Cristo, tem dupla origem: é o representante celeste de Deus – e, todavia, é também um ser humano, o que significa que, se bem a pessoa pertença ao tempo, a essência é imortal. O Papa individual aqui pintado morrerá mas, enquanto perdurar a Igreja, terá sempre um sucessor.

O Papa também compartilha, de outras maneiras, do arquétipo do Salvador, cujo paradigma em nossa cultura é a imagem de Cristo. Como Cristo, o Papa coloca problemas morais, aguçando a percepção humana na área da consciência humana. Entretanto, como Salvador, absolve o homem da culpa inerente à sua luta pelo conhecimento do bem e do mal – o antigo pecado que só é "original" em se tratando do homem.

Encarado psicologicamente, o Papa do Tarô também é um salvador pois, de acordo com Jung, a espécie de confrontação que dramatiza é a salvação da consciência humana. Não fora, diz Jung, o diálogo continuado entre o ego e o arquétipo, e o homem nunca seria capaz de desenredar sua identidade do ventre arquetípico e libertar-se da força cega dos próprios instintos. Como Jung assinalou, sem essa espécie de interação entre o humano e o transcendente, nem a consciência do homem nem o mesmo espírito poderiam evoluir e amadurecer.

Em sua "Resposta a Jó",[1] Jung utiliza o encontro bíblico de Jó e Jeová como paradigma dessa espécie de confrontação entre o homem e o arquétipo. Jung mostra

1. C. G. Jung, *Psychology and Religion: West and East,* C. W. Vol. 11.

como, no transcorrer do encontro, ambas as figuras se modificam. Jó acaba compreendendo e aceitando a natureza ambivalente todo-poderosa do seu Deus, e o próprio Jeová começa a tomar consciência do seu duvidoso relacionamento com Satanás. Simbolicamente falando, portanto, não só o exame da espécie humana (Jó) como também o da imagem do Onipotente (Jeová) evolui e cresce através de um diálogo interior desse tipo. Conquanto a humilde submissão dos dois padres pintados na carta número cinco esteja muito longe do astuto interrogatório com que Jó confrontou Jeová, sempre é um começo. Os padres procuraram a figura arquetípica e ela lhes concedeu audiência. O Papa está disposto a ouvir-lhes as perguntas e a comunicar-se com eles.

Mas tais diálogos entre o humano e o arquetípico não são sempre tão serenos quanto parecem nesta figura. Aqui o Papa se comunica. Mas também pode excomungar. A mão erguida no gesto que abençoa, vista a certa luz, também pode tornar-se o sinal da maldição. A Figura 34 mostra a imagem criada pela sombra da mão papal. Sugere a cabeça de Baphomet, o diabo. Segundo antiga superstição, se essa sombra cair sobre alguém, a bênção do Papa se transformará em maldição. Até nos dias que correm, os que acreditam nisso, quando assistem a cerimônias papais, evitam ficar onde a sombra possa cair sobre eles.

Psicologicamente falando, todas as principais figuras arquetípicas que estivemos discutindo, por serem grandes e poderosas, naturalmente produzem sombras consentâneas com o seu tamanho. A sombra da autoridade religiosa pode ser, de fato, diabólica, como a história já mostrou, figurando o dogmatismo e o fanatismo entre as suas manifestações mais óbvias.

Quando quer que o ego se identifique com qualquer figura arquetípica, irradia uma força ao mesmo tempo fascinante e coagente, mas também terrificante e repelente. Por ser supra-humano, é difícil a esse gênero de poder relacionar-se de uma forma humana. Isso se aplica especialmente ao Velho Sábio arquetípico, cujo aspecto público vemos pintado no Papa, e cujo retrato mais individual discutiremos quando aparecer na carta número nove – O Eremita. Cada uma dessas figuras está saturada de um poder especial, porque cada uma delas parece falar com a voz de Deus.

Às vezes, figuras tomadas pela apaixonada intensidade do arquétipo esposam causas francamente religiosas ou filosóficas. Mas se não puder encontrar nenhum receptáculo adequado a essa energia numa religião ou filosofia organizada, os indivíduos apanhados pelo Velho Sábio ou Salvador arquetípico verterão sua paixão religiosa em outras causas, tais como o vegetarianismo, a ecologia, a jardinagem orgânica ou a terapia de grupo. Imbuídos do poder suprapessoal dessas forças arquetípicas, seres humanos, aliás perfeitamente comuns, abordarão estranhos nas esquinas exortando-os à busca de Deus. Até o nosso vizinho do lado, aposentado ou tímido, impulsionado por esse arquétipo, pode tomar-se de amores pelo palanque em ocasiões sociais para expor os méritos de T. M., E. S. T., Freud, Jung ou da macrobiótica.

O Papa é uma figura do logos: como tal, também simboliza o *animus*, termo de Jung para designar o princípio masculino inconsciente que aparece na psique da

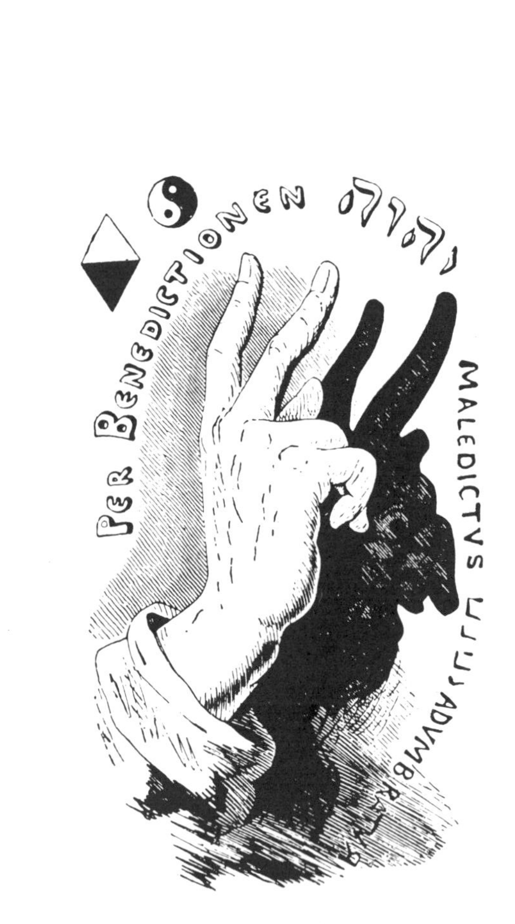

Fig. 34 O sinal da Excomunhão

mulher. O *animus* assume muitas formas, várias dentre as quais estão retratadas no Tarô. No seu estudo intitulado *Animus e Anima*, Emma Jung distingue quatro fases na evolução do Logos tal como surge externamente na cultura e internamente no inconsciente das mulheres em geral. A primeira, diz ela, compreende a idéia do *poder dirigido*. Essa fase é retratada no Tarô como O Mago. A segunda, *ato*, é personificada pelo Cavaleiro do Tarô. (Ele aparecerá mais tarde como o jovem rei que se vê na carta número sete, O Carro.) À terceira fase do desenvolvimento do *animus* ela chama *palavra*, personificada no Tarô pelo Imperador. E a quarta fase, *significação*, é pintada como o Papa.

Em sua discussão sobre o desenvolvimento do *animus* nas mulheres, Emma Jung afirma: "Assim como há homens de extraordinária força física, homens de ação, homens de palavras e homens de sabedoria, assim também a imagem do *animus* difere de acordo com a determinada fase do desenvolvimento da mulher ou dos seus talentos naturais."[2] E assinala que o problema especial da mulher nos dias atuais é chegar a um acordo com o *animus da significação*. "Em primeiro lugar", diz Emma Jung, "ela raras vezes encontra satisfação na religião estabelecida, mormente se for protestante. A Igreja que outrora, em grande parte, satisfazia às suas necessidades espirituais e intelectuais, já não lhe oferece a mesma satisfação. Antigamente, o *animus*, junto com os seus problemas associados, podia ser transferido para o além (para muitas mulheres o Deus-Padre bíblico significava um aspecto metafísico sobre-humano da imagem do *animus*) e enquanto a espiritualidade pudesse ser assim expressa de maneira convincente nas formas geralmente válidas da religião, não se desenvolvia conflito algum. Só agora, quando isso já não pode ser conseguido, surge o problema".

Em sua discussão da luta das mulheres por direitos iguais aos dos homens, Emma Jung enfatiza o fato de que isso "não é nenhuma imitação idiota do homem, nem um impulso competitivo que sugira megalomania" e que a necessidade de encontrar expressão espiritual e intelectual é tão instintiva nas mulheres e tão necessária a elas quanto nos homens. Hoje, diz ela, o principal problema das mulheres é chegar a um entendimento com o seu *animus* espiritual porque, através do controle da natalidade e da tecnologia moderna, as energias antigamente necessárias ao parto e aos trabalhos domésticos estão finalmente liberadas para o desenvolvimento espiritual... "não somos", continua a autora, "como a Eva de antanho, atraídas pela beleza do fruto da árvore do conhecimento, e tampouco a serpente nos incita a saboreá-la. Não, chegou-nos algo semelhante a uma ordem; vemo-nos confrontadas com a precisão de morder a maçã, quer a julguemos boa de comer, quer não, confrontadas com o fato de que o paraíso da naturalidade e da inconsciência, em que muitos de nós gostaríamos de permanecer, se foi para todo o sempre".

Dir-se-á que a necessidade do nosso tempo é encontrar o significado – sobretudo para as mulheres, mas também para os homens. Culturalmente, estamos agora na

2. Emma Jung, *Animus and Anima*, Nova Iorque, Spring Publications, 1969, págs. 3, 5.

quarta fase do desenvolvimento do logos. Não podemos esperar soluções mágicas para os nossos problemas – cerimônias de cura levadas a efeito pelo feiticeiro tribal. A oportunidade de escapar da confrontação espiritual iniciando uma expedição para a conquista de novas fronteiras geográficas – a fim de exaurir nossas energias em atos – já se foi há muito. E palavras estéreis já não nos mitigam a fome espiritual. Para muitos de nós o papa, como figura de proa da Igreja, já não satisfaz às nossas necessidades. De um forma ou de outra, precisamos descobrir, dentro de nós mesmos, o seu equivalente interior e encontrar um jeito de relacionar-nos com esse arquétipo.

O número do Papa é cinco. O significado simbólico do número cinco ajusta-se muito bem a tudo o que foi dito a respeito desse personagem. Ele encarna os quatro elementos comuns a toda a criação, sintetizando-os através do Um do espírito, que é a província especial do homem. Cinco é também o número da humanidade, porque o homem tem cinco sentidos, cinco dedos em cada mão e cinco dedos em cada pé. O número cinco estende uma ponte entre o ser físico do homem e o mistério arquetípico dos números. Muitas sociedades primitivas não sabem contar além de cinco; e em muitas culturas, incluindo a nossa, o cinco é usado como medida conveniente para contar. O cinco possui uma qualidade mágica: quando o elevamos ao quadrado, sempre volta sobre si mesmo. Por esse motivo, os antigos o chamavam de número esférico e consideravam-no relacionado com o infinito.

Cinco é três mais dois: combina a Trindade do espírito com os opostos da experiência humana. Como quatro mais um também personifica a quinta-essência, a preciosa substância além dos quatro elementos, das quatro funções, das quatro direções e de todos os "quatro" que definem a nossa realidade terrena. Já se disse que os quatro primeiros números representam princípios da realidade, ao passo que o número cinco simboliza a Realidade Final. Dessa maneira, pode também simbolizar o nível psicóide do homem, o permanente substrato da psique, a partir do qual tudo o mais evolui.

Como todos os números ímpares, o cinco é considerado um número masculino, portador de uma valência especial do espírito. A razão disso é que os números ímpares, quando divididos por dois, sempre deixam livre o número um – o número primo do espírito. O Um nunca poderá ser destruído nem danificado pela divisão.

O sinal chinês indicativo do homem é um pentagrama. Como a quinta-essência da qualidade humana de ser, o homem é às vezes retratado como um pentagrama, com os quatro membros estendidos definindo quatro pontos da estrela, e com a cabeça como o quinto ponto. O pentagrama é a estrela da revelação que guiou os Magos à manjedoura. É também a estrela da síntese universal. De acordo com a posição dos seus pontos, este símbolo significa ordem ou confusão. Com uma ponta para cima representa o Salvador: com duas pontas para cima representa Satanás, o bode chifrudo do Sabá. Com a cabeça para baixo representa desordem intelectual, subversão e loucura. Como tal, é um mau presságio, aviso de magia negra. Em pé, o pentagrama guia e protege o homem. Os magos traçam-lhe o sinal diante das suas portas a fim de reter as forças positivas para que não se dissipem, e usam-no também para afugentar os maus espíritos.

Como já observamos, o Papa enfeixa poderes, a um tempo, salutares e destrutivos. Num aspecto, o Papa interior é a função em nós mesmos que nos governa o bem-estar espiritual, a consciência inata que nos diz quando pecamos contra o Espírito; e, como o Papa, essa voz interior pode ser tão merecedora de confiança que se torna virtualmente infalível. Mas, como todos sabemos, o Papa interior também pode projetar uma sombra demoníaca. Toda a vez que a antiga "voz da consciência" dentro de nós se põe a gritar, histérica, denunciando o mundo em geral e os amigos e vizinhos em particular, devemos acautelar-nos. E se a iluminação for adequada também poderemos ver-lhe claramente a sombra cornuda na parede.

Fig. 35 O Enamorado (Baralho de Marselha)

9. O Enamorado: Vítima do Erro Dourado de Cupido

O lunático, o enamorado e o poeta
Têm todos a imaginação compacta. . .
Shakespeare

Na carta anterior vimos dois seres humanos idênticos, de costas voltadas para nós, ajoelhados diante de um figura de dimensões sobre-humanas. Como padres, esses dois se apartaram do mundo terreno da carne e dos problemas práticos do reino do Imperador. Procuram a comunhão, não primariamente com o seu semelhante, mas com o Espírito Santo, personificado pelo Papa, que lhes ocupa o palco central da consciência; eles se inclinam diante da sua sabedoria superior e do seu poder semelhante ao de um deus a fim de que lhes guie a vida e os absolva dos pecados.

Não se expõem claramente os conflitos que esses padres podem ter, o que indica talvez que, neste ponto, eles ainda não têm plena consciência desses conflitos. Ingressando no sacerdócio como celibatários, podem ter adiado com êxito quaisquer confrontações francas entre o espírito e a carne, de tal sorte que as suas perguntas, no momento, são mais gerais e filosóficas do que pessoais e práticas. Seja como for, a ação dramática da carta número cinco é antes apresentada como cerimonial coletivo do que como confrontação individual. Naquela cerimônia, como membros da audiência papal, os padres representam um papel relativamente passivo: vieram pedir e receber, mais do que contestar e debater.

A carta número seis, o Enamorado (Fig. 35), assinala um desvio desse estilo de procedimento em quase todos os sentidos. Primeiro que tudo, dramatiza um problema específico (e muito humano): um moço envolvido com duas mulheres. Pela primeira vez na série do Tarô, a figura central não é pintada como um personagem mágico ou divino. Parece um ser humano comum, que enfrenta o mundo e seus dilemas com os pés solidamente plantados na realidade de todos os dias. À diferença dos dois padres retratados na última carta, mostra-se como um indivíduo que ostenta traços e trajes específicos, simbolizando assim um passo à frente na evolução da consciência – um passo para a percepção individual e para longe da consciência de grupo orientada para fora. Podemos ver nesse moço a personificação do jovem e vigoroso ego, pronto para enfrentar a vida e seus problemas sem a ajuda de ninguém. Não há aqui nenhuma figura de autoridade ao seu alcance para a qual possa apelar em busca de ajuda. Precisa, portanto, encontrar, dentro de si mesmo, a força para enfrentar a confrontação; precisa assumir, sozinho, a responsabilidade por qualquer ação que pratique em relação a ele. Agora o seu problema está fora, à luz franca da consciência, onde ele (e nós) podemos reconhecer-lhe a forma triangular familiar.

Aprendemos anteriormente com Pitágoras que o triângulo, a primeira forma geométrica, simboliza uma realidade humana fundamental e está ligada à alma. Vislumbra-se a verdade simbólica dessa afirmativa no exame da carta que está sendo discutida. Vemos aqui duas figuras femininas. Na psicologia dos homens e das mulheres, as figuras masculinas simbolizam, de ordinário, consciência, consecuções intelectuais e espírito; as femininas (mais uma vez na psicologia de ambos os sexos) simbolizam aspectos do corpo, emoções e alma. É evidente que o rapaz, na figura, está emocionalmente envolvido com as mulheres, de corpo *e* alma. Talvez uma delas lhe fale mais à paixão sexual, ao passo que a outra lhe domina os sentimentos secretos e os esforços espirituais.

Como quer que seja, cada uma exerce uma influência definida sobre o pobre sujeito, literal e psicologicamente falando. Pois a mulher de postura mais imponente, à nossa esquerda (a que usa um toucado), tem a mão possessivamente colocada no ombro do moço, enquanto a loira, à direita, parece tocar-lhes mais de perto o coração. Acima dos três e aparentemente ignorado por eles, um arqueiro alado também visa ao coração do jovem. Talvez o arqueiro tenha alguma relação com a loira ou seja, de certo modo, um aliado seu.

Visto que os três atores parecem ignorar a presença da figura celestial, deixemo-la de lado por um momento e examinemos o problema tal qual se apresenta ao ator central. Ele se acha, manifestamente, imobilizado entre as duas mulheres como se estivesse preso num torno. Dir-se-ia que cada mulher representa uma coisa importante para ele, pois com a cabeça se volta para a figura à sua direita, ao passo que o resto do corpo oscila na direção da loira à esquerda, que é o lado do coração. Ele está, aparentemente, dividido por impulsos conflitantes, dividido dentro de si mesmo. Se tivesse de voltar as costas para qualquer uma das duas, deixaria metade de si para trás. Emergiria dilacerado, privado da oportunidade de desenredar os atributos e potenciais projetados na mulher que tivesse deixado e os reclamaria como partes da própria psique. Esses valiosos poderes dentro de si mesmo permaneceriam guardados pela "mulher que ele deixou para trás".

Cada uma das mulheres exerce um puxão lunar hipnótico, uma atração mágica sobre ele; cada qual parece pertencer-lhe de modo compulsivo e misterioso. Ele dá a impressão de não poder desprender-se de nenhuma na realidade externa porque *ambas* são parte da sua realidade interior. Idealmente, pelo fato de resistir, de suportar a tensão dos desejos antagônicos, e chegando a conhecer cada uma das mulheres como ser humano individual, o moço se libertará finalmente da mágica influência que elas exercem sobre ele e "tornará em si". Assim terá dado um passo decisivo no rumo da individuação. De outro modo, o seu lado feminino, instintual, lhe manipulará as emoções e a vida.

As duas mulheres incorporam, sem dúvida, de maneira mais humana e acessível, os poderes da Virgem e da Grande Mãe. Já os encontramos anteriormente, numa forma mais arquetípica, como a Papisa e a Imperatriz. É curioso observar que a primeira encarnação humana do princípio *yang* foi igualmente apresentada num aspecto duplo como dois padres. Agora a primeira encarnação humana do princípio *yin* aparece como duas mulheres. Isso porque tudo indica ser um truísmo da realidade simbólica, como também o é da realidade externa, que o que quer que esteja muito longe da nossa percepção se nos afigura indistinto e confuso.

A consciência recém-emergente, como a distância física, produz amiúde uma espécie de visão dupla, de modo que o que aparece em sonhos ou outro material simbólico, a princípio como "aquelas" mulheres, padres, ou seja lá o que for, será mais tarde focalizado como *um* indivíduo. Acabamos, de fato, de observar esse processo em operação, em que a humanidade, vista pela primeira vez como os padres, concentra-se agora numa pessoa só, o Enamorado.

Pelo seu nome e pela sua situação manifesta, sabemos que o moço se acha emocionalmente envolvido com as duas mulheres. Ambas parecem possessivas e em seu presente estado inconsciente ele está sendo, portanto, "possuído" por elas. Mas quanto aos pormenores específicos do drama aqui representado, não temos pistas. À diferença dos baralhos modernos do Tarô, habitualmente acompanhados de livros que pretendem decifrar-lhes o sentido, as cartas de Marselha apresentam uma história ilustrada sem enredo. Temos, portanto, a mais ampla liberdade para preencher os claros de acordo com nossa introvisão individual e nossas necessidades e a partir da nossa atual tendência cultural.

Sendo esse o caso, convido o leitor a parar de ler neste ponto e escrever um enredo descrevendo o que vê ocorrer nesta carta. *Quem são essas mulheres? Como se sente o Enamorado em relação a cada uma delas? Fugirá com uma das duas? Se assim for, viverá feliz para sempre – ou a sua vida se transformará num inferno?* A carta talvez o estimule a escrever mais do que um enredo. Pessoalmente, ela me pareceu uma das mais interessantes de todo o baralho do Tarô. Uma das minhas fantasias a respeito dela é a seguinte:

A mulher à nossa esquerda (a mulher "de chapéu") afigurou-se-me, à primeira vista, uma figura de mãe, porque me pareceu mais velha e mais imponente do que a loira. Pode ser ou pode não ser a mãe literal do rapaz; mas, de qualquer maneira, representa um tipo maternal, alguém que oferece ao ego dele, ainda tenro e jovem, apoio, proteção e sustento. Uma vez que a retratam como tendo algum domínio sobre ele, é provável que os seus cuidados sejam excessivamente superprotetores e um tanto ou quanto restritivos e exigentes, tendentes a mantê-lo num padrão infantil, oferecendo-lhe espaço insuficiente para expandir-se e crescer. Ela tem o potencial de uma rainha gloriosa mas também a sombra sinistra de uma infame feiticeira.

Na jovem loira, cujos cabelos são tão parecidos com os dele, vi o seu equivalente feminino, sua *anima* ou imagem da alma. (*Anima* é o termo empregado por Jung para indicar a figura feminina dos sonhos e visões dos homens, que representa o lado feminino inconsciente.) O fato de parecerem o moço e a moça ter cabelos semelhantes indica que eles, inconscientemente, têm um relacionamento. Ela pode ser uma princesa ou uma prostituta, nobre e inspiradora ou petulante ou exigente. A serviço do eu mais profundo da jovem ele talvez escalasse as alturas mas, como escravo da sua vaidade, talvez perdesse a vida.

Sejam quais forem os presentes que um relacionamento consciente com cada uma dessas mulheres pode oferecer, o moço, atualmente, está enredado num envolvimento inconsciente com as duas. Já que lhe parecem tão poderosas, pode ser que tenha de lidar com uma de cada vez. Provavelmente a fascinação que lhe inspira a "*anima* loira" (embora inconsciente) acabará por afastá-lo da sufocação do tipo maternal. Ele e a sua Eva talvez não vivam felizes para sempre mas, através do seu envolvimento com ela, ele terá cortado o cordão umbilical e dado um passo importante no sentido de tornar-se um ser humano responsivo e responsável. Isso pode até incluir – muito mais tarde – um encontro renovado com o tipo maternal, desta vez fora do eixo mãe-filho, mas numa base mais adulta.

Na vida exterior, O Enamorado apresenta uma situação que o seu protagonista central pode ver-se obrigado a resolver *agora* escolhendo uma das mulheres; mas, psicologicamente falando, ele terá de acabar entrando em acordo com a outra também, se quiser atingir toda a sua estatura de homem. Seja quem for, a que ele deixar agora para trás o seguirá até os confins da Terra, não necessariamente de modo literal – embora isso possa acontecer – mas, sem dúvida, psicologicamente. Todos sabemos, por experiência própria, quão exigente, obcecante e até acossante pode tornar-se qualquer aspecto nosso que tentamos deixar para trás no inconsciente. "O inferno não tem fúria igual à da mulher desprezada." Posta de lado, cada uma dessas damas poderá voltar-se contra o desditoso jovem como os sabujos infernais de Hécate. Basta-nos recordar apenas o modo com que as Eumênides (cujo nome, a propósito, significa "deusas misericordiosas") perseguiram Orestes pelo crime de matricídio.

Uma vez que o Enamorado se presta a muitas interpretações, estudiosos de várias épocas e disciplinas projetaram nele uma série de dramas, cuja maioria tende a encarar-lhe os personagens mais alegórica do que simbolicamente. Consoante um enredo clássico (e que ainda emerge de vez em quando na literatura), a dama à esquerda, que ostenta uma coroa de ouro, personifica o Espírito Puro, ao passo que a loira representa a Carne Pecadora. As gerações passadas sempre exortaram os moços a renunciarem à última e a serem fiéis à primeira. Infelizmente, muitos lhes seguiram o conselho e acabaram sofrendo em razão da conseqüente unilateralidade, até que apareceu Freud (mais uma vez infelizmente?) e os atirou, de volta, na direção oposta. Onde muitos permanecem. Seja como for, a tendência cultural de hoje parece favorecer a loira.

Como resultado disso, se se encarar o Trunfo do Tarô que está sendo considerado como um triângulo que envolve esposa *versus* amante, a figura mais matronal logrará menos simpatia hoje do que outrora. A opinião pública atual torna mais fácil para o homem que enfrenta esse dilema resolvê-lo abandonando a mãe dos seus filhos em favor de um modelo mais jovem. Ou, se ele o preferir, poderá exibir com impunidade o seu caso extraconjugal aos olhos do público, de modo que o triângulo pintado no Enamorado apresenta hoje um número menor de problemas e conflitos do que antigamente.

Até o clássico *ménage à trois*, que costumava ser vivido e suportado como um segredo criminoso, recebe agora a sanção pública. Essa forma do triângulo está sendo até ampliada (e isso de maneira manifesta) para transformar-se num *ménage à quatre, à cinq, à six*, e até *à sept*! Destarte, o triângulo conjugal já não existe como instrumento de tortura para pôr à prova a alma dos homens nem como retorta alquímica para prender e transformar emoções. Não há dúvida de que os novos costumes sociais também oferecem valores positivos, mas algo muito importante pode ter-se perdido na transição. Pois o velho Pitágoras falou verdade: *há* qualquer coisa fundamental e muito humana no que diz respeito ao triângulo. Dir-se-á que, ao eliminar-lhe os estresses e tensões, podemos estar perdendo um rito iniciatório de grande importância no desenvolvimento da consciência humana.

Um comentador contemporâneo[1] associa o Enamorado do Tarô às imagens do Julgamento de Páris, outro julgamento em que Eros desempenhou papel relevante.

1. Paul Huson, *The Devil's Picturebook*, Nova Iorque, G. P. Putnam's Sons, 1971, pág. 160.

Haja ou não uma conexão evidente entre os dois, a sua relação psicológica merece ser explorada. No mito grego, Juno e Palas Atena ofereceram a Páris, cada qual de sua parte, razões convincentes e até peitas para que ele lhes outorgasse a maçã de ouro da beleza. Mas Vênus (a loira da nossa gravura) desatou as vestes, revelando os seus encantos, e fez a seu filho Cupido o sinal para voar com a seta do amor. Em resultado disso, Vênus ganhou a maçã e Páris ganhou Helena. Mas, como sempre acontece, os resultados da seta de Eros foram mistos. Através desse ato, Páris envolveu-se e envolveu o seu mundo em derramamento de sangue e sofrimento, dos quais provieram, não obstante, a introvisão e a inspiração. Pois a Guerra de Tróia forneceu o ímpeto para o incomparável poema épico de Homero e para as mais pavorosas tragédias que o mundo já conheceu.

Como veremos dentro em pouco, o papel de Eros é ambivalente nesse drama também. Mas o que de interessante se pode observar nesse ponto é que pouco importa o modo com que fornecemos o enredo manifesto do Enamorado. No nível simbólico, o significado é o mesmo em todos os casos: a fim de ser senhor de si mesmo, o Enamorado precisa libertar-se da atração regressiva do ventre que procura encerrá-lo, seja ele qual for, e ingressar na virilidade. Como em todo parto, haverá derramamento de sangue mas haverá também uma nova vida.

Por vezes, a Mãe Terrível de possessividade inconsciente é retratada como um dragão que o herói precisa matar a fim de libertar a princesa, ou que São Jorge precisa vencer a fim de redimir o reino. Em forma humana, a "monstruosa" (a dama à esquerda em nossa figura) transforma-se na madrasta cruel, na rainha malvada ou na feiticeira terrível de cujo domínio o príncipe precisa libertar Cinderela, Branca de Neve ou a Bela Adormecida, seu "verdadeiro amor", sua outra metade, sua alma. Seja qual for a forma que assuma o arquétipo da Mãe, o ponto é que a consciência do jovem ego precisa desvencilhar-se da sua fascinação mortal, libertar a própria alma e envolver-se na vida. É através desse processo que o Enamorado (símbolo do ego) se converte no herói (símbolo da consciência humana em busca da autocompreensão).

Em cada nível de interpretação, a carta apresenta o ego com um desafio que marca um passo importante em sua iniciação. Pode-se dizer que o Papa do Tarô oferece iniciação na vida do espírito. Nesta carta, o desafio consiste em ligar a vida espiritual à emocional e, através do apaixonado envolvimento em toda a vida, conseguir um novo relacionamento com os outros e uma nova harmonia consigo mesmo.

Não é por acidente que a história do Éden equipara a experiência carnal ao conhecimento do bem e do mal, e no Antigo Testamento o ato sexual é amiúde traduzido pelo verbo "conhecer". *E Abraão conheceu Sara e ela concebeu.* Com tal conhecimento algo novo pode nascer. Visto ser esse o caso, o Enamorado do Tarô está, sem dúvida, programado para algumas grandes introvisões... e alguns grandes conflitos. Pois, como disse Jung repetidamente, o conflito é a essência da vida e o pré-requisito necessário a todo o crescimento espiritual. A vida não pode ser vivida no abstrato. Apenas enfrentando cada conflito individual e sofrendo-o até a sua resolução ou transcendência chegamos ao mais profundo do nosso eu. É, não raro, um conflito aparentemente insolúvel (ou um sintoma neurótico causado pela repressão do conflito) que leva a pessoa à análise e a coloca no caminho da individuação. Como o sabiam os velhos alquimistas, tal conflito é a *prima materia*, o primeiro ingrediente necessário a todo o crescimento espiritual.

A filosofia oriental e o Cristianismo ocidental escreveriam, provavelmente, desfechos muito diferentes para o conflito aqui retratado, visto que as idéias orientais e ocidentais a respeito de conflito são diferentes. A idéia oriental consiste em eliminar o sofrimento e chegar à paz perfeita. A ioga espera atingir a paz interior negando o conflito e erguendo-se acima dele. O Cristianismo ocidental encara o conflito como essencial à salvação. Sua imagem central, com efeito, o Cristo na cruz, sintetiza o conflito e o sofrimento como o meio para a salvação. Em linha com esse ensinamento central da teologia cristã, Jung entende que somente através da tomada de consciência dos nossos conflitos, do seu enfrentamento e da resistência que lhes opomos podemos encontrar a paz autêntica. E essa paz, longe de ser a meta final, é uma consecução temporária, um platô por assim dizer, no meio da longa jornada. Pois cada nova percepção experimentada ao longo do caminho apresenta-se, primeiro, como novo conflito. Paradoxalmente, portanto, entrar na análise profunda significa mergulhar num conflito mais e mais profundo mas, ao mesmo tempo, experimentar reinos mais profundos de percepção e paz.

No caso do Enamorado em nossa estampa do Tarô, o emergir do seu casulo de inocência pode ser a primeira opção difícil que a vida lhe apresentou. O destino, bondoso e cruel ao mesmo tempo, ofereceu a este moço a preciosa *prima materia* do que os alquimistas denominavam com justeza a Grande Obra. Aparentemente, ele precisa fazer uma escolha e assumir a responsabilidade por tudo o que resultar da escolha; entretanto, como podemos ver plenamente, um fator divino, que trabalha nas suas costas e sobre a sua cabeça, influirá na decisão. Não fora o arqueiro alado com a sua seta mágica, e o nosso herói poderia estar empalado nos cornos do seu dilema até a consumação dos séculos. Somente o fogo da *e*-moção pode colocá-lo *em* moção.

Quem é o arqueiro alado? É Cupido com o seu arco e a sua seta? Quando comecei a datilografar este parágrafo, o Louco do Tarô (parente próximo desse sujeito no céu) pregou-me uma peça. Em resultado disso, dei o que os freudianos denominam um "escorregão junguiano". As palavras que eu estava escrevendo emergiram da máquina da seguinte maneira: "Is it Cupid with his bow and *error*? (É Cupido com o seu arco e o seu erro? *error* = erro em lugar de *arrow* = seta.) Como geralmente acontece, tais escorregões inconscientes falam verdade, pois a seta de Eros nos envolve muitas vezes numa espécie de confusão que parece desastrosa do ponto de vista da lógica. Descontrolada, a emoção vigorosa que ela engendra pode destruir toda a vida mas, sem a intensidade apaixonada do calor emocional, nenhuma transformação ocorre. O espírito de ouro do homem permaneceria encerrado em chumbo frio.

O Eros alado retratado nesta carta é uma poderosa figura pré-olimpiana, que tem escassa relação com o menino sentimental adornado de fitas e rendas dos atuais cartões do Dia dos Namorados. Eros era um personagem mais ambivalente, mais próximo do Destino, símbolo do poder fatal de atração que reúne os opostos. Como tal, de acordo com Hesíodo, juntou as forças primevas que criaram o universo, "trazendo harmonia ao caos" e tornando possível toda a vida. É o espírito – a encarnação do impulso da vida.

Note-se que Eros é uma figura masculina. Como assinala James Hillman, suas imagens em várias culturas o confirmam: "Kama, Eros, Cupido, Frey, Adonis, Tammuz, todos são masculinos: e as encarnações do amor iluminado, Krishna, Buda,

Jesus – a despeito de toda a sua delicadeza e paciência em relação à fertilidade sexual – são masculinos. O princípio de Eros é ativo e está apontado para. . ."[2]

Como potência sexual, o deus Eros pode causar discórdia, subvertendo velhos padrões de lei e ordem e, assim, abrindo caminho para a chegada de uma nova vida. Mas a potência inflamada de Eros transcende a mera paixão sexual. No sentido alquímico, pertence-lhe o "fogo divino" cuja manutenção é condição necessária à Grande Obra da transcendência do ego e do autodescobrimento. Uma profunda experiência de amor inicia, muitas vezes, a busca da individuação. A literatura oferece inúmeros exemplos, dos quais o amor de Dante por Beatriz é talvez o mais familiar. Em nossa vida pessoal um envolvimento do coração assinala também, de ordinário, um ponto crítico significativo em nosso desenvolvimento. Um amor nessas condições surge como um ato do destino, uma sina inevitável. Todos experimentamos os dois aspectos da seta do amor: tanto o de dar a vida quanto o de lidar com a morte. Pois o perder-se alguém no amor é uma espécie de morte, a morte de uma existência puramente centrada no ego. Assinala uma fase nova na nossa evolução para um centro transcendente.

Quando apresentamos o Louco do Tarô referimo-nos à sua conexão com essa energia primeva, ardente, e do seu hábito de dançar sem ser visto, pelo meio do baralho, fornecendo um novo ímpeto a cada carta. Como observamos há pouco, ele surgiu em meu mundo pessoal ocasionando um "escorregão" da minha redação consciente de um tema que lhe dizia respeito. E prega peças dessa natureza aos personagens do Tarô. À semelhança de Puck, gosta de espionar-lhes os negócios e intrometer-se neles. Nesta figura do Tarô podemos imaginá-lo dando instruções a Eros de trás do palco. Bem longe do alcance da câmara, dança, gritando, jubiloso, quando vê partir a seta: "Oh. como são tolos esses mortais!"

Essa conexão entre o Louco e Eros não é forçada. Citando os arquétipos Louco, Cupido e Embusteiro como aspectos do Mercúrio Alquímico, escreve Alma Paulsen:

> Seja qual for a forma que ele assume, Mercúrio segue o isolamento centrado em si mesmo do nosso ego e coloca-nos em confronto com o mundo mais amplo que nossos semelhantes habitam, um mundo em que de nós se exige conexidade.[3]

Ou, para citar Jung:

> . . . este deus astuto, de muitos matizes, não morreu com o declínio da era clássica mas, pelo contrário, continuou vivendo com estranhas aparências no transcorrer dos séculos, até os tempos mais recentes, e manteve ocupada a mente do homem com suas artes falazes e seus dons medicinais.[4]

Jung descreve esse arquétipo mercurial e lhe focaliza o papel ambíguo da seguinte maneira:

2. Hillman e von Franz, *Lectures on Jung's Typology*, Cap. II, pág. 87.

3. Alma Paulsen, "The Spirit Mercury as Related to the Individuation Process", *Spring 1966*, pág. 119.

4. C. G. Jung., *Alchemical Studies*, C. W. Vol. 13, § 239.

> Eros é um sujeito suspeito e assim permanecerá para todo o sempre, seja o que for que a legislação do futuro tenha para dizer a seu respeito. Pertence a um lado da natureza animal primordial do homem que perdurará enquanto este tiver um corpo animal. Por outro lado, está ligado às mais altas formas do espírito. Mas somente medra quando o espírito e o instinto estão em correta harmonia. Em lhe faltando um ou outro aspecto, o resultado é danoso ou, na melhor das hipóteses, assimétrico, podendo facilmente resvalar para o patológico. O animal em excesso distorce o homem civilizado, a civilização em demasia deixa doentes os animais.[5]

Platão chamou Eros de "o desejo e a busca do todo". Mas, como acontece com todo arquétipo, a sobrevivência dessa força instintual no exterior, sem que se lhe assimile o significado, pode redundar em desequilíbrio. Por exemplo, o arquétipo do Enamorado, experimentado unicamente como realidade externa, pode resultar em donjuanismo. Num caso semelhante o jovem namorado procura a completação e a totalidade exclusivamente por intermédio de uma série infindável de ligações, nenhuma das quais o deixa mais próximo da *anima* que existe dentro dele e somente por cujo intermédio o autoconhecimento e a estabilidade que ele procura podem efetivar-se.

Muitas das idéias aqui expressas estão implícitas na carta número seis do Enamorado. O seis é único de muitas maneiras. Pitágoras chamou-lhe o primeiro número perfeito porque as suas partes alíquotas (um, dois e três), somadas, dão o mesmo seis. Seis é também o número da completação. No relato do Gênese, o Senhor criou o mundo em seis dias. Simbolicamente, o seis é retratado como uma estrela de seis pontas. Essa estrela se compõe de dois triângulos, um deles com o ápice apontado para o céu e o outro com o ápice apontado para baixo. O superior é conhecido como o triângulo de fogo e o inferior como o triângulo de água. Dessa maneira, o espírito masculino e a emoção feminina se juntam para criar uma forma nova e brilhante – uma estrela para guiar o herói em sua jornada. O triângulo superior aponta para Eros, o Destino, a quixotesca figura nos céus sobre a qual não temos domínio algum. O triângulo inferior aponta para baixo, o reino da escolha humana. Aqui esses elementos se unem para criar a estrela do destino humano, uma força que inclui e transcende a ambos.

A estrela de seis pontas é o grande símbolo de Salomão, em que o macrocosmo e o microcosmo se entrelaçam, simbolizando a máxima hermética: "Como em cima, assim embaixo." É o sinal de Vishnu. Representa o casamento místico de Xiva e Shakti. É também o escudo de Daniel e o sinal egípcio da regeneração. Essas idéias se refletem no número seis, o único número considerado, ao mesmo tempo, masculino e feminino.

Tornemos, finalmente, ao Enamorado do Tarô tal e qual aparece na figura diante de nós: lá está ele, pobrezinho, na encruzilhada, suando desesperadamente para decidir-se. Do nosso ponto de vista privilegiado podemos ver um colorido *deus ex machina* tomando a decisão por ele às suas costas. Talvez Puck tenha razão. Talvez este moço *seja* um tolo inerme. Talvez o livre-arbítrio seja uma ilusão. O nosso poder de escolha, na realidade, é muito reduzido. Em ocasiões de estresse emocional, o destino parece decidir sobre nossos assuntos "acima da nossa cabeça".

5. C. G. Jung, *Two Essays on Analytical Psychology*, C. W. Vol. 7, § 32.

O vermos os deuses em operação, como nos é dado o privilégio de vê-los nesta figura, faz-nos pensar se vale a pena o Enamorado dar-se ao trabalho de tentar fazer uma escolha. Por outro lado, podemos sentir que, precisamente por ser o seu poder muito limitado, o homem é duplamente obrigado a fazer uso dele com tanta consciência quanto possível e, em cada encruzilhada, chegar à parte mais profunda de si mesmo para encontrar a sua decisão.

O ponto significativo é que, seja qual for a decisão do Enamorado e aonde quer que vá, terá de fazer companhia a si próprio. Interessa menos, portanto, o caminho *manifesto* que ele escolhe, do que *o lugar* em si mesmo em que faz a escolha. O momento pintado nesta carta é, a um tempo, fatídico e fatal. Esperemos que o moço lhe dê tudo o que tem – e que não deixe de rezar!

Fig. 36 O Carro (Baralho de Marselha)

10. O Carro: Leva-nos para Casa

> O eu utiliza a psique individual como
> meio de comunicação. O homem, por assim
> dizer, é propelido ao longo da estrada
> para a individuação.
>
> Jung

O Trunfo do Tarô número sete (Fig. 36) mostra um jovem e vigoroso rei revestido de suas insígnias reais e de uma coroa de ouro, postado diante de nós em seu carro. No Enamorado, o herói foi imobilizado na encruzilhada: este régio personagem parece saber aonde vai e já estar a caminho. Elevado acima da humanidade pedestre e enquadrado por quatro colunas, chama a nossa atenção. Não obstante, o título da carta é O Carro; o que implica que somos induzidos a considerar-lhe o veículo primeiro que tudo.

A palavra "carro" traz à mente muitas associações. Talvez valha a pena fazer aqui uma pausa momentânea a fim de explorar algumas das suas. Você pensa em Ben Hur e na vitória? Ou em Alexandre e no domínio do mundo? Ou imagina Apolo, o deus do Sol, cujo carro ainda comanda os céus? Talvez lhe acuda a lembrança do desventurado Fáeton, filho de Apolo, que se apossou prematuramente das rédeas do poder e foi atingido pelo raio de Zeus. Todas essas associações pertencem a esta carta, pois o carro é um veículo de poder e conquista, em que o herói pode viajar pela vida a fim de explorar suas potencialidades e pôr à prova suas limitações.

Sua primeira associação com este carro talvez lhe tenha vindo do inconsciente numa frase musical familiar: *"Swing low, sweet chariot, comin' for to carry me home..."* (Balance baixo, doce carro, que vem para levar-me para casa...) Isso também cabe aqui pois, num sentido psicológico, o carro se destina a "levar-nos para casa". A jornada exterior não é apenas um símbolo da jornada interior, mas também o veículo para o nosso autodescobrimento. Aprendemos a respeito de nós mesmos através do envolvimento com outros e do enfrentamento dos desafios do nosso meio.

Toda jornada oferece inúmeras oportunidades de novas percepções e também nos expõe ao risco da desorientação. O fato de ficar sozinho numa terra estranha, sem o apoio da família, dos vizinhos ou dos amigos, cria certo tempo de verdade quando o herói pode descobrir quem realmente é – ou pode ser destruído pela experiência.

Esteja ou não consciente da conexão entre a jornada interior e a exterior, o jovem que sai em busca da fortuna anseia também por um valor que brilha mais do que o simples ouro mundano. As lendas a respeito da conquista do mundo conhecido, levada a cabo por Alexandre, ligam-no ao triunfo do herói sobre o misterioso mundo interior. E a longa viagem de Ulisses de regresso a casa tornou-se um paradigma da jornada do autodescobrimento que finalmente o leva de volta, após muitas provações e confrontações com humanos estranhos, monstros, deuses e gigantes, ao centro a que de fato pertence.

Simbolicamente, o carro tem poderes celestiais que fazem dele um carregador ideal para a jornada rumo à individuação. Como o Carro do Sol, é o Grande Veículo do Budismo esotérico. Na Cabala, é o meio de transporte de que se utilizavam os crentes para subir a Deus e a alma humana para se unir à alma do mundo. Assim pode ele funcionar para ligar o homem à divindade, como o fizeram o carro místico de Elias e o Carro de Fogo de Ezequiel. As rodas do carro do Tarô são colocadas de viés, de maneira singularíssima. O carro de Ezequiel também tinha rodas inusitadas, que simbolizavam poderes numinosos. Talvez o Tarô pretenda mostrar-nos que esse carro tem igualmente qualidades mágicas. No desenho total, assemelha-se às ilustrações do carro de Ezequiel. Ambos são, com efeito, tronos móveis, com quatro colunas que suportam um baldaquino, desenho ainda observável nos dias atuais no palanquim em que o papa é carregado durante as procissões religiosas. Que as figuras centrais do Carro e do Papa estão intimamente ligadas entre si evidencia-se pelo desenho semelhante das duas cartas.

Na carta número cinco, a figura central, localizada num quadrado formado pelos dois padres e pelos dois pilares, representa um quinto elemento, um elemento que transcende os quatro pontos da bússola da realidade comum. Na carta que está sendo discutida agora, o rei, colocado numa moldura criada pelas quatro colunas, também representa um elemento quinta-essencial. Sendo por nascença um personagem real, dotado de poderes e privilégios especiais, o rei é colocado acima da humanidade comum. Sua coroa de ouro, como um halo, liga-o à iluminação e à energia do Sol. Entretanto, ele aqui não é pintado como figura gigantesca, imóvel sobre algum trono distante, mas reduzido a dimensões humanas. Age como auriga, força diretiva, localizado no centro íntimo do veículo psíquico. Psicologicamente isso poderia significar que tais elementos, antigamente projetados em figuras de proa (imperador ou papa), foram reunidos e interiorizados como princípio diretivo que opera no interior da própria psique. À diferença das figuras masculinas de autoridade encontradas até agora, esse rei é jovem, o que indica que traz consigo nova energia e novas idéias.

O trono em que o Papa está sentado é fixo. O carro do rei lhe permite maior latitude e flexibilidade. A sua força motriz é fornecida pelos dois cavalos, que formam uma parelha de aspecto insólito, pois um é tão violentamente vermelho quanto o outro é insistentemente azul. Não há dúvida de que cada um dos animais se imagina como "o cavalo de outra cor", que expulsa os vestígios da monotonia, acrescentando sabor e espírito à nossa vida. Esses cavalos simbolizam os pólos positivo e negativo da energia animal que existe em toda a natureza, sendo o aspecto físico pintado de vermelho e o espiritual, de azul.

Na carta número seis, duas mulheres adversárias confrontam a consciência humana e mantêm-na transfixada, impedindo o progresso do ego até que se resolvam os seus elementos conflitantes. O resultado, aparentemente, é favorável, pois aqui os fatores antagônicos são retratados como uma parelha de cavalos que puxam o carro. Conquanto não formem uma parelha perfeita, estão, pelo menos, avançando.

Quem toma conta desses animais fogosos? Seria de esperar que o auriga lhes segurasse as rédeas. Mas, para nosso pasmo, os cavalos não têm rédeas. Em vez disso, dão-nos a impressão de estar nascendo do veículo, como se veículo e cavalos fizessem parte de uma entidade: um corpo psicofísico que contém e transporta o rei. Para dirigir um veículo desses com êxito – e sem rédeas – o condutor precisa ter poderes suprapessoais. Talvez as quatro colunas sirvam de bússola.

As colunas e o baldaquino que eles sustentam formam um espaço relativamente seguro, que protege o rei e lhe contém as energias. Poderiam ser encarados à maneira das quatro funções junguianas, os quatro pilares essenciais do ser psíquico. Dois são vermelhos e dois, azuis, repetindo as cores dos cavalos. Indicam que os vários aspectos da psique estão começando a trabalhar juntos para um propósito comum.

Pelo enfrentamento do conflito pintado na carta anterior, o Enamorado criou agora uma estrutura psíquica móvel dentro da qual pode sair para a vida. No seu centro está um jovem rei, símbolo de um ativo princípio diretivo. Se for um rei de determinação e propósito, esperará, sem dúvida, que o baldaquino acima da sua cabeça, que o protege dos elementos, também se revele impenetrável às pedras e setas daquele ultrajante pequeno Eros cujas atividades já tivemos ocasião de observar. O jovem soberano necessitará de toda a proteção e estabilidade que puder conseguir, pois está dirigindo um carro dúbio, o qual, como todos os veículos de duas rodas, exige perfeito equilíbrio do condutor. Idealmente, o rei pode agir como um giroscópio vivo, que ajuda a manter os opostos em equilíbrio.

Se você quiser fazer a experiência de viajar num meio de transporte mágico como esse giroscópio humano, poderá fazê-lo facilmente desde já. Basta-lhe fechar os olhos e imaginar-se confortavelmente instalado no carro, defronte do rei. Sinta os solavancos e balanços do veículo e a presença tranqüilizadora do rei. Ouça o estacado rítmico e vivo dos cascos dos cavalos. Agora imagine-se fazendo uma curva. Incline-se para o lado da curva. E se se sentir relaxado e seguro, mantenha os olhos fechados e aprecie a paisagem interna. Para começar, imagine que você e o seu auriga estão percorrendo uma virente região campestre. É primavera. O Sol brilha. *Ouviu isso?* Que foi? O canto de uma cotovia do prado? Ou teria sido uma criança chamando?

Continue! Daqui para diante é o seu passeio particular. *O que acontece depois?* Você talvez se detenha para investigar o som que acaba de ouvir. Ou talvez prossiga. Talvez o cenário e o tempo mudem e você tope com várias pessoas ou animais e tenha aventuras interessantes. Ou chegue à conclusão de que já viu demais num dia só e peça ao cocheiro que dê meia-volta e rume para casa. Ele fará exatamente o que você pedir. Pode parar todas as vezes que quiser. Mas quando quiser dar outro passeio, já sabe onde encontrar o cocheiro. Basta-lhe pegar o número sete do nosso Tarô, respirar fundo, cerrar os olhos, e partir.

Muita coisa se tem falado e escrito recentemente a respeito de "viagens". Livros e revistas revelam vários métodos de fazê-las. Maconha, LSD e outras ajudas mecânicas têm sido sugeridas como meios para esse fim. Algumas são perigosas e ilegais e algumas são danosas à saúde mental ou física. Os viajantes imaginativos dispensam tais ajudas mecânicas. Descobriram que é muito simples ter esse tipo de experiência. Conhecem um segredo com que todos nascemos, mas que alguns de nós perdemos. O segredo é este: *cada um de nós tem um "carro" à sua disposição*. Está lá, pronto e à espera, sempre que desejamos embarcar em outra viagem imaginativa pelo espaço interior. A razão por que é tão fácil imaginarmo-nos viajando nesse veículo mágico é que, na verdade, o fazemos o tempo todo. Para termos consciência disso, basta-nos fechar os olhos e fazer a ligação.

Toda a vez que assim agimos, podemos sentar-nos perto do cocheiro e experimentar-lhe a essência: sintonizado com o destino, ele não dirige nem é dirigido. Viaja pela estrada acidentada com uma graça natural. Sua coroa liga-o à áurea compreensão do Sol. Visto que governa por direito divino, recebe a direção divina de algum modo misterioso. Talvez, como sugere Papus,[1] as duas máscaras sobre os seus ombros sejam as insígnias de Urim e Thummim, objetos usados pelos sumos sacerdotes de Israel para descobrir a vontade de Jeová, ou símbolos talvez das luzes diretivas do Sol e da Lua.

O carro parece simbolizar com propriedade o poder transportante da psique. A psique não é um objeto, uma coisa; é um *processo*. Sua essência é o movimento. Assim como a paisagem externa passa por nós quando viajamos, assim diante do olho interior as imagens se sucedem numa constante fita de cinema. São as imagens que sintonizamos quando fechamos os olhos para as coisas externas e subimos no carro para uma viagem interior. Semivislumbradas, às vezes totalmente não reconhecidas, tais imagens afeiçoam nossa vida e nossos atos. Contêm a semente vital da vida.

A nova vitalidade inerente ao Carro é visível nos rebentos verdes surgidos em primeiro plano. Assim como cada planta é levada à auto-expressão pela imagem única contida na semente, assim a imagem do rei no corpo-carro empurra-o para a frente a fim de cumprir o seu destino singular.

O número sete do Carro liga-o ao fado, ao destino, e à transformação. Num par de dados, os lados opostos de cada dado somam sete. Foram enumerados sete atos separados de criação no Gênese, e no processo alquímico há sete estádios de transformação sob o influxo de sete metais e sete planetas. Na filosofia oriental temos a lei séptupla da harmonia divina e os sete chacras. Não é, portanto, muito para admirar que O Carro assinale o início de uma nova era, e que a sua energia nos conduza à segunda fileira horizontal, apropriadamente denominada o Reino do Equilíbrio.

Como veremos, cada terceira carta na seqüência do Tarô assinala de maneira semelhante uma transição de alguma espécie. Elas são chamadas "cartas-sementes" porque contêm a semente de um novo crescimento. O Imperador é uma dessas cartas. Outras são: A Roda da Fortuna X; A Morte XIII; A Torre da Destruição XVI; e O Sol XIX. Só pelos nomes podemos ver com facilidade que cada uma pode dar início a um novo ciclo de desenvolvimento.

O Imperador marca a transição da infância para a juventude, da contenção na mãe e na família íntima para a contenção no interior de um grupo social maior, dominado por poderosas figuras masculinas, que simbolizam o princípio masculino. O Carro indica outra iniciação. Aqui o herói se apresenta como adulto, para encontrar seu lugar individual num contexto social mais dilatado. Ao fazê-lo, descobrirá seus potenciais e limitações singulares. Como diz Jung: "Nossa personalidade se desenvolve, no curso de nossa vida, a partir de germes difíceis ou impossíveis de discernir, e apenas nossos atos revelam quem somos."[2]

1. Papus (Gerard Encausse), *The Tarot of the Bohemians*, Nova Iorque, Samuel Weiser, Inc., 1978, pág. 136.

2. C. G. Jung, *The Development of Personality*, C. W. Vol. 17, § 290.

Através da ação do Enamorado na resolução do seu conflito, manifesta-se uma estrutura psíquica: um carro que o carrega para a vida. Jung cita um velho texto alquímico que amplia a situação retratada no Carro. Após a enchente, diz ele, "o carro deve ser levado para a terra seca".[3] Como se o Enamorado, antigamente submerso em emoções conflitantes, tivesse colocado agora o seu carro psicofísico numa realidade mais sólida, onde este pode funcionar de maneira resoluta.

No centro do veículo está um rei, princípio diretivo superior à consciência do ego. O rei governa por direito divino. Seus poderes são, a um tempo, transcendentes e imanentes, divinos e humanos. Destarte, pode simbolizar uma função mediadora entre o homem e Deus. Na simbologia cristã, essa figura aparece em forma mais evoluída como Cristo, o Rei, Deus feito homem que habita entre nós – nossa parte mais real.

O rei aqui pintado não tem essa estatura; é muito moço e inexperiente. Mas carrega dentro de si a semente do crescimento futuro. Sua aparência indica que o herói tem um potencial de autopercepção. O ego (pintado anteriormente como o Enamorado) era manipulado por um figura arquetípica no céu, que ele não podia ver. Agora aparece um princípio diretivo que opera do interior da psique. Dentro do peito do jovem ego erguem-se sugestões de um poder que lhe transcende a consciência limitada. Aqui apreende ele as primeiras intuições, embora fugazes, de sua psique humana como instrumento através do qual o eu mais profundo pode tornar-se manifesto. Apreende um vislumbre de sua função como transportador da consciência e liga, pela primeira vez, seu fado pessoal a um destino maior.

Em vista do fato de que o nobre cocheiro desempenha um papel tão central neste drama, parece estranho que a carta ora em discussão se chame O Carro em lugar de ter o nome (como aconteceu com todas as cartas até aqui) do personagem principal. Uma vez que o Tarô parece dirigir-nos especificamente nesse sentido, olhemos de novo para o veículo do rei. À sua frente, uma barra horizontal corta-o ao meio, dividindo-o pela metade, a fim de formar uma rígida barreira entre o que está "em cima" e o que está "embaixo", e separar o auriga (força diretiva) dos seus cavalos (energia instintual capaz de puxá-lo para a frente). Sob a barra transversal vê-se um escudo com as iniciais "SM", monograma pessoal do rei, do qual êste também está separado. O moço, tão aplicado em desempenhar o seu augusto papel, colocou-se acima de sua natureza animal e de sua identidade individual como ser humano mortal. Julga-se superior à sua humanidade instintual.

Atrás do carro vemos as duas rodas problemáticas, cujo simbolismo já foi discutido. Por mais apropriadas que sejam aos carros de fogo que cruzam os céus, constituem escassamente um equipamento normal para viagens em terra firme. Dessas rodas e de tudo o mais que há embaixo, o rei parece inconsciente. Sonhando com metas futuras, ignora as plantinhas verdes que se vêem logo abaixo dele e que podem ser pisadas pelos cascos dos cavalos. Nem mesmo um rei – e sobretudo ele – pode erguer-se com êxito acima das realidades do reino.

Dissemos que o personagem significa uma presença arquetípica que transcende o ego. A ser assim, que foi feito do ego-Enamorado? Idealmente poderia aparecer como passageiro do carro para ajudar o rei a dirigir o seu curso, mantendo-o em contato com

3. C. G. Jung, *Mysterium Coniunctionis*, C. W. Vol. 14, § 264.

as realidades da experiência humana. Mas ele não aparece em parte alguma desta gravura. Já que não se mostra aqui nenhuma outra figura humana, devemos concluir que o jovem Enamorado coroou-se rei a si mesmo; e retrata agora sua consciência humana individual como o régio cocheiro que lhe dirigirá o destino.

É compreensível que a vitória sobre as mulheres na carta anterior tenha dado ao Enamorado uma noção exagerada do poder do seu ego masculino. Sem perceber que já traz em si o ferimento causado pela seta de Eros, agora se imagina acima de toda a natureza instintual. Antes mergulhado na realidade terrena, agora se vê totalmente acima dela. Antes preso na armadilha de duas mulheres e exposto a acontecimentos inesperados vindos dos céus, agora imagina viajar livre e só, imune a quaisquer novos encontros com o irracional. Acha, evidentemente, que pode jornadear sem dar satisfações a ninguém rumo à meta que escolher, seja ela qual for. Se esse ego recém-emplumado julga possuir tais direitos e poderes sobre-humanos, está destinado a receber surpresas desagradáveis à medida que a nossa história se desenrolar.

Fig. 37 O Carro (Antigo baralho Florentino)

O Carro retrata um estado de inflação do ego que os antigos denominavam *hubris*. O que representa, em termos psicológicos, uma condição em que o ego, ou centro da consciência individual, se identifica com (imagina haver-se tornado) uma figura arquetípica que transcende as limitações humanas.

Na maioria dos baralhos do Tarô, O Carro se mostra uma carta inteiramente positiva, sem nenhuma insinuação de que o personagem central sofre de inflação do ego. A única exceção com a qual estou familiarizada está aqui (Fig. 37), neste estranho Tarô feito à mão, em que o cocheiro, segundo se revela, é um bebê nu, ingênuo, sem defesa e vulnerável. Sentado em condições precárias sobre o carro, agita duas bandeiras, numa das quais se lê FAMA e na outra VOLA. Se a fama e a força de vontade são, na realidade, os seus princípios diretivos, esse herói precoce está seguramente destinado ao desastre.

O desenho grosseiro em blocos de madeira que assim o descreve pode ser tão velho quanto é sábio. Pertence a um baralho italiano pintado à mão, em edição limitada, feito em Florença. O modelo original que serviu à impressão do baralho tem sido, sem dúvida, transmitido de geração a geração. A ilustração nos dá uma boa idéia do aspecto que deviam ter as primeiras cartas comuns do Tarô à disposição das pessoas também comuns. A crueza do trabalho contrasta de maneira notável com o dos velhos Tarôs hoje preservados em museus, dos quais exemplo excelente é o "Tarô Sforza" do século XV (Fig. 2, página 21). O desenho elegante e o trabalho esmerado das cartas Sforza (e outras que sobreviveram como tesouros de família) foram obra de artistas profissionais, encarregados por famílias reais ou nobres de comemorar um casamento ou outras ocasiões festivas. Acredita-se que esses baralhos comemorativos sobreviveram em tão boas condições por serem usados raramente, se é que o foram alguma vez, como cartas de jogar, tendo sido, ao contrário, preservados com cuidado e apreciados tão-somente como obras de arte.

Nos mitos gregos, os mortais que ultrapassavam os limites humanos, como o cocheiro do Tarô está fazendo, eram golpeados pelos deuses. Até os deuses e seus parentes estavam sujeitos a *hubris* de vez em quando. Quando Fáeton, filho de Apolo, roubou o carro do pai para dar um passeio divertido pelos céus, foi projetado ao mar e afogado. Às vezes, a ardente intensidade de uma inflação arqui-sublime só pode ser extinta mediante a completa submersão da consciência no vasto mar do inconsciente (o que significa, simbolicamente, a morte ou o seu equivalente espiritual, a loucura).

O próprio Apolo não era imune a *hubris*, porém mostrava mais autopercepção do que o filho. Reconhecendo suas limitações, ia pedir, por vezes, orientação adicional aos poderes celestiais. Isso está claramente descrito na escultura de um sarcófago romano do século III, em que se vê Apolo segurando as rédeas do Carro do Sol, assistido por várias figuras aladas, que o ajudam a guiar os seus possantes corcéis pelo céu.

Infelizmente o nosso jovem herói ainda precisa adquirir essa humildade. Com efeito, ele dá a impressão de haver renunciado a toda e qualquer assistência dos céus, visto que o dossel sobre a cabeça, erguido para protegê-lo das setas de Eros, pode também revelar-se impermeável a qualquer ajuda vinda de cima. Sua única esperança parece residir na sabedoria das duas figuras, que semelham máscaras, sobre os seus ombros. Talvez, como bobos da corte, elas possam murmurar conselhos sábios aos ouvidos do jovem cabeçudo antes que seja tarde demais.

Do jeito que vão as coisas, ele está, sem dúvida, correndo para uma queda. Mas com a ajuda delas e um pouco de sorte, poderá evitar um acidente fatal. É muito provável que acabe aterrando na lama; mas, se sobreviver, o ego-Enamorado se erguerá restaurado para a humanidade, com a coroa de ouro arrancada da cabeça.

A despeito das características negativas da situação do herói, O Carro assinala importante ponto crítico no seu desenvolvimento. Conquanto possa ser identificado com o seu nobre eu, tomou consciência da sua existência. Começou a experimentar o jovem e vigoroso princípio diretivo como entidade *interior*, um poder ao qual se sente intimamente ligado. Já não projeta toda a sabedoria e toda a autoridade em várias figuras barbudas de proporções sobre-humanas, sentadas imóveis em tronos distantes. Principia a sentir que não precisa cruzar oceanos nem escalar montanhas na busca de conselhos e pareceres.

Nos mitos e contos de fadas, o personagem central é amiúde representado por um jovem rei ou príncipe que funciona como princípio diretivo e salvador do grupo coletivo. Cabe-lhe, muita vez, a tarefa de matar o dragão feroz que trouxe a seca e a fome à terra. Simbolicamente, um rei-herói dessa natureza representa o impulso para a consciência mais elevada, que vence a inércia dragontina do inconsciente, restaurando o equilíbrio psíquico de toda a comunidade. Como personagem de coragem, força e percepção inusitadas, o jovem rei desempenha o drama da individuação para o grupo relativamente fraco e inconsciente.

O arquétipo do herói aparece de maneira diferente em vários mitos, de acordo com o clima cultural do hospedeiro. Retratados aqui estão três exemplos de famosos heróis míticos (Fig. 38). Em cima, *à esquerda*, vê-se o Super-homem, que repete obsequiosamente os seus feitos milagrosos "ao vivo" nas telas de televisão e cinema, para assombro de jovens e adultos igualmente. Em cima, *à direita*, vemos uma figura de herói japonês matando a Aranha Gigante, símbolo do princípio negativo da mãe, que tenta impedir-lhe a jornada para a consciência, enlaçando-o em sua teia fatal. A *figura inferior* mostra São Jorge matando o dragão (outra forma da Mãe Negativa), que guarda, zeloso, da humanidade, o tesouro da consciência.

Von Franz define o herói nessas condições como "figura arquetípica que apresenta um modelo de ego que funciona de acordo com o Eu".[4] Mas essa figura de herói nem sempre está em perfeito equilíbrio. Como von Franz também assinala, podemos observar em tais histórias constante interação entre o herói como eu e o herói como ego.

Está visto que o herói da história do nosso Tarô não é uma figura mítica de salvador que representa um drama cultural. Vemo-lo como ser humano comum, prestes a partir em sua viagem pessoal para a individuação. Não obstante, muita coisa que foi dita a respeito do herói dos contos de fadas aplica-se também ao personagem central da nossa história. Para que o seu reino interior não se transforme num ermo estéril, cumpre-lhe também matar os dragões da inércia; cumpre-lhe também forcejar além dos limites da massa humana inconsciente. Sua jornada exigirá, outrossim, coragem pessoal, força e percepção.

Durante as suas viagens, como veremos, haverá igualmente constante interação entre o eu e o ego. Visto que o desenvolvimento psicológico é um processo sempre em

4. Marie-Louise von Franz, *Interpretation of Fairy Tales*, Nova Iorque, Spring Publications, 1970, Parte IV, pág. 13.

Fig. 38 Três Heróis

movimento, haverá ocasiões (como o momento retratado em O Carro) em que o jovem ego, inflado por alguns êxitos recentes, se identificará com o eu régio, perdendo contato com a sua humanidade pessoal. Em outras ocasiões, sem contato com o rei interior, o herói voltará a ser o mortal inerme de O Enamorado, em desavença consigo mesmo, apanhado em algum conflito aparentemente insuperável.

Tradicionalmente, o herói do livro de histórias é apresentado passando por uma série de provações, a primeira das quais consiste em resistir à tentação de ser dissuadido da busca por um envolvimento regressivo com o feminino (representado pela mãe, sedutora, animal ou o que quer que seja). Não admira que o herói tenha emergido do primeiro encontro num estado de inflação do ego. Mas esta é apenas a primeira das provações. Ele terá de passar por muitas provas desse naipe antes que o seu ego humano possa estabelecer uma firme identidade e manter um duradouro relacionamento com o princípio diretivo interior. No correr dessas lutas ele mudará, e o próprio cocheiro régio assumirá novas formas e dimensões mais amplas.

Embarcar numa viagem, seja ela qual for, demanda coragem e equilíbrio. Comentando o significado alquímico do símbolo "carro", Jung diz o seguinte: "Se tomarmos a carga do carro como a realização consciente das quatro funções... surge o problema de saber como todos esses fatores divergentes, anteriormente separados... se comportarão, e o que fará o ego a esse respeito."[5]

Isso, evidentemente, é apenas o princípio. Haverá inúmeras ciladas ao longo do caminho. Uma delas poderá ser teatralizar a viagem apenas no nível externo e, pelo jornadear compulsivo, evitar o desafio da busca interior e o repouso necessário à sua realização. No passado era a nata da sociedade ou as pessoas aposentadas que costumavam entregar-se a esse tipo especial de atividade. Hoje em dia, porém, muita gente, sobretudo jovens, se converteu em nômades perpétuos que viajam em furgões, *trailers* e carros de sua própria invenção. Alguns desse aurigas embarcaram, sem dúvida, numa busca séria de significado. Mas outros vagueiam numa perambulação sem fim para escapar ao vazio de suas vidas.

Parece valer a pena fazer aqui uma pausa para observar que interpretar qualquer carta do Tarô apenas no nível literal, ignorando-lhe o significado simbólico, é perder-lhe a mensagem. Se alguém devesse representar literalmente a situação arquetípica do Enamorado, por exemplo, poderia tentar livrar-se da mãe mergulhando numa aventura amorosa depois da outra, apenas para envolver-se numa série de triângulos emocionais, sem tempo para assimilar cada experiência. Como Don Juan, apegar-se-ia a uma imagem de si mesmo como o amante exterior, em vez de caminhar para a frente a fim de descobrir o próprio carro e o seu rei interior.

Outro desvio dúbio da estrada para a individuação é o uso de drogas. Alguns viajantes, impacientes com o ritmo laborioso da jornada para a iluminação, tentam apressar o próprio desenvolvimento deprimindo a consciência do ego por meios artificiais, com a intenção de expô-la mais plenamente ao inconsciente. Sem contar os perigos envolvidos nas "viagens", essas jornadas induzidas por drogas não atingem o alvo colimado. Como acontece com qualquer viagem que se faz a terras estranhas, o ingrediente essencial não é o número de vistas, de sons, de personalidades e de outros estímulos a que podemos expor-nos, mas antes o grau em que nos é dado interagir com eles e assimilar tais experiências.

Num estado induzido pela droga, a consciência do ego é submergida, não raro completamente levada por conteúdos inconscientes, sem poder desafiar nenhum dos monstros que aparecem nem interagir com outros aspectos desse mundo tão pouco familiar. Ao passo que, se regularmos as nossas viagens nessa terra estrangeira de acordo com o ritmo natural apresentado por sonhos, fantasias, devaneios visionários e outras manifestações espontâneas do inconsciente, não seremos totalmente submersos

5. C. G. Jung, *Mysterium Coniunctionis*, C. W. Vol. 14, § 265.

por eles, e a consciência do nosso ego pode interagir com o material apresentado e assimilá-lo. Em resumo, podemos dizer que a diferença entre a viagem imaginária de carro, descrita anteriormente, e a "viagem" induzida por drogas é a mesma que existe entre um passeio voluntário e um rapto. Embora seja verdade que em nenhuma dessas excursões podemos planejar o itinerário exato com pormenores, nem prever nossa destinação específica, se mantivermos os olhos abertos e tivermos por guia um cocheiro experimentado, é muito menos provável que nos percamos ou que venhamos a sofrer um acidente fatal.

Como disse Jung repetidamente, a psique é um sistema que se regula a si mesmo. Enquanto o consciente e o inconsciente estiverem ativos, o carro poderá inclinar-se violentamente de um lado para outro mas terá menos probabilidades de virar do que teria se apenas um membro da sua parelha estivesse operando. Se você olhar novamente para a carta número sete do Tarô, verá como isso é descrito. Embora os cavalos que puxam o carro para a frente não pareçam estar puxando juntos, podem, equilibrando as tendências um do outro, manter o veículo na estrada, ao passo que um cavalo de qualquer uma das cores poderá dar com ele no fosso.

Como sugerem esses cavalos espantadiços, e como reitera o título da nossa fileira horizontal seguinte, o problema mais importante agora é o equilíbrio. Durante todo o percurso deparar-se-ão ao herói novos e enigmáticos paradoxos, que lhe porão em xeque a capacidade de manter a harmonia e o equilíbrio. Uma charada implícita nesta carta e que continuará a atormentar-lhe o intelecto (e o nosso) à proporção que seguirmos para a frente, é esta: o ego insignificante não é o cocheiro régio; entretanto, quanto mais tiver consciência disso, tanto mais florescerá como ser humano de estatura real. É como se o herói, quando pode dizer na verdade: "... não eu, senão meu Pai que está no céu", pudesse dizer também com humildade: "Eu e meu pai somos um."

Nessas condições, aqui o herói parte finalmente em viagem. Não lhe deitemos a culpa se a viagem começa como um passeio do ego. De que outro modo poderia ele encontrar a coragem para mergulhar na vida?

Um velho adágio, com o qual o leitor, sem dúvida alguma, está familiarizado, é o seguinte: *a vida não examinada não vale a pena ser vivida*. A isto, algum jogral moderno acrescentou o seguinte corolário: *... e a vida não vivida não vale a pena ser examinada!* Ao desejarmos feliz viagem ao herói, esperemos que ele ouse e forceje ao máximo, a fim de que as suas aventuras sejam dignas de ser examinadas nos capítulos seguintes.

Fig. 39 A Justiça (Baralho de Marselha)

11. Justiça: Há Alguma?

O equilíbrio é a base da Grande Obra.

Aforismo alquímico

Completamos a fileira superior dos Trunfos do Tarô, que compreendem o Reino dos Deuses, província dos principais arquétipos (Veja o Mapa da Jornada, Fig. 3). Agora estamos em vias de examinar a fileira do meio, o Reino do Equilíbrio, assim chamado porque se situa no meio do caminho entre o céu e a Terra. Podemos ver a fileira superior representando o Espírito; a fileira inferior representando a Natureza; e a fileira média representando o Homem, que funciona como mediador entre os deuses e os animais. De todas as criaturas terrenas o homem é a única que se mantém sistematicamente em pé, ligando o céu à Terra, que engloba e sumaria a união do espírito e da carne. É através do homem que as energias do *yin* e do *yang* serão sintetizadas e expandidas.

Diz-se que em seis dias o Senhor criou o céu e a Terra e no sétimo descansou. Como vimos, o Reino dos Deuses, dos arquétipos primários que compreendem a fileira superior do nosso mapa, está completo. A sétima carta, O Carro, mostra o herói embarcado na busca da autocompreensão. Agora o Criador pode descansar porque entramos no Reino do Equilíbrio, onde o homem começa a desempenhar um papel mais ativo no processo contínuo da evolução criativa.

A fileira superior mostra várias figuras mágicas ou sobre-humanas, culminando no cocheiro, cujo veículo é guiado por forças invisíveis que seguram rédeas invisíveis. Agora chegou o momento em que o homem porá a mão nessas rédeas, a fim de participar de seu próprio desenvolvimento de maneira mais ativa.

A primeira figura cujo auxílio precisamos angariar é A Justiça (Fig. 39). O Louco afirma que ela é uma ilusão de ótica, porque (como todo louco o sabe) a justiça não existe. Por mais faceto que isso possa parecer, é uma abordagem sadia da formidável figura entronizada nesta gravura, pois, na verdade, os pratos da sua balança não pesarão olho contra olho e não distribuirão a recompensa e o castigo. As complexidades do comportamento humano não podem ser assim mecanicamente determinadas.

A espada de ouro que A Justiça exibe é dedicada a um propósito mais elevado que o de surrar os perversos, e é uma arma tão esplêndida que não deve ser usada para perder-se em minúcias a fim de agradar aos fatuamente virtuosos. Precisamos, portanto, reconciliar-nos com um mundo em que os trapaceiros parecem prosperar e os inocentes acabam num monte de esterco. Jó não foi o primeiro nem será o último a queixar-se desse estado de coisas e, reconhecidamente, a situação não é fácil de aceitar. A despeito de séculos de sofrimentos a que todos juntamos nossas lágrimas, de certo modo ainda persistimos na idéia de que, no fim, a justiça triunfará. Quer a localizemos lá em cima no céu, quer a situemos aqui embaixo no palácio de justiça, lá está ela grandiosamente sentada aos olhos da nossa mente, incorruptível e onisciente, pronta para poupar-nos o incômodo do conflito moral julgando questões de inocência ou culpa.

"Em última análise", costumavam dizer nossos antepassados, "a virtude é recompensada". Pode ser. Mas ainda não chegamos, de maneira alguma, à famosa última análise, e algumas intervenientes têm o fôlego muito comprido. Talvez seja melhor procurarmos outro enfoque do problema da inocência e da culpa, porque o fato é que somos todos inocentes – e todos culpados.

Um significado da palavra "inocente" é *ignorante*. Só a ignorância se imagina inocente. Daí que cada um de nós tenha um peso duplo para carregar: o fardo da ignorância inocente e a pesada culpa que vem inevitavelmente a cada nova mordida que damos na maçã do conhecimento. Os dois pratos da balança da Justiça permanecem vazios, prontos para aceitar e receber a dualidade humana. Só na medida em que também aceitamos a nossa natureza dupla seremos capazes de abordá-la e compreendê-la.

O número desta carta é oito, e o número arábico 8 repete, na dimensão de encaixe, os dois pratos redondos da balança. Tanto o eixo celeste quanto o terreno estão claramente envolvidos na consecução do equilíbrio.

O simbolismo da Justiça acentua sistematicamente uma união harmoniosa de forças opostas. Sentada num trono, a grande figura feminina simboliza o poder feminino sobre-humano. No entanto, empunha uma espada e usa um elmo de guerreiro, a denotar que a discriminação e a coragem masculinas estão também envolvidas em seu trabalho.

Não segura a espada numa posição de defesa nem de ataque, mas erecta, como se pode segurar um cetro ou qualquer outro símbolo de domínio. Talvez A Justiça empunhe a espada dessa maneira para lembrar-nos da espada flamejante às portas do Éden e avisar-nos que nunca mais poderemos voltar à inocência da infância. Precisamos agora assumir a plena responsabilidade de todo e qualquer conhecimento do bem ou do mal que tenhamos adquirido. A arma é enorme e feita de ouro, o que lhe enfatiza ainda mais o valor permanente.

"Não trago a paz, senão a espada." Nessa fase da série do Tarô, o herói deixou para sempre a paz bem-aventurada da inconsciência para assumir o desafio e a responsabilidade que a espada representa. Agora precisa deixar de invectivar os Fados, ou os pais, pelos pecados que cometeram contra ele por mais reais que estes possam ter sido, e assumir o fardo da própria culpa. Só o néscio se interessa pela culpa dos outros, visto que não lhe é dado mudá-la. Se o herói ainda vê os pais como diabos, responsáveis pelos seus erros e limitações, está tão vinculado a eles como estava quando os supunha seus infalíveis salvadores. Cortar o cordão umbilical significa psicologicamente livrar-se de toda e qualquer dependência infantil, tanto negativa quanto positiva. O significado ritual da espada de ouro da Justiça é o sacrifício. Como ato sacrificial, o herói precisa oferecer sua confiança infantil nos pais. Idealmente, os pais usarão também a faca para libertar-se da sua inconsciente dependência dele. Só então poderá haver um relacionamento adulto equilibrado entre as gerações.

A espada também simboliza o sacrifício das ilusões e pretensões de muitos tipos. Aqui o jovem ego deixa para sempre o Jardim do Éden. Já não pode viver a vida provisória de sonhos impossíveis. Cumpre-lhe usar a espada para separar a fantasia da realidade e a balança para pesar as miríades de possibilidades de perfeição que a sua imaginação prefigura, contra as realidades imperfeitas do espaço, do tempo e da energia humana.

A espada representa o áureo poder de discriminação que nos faculta atravessar camadas de confusão e imagens falsas para revelar uma verdade central. Nesse sentido, lembramo-nos do Rei Salomão quando se viu diante de duas mulheres, cada uma das quais jurava ser a mãe da mesma criança. Ele sugeriu que se cortasse a criança ao meio, obrigando assim a verdadeira mãe a revelar-se instantaneamente pela sua reação emocional. Sem utilizar a espada, a introvisão aguda de Salomão chegou ao âmago da matéria.

A Justiça segura a espada com a ponta voltada para o céu. Sólido e inabalável, o gládio age como fio de prumo para manter-lhe as decisões fiéis ao espírito. Na mão esquerda, segura a balança, cujos dois pratos estão ligados por uma haste horizontal, que enfatiza o eixo terreno. À diferença da espada, a balança, móvel, dá a entender a relatividade de toda a experiência humana e a necessidade de pesar cada evento individual como um fenômeno único. Seus dois pratos, símbolos da receptividade e dualidade femininas, contrastam com a inflexível e singular afirmação da espada masculina. As respectivas linhas verticais e horizontais da espada e da balança, juntas, formam a cruz da luta espiritual contra a limitação humana, do idealismo contra a praticidade – a cruz sobre a qual somos todos empalados. A Justiça apresenta-se como mediadora entre as duas realidades.

Ela não está olhando nem para a balança nem para a espada; ao invés disso, olha fixamente para a frente, quase como se estivesse em transe. É manifesto que a sua função requer antes introvisão espiritual do que visão intelectual. Às vezes, usa uma venda nos olhos a fim de que o seu juízo não se deixe confundir por detalhes nem a sua imparcialidade se deixe levar por considerações pessoais. Não está preocupada em combinar olhos e dentes. O seu é um pesar e um balançar mais sutil. Daí a razão por que Aleister Crowley chamou a essa carta Ajustamento.

Os nossos tribunais de justiça se preocupam principalmente com o ajustamento. Mantêm um equilíbrio de trabalho entre o indivíduo e o Estado e entre um indivíduo e outro. A solução correta para um problema legal não é determinada por uma régua de cálculo. O querelante que vence uma ação judicial nunca recuperará exatamente o que perdeu, seja a saúde, seja os bens materiais, seja o tempo precioso, seja o nome honrado. O tribunal só pode adjudicar-lhe uma compensação. A Natureza, igualmente, oferece compensações, embora, aqui também, nunca se recupere exatamente o que se perdeu. Por exemplo: quando se enfraquece um sentido, os demais sentidos se tornam mais aguçados. O que quer que se ganhe nunca é idêntico ao que se perde, nem se poderá dizer que seja precisamente o oposto; mas, de um modo especial, compensa a perda da capacidade enfraquecida.

A psique, como o corpo, faz parte da natureza, de modo que não nos surpreende que ela também opere de acordo com leis similares de compensação. O inconsciente sempre age de maneira compensativa em relação à consciência. Um sonho não traz uma figura diametralmente oposta ao ponto de vista consciente. Ou melhor, as figuras do sonho *modificam* a posição do ego. Não são inimigas da consciência; devem ser vistas mais como adversários num jogo amistoso ou como sócios empenhados numa tarefa mútua. Jung acentua o fato de que os nossos sonhos são *complementares* em relação ao ponto de vista do ego e que a palavra complementar significa "tornar completo". A completação, diz ele, não é a perfeição. A psique é um sistema auto-regulador que não visa à perfeição, senão à totalidade e ao equilíbrio.

Em *Psychology and Alchemy*, Jung mostra que a alquimia surgiu como compensação ao ponto de vista cristão ortodoxo. De maneira semelhante, as figuras do Tarô que estamos contemplando podem ser vistas como reação compensatória ao intelectualismo estéril da Igreja. O seu renascimento hoje, por certo, age como feliz contrapeso à nossa psicologia de computador. O seu mistério silencioso concorre para transformar o peso pesado dos fatos estatísticos hodiernos. Suas mensagens pictóricas nos ajudam a recuperar o equilíbrio.

Os nossos sonhos também nos apresentam imagens – imagens cinematográficas, cujos personagens dramatizam aspectos de nós mesmos, não observados pela nossa mente consciente. Como os dois lados da balança da Justiça, o consciente e o inconsciente travam um diálogo constante. O comportamento deles é um comportamento de gangorra, um bailado de compensação sempre em movimento.

A contemplação da Justiça do Tarô sugere inúmeras maneiras pelas quais os opostos trabalham juntos. Por exemplo: os dois pratos da balança, na realidade, são parte de um contínuo. O travessão segura-os juntos *de modo que possam funcionar.* Mas também os mantém separados *de modo que possam funcionar.*

A forma com que os pratos se opõem um ao outro ilustra o significado original da palavra "oposto", que se referia tão-somente à localização no espaço. Originalmente a palavra não tinha implicação de hostilidade nem conflito. Pelo contrário, supunha relacionamento, como na "parede norte de uma sala, *oposta* à parede sul". Todavia, ambas as paredes, que se opõem uma à outra, atuam juntas para segurar o teto. Os pratos gêmeos das balanças existem numa oposição amistosa semelhante em relação um ao outro.

"No princípio", tanto do ponto de vista histórico quanto do nosso desenvolvimento pessoal, os opostos, originalmente, não se diferenciavam. Tudo era fluido e confuso. A própria consciência estava toda mergulhada no inconsciente aquoso. Foram necessários séculos e séculos para que a cintilante Excalibur emergisse das águas e encontrasse o caminho para a mão da Justiça. A identidade original dos opostos, como nos lembra Alan Watts,[1] é exemplificada por palavras ainda correntes em várias línguas. Ele cita a palavra latina *altus*, que significa, ao mesmo tempo, "alto" e "fundo"; a palavra alemã *Boden*, que significa, ao mesmo tempo, "sótão" e "andar térreo"; e o verbo inglês "to cleave", que tanto quer dizer "aderir" quanto "dividir". Vimos que a espada da Justiça pode ser usada não só como princípio para manter mas também como instrumento para dividir.

Em épocas de estresse, quando perdemos o contato com a espada, regressamos aos nossos primórdios inconscientes, onde os opostos estão tão juntos um do outro que

1. Watts, *The Two Hands of God*, pág. 28.

são virtualmente idênticos. Ali, possuídos pela aquosa Deusa da Lua, nossos estados de espírito flutuam tão repentinamente quanto os dela. Rimos e choramos ao mesmo tempo, ou enxotamos da porta, com raiva, um namorado, e nos dissolvemos imediatamente em lágrimas de desejo apaixonado. Se as pressões forem intensas, as avaliações morais poderão submergir na emoção. Num ímpeto de raiva, podemos travar da espada para ferir e destruir nossos amigos, psicologicamente falando, ou brandi-la literalmente, praticando crimes sem sentido ou atos de paixão.

Quando quer que sentimos tensões emocionais crescendo dentro de nós, a meditação sobre os pratos da balança de ouro da Justiça pode ajudar-nos a recuperar o equilíbrio. Eles são uma bela demonstração pictórica do modo com que todos os opostos podem funcionar juntos criativamente. O travessão de ouro os separa, de sorte que forças como o bem e o mal ou o amor e o ódio permanecem diferenciados, ao mesmo tempo que os prende, de sorte que eles não podem soltar-se um do outro e tornar-se autônomos. Como Shakti e Xiva, os dois estão ligados para sempre numa espécie de dança. Sua essência é um movimento perpétuo e gentil. A imobilidade fixa seria a estagnação. Em contraste com a figura ponderosa da Justiça, os pratos aqui retratados têm um desenho delicado e gracioso. Gosto de imaginar a Justiça erguendo-se para segurá-los no alto (como ela, às vezes, se apresenta). Quando o faz, os dois pratos da balança movem-se e oscilam de contínuo, como se fossem um gracioso móbile.

Um baralho suíço de Tarô retrata a própria Justiça em movimento. Vestida como uma duelista, tem a espada pronta para entrar em ação no esporte da esgrima, que é um drama ritual de forças oponentes. Essa carta suíça dramatiza o fato de que o tipo de pesagem e equilibração que a Justiça simboliza não precisa ser apenas um *post mortem* para ser executado na solidão após o fato. Com prática, podemos tê-lo à mão em momentos de estresse, pronto para enfrentar as paradas e empurrões das nossas confrontações diárias, à medida que ocorrem.

Cada separação do ventre da inconsciência traz consigo um sentimento de culpa, pois dá a impressão de ser um ferimento do todo. A consciência é uma atividade do eu; como tal, é essencialmente uma questão particular e individual. Quer a projetemos em leis ou credos externos, quer decidamos problemas morais individualmente, o ponto em que nos sentimos culpados é relativo à nossa introvisão pessoal. Tenho amigos que, em sã consciência, não podem comer ovos nem carne. Conheço outros que não estão sujeitos a restrições alimentares, mas se sentem culpados quando não meditam regularmente. Vários moços de minhas relações negaram-se a participar da guerra no Vietnã, cada qual por motivos diferentes e cada qual de um modo diferente. Alguns cooperaram com o próprio esforço de guerra, mas recusaram-se a carregar armas. Outros enfrentaram a prisão porque se negaram a cooperar de qualquer maneira. Cada um desses moços tomou uma decisão diferente, e cada decisão era apropriada e, nesse sentido, certa para ele.

Di-lo Jung da seguinte maneira: "Nunca se deve esquecer – e há que lembrar disso a escola freudiana – que a moral não nos veio do Sinai em tábuas de pedra para ser imposta ao povo, mas é uma função da alma humana, tão velha quanto a própria humanidade... É o regulador instintivo da ação que também governa a vida coletiva do rebanho."[2] Mas há sempre, inevitavelmente, um atraso cultural entre a expressão da

2. C. G. Jung, *Two Essays of Analytical Psychology*, C. W. Vol. 7, § 30.

consciência individual e a sua codificação em lei pública. E compete aos tribunais lançar uma ponte sobre esse abismo pesando e medindo solicitações individuais contra a lei escrita. Surpreendentemente, nossos tribunais são capazes de executar essa difícil tarefa mais amiúde do que se poderia imaginar. Isso talvez se deva ao fato de ser a Justiça, tal e qûal aparece no Tarô e em nossa tradição, uma mulher, e as questões de consciência pertencem à província tradicional da mulher, que é o sentimento.

Em sua discussão da função do sentimento em *Lectures on Jung's Typology*, James Hillman explora, circunstanciadamente, a íntima relação entre a justiça e o sentimento. Chamando a Declaração dos Direitos de 1689 de "documento da função do sentimento em sua melhor síntese", diz:

> Às vezes nos esquecemos de que a aplicação da lei por um juiz é uma operação de sentimento, e que as leis não foram inventadas apenas para proteger a liberdade ou garantir o poder do sacerdócio e da classe dirigente, mas também para avaliar os problemas humanos difíceis e fazer justiça em assuntos humanos. O julgar é uma questão de sentimento, exatamente como nos templos de Saturno se exibia uma balança, ou como se diz que, num horóscopo, Saturno está bem colocado quando se acha no signo de Libra.

Fig. 40 Maat, a deusa egípcia

> Uma decisão salomônica não é um golpe brilhante através do nó górdio das complexidades, mas um julgamento feito pelo sentimento.[3]

No baralho de Marselha, A Justiça parece meio severa e inflexível, mas nem sempre foi assim. Mostram-se aqui dois outros retratos dessa figura, que lhe revelam o lado mais gentil e feminino. O primeiro retrata Maat, a deusa egípcia da justiça, da verdade e da lei (Fig. 40). O seu símbolo, a pena, liga-a ao reino do ar e ao espírito dos pássaros. Cabia a Maat a tarefa de pesar as almas dos mortos a fim de determinar-lhes o destino no mundo inferior. Para isso, colocava a pena num prato e o coração do falecido no outro. Aqueles em cujos corações a culpa pesava mais do que a pena não satisfaziam aos requisitos estabelecidos. A execução dessa tarefa deve ter exigido uma discriminação tão sutil e delicada quanto o equilíbrio dos pratos. O segundo retrato aqui mostrado (Fig. 41) é de um Tarô do século XV, um dos mais antigos que ainda existem. Mostra a Justiça como uma bela e jovem mulher num vestido floreado, de aparência extremamente feminina, quase venusina. Esse retrato do tarô liga claramente a Jutiça e sua balança a Libra, também governada por Vênus.

Fig. 41 A Justiça (Baralho do século XV)

Na realidade, a Justiça se relaciona com Libra através de sua antepassada, Astréia, filha de Zeus e Têmis, que perambulou pela Terra durante a idade de ouro e exerceu uma influência benigna sobre a espécie humana. Entretanto, a impiedade e a

3. Hillman e von Franz, *Lectures on Jung's Typology*, Cap. III, pág. 98.

violência subseqüente do homem obrigaram a deusa a voltar para o céu, pois a desarmonia era contrária à sua natureza. Deram-lhe um lugar fixo nos céus como Virgem. A constelação de Virgem foi dividida mais tarde para criar os signos astrológicos de Virgem e Libra.

Essencialmente, a Justiça não se preocupa com a exatidão matemática, senão, como Astréia, com a harmonia, a beleza funcional e uma espécie de verdade que transcende a mensuração mecânica... "A beleza é a verdade, a verdade é a beleza..." A realidade da famosa equação poética de Keats, inspirada pelos Mármores de Elgin, foi novamente imortalizada nas colunas do Partenão, que parecem exatas mas que são, na verdade, côncavas no topo. Se as suas proporções tivessem sido medidas pelas regras da lógica, em vez de o serem pelas escalas da harmonia, essas colunas teriam parecido grosseiramente desequilibradas. Suas dimensões foram criadas para corresponder às limitações e à perspectiva do olho humano. Através da sua verdade imperfeita, lograram a beleza imortal.

Esse tipo de justiça poética opera, aparentemente, nos tribunais tanto do céu quanto da Terra. Não se ocupa da moralização severa nem das questões de crime e castigo. Dedica-se, antes, à restauração das leis universais da harmonia e do equilíbrio criativo. A filosofia e a poesia gregas repetem a idéia. De acordo com Heráclito: "O sol não ultrapassará a sua medida: se o fizer, as Erínias, criadas da Justiça, o encontrarão."

E aqui está a história da queda de Fáeton nas palavras de Ovídio:

> Fáeton, filho de Apolo, suplicou que lhe permitissem dirigir, por um dia, o carro do sol de seu pai através do céu. Apolo tentou dissuadi-lo de tão arriscada empresa, mas o jovem insistiu e deram-lhe as rédeas.
>
> Tanto que principiou o curso da manhã, os cavalos celestes perceberam que estavam sendo dirigidos por mão inexperta. Dispararam, deixaram a trilha familiar e correram tão alto que os céus fumegaram; depois mergulharam tão próximos da terra que as coroas nevadas das montanhas derreteram, as florestas se incendiaram, os rios secaram e até o mar encolheu.
>
> Finalmente, *para salvar o universo da destruição*, o rei dos deuses viu-se obrigado a arremessar um raio ao carro fugitivo, e Fáeton mergulhou, envolto em chamas, na terra. Transido de dor, Apolo escondeu o rosto e, por um dia, os céus ficaram sem o sol." [4]

De acordo com Ovídio, Fáeton foi abatido, não por espírito de vingança colérica, senão como ato de misericórdia – para restaurar o equilíbrio da natureza – "para salvar o universo da destruição". Idealmente, é com esse espírito também que nossos tribunais administram justiça – mais para preservar a unidade do todo do que para punir o indivíduo.

A Justiça retratada no Tarô não parece afetada pela ira ou pela vingança. Ela não é uma deusa que se adora, mas uma mediadora que se usa. Como tal, arruma os pratos da balança para ajustar-se à equação humana, pois é da natureza do homem, como o é da sua, criar harmonia entre forças opostas. A fim de caminhar espiritualmente para a

4. Ovídio, *As Metamorfoses*, citado em Metropolitan Museum of Art Calendar, Nova Iorque, 1961.

frente precisamos estar sempre atentos ao poder dessas forças ocultas. Esquecê-lo significaria inclinar o pratos da balança interior no sentido do autoritarismo ou da escravidão. Em qualquer um desses casos, o homem se veria despojado da sua humanidade.

A identificação com qualquer força arquetípica é um perigo primário. Imaginar que somos a bela e bondosa Astréia é alçar-nos, inflados, a uma posição celestial acima dos nossos semelhantes. E como acontece com os outros Trunfos do Tarô, há também o perigo sutil de representarmos o significado arquetípico da carta no exterior ignorando-lhe, assim, o significado interior. Quando isso acontece em relação à Justiça, podemos gastar nossas energias levando os problemas ao tribunal em lugar de usá-las para examinar e corrigir nossa própria desarmonia interna. Indubitavelmente, todos nos lembramos de indivíduos que se diriam "predispostos à justiça", almas envoltas em trevas, que alternadamente enganam e são enganadas, que estão constantemente envolvidas em batalhas legais ou cruzadas desesperadas de um ou de outro gênero.

Como já observamos, os tribunais de justiça são instrumentos úteis para se conseguirem certos tipos de compensação e equilíbrio social. Às vezes parece, porém, que o que se procura nos tribunais não está sendo julgado ali. Às vezes, talvez erroneamente, nos voltamos para uma corte humana de justiça em busca de respostas que só se encontram numa corte celeste.

Todos precisamos estabelecer contato com um princípio de harmonia e equilíbrio universais para termos a certeza de que, por trás de todas as injustiças aparentes da vida, existe um Tribunal Superior de apelação, um Juiz Supremo junto ao qual podemos pleitear a nossa causa. Em sua *Resposta a Jó*, Jung destaca a lealdade e a fé de Jó nesse Poder Uno e a insistência numa confrontação com a sua personificação, Jeová. Uma das principais revelações na maneira de Jung tratar o assunto é que cada um dos protagonistas se revela necessitado do outro. Deus precisa do homem; o homem precisa de Deus. Essa idéia é também formosamente expressa no conhecido poema de Gerard Manley Hopkins. Seu título, "Tu és realmente justo, Senhor", baseia-se no décimo segundo capítulo de Jeremias. É um dos poemas mais comoventes da língua inglesa e começa desta maneira:

> És realmente justo, Senhor, se argumento
> Contigo; mas, senhor, o que pleiteio também é justo.[5]

Conquanto a fonte escritural seja traduzida de várias maneiras, a escolha feita por Hopkins da palavra "se" nos versos acima oferece-nos a introvisão de que o Todo-Poderoso só responde à nossa imagem de uma Justiça mais alta *se* argumentarmos com Ele. Hopkins parece dizer que a justiça, de fato, só é *criada* por esse tipo de diálogo entre Deus e o homem.

Porventura no nível mais profundo da experiência humana, Deus e o homem são os dois pratos de uma série de balanças que, juntas, criam o Equilíbrio Uno – a duradoura harmonia cuja beleza e cuja verdade são as únicas que perduram.

5. Gerard Manley Hopkins, "Thou Art Indeed Just, Lord", *The Pocket Book of Modern Verse*, edição revisada, Oscar Williams, org., Nova Iorque, Washington Square Press, Inc., pág. 144.

Fig. 42 O Eremita (Baralho de Marselha)

12. O Eremita: Há Alguém Aí?

Quem olha para fora, sonha; quem olha para dentro, acorda.

Jung

Na terminologia junguiana, o Eremita (Fig. 42) representa o Velho Sábio arquetípico. Como Lao-tzu, cujo nome significa "velho", o frade aqui retratado personifica uma sabedoria que não se encontra em livros. O seu dom é tão elementar e perene quanto o fogo da sua lâmpada. Homem de poucas palavras, vive no silêncio da solidão – o silêncio de antes da criação – somente a partir do qual uma nova palavra pode tomar forma. Não nos traz sermões; oferece-se a nós. Com sua simples presença ilumina pavorosos recessos da alma humana e aquece corações vazios de esperança e significação.

De acordo com Jung, uma figura assim personifica "o arquétipo do espírito... o significado preexistente escondido no caos da vida".[1] À diferença do Papa, esse mongezinho não está entronizado como porta-voz e árbitro de leis gerais; à diferença da Justiça, não segura nenhuma balança com a qual possa pesar os imponderáveis. Parece uma figura muito humana, que pisa o chão comum e carrega apenas sua lampadazinha para alumiar o caminho.

Como o Louco, é um andante; e o seu capuz de monge, protótipo do barrete do Louco, liga os dois como irmãos de espírito. Mas o passo do velho viajante é mais comedido que o do jovem Louco, e ele não olha por cima do ombro. Aparentemente, já não precisa pensar no que fica para trás; assimilou as experiências do passado. Nem lhe é mister esquadrinhar horizontes distantes, procurando potencialidades futuras. Parece contente com o presente imediato. Seus olhos estão bem abertos para recebê-lo – seja lá o que for. Apreendê-lo-á e lidará com ele de acordo com a sua própria iluminação.

Sua lâmpada parece um símbolo adequado para a introvisão individual do místico. Enquanto a ênfase principal do Papa reside na experiência religiosa sob as condições prescritas pela Igreja, o Eremita nos oferece a possibilidade da iluminação individual como potencial humano universal, uma experiência não limitada a santos canonizados, mas colocada, até certo ponto, ao alcance de toda a espécie humana.

1. C. G. Jung, *The Archetypes and the Collective Unconscious*, C. W. Vol. 9, Parte 1, § 74.

A chama que o Eremita segura poderia representar o espírito quinta-essencial inerente a toda a vida – aquele âmago central de significação que é o indefinível quinto elemento a transcender os quatro elementos da realidade mundana. Oferece-nos a luz interior cuja flama dourada é a única que dissipa o caos e a treva espiritual.

Essa flama está parcialmente escondida atrás de venezianas que a protegem dos elementos, e talvez também impeçam que o seu fulgor cegue o Eremita ou ofusque os que ele encontrar pelo caminho. Ele sabe que o seu lume precisa ser cuidadosamente controlado para ser útil. Contido, poderá aquecê-lo e defendê-lo dos animais; incontido, o próprio fogo poderá tornar-se num animal rapinante, capaz de devorá-lo e destruir-lhe o mundo.

Uma das venezianas da lâmpada do Eremita é vermelha cor de sangue, de modo que a luz coada por ela tem toques da cor da humanidade de carne e osso – colorida com a paixão e a compaixão destiladas das experiências de toda a vida. As outras cores da carta evidenciam mais uma abordagem natural do que um enfoque abstrato, filosófico. O manto do frade é azul-celeste, cor do Espírito Celestial tal como se expressa na natureza. O forro do manto é amarelo, o que sugere uma conexão com o "ouro dos filósofos", a pepita de significação enterrada profundamente no interior da natureza terrena e da natureza humana – a preciosa substância cuja descoberta e cuja liberação constituíam a meta dos alquimistas. Como o atesta a chama viva do Eremita, ele mesmo atingiu essa meta.

Embora possam usar palavras diferentes para expressar as suas finalidades, muitos procuram hoje esse tesouro, assim literal como simbolicamente falando. No nível literal, o esgotamento da energia e a superpopulação estimularam os cientistas a descobrir novas formas de liberar as forças gigantescas encerradas numa estrutura atômica. E o empobrecimento paralelo do espírito humano, com a sua conseqüente privação da energia psíquica, forçou um número cada vez maior de seres humanos em todos os campos a olhar para dentro a fim de explorar o que Jung denominou "o eu não-descoberto" com suas reservas de energia primeva e sabedoria antiga. Esta é uma época de busca universal em muitos níveis.

Nos mitos e contos de fadas, toda a vez que o herói em busca do tesouro perde o caminho ou depara com um impasse, o Velho Sábio costuma aparecer trazendo uma nova luz e novas esperanças. Isso é especialmente verdadeiro sempre que o nosso dilema pessoal repete um impasse semelhante em nossa cultura em geral, visto que o Eremita encontrou dentro em si o que a sociedade ignorou ou perdeu. Não foi por acaso, portanto, que na meia-noite cultural do nosso tempo, o Eremita do Tarô reapareceu, de repente, como uma estrela, para projetar a sua luz antiga nos problemas contemporâneos.

Posto que o seu reaparecimento possa parecer abrupto, na realidade deveria ter-se verificado há muito tempo. Desde a virada do século, os poetas têm visto chegar a escuridão. Há mais de cinqüenta anos, William Butler Yeats avisou:

Turning and turning in the widening gyre
The falcon cannot hear the falconer;
Things fall apart; the centre cannot hold;
Mere anarchy is loosed upon the world,
The blood-dimmed tide is loosed, and everywhere

The ceremony of innocence is drowned;
The best lack all conviction, while the worst
Are full of passionate intensity.[2*]

Que melhor descrição do nosso dilema presente? Os infames "horrores de Watergate" da nossa história exterior não foram mais do que minúsculas ondulações num mar de confusão e irritação, em que o espírito interior do homem em toda a parte foi engolido. Afogou-se, com efeito, a cerimônia da inocência e a anarquia está solta no mundo. Como Yeats previu, o desastre já não é tão-só uma questão de ganância e de cobiça do poder – estas são preocupações periféricas. É "o centro" que já não se agüenta mais. Alguma coisa está inteiramente morta no âmago da vida. Estamos vazios de significação.

De acordo com Jung, o anseio de significado é o primeiro motor através de cujo ímpeto nascem todos os demais aspectos da psique, incluindo a própria consciência do ego. À diferença de Freud, que afirmava ser o anseio de identidade um derivativo da libido sexual, Jung acreditava que o impulso para o significado existe desde o nascimento, como um instinto, na psique humana. Para ele, o homem, de seu natural, é um animal religioso. Se aceitarmos essa premissa, tornar-se-á cada vez mais claro que a presente desvitalização do simbolismo religioso convencional, ligada ao colapso da estrutura da família, nos deixaram um vazio insaciável no mesmo centro do nosso ser. Não é muito para admirar que sejamos presa de falsos deuses e que a nossa "intensidade apaixonada", não usada, esteja a serviço do diabo. Visto a essa luz, Watergate – e até o fascismo – tornam-se alarmantemente compreensíveis.

A necessidade predominante do homem é sentir apaixonadamente alguma coisa – encontrar significado e propósito como parte de um desígnio grandioso, que transcende as meras preocupações do ego – dedicar a vida e as energias a serviço de uma autoridade mais alta. Como é sabido, começamos por força a jornada em busca da consciência projetando essa autoridade em figuras exteriores do nosso meio (pai, presidente, rei, imperador, papa, padre, juiz, guru etc.). Na série do Tarô, até agora, seguimos o herói à proporção que ele experimentava algumas dessas figuras arquetípicas em seqüência. Agora se lhe depara o Eremita. Se estiver aberto à mensagem do frade, seguir-lhe-á o exemplo começando por descobrir e alimentar sua própria centelha interior, como o fez o Eremita. Se estiver pronto para observar e prestar atenção, o Velho Sábio poderá ajudá-lo a encontrar a própria lâmpada. Mas se ainda não estiver maduro para a mensagem do Eremita, poderá interpretá-la mal.

Como observamos em conexão com outras figuras do Tarô, uma das formas de compreender mal o significado de um personagem arquetípico dessa natureza é encarar a figura mais literal do que simbolicamente. No caso do Eremita, por exemplo, o herói pode deixar crescer a barba, vestir o traje e as sandálias do monge e partir – talvez para

2. W. B. Yeats, "The Second Coming", *The Collected Poems of W. B. Yeats*, edição revisada, Nova Iorque, The Macmillan Co., 1956, págs. 184-5.

* Girando e girando no giro que se amplia / O falcão não pode ouvir o falcoeiro; / As coisas se esboroam; o centro não se agüenta; / A mera anarquia está solta no mundo, / A maré escura de sangue está solta, e em toda a parte / A cerimônia da inocência se afogou. / Aos melhores falta convicção, ao passo que os piores / Estão cheios de apaixonada intensidade.

alguma terra distante – em busca de um guru no qual possa projetar a sabedoria perfeita e a iluminação. Ou poderá encontrar à mão um guru já pronto e já equipado com um grupo de seguidores vestidos do mesmo jeito e em cujas fileiras ele se integra.

Não encontrando ninguém em quem projetar o Velho Sábio, o herói, desesperado, pode arrojar o seu jovem e inexperiente eu no papel do Velho arquetípico. Se isso acontecer, o próprio buscador iniciará um culto e atrairá seguidores. Ou, esmagado pelo fardo de um papel arquetípico, que se acha desaparelhado para carregar, poderá retirar-se da vida. Iremos, então, descobri-lo sentado de pernas cruzadas na praça pública, com os olhos distantes e vazios como os de qualquer estátua, "petrificado" e excluído da humanidade e da responsabilidade humana normal.

A nossa identificação com qualquer arquétipo em qualquer idade pode ter conseqüências desastrosas. Podemos inflar, aberrar da escala das dimensões humanas; ou, esmagados pelo peso do impossível, ser reduzidos a uma depressão vegetativa. Em qualquer caso se distorce a nossa substância humana. O fato evidente é que o personagem arquetípico é *sobre*-humano. Nunca poderemos ser uma figura arquetípica. Nenhuma tentativa nesse sentido tem a menor probabilidade de dar certo – e tem elementos de tragédia. Mas quando um jovem substitui o barrete do louco imprevidente pelo capuz e pela carranca do eremita, o resultado parece duplamente triste: pois se diria que ele não somente visou ao impossível mas também descurou, no processo, das áureas potencialidades que pertencem propriamente à juventude. Como se o seu calendário interior se tivesse tornado, de um jeito ou de outro, muito embrulhado.

Naturalmente, porém, é o nosso calendário e a nossa cultura externa que estão virados para o lado errado, é o nosso tempo que está "desconjuntado". Na confusão atual, a procura do Velho Sábio, que poderia ajudar-nos a endireitar as coisas, fez de todos nós outros tantos Hamlets – num minuto brandindo a espada irresponsavelmente e no momento seguinte enterrados em solilóquios conflitantes. Todos nos sentimos vagamente tentados a achar (maldido rancor!) que só nós "nascemos para endireitá-lo".

Os seres humanos de todas as idades, flutuando no pântano cultural e separados do deus em seu interior, procurarão o espírito em toda a parte – freqüentemente em lugares profanos. Como o revelou a Alemanha de Hitler, quando defronta com uma confusão, muita gente procura apanhar o primeiro uniforme oferecido e sai marchando em passo de ganso para salvar o mundo. Que todas as guerras, em certo sentido, são "guerras santas" é axiomático. É igualmente verdadeiro que até o manto de um monge ou de um guru pacíficos tem a possibilidade de se converter num uniforme tão mortal quanto qualquer decreto do governo.

Procuramos o Velho Sábio porque pertence à nossa natureza instintual fazê-lo, e somos impelidos para ele pelos temores e ansiedades da civilização moderna. Um dos mais coativos dentre eles, como observou W. H. Auden, é o terror do anonimato. Em seu poema "The Age of Anxiety", Auden caracterizou a nossa época e falou por todos nós quando disse:

> The fears we know
> Are of not knowing. Will nightfall bring us
> Some awful order – Keep a hardware store
> In a small town. . . Teach science for life to

Progressive girls – ? It is getting late.
Shall we ever be asked for? Are we simply
Not wanted at all?[3]*

É claro que temos sido solicitados em muitas ocasiões. *Há alguém aí?* O famoso Viajante de Walter de la Mare fez essa pergunta meio século atrás. A todos nós tem-se deparado a mesma pergunta em várias ocasiões em nossa vida, mas ninguém, creio eu, captou o drama e o mistério dessa confrontação de maneira mais pungente do que de la Mare:

"Is there anybody there?" said the Traveller
Knocking on the moonlit door;
And his horse in the silence champed the grasses
Of the forest's ferny floor:
And a bird flew up out of the turret,
Above the Traveller's head:
And he smote upon the door a second time;
"Is there anybody there?" he asked.[4]*

Mas ninguém respondeu ao Viajante. À diferença de T. S. Eliot, que nos retratou como "homens ocos", incapazes de resposta, de la Mare viu a nossa casa interior cheia de uma "multidão de ouvintes fantasmas" que ouvem o Viajante bater mas não respondem à batida. Podemos vê-los claramente encolhidos, silenciosos na sombra, entanguidos de medo, não muito diferentes de muitos citadinos de hoje, que se recusam a responder ao grito de um estranho nas ruas, com medo de se verem "envolvidos". "*Há alguém aí?*" Talvez o Eremita barbudo acima retratado tenha voltado para oferecer-nos outra oportunidade de responder à pergunta enquanto segura a lanterna bem no alto e perscruta a escuridão.

Se nos defrontássemos, na realidade, com uma figura dessa natureza numa noite escura, poderíamos deter-nos no meio das sombras a observá-la antes de identificar-nos. Um olhar dirigido aos olhos bondosos do velho monge nos diz que ele não se arrastou penosamente pelos séculos fora para nos fazer sermões nem para repreender-nos pelos nossos malfeitos. Percebe-se que ele realmente deseja saber quem está "lá", se é que alguém lá está, e que aceitará qualquer resposta que estivermos prontos para dar-lhe – até o silêncio, se isso for tudo o que tivermos para oferecer-lhe.

3. W. A. Auden, *The Age of Anxiety*, Nova Iorque, Random House, 1947, pág. 42.

* Os temores que conhecemos / São de não conhecer. O cair da noite virá trazer-nos / Alguma ordem medonha – Abra uma loja de ferragens / Numa cidadezinha... Ensina ciência a vida inteira a / Meninas progressistas – ? Está ficando tarde. / Seremos chamados algum dia? Somos simplesmente / Não desejados para nada?

4. Walter de la Mare, "The Listeners", *The Pocket Book of Modern Verse*, pág. 220.

* "Há alguém aí?" perguntou o Viajante / Batendo à porta banhada de luar; / E o seu cavalo no silêncio esmoeu as ervas / Do chão de samambaias da floresta; / E um pássaro ergueu-se, voando, da torre, / Acima da cabeça do Viajante: / E ele bateu à porta pela segunda vez; / "Há alguém aí?" perguntou.

Seus olhos parecem impávidos e calmos, cheios de assombro – bem abertos. Podemos imaginar que ele tem a mente e o coração igualmente abertos. Sua expressão parece combinar o assombro dos olhos arregalados da infância com a paciência da experiência.

De muitas outras maneiras também o estranho parece encerrar aspectos dos dois pólos opostos do ser. A barba e a lâmpada sugerem saber e espírito masculinos, o ardente *yang*, o pólo positivo da energia. Não obstante, os mantos ondulantes e o comportamento delicado indicam um estreito parentesco com o escuro *yin*, a natureza feminina terrena. Como São Francisco, ele deve sentir uma íntima e terna relação com o Irmão Sol e a Irmã Lua, e com todos os pássaros e animais; no entanto, ao mesmo tempo, esse Eremita deve ter a força de um Santo Antônio para resitir às miríades de diabos, monstruosas aberrações do espírito humano, que assaltam o homem na solidão. Talvez o Velho Sábio tenha voltado para ensinar-nos a arte esquecida da solidão.

Hoje em dia, a noção de que somos uma multidão solitária converteu-se em clichê. Os psicólogos nos contaram que mascaramos o nosso pétreo isolamento com uma espúria e compulsiva unicidade, que tem escassa conexão com o relacionamento humano. Mostraram-nos que defendemos nossas fracas inseguranças com a armadura da conformidade social. Às vezes, podemos ver as introvisões aterradoras dramatizadas de um jeito que nos arrepia os ossos. Presos num vagão de metrô ou num engarrafamento de trânsito durante o que denominamos eufemisticamente "hora de pico", vemo-nos, de repente, participando de uma horda de zumbis sem rosto, imobilizados num solitário encarceramento público, encerrados no próprio símbolo de *status*, armados contra todo e qualquer contato humano e, todavia, protegidos contra o estar realmente só.

Sendo uma nação de extrovertidos, voltamo-nos naturalmente para a terapia de grupo como antídoto ao isolamento. Cheias de esperança e coragem, almas timoratas programam-se em torno do circuito de dinâmica de grupo, submissas, desde os encontros de fim de semana até a consciência corporal, desde as lições de alegria até a meditação em grupo e vice-versa. Em cada estação dessa estéril peregrinação, os perdidos se detêm tristemente para perguntar uns aos outros: "Quem sou eu? toque-me... sinta-me... reaja a mim... diga-me quem sou!" Teremos, acaso, aberrado tanto do nosso âmago interior de ser que só existimos em relação a outros?

Parece-nos cada vez mais difícil aceitar o caminho solitário para a autocompreensão. A arte da individuação, de nos tornarmos o nosso único eu, é (como o nome o implica) uma experiência intensamente pessoal e, por vezes, uma experiência solitária. Não é um fenômeno de grupo. Envolve a tarefa difícil de desenredar nossa própria identidade da massa da espécie humana. Para descobrir quem somos precisamos, finalmente, recolher as partes de nós mesmos que projetamos sem perceber em outros, aprendendo a encontrar, bem no fundo de nossas próprias psiques, os potenciais e deficiências que anteriormente só víamos nos outros. Tal reconhecimento será facilitado se pudermos retirar-nos da sociedade por breves períodos e aprender a receber com agrado a solidão.

Como que a título de compensação, tais períodos de introversão são geralmente acompanhados de uma vida imaginativa vigorosa. Uma vez que carecemos de companheirismo exterior, os personagens do nosso mundo interior tomam conta do palco. Tais personalidades aparecem amiúde como entidades vívidas. Engajam-nos num diálogo animado; exigem que lhes pintemos os retratos ou que lhes contemos as histórias em palavras. Às vezes, cantam para nós trazendo canções novas e encantadoras. Aqui o Eremita pode ser de alguma ajuda. Se, inchados com tamanho fluxo de inspiração criativa, tentamos elevar-nos acima de nossos semelhantes, ele pode trazer-nos de novo para baixo, para o chão, e ajudar-nos a escolher, desse fogo de ouro, a chamazinha que se ajusta à nossa lâmpada humana singular.

Hoje, quantidades cada vez maiores de pessoas, desencantadas com a aridez espiritual da nossa paisagem exterior e com a coletividade impessoal da nossa sociedade presente, estão procurando conscientemente a luz escondida no íntimo; e há provas de que os seres humanos, de um modo geral, estão prontos para receber, de braços abertos, novas oportunidades de introversão do que as que a nossa cultura encoraja ou propicia. Por exemplo, estudos recentes mostram que a maioria das pessoas que viajam por estrada de ferro com bilhetes de assinatura resiste às tentativas de se cotizarem para viajar de automóvel ou de proporcionar um serviço de trânsito mais rápido porque, dizem, o tempo que passam indo e vindo do trabalho para casa e de casa para o trabalho é a "única oportunidade" que têm de estar sós. Talvez, com a ajuda do Eremita, nos atrevamos a oferecer a nós mesmos e a outros oportunidades de introversão criativa em condições mais favoráveis. Tais períodos de solidão não são mórbidos nem anti-sociais. Podem devolver-nos ao mundo com renovada energia para a ação e um sentido mais aguçado de nossa própria identidade e de nosso papel especial em relação ao mundo.

Em *Ego and Archetype*, Edward Edinger discute o significado da palavra "solitário" tal como é usada num dos Evangelhos Gnósticos. Assinala que no grego original a idéia de "solteiro" ou "solitário" pode também traduzir-se por "unificado". A título de ilustração, cita o passo seguinte do *Evangelho de Tomás:* "... Eu (Jesus) digo isto: 'quando (uma pessoa) se encontra solitária, estará cheia de luz; mas quando se encontra dividida, estará cheia de trevas'."[5] Inevitavelmente, porém, quem quer que consiga esse tipo de unidade interior precisa pagar o preço prometéico da solidão, da culpa e do sofrimento. Em "As Relações entre o Ego e o Inconsciente", Jung amplia a idéia da seguinte maneira:

> O Livro do Gênese representa o ato de nos conscientizarmos como a quebra de um tabu, como se a aquisição de conhecimento significasse que uma barreira sagrada havia sido impiamente superada. O Gênese, sem dúvida, está certo, visto que cada passo no rumo da consciência maior é uma espécie de culpa prometéica. Através da compreensão, o fogo dos deuses, em certo sentido, lhes é roubado. O que quer dizer que algo pertencente aos poderes inconscientes foi arrancado às suas conexões naturais e subordinado à escolha consciente. O homem que usurpou o novo conhecimento sofre uma transformação ou alargamento da consciência, que já não se parece com a dos seus semelhantes. Elevou-se, por certo, acima do nível humano do seu tempo ("serás como Deus"), mas, ao fazê-lo, também se alienou da humanidade. A dor da solidão é a vingança dos deuses. . .[6]

Como Jung esclarece alhures, a alienação experimentada pelo solitário não supõe uma alienação da sua substância humana. Significa simplesmente que ele já não

5. Edward F. Edinger, *Ego and Archetype*, Nova Iorque, C. G. Jung Foundation, 1972, pág. 172.

6. C. G. Jung, *Psychological Reflections*, Jolande Jacobi, org., Princeton, Nova Jersey, Princeton University Press, 1970, pág. 28.

permanece contido na *participation mystique* – a primitiva inconsciência partilhada pela massa da espécie humana. Uma pessoa nessas condições não precisa permanecer fisicamente afastada do mundo e dos seus problemas; ao contrário, tendo atingido uma segura unidade interior, pode sentir-se mais capaz de expor-se ao caos dos eventos atuais, com menos temor de ser confundido por eles ou submerso na predominante inconsciência da massa. Idealmente, uma pessoa assim continuará a ser envolvida na vida – mas de um novo modo. Que esse envolvimento renovado na vida não precisa manifestar-se necessariamente em palavras ou atos capazes de abalar o mundo é encantadoramente descrito nesta ilustração (Fig. 43), cujo subtítulo é: *Eremitas Zen executando jocosamente tarefas caseiras*. A mim se me afigura que esses mongezinhos têm alguma coisa importante para contar-nos a respeito do possível significado da verdadeira individuação. Conquanto novas introvisões possam trazer consigo novas idéias e novas oportunidades, no âmago da autopercepção reside essencialmente a capacidade de cada qual aceitar a própria vida – por mais simples e despretensiosa que seja – e executar-lhe as tarefas necessárias de maneira prosaica. Pessoalmente acho muito mais fácil fazer pronunciamentos sentenciosos do que varrer o chão e lavar os pratos de modo "cômico".

No sentido anteriormente descrito, aquele que atingiu um grau qualquer de autocompreensão é um "solitário" em relação ao curso geral da espécie humana, e está destinado a permanecer assim até que outros – cada qual a seu tempo e à sua maneira – atinjam uma fase semelhante de iluminação. Até mais eremita, diz Jung, é a própria espécie humana, pois – em virtude da sua capacidade única de consciência – está sozinha neste planeta, separada de todas as outras criaturas vivas por suas diferenças psíquicas em relação a elas. Jung descreve desta maneira a situação do homem:

> Neste planeta, ele é um fenômeno único que não se pode comparar com mais nada. A possibilidade de comparação e, portanto, de autoconhecimento só surgiria se ele pudesse estabelecer relações com mamíferos quase humanos que habitam outras estrelas... Os graus diferentes de autoconhecimento dentro da própria espécie são de pequena monta comparados com as possibilidades que se abririam graças a um encontro com uma criatura de estrutura similar, mas de origem diferente... Até então o homem terá de continuar a parecer um eremita...[7]

Se as nossas explorações do espaço externo nos acabarão colocando ou não frente a frente com criaturas humanóides, cuja introvisão pode ampliar ainda mais nossa atual abertura limitada da percepção, ainda precisa ser comprovado. Os comentários de Jung indicam que uma confrontação desse gênero pode ser um grato auxílio para uma consciência maior.

Tradicionalmente, a espécie humana, ao defrontar com um impasse em sua evolução consciente, tem erguido os olhos para os céus em busca de salvação. Antigamente essa ajuda era experimentada como a divina intervenção de um deus, ou de um salvador semelhante a um deus, que desceria milagrosamente do firmamento. Hoje, o arquétipo do Salvador pode ser projetado nos Triplantes do Disco, criaturas humanói-

7. C. G. Jung, *Civilization in Transition*, C. W. Vol. 10, §§ 525, 526.

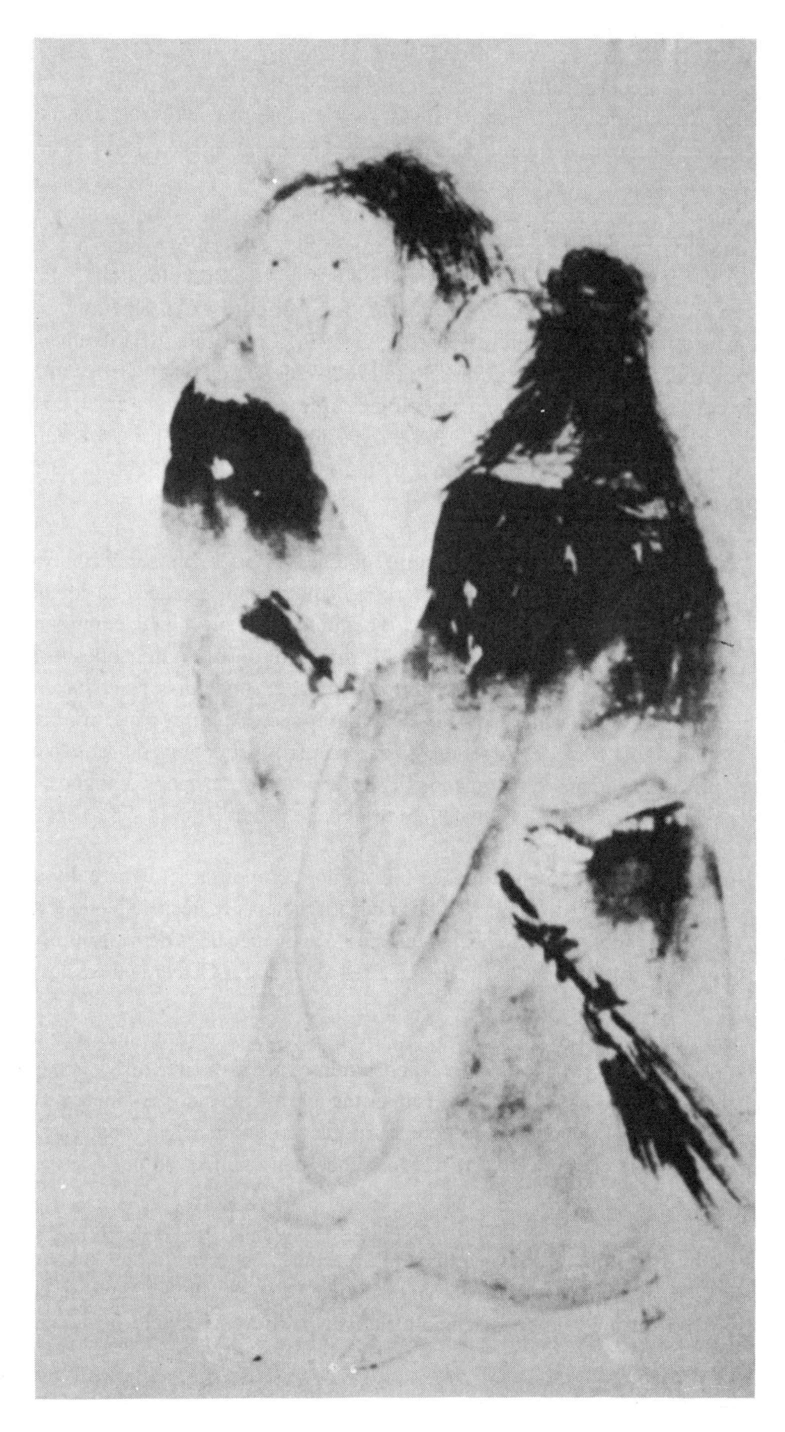

Fig. 43 Eremitas Zen executando jocosamente tarefas caseiras

des de consciência presumivelmente superior, que alguns imaginam estar pairando sobre nós como anjos da guarda, à espera do momento propício para descer e iluminar a nossa treva. Mas se, com efeito, tais criaturas existem, só o advento delas, obviamente, não poderá salvar-nos. Como a história tem demonstrado, um "salvador", na melhor das hipóteses, só poderá ajudar-nos a encontrar meios de nos ajudarmos a nós mesmos. Destarte, enquanto alguns se precipitam no espaço a fim de investigar a realidade de objetos circulares mágicos, que trazem o Velho Sábio encarnado em formas novas e estranhas, os demais, como nós, podem voltar a atenção para o espaço interior em busca dos equivalentes arquetípicos dessas imagens; pois são eles as forças propulsoras por trás da nossa procura interior – e são, de fato, sua *raison d'être*.

Em *Flying Saucers: A Modern Myth*, Jung discute extensamente o significado psicológico do nosso atual interesse pelos OVNIs. Enfatiza a idéia de que (pondo de lado a possibilidade de existirem ou não, na realidade, esses objetos circulares) já é um fato de considerável importância psicológica que seres humanos em todo o mundo relatem ter visto tais objetos nos céus e experimentado a sua presença em sonhos e visões. Comparando o OVNI à mandala, à roda do sol e ao "olho de Deus", Jung prossegue:

> No nível antigo, por conseguinte, os OVNIs poderiam ser facilmente concebidos como "deuses". São impressionantes manifestações da totalidade cuja forma simples, redonda, retrata o arquétipo do eu, o qual, como sabemos por experiência própria, desempenha o principal papel no unir opostos aparentemente irreconciliáveis e, portanto, se acha em melhores condições para compensar a divisão de espírito da nossa época. Tem um papel particularmente importante para desempenhar entre os outros arquétipos no sentido de ser, em primeiro lugar, o regulador e ordenador de estados caóticos, dando à personalidade a maior unidade e totalidade possível.[8]

Encarando o fenômeno do OVNI como compensação para a nossa cultura orientada para o grupo, diz Jung: "Os sinais aparecem nos céus de modo que todos os vejam. Recomendam a cada um de nós que não nos esqueçamos da nossa própria alma e da nossa própria totalidade, porque essa é a resposta que o Ocidente deve dar ao perigo da propensão para a massa." [9]

O Eremita do Tarô, portanto, pode simbolizar a espécie humana, o solitário viandante sobre a Terra, que carrega apenas a lampadazinha da consciência presente a fim de iluminar a sempre crescente propensão para a massa que ameaça avassalar o mundo. O homem se acha no limiar de uma revolução potencial na consciência humana. Talvez a ajuda necessária desça, em verdade, dos céus; talvez só possa ser encontrada nas constelações celestes do seu próprio ser interior.

O número nove do Eremita reflete muitas idéias expressas aqui. Só, supremo entre os dígitos simples, o nove representa a altura do poder que um número simples pode alcançar. No contexto dos comentários de Jung, o número nove se nos depara como símbolo do pico da consciência atingível pelo eremita, pelo homem, até poder

8. *Ibid.*, § 622.

9. *Ibid.*, § 723.

defrontar outra criatura de capacidades perceptivas similares – ou até poder descobrir, dentro da própria psique, dimensões da consciência até então desconhecidas.

Em algarismos arábicos, o número nove (escrito como um círculo com um número um à guisa de cauda) pressagia o número dez, em que a energia contida no círculo celeste desce à Terra a fim de ficar ao lado do número um, formando assim nova configuração, que inicia novo ciclo de dimensões dilatadas. Quando isso acontecer psicologicamente, a atual chamazinha da lâmpada do Eremita será, sem dúvida, transformada numa iluminação de proporções cataclísmicas.

Em nosso planeta, o nove é também o número da gestação humana, período de preparação necessário à criação de um novo eu humano. Parece que a nossa época é de preparação e gestação. Até que cada um de nós tenha acesso à própria lampadazinha, poderemos perfeitamente ser cegados ou destruídos por um influxo demasiado súbito de iluminação celestial.

Historicamente também o número nove está ligado à idéia de gestação e iniciação. Apolônio de Tiana, o neoplatônico grego, considerava-o um número sagrado. Seus discípulos usavam-no como amuleto e punham de lado a nona hora como tempo de silêncio. Ele proibia os seguidores de mencionar o número nove em voz alta. Os mistérios eleusínios iniciavam candidatos por um período de nove dias. Os romanos, para os quais o nove também representava um papel iniciatório, celebravam uma festa de purificação para todas as crianças do sexo masculino no nono dia após o nascimento. Enterravam seus mortos no nono dia e faziam uma festa chamada "Novennalia", de nove em nove anos, em memória do morto. Esse costume repete-se hoje nas novenas católicas, serviço de oração celebrado durante nove dias consecutivos em que se reza para que a alma seja tirada do purgatório.

Matematicamente, também, o nove tem qualidades misteriosas, pois sempre volta a si mesmo. Por exemplo: $1 + 2 + 3 + 4 + 5 + 6 + 7 + 8 + 9 = 45$, a soma de cujos dígitos é 9. De forma semelhante, $9 + 9 = 18 = 9$. E 9 multiplicado por cada dígito, de 1 até 9, produz um resultado que se reduz a 9. É fácil compreender por que o nove é o número da iniciação: simboliza a própria jornada do iniciado rumo à autocompreensão. Sejam quais forem as circunstâncias em que enceta a jornada, e sejam quais forem as experiências que possa encontrar pela frente, o iniciado também precisa, no fim, voltar a si mesmo.

Como no caso de todas as figuras arquetípicas, se não dermos atenção voluntária à sua mensagem, poderemos ser forçados a fazê-lo. Por exemplo, o fato de deixarmos de responder ao chamado do Eremita para a introversão pode resultar na solidão e no isolamento forçados de uma moléstia física ou mental. Mas se pudermos observar e prestar atenção, aprenderemos com o Velho Sábio a arte da retirada voluntária da sociedade e a capacidade de efetuar uma suave transição de regresso ao mundo quando chegar o momento de voltar. Quando o mundo exterior exigir nossa atenção, não seremos apanhados em negra introversão, como um urso que estivesse hibernando em alguma caverna escura; nem seremos compelidos à extroversão forçada, usando constantemente a máscara risonha do estalajadeiro porque a nossa verdadeira identidade ainda se acha escondida, inexplorada, na caverna do nosso ser.

O modo com que o Eremita de Marselha está retratado enfatiza-lhe a capacidade de operar uma transição suave entre a partida e o regresso. Embora seja um solitário, usa o hábito de uma ordem religiosa com a qual, evidentemente, mantém contato, e é pintado a caminho, o que põe em destaque sua capacidade de mover-se com facilidade entre os dois mundos.

Assim como o ritmo do sopro da vida se mede pela inalação e exalação alternadas, assim também a necessidade de introversão segue um modelo rítmico semelhante. O Eremita é um mestre em ajudar-nos a descobrir nosso próprio pulso particular. O modo com que o seu cajado curvo e as suas roupas ondulam juntos sugere um ritmo tão natural quanto o respirar. Os passos pacíficos do frade lhe traduzem o ritmo sereno das meditações. Visto à luz semicerrada do devaneio, o Eremita parece mover-se com firmeza; o movimento da partida contém em si mesmo o gesto do regresso. Dir-se-á que ele nos está dizendo que a vida é um processo, não um problema; que Tao é uma jornada, não uma meta.

Buda disse: "O mundo é uma ponte; atravesse-a mas não construa uma casa sobre ela." Com a lanterna para guiar seus passos, o Eremita não precisa de casa. Não está sobrecarregado de propriedades pessoais. Hoje, muitos lhe emulam a liberdade de utensílios domésticos estorvantes. Largando as acumulações de toda uma vida, mudam-se para lares móveis, tendas de campanha ou furgões, e demandam as matas na esperança de recapturar a serenidade de uma cabana perdida. Infelizmente, não nos é fácil livrar-nos de nossos fardos psicológicos. A história seguinte pode ser ilustrativa. Refere-se a um rapaz diligente que, tendo-se despojado de todos os bens terrenos, cruzou o oceano com a finalidade de consultar famoso guru.

"Oh Mestre", começou o sincero buscador, sem fôlego. "Estou envergonhado por não lhe haver trazido nenhum presente. Mas é que agora vivo de mãos vazias."

"Eu sei, eu sei", tornou o Sábio, pachorrento. "Ponha-o no chão, Filho, ponha-o no chão."

O Eremita, sem dúvida, é um sábio assim. É evidente que a sua lâmpada penetra antes a treva espiritual do que a temporal, pois o céu acima dele está claro e sem nuvens. A sua introvisão atravessa completamente nossas divisões arbitrárias de espaço e tempo para revelar o padrão significativo do agora sempre presente. Ele vê tão profundamente o presente que aclara todo o tempo, o passado, o futuro e suas relações recíprocas. Que este sábio, como Merlin, possui o poder mágico do vidente de dominar o enigma do tempo é corroborado pelo fato de que ele, em alguns baralhos mais velhos, segura uma ampulheta e recebe o nome de O Tempo.

Esse Viajante está usando a lâmpada para clarear a própria escuridão. É evidente que sua luz brilha para outros também, mas não deliberadamente. Se outras vidas são alumiadas pela sua passagem é porque ele ajudou no único modo, talvez, com que um ser humano pode ajudar um semelhante – sendo plenamente ele mesmo. Para mim, esse Velho Sábio ilumina a sabedoria de uma oração freqüentemente mal-interpretada e normalmente atribuída aos Quacres: "Deus me livre de ser 'prestimoso'."

Hoje, mais talvez do que em qualquer outra época anterior da história, estamos palmilhando um chão totalmente novo. Em nosso mundo não há caminhos fixos – não há iluminação central utilizável por todos. Cada um de nós tem de encontrar um jeito de acender a própria centelha. Como o demonstra a história, não podemos depender de figuras de autoridade "lá em cima" para fornecer-nos respostas iluminadoras às perguntas da vida. Recentemente, nós, o povo do mundo civilizado, temo-nos quedado sentados, sem saber o que fazer, diante das telas da televisão, vendo, amedrontados, sagas da vida real de corrupção e derrota, depressão e revolução, que ultrapassam todos os limites sociais, políticos e nacionais, invadindo nossas complacentes salas de estar para tocar-nos a consciência e espertar-nos o espírito. Durante esse tempo, o Eremita pode ter estado nos bastidores, esperando a sua deixa para dar um passo à frente. Talvez a escuridão esteja começando a dissipar-se de modo que a mensagem silenciosa do Eremita pode brilhar, mais clara, para todos nós: "Cada um de nós tem de descobrir a própria luz interior. No momento em que entregarmos nossa introvisão e responsabilidade a algum imaginado Grande Irmão – seja líder político, praticante de algum culto, psicólogo ou guru – teremos perdido a nós mesmos, a nossa identidade cultural e a nossa própria humanidade."

Se não o conseguires de ti mesmo, aonde irás buscá-lo? Essa antiga pergunta soa alto em nossos ouvidos. Talvez, mais do que nunca, precisemos compreender que a luz que procuramos não é uma chama já pronta que, algum dia, nos será trazida do espaço externo num disco voador. Precisamos alimentar a compreensão de que o Espírito Santo não é alguma coisa fora de nós, alguma coisa que, se tivermos sorte, alcançaremos um dia. O Espírito é, antes, uma minúscula chama, criada de novo por cada ser humano em cada geração. Com cada respiração agitamos o *pneuma*; recriamos o Espírito. O *Christus* é "gerado, não feito", o que quer dizer que Ele acaba de nascer em todos nós.

Prometeu roubou o fogo original do céu e trouxe-o para a espécie humana. Gosto de pensar que o Eremita está devolvendo parte do fogo sagrado ao seu manancial. É isso que faz cada um de nós quando recria o Espírito.

Há alguém aí? O Eremita está esperando a nossa resposta.

Fig. 44 A Roda da Fortuna (Baralho de Marselha)

13. A Roda da Fortuna: Socorro!

Tudo vai, tudo volta; eternamente gira a roda do ser. . . Tortuoso é o caminho da eternidade.

Nietzsche

O Reino do Equilíbrio começa com uma figura alegórica, A Justiça, que representa um conceito geral. Ela foi seguida pelo Eremita, que lhe personificou a sabedoria de um modo mais individual. Agora o nosso foco vai da íntima contemplação da iluminação pessoal ao panorama mais amplo dos princípios universais, culminando na questão central do destino contra o livre-arbítrio, tal como é apresentada pela Roda da Fortuna (Fig. 44).

Nesta carta vemos dois animais de aspecto estranho dando voltas, impotentes, na Roda sempre girante da Fortuna. Os animais vestem roupas humanas. Estará tentando o Tarô dizer-nos que nós, como esses animais, estamos presos no intérmino girar predestinado da Roda da Fortuna? Ou essa carta nos oferece outras mensagens, mais cheias de esperança?

Comentadores anteriores exploraram a genealogia dos dois animais da Roda à cata de pistas. A criatura dourada que se ergue à nossa direita é geralmente associada a Anúbis, o deus egípcio com cara de cachorro, que pesava as almas dos mortos. É considerado um fator positivo, de integração. O animal que se parece com um macaco, à nossa esquerda, é habitualmente associado a Tífon, o deus da destruição e da desintegração. A maioria dos comentadores vê em Tífon um personagem negativo, no sentido pejorativo, e apraz-lhes observar que esse patife é retratado em plena derrocada, ao passo que Anúbis (o bonzinho) está subindo para o topo.

Conquanto seja verdade que está caindo, Tífon não será, só por isso, banido da cena. Antes de darmos pela coisa, a Roda terá girado de modo que Tífon subirá à posição do cachorro no topo, ao passo que Anúbis se verá obrigado a passar algum tempo nas regiões inferiores. As duas criaturas parecem fixas na Roda, condenadas a uma gangorra sem sentido. O ar de impotência no rosto de Tífon é uma indicação segura de que ele não figura no quadro por vontade própria. Parece rogar-nos que o aceitemos como um passageiro necessário na Roda.

Temos a impressão de estar, mais uma vez, com os nossos dois amigos, os opostos, que representam duas espécies de energia. Anteriormente, vimo-las pintadas como a parelha de cavalos do Carro e como os dois pratos da balança da Justiça. Agora aparecem como duas formas de libido animal inconsciente, presas no ciclo interminável da natureza: o anseio do *yang* de dominar e organizar, e a tendência do *yin* para receber e conter. Como sabemos, ambos são instintuais em toda a natureza, e ambos operam continuamente em todos nós. O fato de usarem esses animais roupas humanas pode significar que as forças que representam são parcialmente civilizadas – evolveram para a consciência a ponto de ser agora a sua energia acessível ao uso humano.

A carta oito mostra os pratos *yin* e *yang* da balança da Justiça guardados por uma deusa de sabedoria imparcial e espada vertical. Aqui os vemos como animais vivos, presos num sistema governado por um monstro de dúbio aspecto e semblante carregado, que segura a espada de maneira descuidada, casual. Seja qual for o poder que comanda a Roda da Fortuna, é evidentemente amoral. Tem, por certo, escassa relação com a justiça. Lembra-nos o bobo da corte que escarnece da autoridade usando a coroa do rei.

Essa escura criatura com a sua coroa de ouro está sentada numa plataforma acima da Roda, separada da atividade desta última. Embora guarde a Roda, o monstro não lhe fornece a força motriz. As indefesas criaturas em movimento tandem parecem ministrar essa energia.

Tradicionalmente, compete ao herói ajudar as vítimas indefesas do destino monstruoso e libertar as que estão cativas. Defrontando com a situação aqui apresentada, cumpre-lhe libertar os animais, sem matar nem mutilar nenhum deles, já que os dois são necessários ao movimento da Roda. Ou, para dizê-lo em termos mais psicológicos, é a tarefa de todos os seres humanos, que forcejam por alcançar a consciência, liberar as energias animais anteriormente presas na ronda instintual repetitiva, de modo que a libido possa ser usada de maneira mais consciente. O primeiro passo nessa direção é fazer um acordo com a escura criatura sentada acima da Roda, que mantém os animais cativos.

Como os dragões e os animais mitológicos semelhantes, que guardam um tesouro difícil de se atingir, a criatura é um monstruoso conglomerado de partes bestiais, que representa uma hedionda aberração da ordem natural. Talvez simbolize o caos primevo, que existia antes da primeira criação. O animal está nu e, contudo, ostenta uma coroa de ouro, a sugerir que embora sua energia seja primitiva, seu poder é divino. Tem cara de macaco e corpo e cauda de leão. As asas vermelhas, de morcego, marcam-no como um ladrão noturno ligado ao diabo, que encontraremos na carta número quinze. Ver uma espada nas mãos de um monstro desses é alarmante. Somente a sua coroa de ouro oferece alguma esperança de que o estranho animal possa ter um aspecto redentor. Trata-se, na verdade, de uma esfinge.

A princípio, afigura-se estranho pensar na criatura como esfinge. O rosto escuro, quase diabólico, parece-se muito pouco com o semblante sereno, áureo, de seu familiar equivalente egípcio. As duas esfinges, na verdade, são opostos. A figura egípcia é um símbolo masculino, associado ao deus do Sol, Horo, ao passo que a esfinge aqui retratada é um personagem feminino, estreitamente relacionada com a esfinge da mitologia grega, que representa um princípio materno negativo.

Se tomarmos a Imperatriz do Tarô número três como símbolo de um princípio materno mais positivo, veremos o monstro diante de nós como o seu equivalente ctônico. Podemos imaginar a criatura sentada acima da Roda como uma paródia da Imperatriz. À sua semelhança, ela usa uma coroa de ouro, que descansa, absurda e incongruente, sobre a sua cara de macaco, e a desatenta impertinência com que a esfinge empunha a espada de través parece zombar da Imperatriz com o seu cetro. Até as monstruosas asas vermelhas da esfinge sugerem a forma de "asa de anjo" do trono da Imperatriz. O fato de aparecer a Roda da Fortuna diretamente abaixo da Imperatriz em nosso Mapa da Jornada (veja a Fig. 3) dá mais ênfase à idéia de que a esfinge pode representar o seu lado de sombra.

A esfinge maternal negativa foi imortalizada no mito de Édipo, em que ela atocaia o herói, exigindo soluções para os seus enigmas antes de deixá-lo prosseguir. O quadro de Moreau, *Édipo e a Esfinge* (Fig. 45) mostra a esfinge como harpia sedutora, que enfia as garras em Édipo, impedindo-lhe o progresso, minando-lhe a vitalidade e ameaçando-lhe a própria vida. Essa harpia predatória ainda vive hoje nas mulheres que saltam sobre nós a todo momento com uma série de perguntas exigentes.

O significado da confrontação do herói com a mãe negativa, tão airosamente empoleirada em cima da Roda da Fortuna pode ser esclarecido explorando-se o simbolismo da história de Édipo tal como a elucida Marie-Louise von Franz em seu livro *The Problem of the Puer Aeternus*.[1] Como assinala von Franz, posto que Édipo houvesse conseguido resolver o enigma proposto pela esfinge, nem por isso redimiu sua natureza instintual do poder dela. Pelo contrário, continuou sob o domínio do destino cruel, tão indefeso quanto qualquer animal que girasse na roda do comportamento instintualmente predestinado. Pois ele acabou, na verdade, matando o pai e casando com a mãe, desempenhando assim o seu fado exatamente como fora predestinado. O resultado psicológico foi igualmente fatal. Matando o pai (símbolo da ordem masculina dominante) e casando com a mãe, a Rainha Jocasta (símbolo do princípio feminino governante), Édipo identificou-se com o feminino, sepultando a masculinidade no ventre da Grande Mãe.

No que diz respeito ao fato mítico, foi precisamente *porque* se deteve para responder ao enigma da esfinge que Édipo conquistou Jocasta como prêmio. A ironia aqui, como esclarece von Franz, é o ser a própria Jocasta uma manifestação humana da Mãe Devoradora arquetípica, que Édipo julgou haver vencido para sempre quando levou a melhor sobre a esfinge em seus jogos de palavras. O seu intelecto superior foi castigado, pois os deuses têm ciúmes desse comportamento arrogante.

Para nós tampouco o intelecto é útil no confronto com a esfinge na Roda. Não podemos libertar nossas energias criativas com ginástica mental nem ludibriar o nosso destino humano com respostas espertas. Como von Franz nos recorda, é trama familiar do inconsciente distrair o herói (a consciência humana lutando por chegar à totalidade) propondo questões filosóficas no exato momento em que ele mais precisa enfrentar as exigências da natureza instintual. Deixando-se engambelar pelos jogos de palavras da esfinge, Édipo salvou o intelecto mas sacrificou o falo, sua masculinidade terrena.

Em todo o transcorrer da história humana, o homem tem feito a heróica tentativa de libertar-se do controle automático da natureza animal, a fim de descobrir um padrão por trás da charada sem sentido de nascimento e decadência intermináveis, e uma significação transcendental nos altos e baixos aparentemente quixotescos da Roda da Fortuna. O primeiro passo na busca do herói é universalmente pintado como um ato praticado em desafio à mãe negativa.

1. Marie-Louise von Franz, *The Problem of the Puer Aeternus*, Nova Iorque, Spring Publications, 1970, Parte VIII, págs. 12, 13.

Fig. 45 Édipo e a Esfinge (Moreau, Gustave, 1826-1898. Óleo sobre tela. The Metropolitan Museum of Art. Nova Iorque. Legado de William Herriman, 1921.)

Tanto na cultura oriental quanto na ocidental, o princípio feminino é experimentado como o poder implacável e monstruoso que preside às fortunas rotativas da espécie humana. Em sua obra clássica *The Great Mother Erich Neumann* ilustra e discute dois exemplos pictóricos desse poderoso motivo.[2] O primeiro, originário do Oriente, é a Roda da Vida tibetana, que se encontra sob o domínio cruel da tenebrosa feiticeira Srinmo, o demônio feminino da morte. O segundo, de origem ocidental, chama-se a A Roda da Mãe Natureza (uma figura da Idade Média), governada pelo Tempo tricéfalo, que se posta, alado e imóvel, no topo.

Um dos primeiros baralhos de Tarô que se conhecem apresenta a Roda da Fortuna em sua forma medieval mais comum (Fig. 46). Quatro figuras humanas aparecem fixadas na roda. A que se acha a caminho do topo está dizendo *Regnabo* (reinarei), e está deixando crescer um par de orelhas de burro. A que se encontra em cima da roda ostenta orelhas de burro plenamente desenvolvidas. Empunha o cetro de soberano e diz *Regno* (reino). A que está descendo perdeu as orelhas de burro e deixou crescer o rabo. Diz *Regnavi* (reinei). O velho barbudo no fundo, a única figura totalmente humana, pintado de quatro, diz *Sum sine regno* (estou sem reino). A Fortuna, entronizada no centro da roda, tem os olhos vendados e exibe um par de asas de ouro, que tanto indicam sua indiferença à sorte do homem quanto o seu poder divino de controlar-lhe o destino. É evidente que ela rebaixa os que, levados pela *hubris*, se elevam acima dela. Vinga-se atirando-os ao chão, de quatro, como animais do campo. O velho debaixo da roda, como Édipo em Colono, caiu de um estado elevado; mas, também como Édipo, mercê da sua experiência, afinal se tornou verdadeiramente humano.

A Roda é amiúde pintada mais francamente como corretivo da *hubris*. A arte medieval mostra-a, não raro, como instrumento de tortura, no qual os orgulhosos são quebrados no inferno enquanto o diabo gira a manivela. A história grega de Ixião versa tema semelhante. De acordo com o mito, Ixião foi amarrado por Zeus a uma roda de fogo porque teve a ousadia de apaixonar-se por Hera, a Rainha Mãe do Olimpo. Como aconteceu com Édipo, os deuses castigam inevitavelmente os que, esquecidos das suas limitações humanas, aspiram a cornear o régio princípio masculino (simbolizado nessa história por Zeus).

Vale notar, a respeito, que Ixião, inchado de orgulho, subiu tão alto acima da situação humana que emprenhou uma nuvem, produzindo assim o primeiro centauro, monstruosa criatura que tinha cabeça e ombros de homem e corpo de cavalo. A fisiologia do centauro é tal que, embora possua presumivelmente inteligência humana, sua cabeça está colocada de modo que o torna incapaz de observar e modificar a própria bestialidade, pois sua natureza animal e suas partes sexuais estão localizadas atrás (no inconsciente), onde não podem ser confrontadas e integradas de modo humano. Como supõe ainda o mito, as criações geradas no interior das nuvens da inflação arrogante estão destinadas a ser monstros. Quando Ixião, negando suas origens humanas, se ergueu acima de si mesmo para coabitar com os deuses, não criou desse modo um super-homem de proporções divinas, produziu uma malformação, uma cisão psíquica, uma criatura bifurcada, cuja energia e cuja sexualidade brutas haviam regressado ao nível animal.

2. Erich Neumann, *The Great Mother*, Estampas 98, 99.

Fig. 46 A Roda da Fortuna (Tarô Sforza)

Visto que a esfinge do Tarô é uma monstruosidade tamanha, sua própria presença nos adverte do destino que espera todos os que tentam elevar-se acima da condição de criaturas terrenas e escapar à ronda do destino humano. Se não podemos erguer-nos acima do nosso destino, precisamos encontrar outra maneira de lidar com a esfinge e sua Roda.

A esta altura já deve ter-se tornado aparente que a esfinge, como todas a fêmeas – sejam elas deusas, feiticeiras, mulheres comuns ou monstruosidades – estão cheias de contradições. De um lado, nos apresentam uma tarefa heróica, o desafio da essência humana, instigando-nos a encontrar sentido num sistema aparentemente impulsionado pela mera energia animal. Por outro lado, nos distraem deliberadamente com suas charadas, desviando-nos da nossa busca e minando nossas forças com suas exigências insaciáveis.

A Roda do Tarô reflete os paradoxos do seu dirigente. Os animais mantidos em cativeiro em seus raios nos recordam as limitações impostas por nossa natureza animal. Ao mesmo tempo, porém, apresentam o desafio de transcender as limitações – suplicando, por assim dizer, a nossa ajuda. Podemos ver a Roda, ao mesmo tempo, como recipiente que segura toda a natureza dentro de certos limites prescritos e, inversamente, como a própria fonte de energia com a qual podemos conscientemente transcendê-los. O truque parece residir no modo com que liberar parte da nossa energia cativa para uso consciente sem sermos vítimas dos embustes da esfinge.

Entrementes, lá está ela sentada como todas as da sua casta, com seus sorrisos e suas charadas: "Que é o que é": sussurra ela, "tem asas de diabo, casco fendido e rabo, mas carrega uma espada e ostenta na cabeça uma coroa de ouro?" A esta altura sabemos que seria fatal sucumbir ao convite tentador da criatura para entregar-nos a cambalhotas verbais. Como acontece com as perguntas intrigantes apresentadas pelos nossos sonhos, resolveremos melhor as charadas da Roda olhando para as imagens apresentadas e observando-as numa variedade de contextos. Cada carta do Tarô, como cada sonho, formula perguntas cujas respostas só ela conhece. Só mesmo deixando a imaginação girar com a Roda da esfinge podemos deixar de ser apanhados em sua teia de pensamentos circulares e libertar nossas energias, para alcançar, por trás das perguntas que ela coloca, os significados ocultos que guarda.

Por conseguinte, meditemos sobre a Roda que temos à frente. Trata-se de um sistema de energia cuja essência é o movimento. Dessa maneira podemos usá-la (como ela, na verdade, tem sido usada no decurso de toda a história humana) como uma espécie de diagrama móvel das relações recíprocas de muitas facetas entre a natureza e a natureza humana. A vida se apresenta aqui como um processo – como um sistema de constante transformação, que envolve igualmente a integração e a desintegração, a geração e a degeneração. O alto e o baixo não são mostrados aqui como duas forças fixas brincando de cabo de guerra. Em vez disso apresenta-se-nos o espectro inteiro das gradações infinitesimais da que está em cima à que está embaixo, todas as quais se fundem sutilmente umas nas outras como as estações do ano.

Como o revela o girar da Roda, nada existe *per se:* tudo começa a ser e tudo morre – não seqüencialmente no tempo, mas tudo ao mesmo tempo. Até no momento em que lemos estas palavras, algumas células do nosso corpo estão morrendo e outras, novas, estão nascendo.

A reflexão sobre as eternas revoluções da Roda pode ajudar-nos a experimentar a simultaneidade de todos os opostos – até as forças aparentemente irreconciliáveis chamadas nascimento e morte. Meditando sobre esta carta experimentamos um mundo não criado no tempo – um sistema que começa e acaba interminavelmente. Quando aquietamos a respiração e sincronizamos as batidas do coração com o movimento da Roda, estabelecemos ligação com o nosso próprio nascer e o nosso próprio morrer – não como dois acontecimentos discretos, que marcarão o princípio e o fim de uma experiência linear chamada vida, mas como dois aspectos sempre presentes de um processo contínuo, cujas revoluções se estendem até o infinito. Nesses momentos experimentamos a Roda como se ela se movesse através de todo o tempo, fiando ciclos contínuos de nascimento, morte e renascimento. Nessas ocasiões já não achamos o seu movimento um gesto estéril e repetitivo, uma ondulação incessante do dia para a noite e da noite para o dia. Começamos a sentir que cada alvorada sucessiva traz um dia inteiramente novo e que a escuridão e cada noite nos envolve de novo em seu ventre negro. Em tais momentos de introvisão nossos ossos e tendões zunem com nova vida e nosso sangue canta com o conhecimento seguro de que nos levantamos, cada dia, recém-nascidos.

Há muitos pares de opostos que a roda dramatiza. Por exemplo: movimento e estabilidade, transitoriedade e transcendência, o temporal e o eterno. Se observarmos uma roda girando, veremos como esses opostos funcionam juntos – como o amplo movimento do aro externo, que é a sua *raison d'être*, seria impossível sem a estabilidade do centro fixo.

O cubo, pequeno e fechado, de uma roda oferece pouco espaço para expansão e diferenciação. Não está aberto a uma luz nova, a novas influências, nem a amplos balanços de ritmo. É lento e digno de confiança. Em compensação, o aro externo, que se move depressa, está exposto a muitas vistas novas, apresentadas em seqüência contínua e intensa. Na vasta circunferência do aro externo localizamos uma centena de pontos de observação, cada qual com uma vista diferente de todas as outras. O aro está tonto de tanta energia e idéias novas, mas carece de estabilidade e unidade.

Para colocar essas idéias em outra linguagem, podemos dizer que o cubo da roda representa as leis universais e o aro as suas aplicações individuais; no centro está o arquetípico e o eterno, no aro o específico e o efêmero; no cubo o subjetivo e o ideal; na periferia o objetivo e o real. Dir-se-ia que o impulso criativo primordial da divindade, a idéia no centro de toda manifestação, se estende à periferia onde aparece num milhar de aspectos diferentes. O centro expressa a totalidade não-diferenciada do puro ser, cuja essência é a unidade imutável e imperecível, ao passo que o aro oferece modificação, experimentação e movimentação – naturalmente com menos unidade.

A Roda do Tarô me parece um excelente veículo para ajudar-me a visualizar e esclarecer o que Jung queria dizer quando empregava os termos freqüentemente mal compreendidos "introvertido" e "extrovertido". Vejo o introvertido vivendo perto do centro da Roda. Sua primeira preocupação é com o espaço interno – as imagens primordiais do mundo interior, as figuras arquetípicas instintuais para a psique humana, cuja natureza essencial permanece constante em todo o correr das gerações. Já o extrovertido, vejo-o vivendo mais perto do aro externo, onde é atraído, antes de tudo, pelo espaço exterior. Gosta de movimento, exploração, aventura, e é estimulado por pessoas, lugares e planetas.

Ao introvertido, todos esses estímulos afiguram-se uma ameaça. Antes de poder contemplar o mundo externo, ele precisa primeiro ligar-se a si mesmo, explorando suas profundezas interiores. Descobre o sentido da vida no interior antes de poder ocupar o seu lugar na mixórdia de eventos que o mundo externo parece apresentar.

Para o extrovertido, as coisas acontecem exatamente ao contrário. Para ele, a excitação dos acontecimentos externos é, a um tempo, atraente e significativa. É das imagens caóticas do mundo interior que não ousa aproximar-se diretamente. Estende a mão, de pronto, para o objeto externo e, através das suas experiências com estímulos exteriores, liga-se ao seu ser interno. Em resumo: Pode-se dizer que o introvertido aprende *a fazer sendo* e o extrovertido aprende *a ser fazendo*.

Obviamente (e felizmente) não existe na natureza nenhum exemplo "puro" do tipo extrovertido nem do tipo introvertido. Uma pessoa inteiramente introvertida estaria plantada no cubo, imóvel como um vegetal. Uma pessoa inteiramente extrovertida viveria só no aro externo, onde suas energias se desenrolariam em todas as direções, como as centelhas de um pinhão de espigas, deixando apenas uma casca queimada e vazia.

Os tipos de atitude não são uma classificação rígida; indicam tão-somente a tendência inata, mais pronunciada em algumas pessoas do que em outras. À proporção que aumenta o autoconhecimento, modifica-se a inclinação natural. Compreendido e aceito, o nosso tipo de atitude pode tornar-se uma fonte de força em lugar de uma limitação. Idealmente, uma pessoa madura desenvolve todas as facetas da sua personalidade de modo que é difícil determinar, pelo seu comportamento externo, o seu tipo natural. Por exemplo: a mulher encantadora, tão à vontade na plataforma ao dirigir-se a milhares de pessoas, pode ser uma introvertida, ao passo que o homem sossegado, de aspecto intelectual, sentado ao seu lado na platéia, pode ser um extrovertido. Em outras palavras, o fator determinante não é o modo com que a pessoa se comporta abertamente, senão o modo com que chega lá. Olhando para a conferencista introvertida e para o ouvinte extrovertido como figuras numa roda imaginária, podemos dizer que cada qual se moveu um pouquinho na direção do outro de sorte que eles, agora, fruem de um mundo comum. Cada qual fala a língua do outro e partilha do seu meio sem perder contato com a própria base.

No livro *The Tarot for Today*, Mayananda usa o centro e a circunferência da Roda do Tarô para ilustrar algumas diferenças entre as filosofias oriental e ocidental.[3] A cultura oriental, diz ele, está perto do centro da Roda; é um mundo de princípios arquetípicos que se modifica devagar. E localiza a cultura ocidental perto da periferia da Roda, onde as idéias arquetípicas se prolongam até a realidade objetiva. O ocidental extrovertido está mais preso a objetos e experiências terrenas. O seu é um mundo de movimento, liberdade, diversificação e especialização. O oriental começa perto do centro da Roda e trabalha de dentro para fora; o ocidental começa perto da circunferência e trabalha de fora para dentro.

O fato de vermos os temperamentos e as culturas orientais e ocidentais dessa maneira pode ajudar-nos a perceber a intenção de Jung quando disse que as técnicas de meditação orientais, adotadas indiscriminadamente, são inadequadas às necessidades ocidentais. Não podemos viver criativamente empregando um estilo que não é o nosso. Ao contrário do que pode supor a mente pensante, não é adotando os modos do seu

3. Mayananda, *The Tarot for Today*, Londres, The Zeus Press, 1963, pág. 16.

número oposto que cada tipo pode relacionar-se com ele. Antes, é "fazendo sua própria coisa", *porém mais conscientemente*, que cada qual voltará a si e encontrará afinal o seu jeito de estabelecer contato com o mundo do outro e falar a sua língua. Só então poderão os dois cooperar e partilhar dos dois mundos harmoniosamente.

Para esses opostos, assim como para todos os mais, a Roda representa um portador ideal de projeção porque sua função é totalmente amoral. À diferença da balança que a Justiça empunha, a forma circular da Roda não pode ser usada para pesar e medir valores relativos. Por não ser ela um sistema linear, seu aro tornou-se um símbolo *par excellence* de igualdade e relação mútua. Nenhuma posição nele é preferível a qualquer outra.

De uma feita ouvi uma mulher negra expressar essa idéia numa sentença vigorosa: "Uma boa coisa a respeito de um carrossel [disse ela] é que nele não há lugar para um carro de negros!" Por essa razão o aro de uma roda que gira é amiúde utilizada como dispositivo sobre o qual se pode arrumar uma série de conceitos iguais e relacionados, a fim de demonstrar-lhes a igualdade e a maneira sutil com que cada qual comparte da qualidade dos que estão de cada lado dele e contrasta com o seu oposto diametral no aro da roda. O espectro das cores, os quatro elementos e suas propriedades, as estações do ano e os signos do zodíaco são, às vezes, arrumados dessa maneira numa roda móvel.

No *I Ching*, antigo livro oracular de origem chinesa, os sessenta e quatro hexagramas que enunciam o significado de qualquer momento dado são desenhados no aro de uma roda em combinação com as estações do ano. Esse arranjo, e o fato de que a obra se chama *O Livro das Mutações*, ressalta a idéia de que o clima de cada momento, como o das estações, pertence ao seu tempo e é igualmente certo e necessário. Para a mente oriental, não sujeita ao pensamento linear, não existem "maus" hexagramas – nem, a propósito, "bons". Cada qual pertence à sua estação. Por exemplo, nem um hexagrama como o chamado "Estagnação" pode ser considerado negativo no sentido pejorativo, pois as águas estagnadas já fervilham de vida nova. Sem períodos assim de gestação, nada de novo evolui. Como mostra uma roda girante, cada ponto da circunferência já contém o germe do seu oposto.

A meditação sobre a Roda dramatiza a idéia de que os momentos de nossas vidas não são acontecimentos que, de repente, jorram do nada numa data predeterminada do calendário. Em vez disso, são parte de um processo em permanente mutação, no qual o passado se funde no presente e o presente, por seu turno, se inclina para o futuro. O fato de nos ligarmos com a Roda em um dado momento de nossas vidas pode ajudar-nos a aceitar os paradoxos daquele momento. Podemos visualizar o presente fixo num determinado ponto da Roda da Fortuna e observar que esse instante no tempo já se move para outra fase da experiência à medida que a Roda gira. Parece que quanto mais pudermos olhar firme para o momento presente e aceitá-lo como o que Jung não raro denominava uma "história assim mesmo", mais capazes seremos de observar a Roda como um todo e antecipar o movimento do seu giro.

As cartas do Tarô, o *I Ching* e a astrologia, não têm, é claro, poderes mágicos para assegurar a predição de eventos futuros específicos; mas estes e outros artifícios semelhantes podem ajudar-nos a centralizar nossa percepção de maneira tão profunda no presente que nos movemos mais facilmente com a Roda da Fortuna. É certo que não nos é dado livrar-nos dela, mas com essa espécie de introvisão podemos, porventura, evitar as ciladas mais óbvias causadas pela nossa própria cegueira. E aprendendo a antecipar o ritmo da Roda, poderemos deixar de ser repetidamente sacudidos por solavancos inesperados.

Outra característica importante da forma circular da roda é que o centro eqüidista de todos os pontos da circunferência. A famosa Távola Redonda do Rei Artur era circular. O fato de se sentarem a uma mesa redonda, sem cabeceira nem ponta, não somente põe em destaque o *status* igual de quantos ali se acham reunidos, mas também focaliza a atenção de todos num ponto central. Isso dramatiza a idéia de que todos têm um propósito comum, que permanece central, por mais divergentes que sejam os muitos pontos de vista individuais representados. Quando a atenção é assim focalizada, pode às vezes acontecer que soluções de problemas ou imagens orientadoras surjam espontaneamente, trazendo nova unidade e inspiração para o grupo. Essa idéia é belamente ilustrada numa velha estampa que mostra o Rei Artur e seus cavaleiros sentados à volta da Távola Redonda, em cujo centro o Gral de repente brilha qual visão luminosa.[4]

Significativamente, a Roda da Fortuna do Tarô não pinta um círculo vazio. Essa vacuidade, como o zero oco do Louco, pertence a um período anterior de desenvolvimento, correspondente ao mundo não-diferenciado antes da sua divisão nos opostos – o mundo do Bufão dançarino. A Roda não está vazia. Os seis raios dividem-na num modelo funcional que a robustece, ligando-lhe o aro externo rodopiante com o centro estável. Assim dividida, ela se parece com uma roda do sol, o antigo símbolo da força divina da vida. De certo não é por acaso que os seis raios dessa Roda formam o "I" sobreposto ao "X", que é o monograma grego de Jesus Cristo.

A própria roda engloba a doutrina central de todas as religiões de mistério, segundo a qual aquele homem do céu, o Filho divino, desce à Terra e para tornar-se escravo da roda da sua natureza de carne. É a liberdade dessa Roda da Vida que ele precisa conquistar a fim de subir mais uma vez ao céu, onde recupera a harmonia com Deus. As cartas que consideramos até agora podem ser vistas representando o primeiro passo nesse processo: *involução e geração*. Na fórmula clássica isso era expresso como a descida do espírito na matéria. Em termos psicológicos: o ego nasce, cria forças, começa a livrar-se da dependência de seus arquétipos paternos e estabelece-se no mundo.

Agora, depois do giro da Roda, os Trunfos remanescentes retratarão as fases seguintes: *evolução e regeneração*. Na fórmula clássica isso era descrito como o desemaranhar-se o espírito da matéria e a sua ascensão final a uma nova e celeste unidade. Em termos psicológicos, os Trunfos remanescentes representam o segundo estádio da vida, onde as energias do ego, conquistado o mundo exterior, voltam-se para dentro, para o desenvolvimento espiritual. Nesse ponto, "no meio do caminho da vida", nós, como Dante, entramos num terreno inexplorado e amiúde escuro, onde novos monstros precisam ser enfrentados e nova iluminação encontrada.

A vida do homem, não raro, se prolonga muito além da sua utilidade biológica, e Jung tomou esse fato como sinal de que a vida humana tem um sentido e serve a um propósito que transcende a mera natureza animal. À medida que crescem os conhecimentos médicos, parece que em nossos anos maduros se oferece a oportunidade de

4. C. G. Jung, *Psychology and Alchemy*, C. W. Vol. 12, Fig. 88.

uma vida inteiramente nova – uma vida negada aos nossos avós. É comum, hoje, encontrar almas audazes já na casa dos sessenta embarcando no que só poderíamos denominar uma "terceira metade da vida" – um novo giro da Roda clareada por novos desafios e interesses muito diferentes dos dos anos da meia-idade.

Inversamente, e isso é verdade sobretudo hoje, encontramos muitas pessoas na casa dos vinte para as quais a Roda já deu uma volta. Visto que a natureza de toda roda é o movimento, não podemos prender o significado desta carta a um momento fixo do tempo cronológico. A Roda do Tarô representa um ponto decisivo que pode ocorrer em qualquer idade – e girará para todos nós muitas vezes.

Às vezes, temos a impressão de que a nossa roda pessoal está presa num sulco – que as "mesmas" experiências nos acontecem reiteradamente; ou, às vezes, podemos ver-nos aparentemente encalhados num sonho ou pesadelo recorrente. Toda a vez que ocorrem essas coisas, podemos estar seguros de que não foi a Roda da Fortuna que encalhou, mas nós mesmos. Como reza o adágio: "Quem se esquece da história está condenado a repeti-la." Toda a vez que tivermos a impressão de que a história se repete, podemos perguntar a nós mesmos: O que foi que esquecemos? Que qualidades específicas de nossa vida podemos enxergar num contexto histórico mais amplo? Em seguida, penetrando o sentido simbólico do sonho ou acontecimento recorrente, podemos destravar-lhe o significado mais dilatado, de modo que nossas vidas se soltem e nossas energias voltem a caminhar para a frente.

Para usar outra metáfora, um sonho ou acontecimento recorrente é como o tilintar incessante do telefone. Quando, finalmente, apanhamos o fone, o soar da campainha cessa e podemos ouvir a mensagem. Toda a vez que formos capazes de voltar-nos para o inconsciente e ouvir-lhe a mensagem, o movimento repetitivo da roda da vida parecerá abrir-se numa espiral cada vez mais ampla. Todos nós, provavelmente, experimentamos os vários estádios pelos quais chegamos a apreender-lhe o movimento espiral. Eis aqui o modo com que Jung os descreve:

> O caminho para a meta parece caótico e interminável a princípio, e só gradativamente aumentam os sinais de que ele está levando a algum lugar. O caminho não é reto e parece desenrolar-se em círculos. Um conhecimento mais preciso provou que ele se estende em espirais: os motivos do sonho voltam sempre, depois de certos intervalos, para formas definidas, cuja característica é definir um centro.[5]

Podemos imaginar a Roda do Tarô movendo-se através do espaço-tempo de tal maneira que toda a vez que nos vemos voltando "ao mesmo lugar" podemos ver que estamos, não obstante, numa elevação e num ângulo diferentes em relação à posição anterior – que ainda giramos em torno de um ponto central. Seja como for que a encaremos, a roda girante tem sido, em muitas culturas, um símbolo da jornada interior rumo à consciência. Os alquimistas referiam-se freqüentemente à obra como *circulare* ou *rota*, "a roda". Um manuscrito do século XVII descreve o processo como uma roda de oito raios em que Mercúrio faz girar a manivela.

5. *Ibid.*, § 34.

Na filosofia oriental, a mandala (diagrama geométrico circular) tem sido usada há milhares de anos como auxiliar da meditação. – Desde que Jung a introduziu na psicologia moderna, a palavra "mandala", termo hindu que significa "círculo", tem aparecido com freqüência cada vez maior em nossa linguagem ocidental. Como Jung descobriu, desenhos de mandala surgem espontaneamente em nossos sonhos em épocas de estresse, quando se faz necessária uma compensação para uma situação de vida cheia de conflitos. Com efeito, todas as mandalas apareceram originalmente como tentativas espontâneas da parte do inconsciente de criar a ordem.

A Roda do Tarô com o seu modelo de seis raios é uma mandala nessas condições. Contemplando-lhe a ordem, talvez possamos encontrar respostas para algumas perguntas formuladas no início deste capítulo e resolver alguns dos nossos sentimentos conflitantes a respeito da confrontação do destino com o livre-arbítrio. Podemos ver-nos inevitavelmente apanhados pela Roda, sujeitos à natureza cíclica de toda a vida, às nossas estações de circunstâncias externas e desenvolvimento interior. Podemos reconhecer que nascemos com limitações definidas de hereditariedade e meio ambiente – que certamente não temos o controle de nossos destinos. Mas também não somos moscas emaranhadas na teia fiada pelo Destino. No interior dos limites da Roda há uma grande latitude para o movimento.

O extrovertido, nascido perto do aro externo da Roda, aprende a mover-se um pouco na direção do cubo. O introvertido, nascido perto do centro da Roda, aprende a mover-se na direção da sua periferia. Mas visto que o extrovertido e o introvertido experimentam o movimento da Roda da Fortuna de maneira diferente, as técnicas para se movimentarem no interior dos seus limites podem ser diversas para cada um deles.

O extrovertido amiúde passa tão depressa de uma atividade para outra que experimenta a vida como uma série desconexa de altos e baixos, e a si próprio como um conglomerado de personalidades discretas. Os acontecimentos emocionantes de sua vida passam por ele em tão rápida sucessão que lhe sobra pouco tempo para pensar nos seus atos e observar o padrão do seu destino. Acomoda-se tão prontamente a estímulos externos, estendendo a mão tão instintivamente para apanhar o chapéu condizente com cada ocasião, que lhe é fácil apartar-se de sua identidade básica.

O extrovertido desempenha os papéis de pai, filho, adolescente, diácono, cidadão sóbrio e revolucionário com tanta facilidade que, muitas vezes, nem sequer dá tento de nenhum conflito essencial nos sentimentos e idéias expressos nos vários papéis. Quando sobrenadam conflitos momentâneos, tende a dispensá-los por insignificantes, mergulhando imediatamente na próxima aventura emocionante. Só quando a Roda da Fortuna o sacode com um repentino e desagradável solavanco é que ele se vê forçado a deter-se e a examinar seu próprio papel no destino, seja este qual for, que lhe sobreveio. Em seguida, colocando-se diante da esfinge, desfecha-lhe uma pergunta: *Quem sou eu para que isto me tenha acontecido?*

Mas a esfinge é uma criatura astuta, mais inclinada a fazer perguntas do que a responder a elas. Nem ela, nem os movimentos da sua Roda são acessíveis à lógica. Somente através da imaginação criativa pode alguém desvendar-lhe os segredos. Há várias técnicas de abordagem da esfinge que, às vezes, se revelam recompensadoras. Umas poucas são esboçadas aqui, para o caso de querer o leitor experimentá-las na próxima vez em que se sentir embaído pelas suas maquinações.

Descubra um lugar sossegado onde tenha a certeza de não ser perturbado. A seguir, tente destacar-se do conflito ou problema em que se acha atualmente envolvido.

Feche os olhos e deixe que toda a cena se desenrole na sua tela interior, como se estivesse acontecendo a outra pessoa. Visualize as personalidades envolvidas no problema atual e observe-as interagirem como se você estivesse assistindo a uma peça na tela do televisor. Ligue o seu registro de som interno para ouvir o diálogo – recapturando as palavras, os gestos e a inflexão, exatamente como aconteceram na realidade. Em seguida, deixe a imaginação divagar exatamente como o faria se estivesse, de fato, assistindo a uma peça ou a um filme. Qual é o enredo? Que espécie de pessoa é o herói ou a heroína? E o vilão? Como poderia resolver-se o conflito? Capture todas as "borboletas" de sentimentos que se agitam dentro de você. Lembra-se de ter-se sentido assim em outras ocasiões? Vislumbra alguma similaridade entre os enredos e os personagens de conflitos anteriores em sua vida e os de hoje? A situação presente recorda-lhe uma situação semelhante em romances, dramas, contos de fada ou mitos? Alguns dos seus personagens trazem-lhe à mente famosos personagens da ficção ou da realidade? (Hércules? Hamlet? Napoleão? A gata borralheira? Scarlett O'Hara? Joana d'Arc?) Se nenhuma dessas técnicas fizer soar uma campainha, tente espalhar diante de si os Trunfos do Tarô e usá-los como trampolins para a reflexão. Que carta poderia representá-lo na presente situação? Quais são as que representam outros personagens? Haverá uma personalidade do Tarô que lhe poderia ser útil agora? A ser assim, como imagina que esse personagem se comportaria na situação?

Ponha-o no palco e observe o que ele diz e faz. Se o personagem se recusar a falar, tente escrever, você mesmo, o diálogo. Escreva literalmente um argumento para o desfecho do drama, completo, com cenário, caracterização e diálogo. Não se preocupe com detalhes e não censure idéia alguma, por mais estapafúrdia que pareça, que lhe acudir à mente. A esfinge tem estranhas maneiras de responder às nossas perguntas e, de ordinário, suas respostas são escritas nas entrelinhas com tinta invisível. Por isso não se surpreenda se nada acontecer imediatamente. Mas tampouco se surpreenda se, um ou dois dias depois, uma nova idéia aparecer de repente, escrita em negrito, bem clara, onde antes só existia um espaço em branco.

Para o extrovertido comum, que talvez não tenha acesso fácil ao mundo interior, estas técnicas e outras semelhantes podem, às vezes, estabelecer uma ponte conveniente para o inconsciente. Trabalhando de forma imaginativa com eventos externos, o extrovertido pode ligá-los ao padrão interior de que esses eventos são um reflexo. Pode começar a descobrir as qualidades e tendências em si mesmo que tenham provocado a crise atual e, ao mesmo tempo, encontrar, em sua própria psique, a sabedoria, a imaginação e a força para ajudarem a resolver os seus problemas. O descobrimento dos personagens vilanescos emboscados lá dentro pode dar-lhe alguma empatia pelos "homens maus" do seu drama exterior; o descobrimento dos próprios heróis e salvadores interiores dar-lhe-á a coragem e a introvisão necessárias para enfrentar esses sujeitos em todas as frentes.

Encarando a vida dessa maneira, o extrovertido move-se um pouco rumo ao centro da Roda. Ao fazê-lo, perceberá que o ritmo da sua vida lhe parece menos vertiginoso e caótico. Suas miríades de interesses e atividades são agora ligadas ao cubo central, o que lhes dá uma forma e uma estabilidade mais sólidas.

É claro que as técnicas acima descritas também são úteis aos introvertidos. Mas o introvertido costuma experimentar seus problemas de maneira diferente, de modo que as perguntas que poderá fazer à esfinge não são iguais às feitas pelo extrovertido.

Falando de um modo geral, o introvertido, a menos de ter sido forçado a uma extroversão espúria por influências culturais, tende a ter um contato muito bom com o desenho do seu ser interior. Visto que nasceu mais perto do centro da Roda, o ritmo de sua vida é, de hábito, mais lento e ponderado que o do extrovertido. Raro se mete em atividades e relacionamentos imprudentes e, todas as vezes que se aventura a alguma coisa, tende menos a deixar para trás parte de si mesmo.

Mas embora o introvertido costume manter contato com os sentimentos interiores, muitas vezes encontra dificuldades para comunicá-los aos outros. Em resultado disso, o introvertido que vive numa cultura extrovertida muitas vezes se sente e, na verdade, *é* mal compreendido. Do ponto de vista do extrovertido, o passo mais lento e os longos silêncios do introvertido podem parecer grosseiros, hostis, reticentes ou até dissimulados. Os gestos tímidos de amizade do introvertido (não enfeitados pelas costumeiras amenidades sociais) parecem bruscos e inadequados. Quando o extrovertido, perplexo e desconfiado, se afasta, o introvertido se sente rejeitado. Magoado, frustrado, confuso e geralmente infeliz, esconde-se então ainda mais na sua concha para lamber as feridas, reforçando a impressão original do extrovertido de que ele era "fechado" e "difícil".

Quando tais coisas acontecem, a pergunta do introvertido para a esfinge não é *Quem sou eu?* (isso ele sabe, mais ou menos). O que o introvertido deseja saber é *Quem são eles?* Precisa da ajuda da esfinge para decifrar os monstros inexplicáveis e os acontecimentos quixotescos que encontra "lá". Uma pessoa introvertida, sensível, habitualmente acha as incompreensões entre ela e os outros demasiado ameaçadoras para uma abordagem direta, e não suporta uma nova representação desses dramas em sua tela interior, como pode fazer o extrovertido. Porque a realidade externa o assoberba, não a vê objetivamente. Mas pode ter contato com os sonhos. Nesse caso, tenta captar alguns no papel e ruminá-los imaginativamente, usando com os sonhos as mesmas técnicas acima sugeridas para a abordagem de um drama da vida real.

Pois o sonho, com efeito, é um drama. Os sonhos seguem, amiúde, a estrutura temática idêntica usada pelos dramaturgos, desde Ésquilo até os dias de hoje: introdução, exposição do conflito, crise e resolução. No sonho, como na peça, a seqüência temporal dos fatos é importante. Por essa razão, ao abordar um sonho, é uma boa idéia começar pelo começo com a primeira sentença – lê-la com cuidado, visualizando o que quer que ali seja apresentado – e, em seguida, prosseguir através do sonho, sentença por sentença, detendo-se para refletir em cada uma com cuidado antes de passar para a seguinte.

A sentença inicial do sonho, como a primeira cena da peça, geralmente movimenta o palco e estabelece a atmosfera do que quer que deva seguir-se. Assim que se ergue a cortina, o sonhador é "descoberto" – onde? (Numa floresta escura? Numa festa? Num trem? Num enterro? Escalando uma montanha? etc.) Qual é a atmosfera da cena inicial? (Terror? Alegria? Tristeza? Frustração? Tédio? Confusão? etc.) Logo depois são apresentados outros personagens, que podem ser pessoas, gigantes, animais, fadas, répteis, insetos, pássaros, ou seja lá o que for. Se os seres humanos do elenco são pessoas com as quais o sonhador está envolvido, o sonho fala diretamente à situação manifesta. Se os personagens são pessoas desconhecidas, figuras de ficção ou históricas, ou ainda pessoas de um passado distante do sonhador, é mais provável que simbolizem atitudes interiores ou padrões arquetípicos inconscientes, que operam na situação presente.

É importante lembrar que, num sonho, objetos inanimados representam amiúde um papel vital no drama e devem ser incluídos no rol dos personagens. Às vezes, tais objetos chegam a representar papéis principais no conflito. Por exemplo: um carro que não quer pegar, freios que não funcionam, ou um avião que chega magicamente para salvar o sonhador no momento em que ele está sendo arrastado para o abismo, etc.

Depois que o cenário do sonho tiver sido descrito e os personagens apresentados, expõe-se o conflito ou o problema. A tensão entre as forças opostas avoluma-se e chega a um pico ou a uma crise. No fim do sonho, como no fim da peça, a cena final retrata um desenlace em que o conflito é usualmente (mas nem sempre) resolvido.

Às vezes a ação do sonho é tão vaga, tão confusa e tão incoerente que se torna difícil determinar-lhe o enredo. Nesse caso, vale a pena formular estas duas perguntas: *Qual foi o problema suscitado pelo sonho?* e *Como foi resolvido o problema?* Considere os eventos do sonho ao pé da letra, como se estivessem acontecendo na vida real. Qual é, especificamente, o problema apresentado? (Fazer pegar o carro? Brecá-lo? Apanhar um trem? Escapar de um animal feroz? Ficar exposto pelado em praça pública? etc.) Como foi o problema resolvido no sonho? (Conseguiu, finalmente, dar partida no carro? Apanhou o trem? Escapou do bicho? Encontrou as roupas? etc.) Chegou à solução, fosse ela qual fosse, por seus próprios esforços, ou precisou de auxílio exterior? A ser assim, quem ou o que o auxiliou?

O fato de responder a essas perguntas num nível literal muitas vezes oferecerá imediatas conexões com o significado simbólico delas em sua vida. (O seu "arranque automático" enguiçou? Ou você tem a impressão de estar adernando morro abaixo sem freios? Está fugindo de alguma coisa "bestial"? A situação atual de sua vida o faz sentir-se como se estivesse "nu"? etc.) A observação do modo com que o sonhador se meteu nos apuros em que se debate tem implicações valiosas na vida exterior, e a observação do modo com que se resolveram os conflitos fornece pistas importantes para a solução de outros problemas.

Alguns sonhos, no entanto, têm desfechos emocionantemente incertos. Terminam, de repente, no momento do clímax, sem nenhuma indicação de um possível final. Em se tratando de sonhos assim, uma técnica útil consiste em nós mesmos escrevermos o ato final. Pode ser que nos ocorram várias soluções possíveis para o sonho. Nesse caso, registre-as todas. Qual delas você prefere? Qual é a que oferece a melhor solução possível para o seu atual problema da realidade?

Tente desenhar ou pintar os personagens do seu sonho. Eles acaso lhe recordam pessoas que você conhece ou conheceu? Figuras de ficção ou históricas? Esse sonho fá-lo lembrar-se de sonhos semelhantes, que você teve em outras ocasiões? Se você registra os sonhos e também mantém um diário dos eventos cotidianos, é aconselhável voltar para trás e descobrir sonhos com tramas semelhantes e observar o que estava acontecendo em sua vida exterior na época em que esses sonhos apareceram. Como foi o enredo (interior ou exterior) resolvido nessas ocasiões passadas? O fato de fazer isso talvez lhe ofereça algumas sugestões para uma solução do seu problema atual. Ou você espalha à sua frente os Trunfos do Tarô e procura conexões possíveis entre eles e os personagens que surgem nos sonhos.

Empregando estas e quaisquer outras técnicas que lhe acodem à mente, o introvertido talvez possa começar a encontrar um padrão recorrente nos acontecimentos externos misteriosos e ligá-lo ao papel que desempenha no desenho deles. Ligando-o primeiro à estrutura do mundo familiar do sonho e aplicando tais introvisões ao mundo externo, menos familiar, o introvertido torna o mundo e seus habitantes mais compreensíveis e menos ameaçadores. O encontro de soluções para os seus sonhos interiores pode dar-lhe a energia e a confiança necessárias para desempenhar um papel mais ativo na solução de problemas externos.

O fato de brincar imaginativamente com os fatos do mundo interior cria uma ponte para o mundo exterior, de tal modo que os sentimentos, as idéias e a essência íntima chegam intactos aos outros e são recebidos de maneira mais parecida com a que ele pretendia que o fossem. Ao lançar com êxito uma ponte para o mundo externo, o introvertido se vê ardendo por afastar-se do cubo da Roda e mover-se gradativamente para fora, no sentido do aro, onde a vista mais ampla lhe mostrará novas paisagens, e o movimento divertido lhe despertará o sangue para uma nova ação.

Visto que nenhum de nós é totalmente introvertido nem inteiramente extrovertido, as idéias aqui sugeridas para a pessoa introvertida podem revelar-se úteis também para a extrovertida e vice-versa. O fato, naturalmente, é que todos nós temos interesse tanto no mundo interno quanto no externo. Todos precisamos ligar os dois mundos dentro de nós mesmos e, ao fazê-lo, ligar-nos uns aos outros. O introvertido e o extrovertido precisam caminhar à distância de um grito um do outro, de modo que possam comunicar-se e trabalhar em harmonia. No entanto, é importante que cada qual mantenha a própria identidade a fim de poderem trabalhar juntos de modo compensatório, visando à totalidade.

À diferença dos dois animais que vemos na Roda da Fortuna, nós, humanos, temos o dom da consciência e da imaginação criativa. Conquanto as nossas vidas também estejam ligadas a uma roda de circunstâncias sobre as quais não temos o menor controle, não estamos amarrados a nenhum ponto da sua superfície. Dentro dos limites da nossa roda há mais oportunidades de movimento livre do que podemos imaginar. *Imaginar* é a palavra-chave. Enquanto deixarmos em liberdade a imaginação, encontraremos maneiras de mover-nos de um lado para outro. Mas quando nos aproximamos da esfinge com o intelecto do nosso ego, podemos ficar presos em reflexões circulares ou em giros intermináveis de divagações filosóficas e psicológicas.

Descobri que um jeito de manter a imaginação livre é evitar fazer à esfinge perguntas que comecem com "Por que". (*Por que* isso me aconteceu? *Por que* eu [eles] me comportei assim? *Por que* sou tão estúpido, inepto, mal compreendido, ou seja lá o que for?) Descobri que, pelo menos para mim, as perguntas que começam por "Por que" acabam sempre em recriminações ou acusações, sepultando minhas energias criativas debaixo de toneladas de "convém" e "é preciso" que me deixam paralisada por sentimentos de culpa e farisaísmo. E ao passo que antes eu talvez assumisse muito pouca responsabilidade pelo meu destino, agora começo a imaginar que o peso do mundo inteiro descansa nas minhas costas. Ou sou "a parte culpada" – inteiramente responsável por tudo o que aconteceu – uma criatura que não merece misturar-se à espécie humana; ou "eles" são os culpados, e é meu dever castigá-los, recolocando-lhes os pés, mais uma vez, no caminho da retidão. De um ou de outro modo a criatividade se paralisa.

As perguntas que começam por "Por que" como as Harpias, sugam o sangue da vida. Aprender a dirigir-se à esfinge de modo que lhe evoque a ajuda é uma arte. Se as perguntas que lhe fizermos forem demasiado psicológicas e filosóficas, ela nos responderá com outras perguntas que nos farão dar saltos-mortais verbais, como focas treinadas. Se a nossa abordagem for demasiado literal e específica, suas respostas poderão mandar-nos de volta à realidade de maneira inadequada, se não desastrosa.

De acordo com o Zohar, em cada casa do horóscopo há uma porta pela qual o homem pode escapar. Como descobrimos em relação a todos os outros Trunfos do Tarô, a chave dessa porta é mais a compreensão simbólica do que a interpretação literal; antes o significado interior do que o meio exterior. Não fugimos ao destino tentando afastar-nos dele. Mas podemos modificá-lo tomando consciência de atitudes que podem atraí-lo, e modificando o nosso ponto de vista.

Mais uma vez, a história de Édipo é instrutiva aqui. Quando lhe profetizaram que mataria o pai e casaria com a mãe, ele tentou evitar esse fado alterando sua geografia externa, em vez de modificar sua paisagem interna. No intuito de evitar qualquer possibilidade de matar Pólibo, Rei de Corinto (que supunha ser seu pai), e de casar com a Rainha de Corinto (que cuidava fosse sua mãe), Édipo fugiu para Tebas. A caminho da cidade, encontrou um estranho, que matou numa briga pela precedência na passagem. Mais tarde, casou com a viúva do estranho apenas para ficar sabendo que o homem que matara era o Rei Laio, de Tebas, seu verdadeiro pai, e que a mulher que desposara era Jocasta, sua própria mãe.

Se Édipo tivesse considerado a profecia do oráculo simbolicamente em vez de considerá-la à letra, e se tivesse examinado o seu terreno interior em lugar de meter-se a mudar a sua geografia exterior, poderia ter evitado o fado profetizado, tanto no nível literal quanto no simbólico. Por exemplo, poderia ter tomado o vaticínio de "matar o pai" como advertência para controlar melhor suas ações impulsivas, temerárias, seu temperamento fogoso e assassino, e o jactancioso orgulho da mocidade, que exigia o direito de passagem em qualquer encontro e se voltava contra todos os valores estabelecidos. Poderia ter explorado sua tendência para "casar com a mãe" como símbolo da necessidade infantil de encontrar uma mãe superprotetora. Diante de tais horrendas premonições, um Édipo moderno poderia ter procurado um auxílio profissional qualquer, evitando assim, porventura, o assassínio e o incesto, não só simbólica mas também literalmente.

Como símbolo para a meditação contemplativa, a Roda da Fortuna sugere significados intermináveis. Em certos momentos em que nos sentimos confusos, jogados de um lado para outro pelos altos e baixos da vida, a meditação sobre o centro da Roda nos acalma, colocando-nos em contato com sua eterna estabilidade. Ou quando nos sentimos mortos e sem vida, a contemplação do movimento do aro externo da roda traz a revitalização, ajudando-nos a estabelecer contato com a ilimitada energia da vida.

Às vezes, temos a impressão de que a vida nos tapeou com as suas charadas disparatadas, metendo-nos todos a ridículo, e jogando-nos ao chão de forma irresponsável. Meditando sobre a Roda, descobrimos que ela não é a esfinge que nos enganou, mas o nosso próprio pensamento linear, que nos iludiu, fazendo-nos encarar a vida como hierarquia de consecuções que chegam cada vez mais alto até atingir, finalmente, a perfeição celeste. Somente aqueles cuja imagem da vida é uma jornada rumo à perfeição podem ser inteiramente arremessados pelo seu movimento cíclico.

O homem esteve na Lua e viu a Terra flutuando alto nos céus. Esse tipo de experiência, sem dúvida alguma, deveria livrá-lo para sempre de idéias de hierarquia em que *lá em cima* é o céu e é desejável, ao passo que *lá embaixo* é nada mais que um humilhante encarceramento na carne, condição que deve ser tolerada ou transcendida.

Se um astronauta chegar à Lua e levantar os olhos para o céu à procura de orientação, olhará para – nós! É o milagre deste século que os nossos eus humanos, corpo e alma, foram elevados a um *status* celeste, e nós religados ao Espírito Divino de um novo modo.

Quando os viajantes do espaço se desvencilharam da atração gravitacional e saltaram na direção o céu, trouxeram de volta assombrosas fotografias do nosso redondo planeta flutuando, silente, no espaço, que nos proporcionaram uma visão empolgante de nós mesmos e de nossa relação com o cosmo e nos ofereceram uma vasta percepção da condição humana, mais cataclísmica do que qualquer revolução copernicana. Olhando para essas fotografias, cada um de nós é também capaz de transcender a gravidade de minúsculas preocupações terrestres – de desembaraçar-se da ronda diária de problemas pessoais – e ver o seu destino individual como parte de uma constelação mais ampla, espalhada sobre o eterno afeiçoamento do céu.

Muitas dessas idéias são repetidas no simbolismo do número dez da Roda da Fortuna, o qual – como o número quatro do Imperador e o número sete do Carro – é um desses números mágicos que voltam ao unitário, anunciando uma nova época de percepção e integração. O modo com que se escreve o número dez também é significativo. Aqui o zero celestial (que aparece no número nove do Eremita como um papagaio com uma cauda que se estende na direção do solo) foi trazido de volta dos céus (o reino dos deuses arquetípicos) para a realidade da percepção humana, onde agora se encontra ao lado da unidade *um* (símbolo do homem, o animal erecto – o ser humano unicamente consciente). Isso pode pressagiar uma nova era e consciência em que, tendo cortado o cordão umbilical, por assim dizer, o homem se liberta para quedar-se de lado, encarando o cosmo de forma objetiva, nunca possível até então.

Com a revolução da Roda do Tarô e o impacto do seu número dez, o herói também experimenta uma revolução psíquica semelhante. Pela primeira vez o seu ego, desvencilhando-se da prisão circular de trivialidades sem fim, coloca-se de lado para observar o padrão de sua vida como um todo – para ver a mandala única do seu ser individual contrastando com o círculo do cosmo que se expande infinitamente.

Ele principia agora a descobrir, nos confusos acontecimentos caóticos de sua vida, um fio de sentido – uma linha de história ou um padrão dramático coerentes. Começa a experimentar o seu destino pessoal como uma espécie de mito e a ligar o mito individual com os dos deuses e heróis arquetípicos, cujas histórias estão imortalizadas para todos os tempos na lenda, e cujos nomes são enaltecidos para sempre na constelação do céu.

Agora o herói começa a compreender que sua vida também tem um lugar duradouro na grande tapeçaria do universo. A Roda da Fortuna não cessa de girar, desenrolando significados intermináveis. Enquanto lhe contempla o movimento, o herói principia a sentir que a vida, longe de ser um enigma da esfinge que precisa ser resolvido, é, na realidade, um processo cósmico de mistério e assombro.

Pela primeira vez na vida, o herói se queda humildemente tomado de um grande pasmo reverente, não só diante dos deuses mas também diante da própria humanidade – perplexo e mudo ante a glória dolorosa de ser humano.

Fig. 47 A Força (Baralho de Marselha)

14. A Força: De Quem?

Do comedor saiu comida,
e do forte saiu doçura.

Juízes 14:14

Seguimos as fortunas do herói quando estabeleceu a identidade o seu ego como o Enamorado, embarcou no Carro a fim de procurar o seu lugar no mundo dos homens, enfrentou os problemas morais colocados pela Justiça e voltou-se para o Eremita em busca de introvisão espiritual. A Roda da Fortuna assinalou o fim desse ciclo e introduziu uma nova fase de percepção. Com o seu girar o herói também experimentou uma revolução. A partir desse ponto, o seu interesse se dirigirá, cada vez mais, do mundo externo para o interno. As energias outrora empenhadas na adaptação exterior começarão agora a preocupar-se mais com o crescimento interior. Forças anteriormente envolvidas, sobretudo, na competição e na sobrevivência começarão agora a mover-se no sentido da unificação e desenvolvimento adicional. Problemas pertencentes ao lado do logos, ao lado masculino da vida, darão lugar às questões básicas da natureza instintual, que pertencem ao reino de Eros, o princípio feminino.

Essa mudança é dramatizada na carta número onze, A Força (Fig. 47). Aqui, pela primeira vez, uma mulher mortal aparece como figura central do drama. Não é uma deusa, pintada, imóvel, sobre um trono; é um ser humano, vestida à moda do tempo. Obviamente, porém, não se trata de uma mulher comum, pois está domando um leão. A forma do seu chapéu sugere a lemniscata do chapéu usado pelo Mago. Como o Mago, ela deve possuir poderes mágicos e, como ele, representa uma figura interior ativa no inconsciente do herói – figura mais prontamente acessível à consciência do que o seriam um deus ou uma deusa.

Podemos encarar essa mulher como a *anima*, personagem arquetípico que simboliza o lado feminino do inconsciente do herói. Na carta número um, o Mago iniciou a série do Tarô. Agora aqui, na carta número dez mais um, estamos prontos para um novo princípio e uma nova mágica – em que esta dama maga representará o papel iniciatório. Atuará como mediadora entre o ego do herói e as forças mais primitivas da sua psique.

Como influência cultural de mediação, a Força parece idealmente escolhida para o papel. Suas roupas e seu porte sugerem refinamento e educação. Embora traga na cabeça um chapéu semelhante ao do Mago, não usa nenhuma varinha. O seu poder reside nas mãos que, sem medo, agarram as mandíbulas do leão, indicando que a sua magia é mais humana, pessoal e direta do que a do seu equivalente masculino. Sua força não está num bastão que pode ser empunhado e jogado fora à vontade – ou talvez perdido de todo. O seu misterioso poder reside em seu próprio ser como parte íntima e permanente de si mesma.

O número onze, escrito à maneira romana como X mais 1, lembra o monograma grego de Cristo explicado pelos raios da Roda na carta número dez. Aqui o X precede o 1. Evidentemente, a nova magia pintada na carta número onze tem a força das primeiras dez cartas que a antecedem. Talvez, como no caso de *Sir* Galahad, a força dessa dama é "como a força de dez", porque seu coração é puro.

Com a ajuda dela, o herói também explorará as forças instintuais dentro de si. Aprenderá a sacrificar o poder do ego em prol de outra espécie de força. O seu ímpeto masculino será modificado por um enfoque mais feminino. Essa nova maneira de funcionar, longe de ser efeminada, é muito poderosa. A coragem e o valor da mulher retratada na Força são evidentes por si mesmos. A figura impávida da *anima* existe num setor profundo da psique do moço, relativamente desconhecido para ele. Ela não está sob o controle consciente do ego, de modo que vagueia, livre, nos sonhos e visões dele. Ela o colocará em contato com as escuras florestas do seu ser e com as criaturas selvagens que ali encontrará. Ela o ajudará a domar a sua natureza animal de modo que ele não mais fique inteiramente debaixo do seu poder.

No Louco vimos um feliz viandante saracoteando com o seu cãozinho pelas estradas da vida. O animal mordia os calcanhares do dono, como se estivesse querendo dizer-lhe alguma coisa. Talvez o herói do Tarô não tivesse dado atenção suficiente ao seu amistoso lado instintual, pois, na Força, a natureza animal é agora pintada como enorme leão – um animal selvagem tão ameaçador que o herói não consegue enfrentá-lo diretamente, e tão perigoso que não pode ignorá-lo.

Felizmente, a dama mágica é capaz de enfrentar o leão e dar-lhe a atenção que merece. Simbolicamente falando, isso poderia significar que a natureza humana do herói é agora capaz de fazer frente à sua natureza animal. Mas a consciência do ego não pode haver-se diretamente com as forças indomadas do inconsciente. Uma relação entre esses dois aspectos da psique só pode ser levada a cabo através da mediação da *anima*.

O papel do feminino como a influência mediadora entre a consciência humana e a psique primitiva é celebrado em um sem-número de contos de fadas, como "A Bela e a Fera", "O Príncipe Sapo", "Cupido e Psique" e "Una e o Leão". Nessas histórias, em que uma mulher, por amor, lhe aceita a natureza bestial, o animal não só é domesticado mas também transformado. Em "O Príncipe Sapo", por exemplo, foi porque a princesinha superou a repugnância inicial que lhe inspirava o sapo viscoso e o aceitou por companheiro constante, que a repulsiva criatura, afinal, liberada de um perverso encantamento, apresentou-se em sua verdadeira natureza como príncipe real. Em outras histórias, é através da compaixão de uma mulher pela sua natureza bestial que um monstro horrendo finalmente lança de si o disfarce, revelando-se um formoso apaixonado ou um deus.

Essas histórias dramatizam a verdade poética segundo a qual, quando a consciência humana reconhece e aceita sua natureza indômita e primitiva, não somente se liberta do poder autônomo do instinto mas também liberta e transforma igualmente o lado instintual. Uma transformação dessa natureza já se está verificando em nossa série do Tarô, como podemos ver pelo simples confronto entre a Força e a carta anterior, a Roda da Fortuna. Na Roda, as forças instintuais são pintadas como duas figuras patéticas, meio cômicas, desesperadamente enganadas e dominadas por uma esfinge subumana, que traz na cabeça uma coroa feita pelo homem. Agora, sob a influência benigna da dama mágica, o lado instintual aparece como um leão dourado, coroado, por sua própria dignidade natural, rei do seu reino. Na carta precedente, os animaizinhos imitam os humanos na expressão e no vestuário e, fazendo-o, renegam sua natureza inerente. Nesta carta, o leão se apresenta orgulhoso em sua pele animal, e expõe livremente sua verdadeira essência. Ao passo que na Roda da Fortuna o fator civilizante é pintado como "roupas de macaco", absurdamente inadequadas, aqui o fator domesticante é apresentado como uma figura digna, dotada de poderes mágicos.

Disse Jung que a primeira metade da vida é dedicada à natureza e a segunda à cultura. A mulher nessa gravura parece ser uma pessoa de cultura e refinamento. Pois conquanto o leão seja rei no jângal, precisa ser domesticado para poder fazer parte do círculo palaciano dela. O processo da domesticação requer uma conexão íntima entre a dama e o leão. À diferença do seu equivalente masculino, esta maga não está fazendo mágicas na encruzilhada a fim de demonstrar alguma coisa; o que quer que esteja acontecendo aqui parece ser um drama mais privado, o seu encontro pessoal com o leão. O número onze em arábicos, dois uns colocados lado a lado, repete o número um do Mago, sugerindo ao mesmo tempo a dualidade reflexiva do dois, o número sagrado da Papisa. Como se pode esperar, a magia dessa figura da *anima* é mais sutil e menos dramática que a do Mago. Ela não manipula objetos nem formas sobre a mesa; a sua é a magia da relação humana, a audácia do envolvimento pessoal, do contato físico direto. Com as mãos nuas explora as dimensões e necessidades do animal; ao mesmo tempo, comunica-lhe sua atmosfera, sua fé e expectativas. Se o leão estiver com fome, talvez a dama lhe dê comida, pois sabe que, se não der o animal a engolirá, e engolirá o corpo e a alma. Psicologicamente, isso significa que o lado do Eros do herói, sua capacidade de relacionar-se, seria obliterado. Ele, então, seria possuído de um desejo arquetípico de poder, orgulho, raiva primitiva, ou melhor, atributos semelhantes aos do leão.

Todos, sem dúvida alguma, já passaram pela experiência de ser "engolidos" por um afeto. Sabemos que emoções súbitas podem literalmente agarrar-nos – como o lado animal da nossa natureza pode saltar sobre nós, vindo de trás, para reclamar o que lhe é devido. Nessas ocasiões, a consciência do ego é posta de lado e os nossos corpos são presa de uma força incontrolável. Tiritamos de medo, trememos de raiva, coramos de vergonha ou rimo-nos histericamente, sentindo, ao mesmo tempo, que lágrimas repentinas nos molham o rosto. Quando essas coisas acontecem, o eu do nosso ego, inerme e humilhado, tenta fugir simbólica, se não literalmente. Desejamos deixar o incidente para trás.

Toda a vez que tentamos voltar as costas para essa parte "animal" de nós mesmos, ela se torna ainda mais voraz e exigente. Se lhe ignorarmos as exigências, poderemos ser visitados por uma doença psicossomática. As energias instintuais, persistentemente ignoradas, podem rebentar seus laços de forma destrutiva, resultando disso crimes passionais. Em outros casos extremos, a dissociação do lado animal produz episódios esquizofrênicos, em que a conexão do ego com o corpo se torna tão fragmentada que várias partes do corpo são personificadas, e cada qual parece falar e agir independentemente. Sermos empolgados, por mais brevemente que seja, pelo nosso lado instintual pode revelar-se uma experiência destrutiva. Quem quer que tenha ficado "fora de si" de raiva, "ralado" de inveja ou "possuído" pela luxúria, nunca mais poderá imaginar-se totalmente acima dos animais. Tais confrontações nos recordam rudemente que nós, humanos, somos, na melhor das hipóteses, animais que se desenvolveram de um modo especial.

Se não quisermos ser sacudidos pelo animal interior contra a nossa vontade, não podemos pô-lo atrás de nós. Mais cedo ou mais tarde teremos de prestar-lhe atenção, como a Dama Força está fazendo. Precisamos pôr as mãos no seu focinho escancarado e tornar-nos conhecidos íntimos dessa criatura, que, à semelhança do famoso *Tyger* de Blake, arde luminosa nas florestas da nossa noite. Precisamos atrever-nos a contemplar-lhe a "temerosa simetria". Mas o fato de experimentar o poder do animal não significa que temos de gritar nossas raivas e agressões, a plenos pulmões, tolerando nossa própria histeria em nome da terapêutica. Ao contrário, toda a vez que jogamos em outros os nossos afetos, jogamos fora alguma coisa que nos pertence: a experiência do animal *como nosso animal* – e perdemos contato com a sua força.

Como a dama maga nos mostra claramente por suas ações, precisamos agarrar nossos afetos furiosos e lutar com eles. Quanto mais pudermos, individualmente, conscientizar-nos da nossa natureza animal, tanto menos nos veremos compelidos a viver este lado em raivas pessoais ou guerras de massa. Mas tememos a fera indômita dentro de nós e evitamos defrontar-nos com esse aterrador aspecto de nós mesmos. "É o medo da psique inconsciente", diz Jung, "que não somente impede o autoconhecimento mas é também o mais grave obstáculo à compreensão e conhecimento da psicologia".[1]

A Força do Tarô não tem medo. Observando-a, talvez possamos ter alguma idéia da melhor maneira de abordar e domar o nosso leão interior. *Que é exatamente o que a dama está fazendo com as mãos?* Essa pergunta deixou perplexas gerações de comentadores do Tarô. Dizem alguns que ela está fechando a boca do leão. Dizem outros que ela a está abrindo. Talvez se tenha deixado a pintura propositadamente ambígua, pois é evidente que a dama deve executar cada ação em vários momentos, conforme as ocasiões. Há momentos em que o leão instintual precisa bocejar e esticar-se, ou emitir um alegre rugido; e outros há em que até os reis – especialmente os reis – precisam aprender a pacientar e a dominar-se.

Alguns dizem que quando as mãos da dama estão abrindo a boca do leão fazem-no a fim de ensinar-lhe a magia da fala humana. A ser assim, a fera também partilha com ela dos segredos sem palavras da natureza, visto que as duas figuras parecem envolvidas num diálogo harmonioso. Dir-se-iam unidas num estado de perfeita harmonia, pois o desenho e o colorido dessa velha carta põem em destaque o equilíbrio entre as duas figuras.

O título da carta, A Força, refere-se à dama ou ao leão? Quiçá a ambos, pois ambos são figuras poderosas. Na realidade, a sua força parece vir do mútuo envolvimento. Ainda que dê a impressão de dominar o leão, a dama também participa da sua essência. Observem como a energia dourada da sua força selvagem parece subir, fluindo, pelos braços dela, iluminar-lhe o colo e, depois, saltar-lhe para a cabeça, onde repousa como uma coroa de ouro no centro da lemniscata do chapéu. Muito apropriadamente, o motivo dessa coroazinha lembra os dentes de um animal.

1. C. G. Jung, *Civilization in Transition*, C. W. Vol. 10, § 530.

A maneira de uma mulher se relacionar com a fera é muito diferente da abordagem masculina, como se evidencia pelo cotejo entre *Sansão e o Leão* (Fig. 48) e a Força. Sansão enfrenta a fera diretamente, frente a frente, de modo agressivo, masculino; a mulher, no Tarô, aproxima-se do leão delicada e calmamente, indiretamente, pelo lado oculto e inconsciente do leão. Observem como os pés de Sansão estão bem firmados. Ele não pode dar-se ao luxo de ceder uma polegada sequer. Precisa resistir ao ataque de raiva bestial ou será devorado. Em contraste, o leão parece estar apoiado na dama do Tarô. Seu pé e seu vestido roçagante sugerem movimento, a possibilidade de um ajustamento toma-lá-dá-cá a qualquer situação que surja. É interessante notar que as mãos de Sansão e as da dama estão similarmente colocadas nas mandíbulas do leão, mas as mãos dele parecem desafiar a fera, ao passo que as dela parecem afagá-la.

"A cólera do Leão é a Sabedoria de Deus", disse Blake. O leão de Sansão também era "do Senhor". O herói extraiu da carcaça da fera um enxame de abelhas e rico mel, simbólicos de enriquecimento instintual e de doce nutrimento espiritual. Sempre que enfrentamos com êxito o nosso leão interior, nos sentimos alimentados e revivificados pela experiência. O contato com nossos afetos nos sacode "para fora das nossas mentes" e nos leva de novo às nossas entranhas, rompendo os laços da limitação do ego. Injeta sangue novo em nossas veias. Como já vimos, a áurea substância do leão parece fluir pelos braços da mulher e tornar-se parte dela. Domado pela magia da mulher, a fera oferece livremente o seu mel. Aquela não precisa matá-la para obter-lhe os presentes.

Após um encontro bem-sucedido com uma fera assim, o herói masculino costuma emergir usando um símbolo permanente, como os dentes, a pele ou os pêlos do animal, a fim de simbolizar o fato de estar agora imbuído a força e da astúcia do adversário. Como Hércules, que vestiu a pele do leão de Neméia, um toureiro vitorioso sai hoje da arena, orgulhosamente, com as orelhas ou a cauda do touro. Talvez a dama do Tarô também busque um sinal permanente do poder do seu protagonista. Talvez esteja examinando a boca do animal à procura de outro dente do siso para acrescentar aos que já figuram na sua coroa.

Dizia-se que o leão do Rei Salomão segurava nos dentes a chave da sabedoria, e os leões são geralmente associados à sabedoria. Com a juba queimada do Sol, Leo simboliza, não raro, o próprio Sol e a iluminação da divindade. Os hindus colocam o leão acima do homem na herarquia do ser, pois aquele é um símbolo da reencarnação. Uma velha fábula conta que os filhotes do leão nascem mortos e só revivem graças aos urros (ou à respiração) do pai. Visto nesses contextos, o leão pode englobar, entre outras coisas, o instinto religioso, anseio inato de reunião com a divindade, que Jung supunha ser uma tendência primitiva da psique humana, tão básica e natural quanto o sexo.

Os animais selvagens costumam simbolizar o autodesenvolvimento porque são fiéis à sua natureza instintiva, que é pura e não corrompida pela dissimulação, pela ambição e por outros aspectos negativos do chamado homem civilizado. Com sua coroa e sua barba douradas, o leão é um símbolo particularmente apropriado do poder energizante do sol central da psique, o eu.

Embora como rei das feras o leão do Tarô seja colocado acima de todos os outros animais, é um animal *natural*. À diferença da esfinge, existe, de fato, na natureza. Isso quer dizer, simbolicamente, que a Dama Força está lidando com uma força natural, que

Fig. 48 Sansão e o Leão
(Nicolau de Verdun, 1181, esmalte.
Museu Chorherrenstift, Klosterneuburg, Áustria.
Reproduzido com autorização.)

pode ser domada e integrada até certo ponto. Essa idéia é também ilustrada pelo fato de que o leão comparte de um solo comum com a dama e interage com ela, ao passo que a esfinge na carta número dez, entronizada acima da Roda, não participa da ação que se desenrola embaixo.

Em nosso Mapa da Jornada, situa-se o Imperador diretamente acima da Força. Ambos retratam influências poderosas no desenvolvimento da consciência humana. O imperador representa a autoridade externa, o *tu deves* da civilização, ao mesmo tempo que o leão personifica a autoridade instintual, o *eu quero* do eu. Sem o sangue dourado do leão interior em nossas veias, seríamos bonecos de papelão, obedecendo estupidamente às ordens dos outros; sem a autoridade e a liderança do nosso Imperador interior, ainda estaríamos vivendo em cavernas. Entre esses dois extremos, a dama maga age como mediadora.

O reino do Imperador, a civilização, dá ênfase ao bem-estar da comunidade. A província da Força, a cultura, alimenta as necessidades do indivíduo. Um verniz de civilização pode ser sobreposto de fora, mas não se consegue a verdadeira cultura por meios externos. É um acontecimento interior, cultivado de novo no coração de cada ser humano. Como Jung reitera, uma mudança na consciência humana não se produz em massa; a psique humana individual é a única hospedeira e portadora da consciência.

Muitos de nós temos pouco acesso à camada amoral da psique, simbolizada pelo leão. Alguns, ainda aprisionados nos farás e não-farás de uma rigorosa educação religiosa, não se atrevem sequer a imaginar o de que seríamos capazes se se removessem essas restrições superpostas. Outros, não criados dentro de um credo ou dogma estrito, precipitam-se para amarrar-se a um código religioso ou filosófico, a fim de criar uma prisão para o terrificante e desconhecido leão interior.

A força de Leo é ambivalente: tanto pode ser dadora de vida quanto destrutiva. O seu orgulho arrogante e o seu anelo de poder são lendários. Um impulso instintual menos óbvio que esse leão também pode simbolizar é o anseio de redenção, o qual também é capaz de devorar a nossa humanidade, deixando apenas os olhos coruscantes e a voz rascante do fanático.

Há muito tempo, Freud colocou-nos em contato com o nosso lado instintual como impulso sexual. Mas o instinto da iluminação também pode ser uma força poderosa – e até perigosa. Isso é especialmente verdadeiro porque sua expressão patente encontra a aprovação social. Como acontece com todas as forças arquetípicas, o problema é como relacionar-nos com elas e usar-lhes o poder criativo conscientemente, sem permitir que nos engulam a humanidade. Jung viu-o como um perigo específico em relação às forças instintuais simbolizadas por leões de um modo geral. E escreve:

> Os leões, como todos os animais selvagens, indicam afetos latentes. O leão representa um papel importante na alquimia e tem um significado muito parecido. É um animal "ardente", um emblema do diabo, e representa o perigo de ser engolido pelo inconsciente.[2]

2. C. G. Jung, *Psychology and Alchemy*, C. W. Vol. 12, § 277.

No mito e na fábula, assim os aspectos celestiais como os demoníacos dos animais selvagens são abundantemente ilustrados. Zeus, disfarçado de pássaro ou de animal, descia freqüentemente à Terra e tinha aventuras amorosas com mortais. Parece não haver nenhum caso registrado em que Zeus assumiu o aspecto de um leão para as suas incursões noturnas, talvez porque um papel tão augusto teria sido um pífio disfarce para o soberano do Olimpo. Os deuses não se rebaixam a distribuir papéis. Mas sempre que Zeus, disfarçado de pássaro ou animal, manteve relações sexuais com uma mulher mortal, os resultados foram invariavelmente dinâmicos, com conseqüências benéficas e maléficas. Usualmente, essa união do céu com a Terra produzia uma conflagração social e trazia uma nova era, cultural e psicológica.

Diversos casos de amor de Zeus têm sido celebrados em quadros famosos, dois dos quais são reproduzidos aqui porque oferecem uma ampliação esclarecedora do tema. Em ambos, o produto das relações sexuais entre o deus-fera e a mulher mortal deu resultados devastadores. No primeiro quadro, intitulado *Leda e o Cisne*, Zeus, na forma de um belo cisne, acaba de forçar a inocente Leda (Fig. 49). Como aqui está pintado, Leda parece ter gostado do inevitável, pois ela e o cisne estão ligados num terno amplexo. Aos pés de Leda, recém-saído da casca, está o terrível produto dessa união – dois grupos de gêmeos famosos, Castor e Pólux, Helena e Clitemnestra, ambos símbolos da grandeza da Grécia e da queda de Tróia.

Yeats disse-o melhor em seu poema "Leda e o Cisne":

> A shudder in the loins engenders there
> The broken wall, the burning roof and tower
> And Agamemnon dead.*

No fim do poema, Yeats pergunta:

> Did she put on his knowledge with his power
> Before the indifferent beak could let her drop?[3]**

Parece que Leda não o fez. À diferença da Força, Leda não usa coroa de dentes do siso. Pelo contrário, completamente despida, até dos trajes da civilização, quase assumiu a forma sinuosa do seu amante cisne. Foi despojada, pelo estupro, da sua humanidade ao ser possuída pelo deus.

Em outra famosa ocasião, tomando a forma de um touro, Zeus levou embora a inocente donzela Europa. O quadro de Giorgio que comemora o acontecimento chama-se *O Rapto de Europa* (Fig. 50). Parece evidente que o pintor usou a palavra "rapto" em sentido figurado e por pura cortesia para com os pais da pobre moça, pois Europa, evidentemente, está gostando do passeio. Ela não derrama uma lágrima sequer ao olhar

* Um estremecimento nos lombos gera ali / A parede quebrada, o teto e a torre em chamas / E Agamenon morto.

3. W. B. Yeats, "Leda and the Swan", *The Collected Poems of W. B. Yeats*, edição revisada, Nova Iorque, The Macmillan Co., 1956, pág. 212.

** Ela colocou no seu conhecimento com seu poder / Antes que o bico indiferente pudesse deixá-la cair?

Fig. 49 Leda e o Cisne
(Artista flamengo c. 1540. Coleção John G. Johnson. Philadelphia Museum of Art. Reproduzido com autorização.)

para trás e avistar a mão silenciosa que acena um adeus final da praia natal. Observem como o artista captou formosamente o sentimento de inconsciente identidade entre Europa e o touro. Os dois parecem flutuar juntos como um único ser. Ela está sendo, de fato, "carregada" pelo animal divino. E dessa união resultou, mais uma vez, um abençoado evento misto – O Rei Minos de Creta e o bestial (e mágico) Minotauro.

Como esses mitos ilustram, são indispensáveis a força e a experiência no trato dos impulsos instituais se não quisermos ser esmagados ou carregados. A dama pintada em A Força, ao que tudo indica, possui a introvisão e a fortaleza necessárias para vencer o leão. Ela não é, de maneira alguma, carregada pelo seu amigo bestial. Ao invés disso, os dois se movem juntos em harmonia. Mas nem com a ajuda de uma dama maga assim, o leão poderá ser inteiramente domesticado, pois pertence ao reino de Ártemis (Diana), deusa dos animais, que é, ela mesma, uma criatura selvagem, não domesticada e imprevisível.

Fig. 50 O Rapto de Europa (Francesco di Giorgio)

Ártemis, de um lado, é a virgem caçadora, irmã de Apolo, que partilha da sua luz. Contrariada, porém, pode tornar-se tão vingativa quanto a feiticeira Hécate e igualmente ardilosa em magia negra. Quando se sente inclinada a fazê-lo, a deusa muda o melhor amigo do homem nos sabujos de Hécate, de sorte que os animais atacam e devoram o próprio dono. Essa idéia foi dramatizada no mito do jovem grego Actéon, despedaçado pelos seus sabujos a mando de Ártemis, porque a espreitara durante o banho. O destino de Actéon ilustra uma verdade psicológica. Se dermos aos nossos instintos a liberdade de agir sem restrições, eles poderão voltar-se contra nós e despedaçar-nos.

Uma esplêndida fotografia de Ártemis levando seu cão a passeio nos Jardins das Tulherias (Fig. 51) apresenta a deusa num estado de espírito casto e inocente. Apenas o brilho revelador nos olhos do cão de caça nos adverte que estamos aqui lidando com uma feiticeira e seu colaborador. Convenientemente, o fotógrafo que tirou a fotografia tirou-a numa noite tempestuosa, tendo um relâmpago por única iluminação.

Como indicaram os velhos mitos, o homem primitivo encontrava grande dificuldade em controlar seus instintos, que estavam próximos da superfície, e não podia renegá-los com facilidade. Ignoramos o nosso lado instintual por tanto tempo

Fig. 51 Ártemis, Senhora das Feras, Passeando com o seu Cão nas Tulherias (Foto de M. Brassai)

que hoje tendemos a esquecer a sua existência até que ele se precipita para fora da jaula com a fúria de um leão enraivecido. No entanto, quer gostemos, quer não gostemos disso, a natureza animal é a nossa companheira por toda a vida. Temos de encontrar um jeito, como sugere a Força do nosso Tarô, de caminhar ao lado dela em pacífico companheirismo. Comentando o problema do relacionamento com o nosso lado instintual, Aniela Jaffé diz o seguinte:

> Os instintos suprimidos e feridos são os perigos que ameaçam o homem civilizado: os impulsos não reprimidos são os perigos que ameaçam o homem primitivo. Em ambos os casos o "animal" é alienado de sua verdadeira natureza; e para ambos, a aceitação da alma animal é a condição da totalidade e de uma vida plenamente vivida. O homem primitivo precisa domesticar o animal em si mesmo e fazer dele o seu companheiro útil; o homem civilizado precisa curar o animal em si mesmo e torná-lo seu amigo.[4]

Podemos estabelecer contato com o animal em nós mesmos através dos sonhos. Talvez as nossas almas animais, perdidas e feridas, nos procurem nos sonhos em busca de ajuda humana. No quadro de Rousseau *A Cigana Adormecida* (Fig. 52), um leão se

Fig. 52 A Cigana Adormecida
(Rousseau, Henri, 1897, óleo sobre tela, 51" x 6'7". Coleção, The Museum of Modern Art, Nova Iorque. Presente da Sra. Simon Guggenheim.)

4. Aniela Jaffé, "Symbolism in the Visual Arts", *Man and His Symbols*, C. G. Jung, org., Garden City, Nova Jersey, Doubleday and Co., Inc., 1964, pág. 239.

detém debaixo de uma Lua do deserto à beira do sonho de uma cigana adormecida. Sob o feitiço do luar, o leão e a cigana estão ambos embruxados pelo mistério um do outro. O sono da cigana é visitado pelos sonhos de sua perdida alma animal; a fera, inquieta, fareja o mistério da humanidade, ansiando por tocá-lo.

Felizmente, o herói da nossa história se lembra dos seus sonhos e tem consciência do leão que vagueia por ali à noite. Ao que tudo indica, ele também estabeleceu contato com a *anima* que caminha ao lado do animal. Tendo essa poderosa dama por guia, o herói explora com segurança as florestas interiores da psique. Com o auxílio dela, poderá vir a conhecer o leão e todos os outros animais primitivos que habitam os mais escuros recessos do seu ser.

Fig. 53 O Enforcado (Baralho de Marselha)

15. O Enforcado: Suspense

. . . não é a sangria que chama
o poder. É o consentimento.

Mary Renault

No décimo segundo Trunfo um moço está dependurado de cabeça para baixo, amarrado por um pé a uma forca, cujos postes são árvores truncadas, cada uma das quais com seis cotos que sangram onde os galhos foram podados (Fig. 53). As árvores estão crescendo de cada lado de uma fenda na terra – fenda ou possivelmente abismo profundo. Assim sendo, a cabeça do moço, na verdade, está abaixo da superfície da terra, enterrada, por assim dizer, sob a terra, como as raízes das duas árvores. O alto da cabeça do moço, com os cabelos pendentes, sugere uma terceira bola debaixo da terra, talvez um nabo, com as raízes peludas características desse vegetal.

Com as mãos amarradas atrás das costas, o Enforcado se acha tão indefeso quanto um nabo. Está nas mãos do Destino. Não tem poder para modelar sua vida nem controlar seu fado. Como um vegetal, só pode esperar que uma força exterior o libere da atração regressiva da Mãe Terra.

Depois de experimentar o influxo hilariante de energia, indicado na carta anterior, o herói deve ter ficado escandalizado e ofuscado por esta repentina inversão. Com o pé que lhe ficou livre lutou, decerto, desesperadamente, a princípio, para livrar-se, rebelando-se contra o destino. Deve ter-se sentido profundamente injustiçado, impaciente por se ver desagravado – por ser capaz, mais uma vez, de andar com a cabeça erguida e colocar os pés, com firmeza, no caminho da sua busca. Ele há de ter sofrido muito antes de atingir o grau de aceitação, de quase afável repouso aqui pintado.

É fácil para nós empatizar com a fúria e o ressentimento iniciais do moço, cuja situação nos parece insuportavelmente humilhante. Ficamos apreensivos ao ver-lhe a cabeça, sede do pensar racional, assim degradada, e ansiamos por libertar-lhe os membros amarrados de modo que ele possa caminhar rumo a novas consecuções. Para o homem ocidental é difícil tolerar a inatividade forçada. Tendemos a pensar na ação significativa como se ocorresse num plano horizontal, extrovertido, de comportamento, a imaginar o anelo espiritual dirigido para cima, para o céu, e a ignorar o crescimento que possa estar acontecendo abaixo da nossa percepção consciente. Para citar Paul Tillich, "perdemos a dimensão da profundidade".

Parece que temos ganas, quase instintivamente, de virar o Enforcado de cabeça para cima. Se você estender esta carta a alguém não familiarizado com o Tarô, esse alguém, quase invariavelmente, a inverterá, de sorte que a cabeça da figura fique para cima, "como deve ficar". Ato contínuo, despedirá um suspiro de alívio – e, a seguir, sorrirá. Se você não sabe por que ele sorri, vire o livro de cabeça para baixo a fim de que o Enforcado pareça estar em posição erecta. Ora, apoiado delicadamente num pé, com as mãos nos quadris e os cotovelos para fora, ele está "realmente" dançando uma jiga! Visto pelo prisma do inconsciente, o moço que parecia imobilizado e quieto – mantido em cativeiro – está agora libertado: o moço que parecia haver perdido o equilíbrio, conseguiu agora um esplêndido equilíbrio novo. O que a nossa consciência vertical experimentou, a princípio, como um momento de estagnação e frustração, revelou-se um momento de ação libertadora. Até a expressão facial do Enforcado parece haver mudado. Ele agora enfrenta o nosso olhar com calma e confiança, com uma nova expressão de autoridade; dir-se-á que sorri, como se soubesse um segredo.

A fim de descobrir-lhe o segredo, precisamos vê-lo outra vez como se apresentou primeiro, balouçando, indefeso, no espaço. Ser assim enforcado de cabeça para baixo é tradicionalmente o castigo dos traidores. Em alguns velhos baralhos italianos, essa carta se chama *Il Traditore* (O Traidor). Por vezes, o Traidor do Tarô é retratado com uma bolsa de dinheiro em cada mão, sugerindo Judas com suas trinta moedas de prata. Nos tempos medievais, os cavaleiros covardes ou desleais eram assim pendurados pelos calcanhares e açoitados, sofrendo um castigo humilhante. Em épocas relativamente recentes, os corpos de Mussolini e de sua amante foram dependurados de cabeça para baixo e expostos à curiosidade pública. Em todos esses casos o enforcamento propriamente dito não é um instrumento de morte física. É antes um ferrete de ignomínia, de censura e de ridículo público, uma horrível inversão de tudo o que o personagem em apreço representava anteriormente.

O costume do enforcamento invertido era outrora denominado, em inglês, "baffling" (descrédito público). Hoje em dia, "to baffle" quer dizer "frustrar ou confundir". Não há dúvida alguma de que o moço na gravura parece frustrado e confuso em todos os sentidos. Está sofrendo uma espécie de crucifixão. O que nos recorda Pedro, que pediu para ser crucificado de cabeça para baixo, em sinal de humildade. Não há provas de que o herói do Tarô tenha pedido literalmente para ser assim colocado no pelourinho mas, psicologicamente falando, deve ter solicitado o seu destino inconscientemente. Talvez o contato com o orgulhoso leão da carta anterior tenha redundado numa inflação, numa presunçosa confiança na própria força humana. Como sabemos, os deuses desprezam a *hubris*. Qualquer idéia de que a natureza humana é mais forte que a Mãe Natureza, ou o intelecto do homem é a função dirigente de toda a vida, contraria a Grande Mãe e, por fim, o réu humano também. Em revide, a deusa agarra o filho impudente pelos calcanhares e enfia-lhe os miolos vaidosos de novo no ventre de sua terra úmida.

A árvore, e sobretudo a árvore truncada, é um símbolo universal da mãe. O corpo de Osíris, por exemplo, foi encerrado numa árvore como essa, cujos galhos podados simbolizavam não só a castração do filho (consciência masculina do ego) mas também a possibilidade de um novo crescimento – ou renascimento – numa esfera mais ampla de percepção. O Enforcado, fechado de cada lado pelas duas árvores e em cima pela travessa da força, pode ser visto como encaixado numa espécie de ataúde. Ao mesmo tempo, o seu contato com as águas subterrâneas maternais sugere o batismo e uma vida nova. A natureza talvez o conserve assim confinado em suas mãos para que ele possa emergir de novo do ventre dela como criatura renascida. Poder-se-ia imaginar que, à semelhança de um infante récém-nascido, ele está sendo seguro pelos calcanhares a fim de poder levar umas palmadas e renascer para uma nova vida.

O herói é aqui retratado, com muita competência, suspenso entre os dois pólos da existência: o nascimento e a morte. Todos sentimos a solidão e o desamparo da nossa suspensão sobre o abismo eterno. Um isolamento ou prova de resistência dessa natureza, tão terrível, desempenha uma parte importante em todos os ritos de iniciação. Às vezes, por exemplo, o iniciado é obrigado a passar a noite sozinho numa caverna escura ou numa floresta, onde precisa enfrentar uma possível morte física e resistir a ela, sem nenhuma outra ajuda além da sua força interior e dos seus recursos. Enfrentando o ordálio, o moço assim posto à prova é levado a encontrar um novo centro, até então escondido dentro de si mesmo. Se sobreviver à experiência, emergirá, de fato, como pessoa renascida, em sinal do que lhe é conferido um novo nome, e é aceito como adulto pela comunidade. De acordo com Mircea Eliade, através dessa experiência o iniciado efetua uma transição do seu mundo comum do tempo para o mundo sagrado, eterno, dos deuses. Em seu *Thresholds of Initiation,* Joseph Henderson discute essa fase de transição e cita Eliade da seguinte maneira:

> Entre os dois (mundos) há uma interrupção, uma solução de continuidade... (Pois) a passagem do mundo profano para o mundo sagrado supõe, de certo modo, a experiência da morte; aquele que efetua a passagem morre para uma vida a fim de lograr acesso à outra... a vida em que se torna possível a participação no sagrado.[1]

Em nossa cultura moderna, praticamente, não temos tais ritos específicos de iniciação, de sorte que os moços encontram dificuldades para levar a cabo a transição. Às vezes, procuram tarefas quase sobre-humanas por meio das quais possam testar-se a si mesmos. Para as gerações passadas, o solitário vôo transatlântico de Lindbergh e a conquista do Everest por Hillary surgem como paradigmas desse gênero de iniciação auto-imposta. Em épocas mais recentes, as viagens ao espaço exterior tiveram idêntica função. Para alguns, a resistência aos rigores da vida militar, a ameaça da morte física e o enfrentamento dos seus próprios instintos assassinos na guerra, podem ser uma iniciação desse tipo. Para outros, a prisão por recusar-se a pegar em armas e a hostilidade e irrisão dos contemporâneos podem servir ao mesmo propósito, forçando o moço a pôr em ação novas reservas de força.

Como a história tem mostrado repetidamente, qualquer pessoa cuja consciência individual se opõe ao ponto de vista coletivo aparece como traidor do Estabelecimento. Um indivíduo em tais condições está sujeito a muitos processos, o menor dos quais é o que corre num tribunal de justiça. Muitas vezes de cabeça para baixo em relação aos amigos, à família e ao governo, um inconformista como este chega a ser tachado de criminoso. Sua vida de cidadão útil é assim interrompida – ele se torna um homem pendurado. Num romance convenientemente intitulado *The Dangling Man*, Saul Bellow explora esse tema.

Uma iniciação desse gênero ocorre em vários momentos da vida, geralmente quando chegamos ao fim de certa fase ou estádio da existência e a vida exige de nós uma transição para novos caminhos. É um momento terrível, pois precisamos abrir mão

1. Henderson (citando Eliade), *Thresholds of Initiation*, pág. 93.

dos velhos e experimentados modos de funcionamento e confiar-nos à nova vida, ainda não vista ou experimentada. Exige sacrifício e coragem. Todos nós, talvez de maneiras menos patentes e dramáticas do que a descrita aqui, passamos por períodos na vida em que nos vimos similarmente a braços com um problema psicológico produzido pelas circunstâncias, momentos em que os antigos padrões de comportamento já não podiam manter-nos de pé, quando a vida puxava o tapete debaixo dos nossos pés, de tal maneira que nos sentíamos suspensos entre mundos e só podíamos esperar e rezar. Nessas ocasiões nos sentimos traídos pela vida, degradados e humilhados, despojados de todo o orgulho e da nossa *persona* (a aparência ou máscara pública que usamos como pára-choque entre o nosso eu secreto e o mundo).

Sempre que nós, como o Rei Lear, mantemos a cabeça muito alta acima da vida comum, evitando o "cheiro de mortalidade" com os seus conflitos e sofrimento, parece que o Destino nos agarra e nos esfrega o nariz em tudo o que anteriormente desprezamos. Sempre que coroamos rei a nossa função superior, somos forçados a descer ao nível do nosso lado inferior e carunchoso. Como Lear, precisamos mergulhar no lodo da nossa humilde realidade.

Na carta da Força, o homem entra em acordo com aspectos de sua natureza psicossomática simbolizada pelo leão, mamífero altamente colocado na escala evolutiva. Agora precisa enfrentar o fato de que os aspectos mais baixos do seu ser psíquico são simbolizados por vermes, insetos e plantas. Com o ouvido colado ao chão, ouve a relva tenra crescer e sente, na lenta ondulação do verme e no canto misterioso dos insetos, o seu parentesco com toda a vida. Quem abordou esse abismo, como o Louco despreocupado, com a cabeça perdida em sonhos nebulosos de força e de proezas, caiu. O foco da sua percepção transferiu-se para as raízes da vida – os princípios fundamentais dos quais nasce todo o crescimento. De acordo com Eliade:

> O Taoísta, imitando animais e vegetais, pendura-se de cabeça para baixo, fazendo que a essência do seu esperma suba para o cérebro. Os *tan-t'ien*, os famosos campos de cinabre, encontram-se nos recessos mais secretos do cérebro e do ventre; é ali que se prepara, alquimicamente, o embrião da imortalidade.[2]

Se o herói sobreviver à iniciação que a vida apresentou nessa carta, poderá declarar, como William Blake:

> I have said to the Worm: Thou art my Mother & my sister.[3]*

Vale a pena contrastar a situação do Enforcado com a do Enamorado, que também dramatiza um processo. Pinta-se o Enamorado de pé, erecto, encaixado e imobilizado por duas mulheres, que estão plantadas, sólidas como árvores, de cada lado dele. A resolução do seu problema é a força motriz necessária à ação vêm da figura alada de Eros no céu, acima da cena. Mas o Enforcado, imobilizado entre dois possantes símbolos maternos, só encontra inspiração nas profundezas.

A suposta localização física da consciência humana varia de cultura para cultura: no Antigo Testamento afirma-se com freqüência que os rins são o centro da consciên-

2. Mircea Eliade, *The Forge and the Crucible*, Nova Iorque, Harper and Row, 1962, pág. 117.

3. William Blake, "The Gates of Paradise", *The Portable Blake*, Nova Iorque, The Viking Press, 1946, pág. 276.

* Eu disse ao Verme: És minha Mãe e minha irmã.

cia; para o africano, esse tipo de percepção está localizado no coração ou no abdome; o homem moderno coloca a consciência na cabeça. O africano e o hebreu do Antigo Testamento, para os quais a consciência residia bem no fundo do corpo, geralmente falavam de inspiração supraconsciente descida do alto. Para o homem moderno, porém, que vive em demasia na cabeça, "O Outro" é mais freqüentemente encontrado nas profundezas inferiores. Nós, como o Enforcado, fomos desligados das nossas raízes. Temos necessidade de descer – religar-nos às nossas origens na história e na natureza. O motivo do sacrifício e do desmembramento, sugerido nos cotos vermelhos de sangue das árvores truncadas, repete-se nas pernas e nos braços vermelhos da figura pendurada, insinuando que ele também deve dar sangue, deve sacrificar seus dias passados de compreensão e ação. Muitos dos seus velhos deuses caíram da árvore, e entre eles, sem dúvida, a imagem da vida como mãe sempre boa e beneficente, cuja função, no seu entender, era defendê-lo contra o infortúnio e alimentar-lhe toda e qualquer fantasia. Como Jung assinalou, a palavra "sacrifício" significa "tornar sagrado". Sacrificar nossas imagens centradas no ego é tornar a nossa vida total e santa; então já não haverá ruptura entre a imagem de como as coisas deveriam ser e as realidades da existência humana. Somente nós, seres humanos, somos propensos a – e capazes de – esse tipo de sacrifício e sofrimento espiritual. O fardo (e o potencial) inerente ao legado da crucificação coloca-nos à parte do resto do reino animal.

Como os animais mantidos prisioneiros na Roda da Fortuna, o Enforcado é uma vítima do Destino, à mercê dos deuses, tão indefeso quanto os animais, mas com esta diferença: ele tem uma oportunidade de aceitar o destino conscientemente e deslindar-lhe o significado, ao passo que os animais só poderão, na melhor das hipóteses, suportar a própria situação.

Todas as vezes que nos encontramos na posição do Enforcado, devemos não só explorar as atitudes conscientes que a vida está tentando desalojar e perturbar, mas também sentir o sabor da nova experiência. Uma boa maneira de aumentar o sentimento em relação ao que a vida oferece ao Enforcado é fechar os olhos e tentar entrar-lhe no corpo. Se formos estudantes de ioga, sentimo-nos inclinados a fazer um pouso sobre a cabeça nesse ponto. Em seguida, sentiríamos o sangue afluir à cabeça, trazendo oxigênio para o cérebro e revificando o espírito. Nossas retinas cansadas se reanimariam, infundindo em nossa visão do mundo novas cores. Se, como o Enforcado, ficássemos suspensos nessa postura, sozinhos e sem comida ou companhia, nossas "portas da percepção" seriam tão purificadas que poderíamos experimentar visões celestiais e a iluminação de satori.

A experiência da suspensão forçada roubou do herói a sua independência, mas também pode oferecer-lhe algo novo e precioso se, como Parsifal, ele encontrar a pergunta certa para fazer. A experiência mostra que o enfoque do por-que-o-Destino-me-escolheu é um beco sem saída. Mas se ele perguntar: "Quem sou eu para que isso me aconteça?" descerrará tesouros ocultos, que o porão em contato com o sentido da vida de um modo novo. Pendurado no limbo, a sua posição lhe parece cheia de ambigüidades: de um lado, oscila precariamente sobre um abismo mas, visto por outro prisma, foi-lhe poupado o fado de cair num precipício. Externamente, está imobilizado mas, bem no fundo de si mesmo, agita-se a dança da libertação.

Como já se notou, muitos adultos, sobretudo os educados no Ocidente, sentem-se ameaçados só por contemplar um enforcamento nessa posição. Mas crianças de todas as culturas e climas parecem gostar de virar cambalhotas e ficar penduradas pelos tornozelos, sem dar atenção às moedas e outros tesouros que caem ao chão. Em algumas versões do Enforcado do tarô, várias moedas, símbolos de valores terrenos, são retratadas caindo dos bolsos do moço. Todos sabemos por experiência própria que, em face das últimas realidades, todos os fardozinhos insignificantes e todos os estorvos não-essenciais da vida se perdem. Não admira que, no fundo de si mesmo, o Enforcado seja visto sorrindo e dançando com uma nova espécie de alegria.

Mas esse alegre desfecho, se se verificar, ainda jaz escondido no futuro, onde se tornará finalmente visível como o dançarino do Trunfo número vinte e um. Virando a estampa do Enforcado de cabeça para baixo, tivemos o privilégio de surpreender, num vislumbre mágico, eventos vistos pelo aspecto da eternidade, onde todo o tempo é apenas um. Mas o próprio moço não se dá conta consciente da figura bailarina enterrada em suas profundezas. Por enquanto permanece imóvel, suspenso, indefeso, da árvore fatal.

Conta-nos a lenda que Osíris também quedou pendurado numa árvore, como carne de açougueiro, por três dias, até ficar em condições de ser desmembrado. Assim também, ao que parece, esse moço precisa amadurecer na árvore sacrificial até que o velho Adão comece a apodrecer e se desfaça. No centro da experiência (chamemo-la iniciação ou crucifixão), está a terrível necessidade de sentir-se traído e enfrentar a horrível solidão de ter sido totalmente abandonado. Referindo-se a esse estado psicológico, Jung escreve: "O paciente precisa estar só para descobrir o que o sustenta quando já não pode sustentar-se. Somente essa experiência poderá dar-lhe uma base indestrutível."[4]

O que sustenta o Enforcado é a sólida madeira da árvore da Natureza que o liga à firmeza da natureza interior. Percebe-se que a experiência resulta numa base indestrutível pelo modo com que suas pernas (vistas de baixo para cima) criam o número quatro, mostrando que a completação, a orientação e a solidez tomam forma no inconsciente. A experiência interior por que ele está passando não é nenhum sonho nebuloso; tem as dimensões plenas da realidade. Os pés sobre os quais normalmente se firma apontam agora na direção do céu. Ele está adquirindo nova compreensão. A compreensão simbolizada pelo Imperador e pelo seu número quatro é de outra espécie. Os quatro pontos da bússola daquela figura foram orientados para realidades externas no plano humano: civilização, estabilidade, lei e ordem. Com o Enforcado, esse tipo de ordenação quádrupla foi virado de cabeça para baixo, mas não se destruiu. Está simplesmente aberto agora para a luz do céu, exposto à intervenção dos deuses de um novo modo.

O número doze do Enforcado abrange muita coisa do que foi dito. Assinala os limites de tempo da realidade humana com suas doze horas alternativas do dia e da noite e sua contagem anual de doze meses. Aponta também para o zodíaco celeste, que simboliza as dimensões sobre-humanas do tempo e a intervenção do destino além do controle do homem. Como quatro vezes três, o número doze liga a trindade do espírito à realidade quadrada da Terra. Transfixado agora, à mercê das estrelas girantes lá em cima, o herói experimenta-se na dimensão expandida de doze.

Ele começa a descobrir que a jornada para a autocompreensão não se processa de modo ordenado indo de A para B e depois para C. O seu ritmo é quixotesco. Como os movimentos da Roda da Fortuna, suas fortunas espirituais também sofrerão muitas

4. C. G. Jung, *Psychology and Alchemy*, C. W. Vol. 12, § 32.

revoluções. Haverá períodos de depressão, em que introvisões já ganhas e julgadas seguras desaparecerão de novo no inconsciente, aparentemente perdidas para sempre. Depois – e isso amiúde no nadir das suas fortunas – o Sol voltará a brilhar e emergirá como alguém renascido para partir em demanda de um novo mundo de cores mais frescas e maiores dimensões do que as até então sonhadas. Ou para empregar outra imagem: é como se o padrão de crescimento espiritual fosse o do despontar de uma árvore. Antes que novos galhos possam desenvolver-se no topo, as raízes precisam penetrar mais fundo e espalhar-se mais amplamente para suportar o novo crescimento.

O Enforcado inicia um longo período de assimilação e consolidação forçadas nas raízes. Só daqui a algum tempo as árvores truncadas, aqui pintadas, exibirão uma folhagem nova ou o próprio herói sairá outra vez para o mundo. Por enquanto, e por algum tempo ainda, as energias e introvisões dramatizadas nas cartas anteriores serão sugadas pelo inconsciente a fim de ser aprofundadas e expandidas. Por exemplo, na Roda da Fortuna o herói começou a ver seu destino pessoal contrastado com uma tela mais ampla e a estabelecer conexões significativas entre sua vida e o padrão universal. Agora a fé nesse padrão é posta à prova. Na Justiça ele defrontou com problemas de equilíbrio na dimensão horizontal. Agora a sua percepção é esticada verticalmente em duas direções – para cima no rumo dos planetas da Natureza celeste e para baixo na direção do mundo subterrâneo da Natureza vegetativa. Ele precisa, de um modo ou de outro, estabelecer um equilíbrio entre as forças opostas. Suas mãos estão amarradas. Não pode fazer nada para livrar-se da tortura experimentada como uma crucifixão.

O Destino pode trazer esse tipo de crucifixão a qualquer momento da vida e de vários modos. Uma súbita revolução nos negócios pode despojar uma pessoa, da noite para o dia, de todos os seus bens terrenos e da carreira a que dedicou a vida, pondo em desordem a realidade presente e destruindo as esperanças de futuro. Ou talvez seja traída por alguém muito querido, ao redor do qual sua vida girava, destruindo-lhe a confiança em si e no mundo, deixando-a oscilante e só. Ou pode acontecer que uma causa política ou religiosa, em que ela se achava totalmente absorvida, a decepcione (isto é, deixe de representar a imagem do salvador que ela ali projetara), virando o seu universo de pernas para o ar e deixando a sua vida sem sentido. Ou ainda pode ser imobilizada pela doença.

Pode dar-se também que uma enfermidade espiritual a deixe indefesa. E ela, que antigamente saía, confiante, todos os dias, a fim de dominar a vida, agora descobre que inexplicavelmente já não consegue arregimentar a vontade nem a energia para fazê-lo. Nesse caso, o intelecto do seu ego é pressionado e depreciado, exatamente como se vê na carta do Tarô. Como o Enforcado, ela se sente tão impotente quanto um vegetal. Em casos extremos, uma pessoa que passa por uma experiência dessa natureza pode tornar-se quase literalmente num vegetal. Perdida no mundo do inconsciente, já incapaz de participar das atividades do mundo exterior ou de reconhecer suas próprias necessidades físicas e de cuidar delas, talvez precise de hospitalização.

Jung viu as neuroses ou psicoses que se expressavam nessas várias espécies de becos sem saída não como moléstias que inibem a vida, mas como medidas corretivas, cujo propósito era favorecer a vida estabelecendo o equilíbrio psíquico num novo nível. Considerava-as como o jeito que tem a natureza de curar o organismo psíquico. Observou que toda a vez que o intelecto e a vontade se tornavam inflexíveis e orientados para o poder, a natureza recorria a medidas extremas para eliminar a "viagem de cabeça" do homem, de modo que ele se visse forçado a explorar outros aspectos da psique. Jung via a situação retratada no Enforcado como um convite para sondar novas profundezas do ser – mais um desafio do que um castigo. Diz ele:

> Pois o inconsciente sempre tenta produzir uma situação impossível, a fim de forçar o indivíduo a desenvolver o que tem de melhor. Aliás, paramos de repente diante do que temos de melhor, não nos completamos, não nos compreendemos. Faz-se mister uma situação impossível, em que temos de renunciar à própria vontade e ao próprio juízo e não fazer outra coisa senão confiar na força impessoal do crescimento e do desenvolvimento.[5]

Até recentemente poucos psiquiatras concordavam com o ponto de vista de Jung. Defrontando com um paciente na posição do Enforcado, muitos reagiam a ele como quase todos reagem à sua figura no Tarô: queriam virá-lo de cabeça para cima, colocá-lo imediatamente sobre os pés, e repô-lo no mundo da realização externa de modo que ele pudesse retomar sua vida no ponto em que foi interrompida.

É difícil não pensar desse jeito, pois estamos constantemente predispostos a dar mais valor às realidades óbvias sempre presentes do mundo externo do que às do mundo interno, cujas manifestações experimentamos menos freqüente e vividamente. Com efeito, muitas pessoas leigas, que nunca foram vítimas de uma doença espiritual, tendem a negar a realidade de uma condição dessa natureza. Diante de um amigo em estado de depressão, muitas vezes lhe descartam os sintomas por imaginários e rotulam-no de hipocondríaco centralizado em si mesmo. "Vamos!" dizem-lhe. "Não seja tão introspectivo. Saia de si mesmo. Interesse-se por um passatempo qualquer." Podem até proceder rudemente com alguém que parece cronicamente deprimido, imaginando livrá-lo, pelo choque, do estado de depressão. Por motivos semelhantes os hospitais submetem, às vezes, a tratamentos de choques elétricos indivíduos portadores de uma severa depressão, na esperança de sacudi-los para que voltem ao "estado normal".

Hoje em dia os psiquiatras começam a concordar com o ponto de vista de Jung de que a chamada doença mental é, em si mesma, um instrumento para curar um estado doentio e restabelecer o equilíbrio de um sistema psíquico desequilibrado. Em vez de interromper os processos curativos da Natureza por artifícios mecânicos, os psiquiatras agora exploram novas maneiras de ajudar a Natureza e implementar-lhe a obra. Em vez de tentar forçar o paciente a voltar ao seu molde anterior, orientado para o ego, os psicólogos lhe oferecem apoio em seu forçado afastamento da vida, estimulando-o a aceitá-lo como oportunidade de explorar a vida escondida dentro dele. Através da analogia com o material mitológico, um psicólogo analítico experimentado ajuda a dar ordem e sentido às imagens caóticas encontradas no inconsciente, para que a vida do paciente se torne mais ordenada e significativa. Quando esse tipo de trabalho é bem sucedido, os resultados são compensadores, pois o paciente emerge da iniciação forçada, não apenas reajuntado na estrutura de sua personalidade anterior, mas também, de fato, renascido – uma nova pessoa novamente ligada ao seu centro. John Weir Perry, um dos pioneiros desse tipo de tratamento, descreveu da seguinte maneira um episódio esquizofrênico:

> Mercê da ativação do inconsciente e do colapso do ego, a consciência é completamente dominada pelos níveis mais profundos da psique, e o indivíduo se vê vivendo numa modalidade psíquica muito diferente do seu meio.

5. C. G. Jung, "The Interpretation of Visions", *Spring, 1962*, pág. 154.

Mergulha num mundo de mito. Sente-se isolado porque não encontra compreensão desse mundo por parte dos que o cercam. O medo da opressão e do isolamento produz uma onda de pânico, que o impele para um afastamento agudo. Suas emoções já não se ligam às coisas comuns, mas caem em preocupações e envolvimentos titânicos com todo um mundo interior de mito e imagem. . . Nele há uma quantidade de conteúdo simbólico em certo número de temas principais estranhamente aparecidos em todos os casos. Como o texto do mito e do ritual, com a única diferença de ser partido em fragmentos dispersos, à semelhança do conteúdo do sonho.[6]

Comparando tais fragmentos a uma vidraça colorida de janela desmantelada, cujos pedaços giram como padrões num caleidoscópio que paira sobre um centro, Perry continua mostrando que os fragmentos finalmente se estabilizam de modo equilibrado e harmonioso em relação ao centro.

Acompanhando o paciente através de uma experiência caótica desse gênero, o psiquiatra familiarizado com a técnica ajuda-o a reunir os fragmentos caleidoscópicos de maneira significativa, de modo que o centro se torna uma força clara e ativa na vida. Até com esse apoio psicológico e essa compreensão, a confrontação do caos monstruoso do inconsciente demanda paciência, aceitação e muita coragem. Independentemente do modo com que a situação retratada no Enforcado se dramatiza na realidade externa, uma confrontação dessa espécie sempre requer sacrifício – o abandono consciente da consciência do ego como força orientadora e a aceitação do destino e a submissão a ele.

Como diz Mary Renault na citação que aparece no cabeçalho deste capítulo: "Não é a sangria que chama o poder. É o consentimento."[7]

Somente através do consentimento, com o coração e com a alma, para esta experiência, convoca o Enforcado um poder celestial prestante e restabelece a conexão entre ele e os deuses e o seu eu transpessoal. Por intermédio da aceitação da crucificação, o homem coopera com o destino – e, em certo sentido, o *escolhe*. E, quando escolhe o destino, liberta-se dele porque, nesse momento, o transcende.

O sentido da crucifixão é eloqüentemente enunciado nas narrativas bíblicas dos últimos momentos de Jesus na cruz. Depois de haver primeiro gritado "Deus meu, Deus meu, por que me desamparaste?" aceita o destino com as palavras "Pai, nas tuas mãos entrego o meu espírito!" E, tendo-as pronunciado, exala o último suspiro.

Se o Enforcado aceitar o destino e "entregar o espírito" a um poder superior à consciência do ego, poderá "exalar o último suspiro" de sua personalidade anterior e entrar na vida com um novo espírito. Se suportar e compreender a crucificação, emergirá desse encontro escuro do outro lado do precipício – em outro mundo, por assim dizer. Tendo alcançado o outro lado, partirá mais uma vez em sua jornada mas, desta feita, de uma forma mais consciente e dedicada.

Até agora a principal tarefa do herói tem sido viver em toda a plenitude a vida exterior. Mas agora (como se vê na carta) há um hiato entre o velho e o novo. Nunca mais poderá voltar à vida pessoal anterior centralizada no ego. Daqui por diante começará a olhar cada vez mais profundamente para o rosto medonho da Morte impessoal, a figura monstruosa pintada na carta seguinte.

6. Perry, *The Far Side of Madness*, págs. 8, 9.

7. Mary Renault, *The King Must Die*, Nova Iorque, Pantheon Books, 1958, pág. 17.

Fig. 54 A Morte (Baralho de Marselha)

16. Morte: A Inimiga

Enquanto não morreres e não tornares a levantar-te,
Serás um estranho para a terra escura.

Goethe

O Trunfo número treze mostra um esqueleto manejando uma segadeira rubra de sangue (Fig. 54). Jazem a seus pés os corpos desmembrados de dois seres humanos. Na carta anterior deixamos o herói pendurado de cabeça para baixo e indefeso sobre um abismo, a fim de sofrer a morte espiritual e o desmembramento final de sua vida e de sua personalidade anteriores. Vemos aqui retratado esse desmembramento: suas idéias (simbolizadas pelas cabeças), seus pontos de vista (pintados como pés) e suas atividades (mostradas como mãos) passadas jazem, inúteis, espalhadas pelo chão. Todos os aspectos da vida anterior do herói parecem ser sido cortados – incluindo o seu princípio orientador central, pois uma das cabeças na gravura ostenta uma coroa, a indicar que o augusto auriga retratado na carta número sete não mais regerá o próprio destino à maneira de antanho.

Mas o herói não perdeu o cocheiro real que o ajudou a dirigir o seu curso quando saiu à conquista do mundo no Carro, pois a cabeça coroada aos pés do esqueleto já irradia vida nova. As partes da velha ordem ainda vitais e úteis, sejam elas quais forem, serão incorporadas na nova. Na natureza nada se perde. *O rei está morto; viva o rei.*

Em muitas sociedades primitivas, todos os anos, o velho rei é simbolicamente morto, desmembrado e ritualmente "comido" para assegurar a fertilidade das novas colheitas e a revitalização do reino. As igrejas cristãs de hoje preservam uma idéia semelhante na Sagrada Comunhão, em que os paroquianos compartilham do pão e do vinho, símbolos do corpo e do sangue de Cristo, a fim de dramatizar a recente incorporação do Espírito de Cristo dentro de si mesmos.

Na carta do Tarô, a idéia de revitalização e renovação é mais do que sugerida pela profusão de novos rebentos em toda a parte e pelo modo com que as mãos e os pés parecem plantados na terra e já brotando para uma nova vida. Isso pode ser tomado como se representasse mais uma manifestação psíquica interna do que externa, como o indica o fato de serem os novos brotos coloridos de amarelo e azul, símbolos da intuição e do espírito, atributos da natureza psíquica interior do homem, mais do que o verde, que é a cor da sensação – da natureza física externa.

Na carta número vinte, o Julgamento, que fica logo abaixo da carta da Morte no Mapa da Jornada, as sementes da colheita da Morte terão alcançado a maturidade. No

Julgamento veremos levantar-se um novo ser humano, renascido da terra escura. Mas isto está indo além da nossa história. Por ora, tudo o que sabemos é que o herói, tendo "amadurecido" como o Enforcado, agora se sente como se estivesse sendo desmembrado. A Morte retrata o momento em que a pessoa se vê "feita em pedaços" – espalhada – com a velha personalidade e os modos quase irreconhecíveis de tão mutilados. Em face da dança remoinhosa do vento, todos nos quedamos assombrados, despedaçados, espalhados. Como sabemos por essas experiências, o herói levará algum tempo para reajuntar-se e lembrar-se de si mesmo. E levará muito tempo para ressurgir como pessoa nova e inteira numa vida nova e completa.

"O desmembramento", diz Edward Edinger, "pode ser compreendido psicologicamente como um processo transformativo, que divide um conteúdo inconsciente original para finalidades de assimilação consciente".[1] No livro de Edinger *Ego and Archetype*, uma xilogravura descreve a crucifixão e o desmembramento de Jesus, simbolizando o eu fragmentado para esse propósito. De modo semelhante, a cabeça coroada na carta número treze pode ser vista representando o princípio orientador do herói, tal como este lhe apareceu pela primeira vez, ao ser preparado para a assimilação e a integração a fim de ressurgir, por fim, numa nova forma.

Mesmo encarado simbolicamente, como instrumento de mudança no contexto da nossa vida terrena, o esqueleto da carta número treze é difícil de aceitar. Somos criaturas de hábitos. No nível mais superficial resistimos a mudanças em nossa vida cotidiana – até a mudanças que nós mesmos planejamos conscientemente. Quando, depois de anos de poupança e antecipação, finalmente nos mudamos para o novo lar dos nossos sonhos, tão longamente esperado, sentimo-nos, sem embargo disso, tristes por deixar a velha residência. Ou quando, afinal, efetuamos uma desejada transformação em nossa vida e conduta pessoais, ainda pranteamos as antigas maneiras de viver. Sentimos falta dos maus hábitos também – daqueles hábitos que (para parafrasearmos Rilke) chegaram, sentiram-se à vontade conosco e ficaram. A separação é uma tristeza tão doce porque nos afeiçoamos a tudo: às pessoas, aos animais, às coisas. Não queremos perder nada do que achamos que "nos pertence" – até os dentes que se estragam e os cabelos que se vão. Estamos especialmente ligados aos modos instintuais de nosso corpo natural.

Também nos é difícil separar-nos das partes desgastadas da psique. Os alquimistas reconheciam esse estado de coisas e, para eles, o esqueleto também simbolizava a necessidade de afrouxar a identificação com o corpo. Reconheciam também a necessidade de tornar consciente o conflito entre o homem espiritual e o natural. "Assim fazendo", diz-nos Jung, "eles redescobriram a velha verdade, segundo a qual toda operação dessa índole é uma morte figurativa – que explica a violenta aversão que toda a gente sente quando precisa ver através de suas projeções e reconhecer a natureza de sua *anima*."[2]

Mas entre a poda do velho e a maturação do novo há um período de luto negro. Referindo-se a esse estádio da jornada para o autoconhecimento, os alquimistas usavam o termo *mortificatio*. *Bem-aventurados os que choram.* Quem quer que pranteie a

1. Edinger, *Ego and Archetype*, pág. 140.

2. C. G. Jung, *Mysterium Coniunctionis*, C. W. Vol. 14, § 674.

amputação de uma reação inconsciente que fez parte dele desde a infância, ou quem quer que deplore a perda de alguma rígida projeção que por muito tempo serviu de apoio a um ego vacilante, pode considerar-se abençoado. Será, finalmente, confortado com introvisões mais válidas e com um apoio mais duradouro.

O esqueleto é um símbolo conveniente para esse tipo de revelação. Sugere, a um tempo, movimento e estabilidade. Representa os montes de ossos da realidade; a armação para a nossa carne e os nossos músculos, a estrutura articulada sobre a qual tudo o mais está muito unido, move-se e funciona como se fosse uma unidade. E, no entanto, paradoxalmente, esse instrumento de mudança também representa a nossa parte mais resistente. É o eu ósseo que deixamos para futuros historiadores – o único testemunho da nossa existência como indivíduos. É tudo o que resta de nossos antepassados – de nossas raízes enterradas fundamente no tempo. O esqueleto é o *homo sapiens* arquetípico. Como tal, representa a verdade básica eterna, revelada ao herói pela primeira vez.

Alguns baralhos do Tarô (entre os quais o desenhado por Aleister Crowley) pintam o esqueleto rodopiando feito um dervixe, brandindo a sua segadeira na frenética Dança da Morte. Esse conceito lembra a idéia de que a morte é, ao mesmo tempo, mudança e estabilidade; que embora a sua essência seja a transformação turbilhonante, a sua coreografia é eterna.

O esqueleto da carta número treze abarca muitos pares de opostos. De um lado, não é mais que um saco de ossos, uma coisa morta monstruosa, que nos atraiçoa a fé no calor e na vitalidade da vida, a grande niveladora que reduz a essência única do gênio e do louco a um denominador comum. De outro lado, pode ser visto como um diagrama universal, através do qual brilha o Ser Puro; uma revelação do funcionamento interior das coisas, como o mecanismo do relógio. *Que obra é o homem!* Encarando o esqueleto dessa maneira, abismamo-nos diante da maravilha da nossa criação, e de toda a criação. Ele se torna o modelo do modo com que trabalhamos – do modo com que tudo trabalha. Nessa figura diagramática unem-se o macrocosmo e o microcosmo.

Impessoal e universal, o esqueleto é o nosso segredo mais pessoal, coisa escondida, tesouro enterrado profundamente em nós mesmos, debaixo da nossa carne. Podemos tocar a pele, as unhas, os cabelos, os dentes, mas não podemos tocar os ossos. Normalmente nunca os vemos; entretanto, como o inconsciente profundo, são o nosso mais verdadeiro eu. O raio X da estrutura óssea de uma pessoa é usado amiúde como meio de identificação. Coisa terrível, um raio X, como um sonho ou uma visão. *Acaso somos isso?* Estremecemos ao pensá-lo; e, no entanto, há também um sentimento de parentesco. Sentimos uma conexão, assim literal como figurativamente, "em nossos ossos". O esqueleto está nu diante de nós. Como parece satânico e desapetitoso! É difícil acreditar que tudo o que ele nos pede é exatamente o que pedimos uns aos outros: *ser aceito*. Vamos examiná-lo com atenção.

Estudando a carta mais de perto, observamos que ela inclui muitos opostos. A segadeira associa-o a Saturno, deus do tempo, da colheita, da dissolução, da decadência; a segadeira, contudo, lembra a forma da lua crescente, símbolo de Ártemis, oferecendo promessas de regeneração e renovação e sugerindo fases invisíveis e ainda por vir em intermináveis ciclos. A lâmina da segadeira está vermelha por causa da carnificina e da destruição que deixa em seu rumo; no entanto, o colorido quente do esqueleto e sua postura ativa estão carregados de energia criativa.

Sendo arquétipos, todos os personagens do Tarô discutidos até agora têm mostrado, naturalmente, uma tendência semelhante para abarcar muitos opostos, incluindo os de gênero. Até aqui, porém, cada personagem central tem sido pintado francamente como macho ou como fêmea. Em dois casos os elementos masculino e feminino foram até retratados em separado (o Papa e a Papisa; o Imperador e a Imperatriz); mas na carta número treze as características sexuais da figura central não se acham claramente definidas. Caminhamos para a apresentação mais andrógina que até agora apareceu. A Morte é tão fundamental para a vida que a melhor maneira de apresentá-la será provavelmente de uma forma mais ou menos assexuada, diagramática, que inclui todas as possibilidades.

O esqueleto, por vezes, mostra-se muito francamente como um diagrama do eu. Em seu livro *Hara*, Karlfried Dürkheim apresenta uma ilustração disso (Fig. 55), que retrata a figura metálica de um Buda emaciado, sentado em meditação. O corpo, literalmente reduzido a pele e ossos, revela com clareza a estrutura óssea. As órbitas vazias dos olhos do rosto esticado do esqueleto, completamente ocas, fitam, sombrias, o infinito.

Ocupando-se do número treze do Tarô, os comentadores costumam destacar o esqueleto como símbolo da mudança e da transformação *nesta vida*. A transformação final, a morte física, é, não raro, totalmente evitada. Entretanto, tomar essa carta só no nível da mudança psicológica e espiritual é uma fuga covarde – uma amostra de como rodeamos, na ponta dos pés, o tema da morte física. Quem quer que tenha desenhado a carta há de ter sentido uma relutância semelhante em chamar o esqueleto pelo nome. Na edição original francesa não há nome nenhum. Na edição inglesa moderna desse baralho, o título aparece mas não em negrito, debaixo da gravura, como acontece em todos os outros Trunfos. Em vez disso, a legenda "A Morte" está escrita muito cautelosamente – sussurrada, por assim dizer – na margem direita superior. Quem quer que tenha posto ali a palavra fatal evidentemente deixou-a cair à pressa e saiu correndo, pelo que se imagina, a tempo de escapar ao giro seguinte da segadeira ensangüentada.

Todos hesitamos em pronunciar o nome do monstro. Quanto dizemos o nome de alguém, esse alguém geralmente se volta para olhar na nossa direção. E essa é a última coisa que desejamos que faça a figura ameaçadora. Como crianças travessas escondidas num canto, parecemos ter a idéia de que, se não lhe atrairmos a atenção, a morte poderá esquecer-se de bater à nossa porta. Acreditamos seriamente que o fato de nunca lhe pronunciarmos o nome, de tomarmos sempre o cuidado e cobrir os túmulos dos amigos com suaves eufemismos, fará que essa criatura inominada simplesmente "passe adiante"? Pois estejam certos de que ela não o fará. Tem um olho imenso fito em nossa direção e, apesar de ser um esqueleto, movimenta-se muito depressa.

Não é por acaso que o número dessa carta do Tarô é o treze, considerado aziago em nossa cultura. O treze intromete-se no meio das doze horas do dia e dos doze meses do ano, interrompendo o ritmo ordenado da nossa ronda cotidiana. Não há lugar no calendário, nem ponto no relógio para o número treze. Não há lugar arrumado à nossa mesa para esse conviva pavoroso. Experimentamos a intromissão do esqueleto como uma traição – os doze e Judas.

Intelectualmente procuramos circunlóquios para a aceitação teórica dessa criatura e da sua segadeira. Dizemos a nós mesmos que uma limpeza da casa é necessária para dar lugar a uma nova vida; dizemos estar cientes de que as doze horas dos

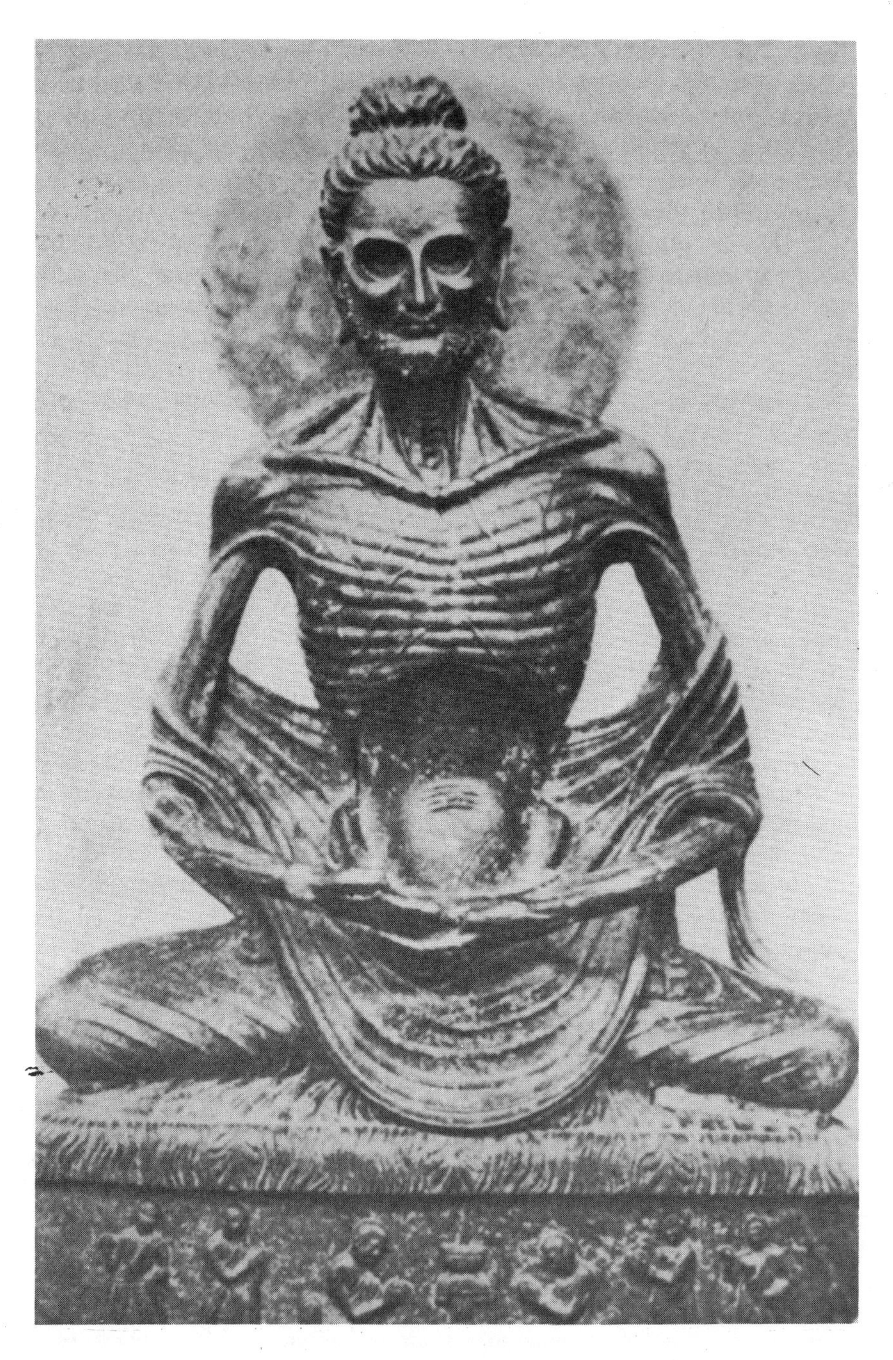

Fig. 55 O Buda arrependido

relógios precisam expandir-se para incluir novas dimensões do tempo. Filosoficamente aceitamos a lógica de que a morte não é a antítese da vida – o nascimento e a morte são antes os dois postes sobre os quais a vida repousa. Conhecemos todas essas palavras e podemos recitá-las com freqüência (e o fazemos). Mas como chegarmos a um acordo com a nossa mortalidade pessoal? Eis a dificuldade.

Pallida mors aequo pulsat pede pauperum tabernas / Regium turres. "A pálida morte tanto bate à porta da choupana dos pobres quanto à porta dos palácios dos reis." A coisa parece mais apavorante no latim de Horácio; mas o que ele quer dizer é o seguinte: "Estejam vocês prontos ou não, lá vou eu!"

Como podemos "aprontar-nos" para a morte? A maneira mais simples de preparar-nos para esse bater inevitável à porta será, naturalmente, seguir o conselho de Balzac: "A morte é certa. Esqueçamo-la." E, com efeito, se pudéssemos abarcar o fato de que a nossa mortalidade física é certa, talvez pudéssemos, em certo sentido, "esquecê-la". Pelo menos o camarada da segadeira não nos perseguiria com tanto afã.

O aforismo de Balzac sumaria nitidamente a sabedoria da velha fábula "Encontro em Samarra", verdadeira em muitos níveis. Um criado topou com a Morte, uma velha encarquilhada de vestido preto, na praça do mercado, e viu-a fazer o que lhe pareceu um gesto de ameaça. Aterrado, o criado toma emprestado o cavalo do amo e foge para Samarra. Na mesma tarde, topando com a velha na praça do mercado, o amo pergunta-lhe: "Por que fez um gesto de ameaça para o meu criado hoje cedo?" E a morte replica: "Não foi um gesto de ameaça: foi apenas um movimento de surpresa. Fiquei espantada ao ver o seu criado em Bagdá, visto que eu tinha um encontro com ele, hoje à noite, em Samarra."

Se todos pudéssemos aceitar realmente o nosso "encontro em Samarra", talvez a atividade do esqueleto da carta número treze não nos parecesse tão ameaçadora. Na fábula que acabamos de contar, a Morte apareceu, não como personagem hostil ou vingativo, senão como uma criada da vida, que tem uma tarefa para executar e um horário para cumprir. As implicações dessa história vão mais longe do que o aforismo de Balzac. Parecem dizer que, esbanjando um tempo e uma energia preciosa tentando evitar a Morte, o criado deixou de viver a vida; de tal sorte que, no final, foi ele e não o misterioso personagem de preto que acabou atraiçoando a vida.

Enquanto não pudermos confiar-nos à morte não poderemos, na verdade, confiar-nos à vida. Permanecemos escravos, apegados ao corpo, presos na armadilha da egocentricidade mortal. Shakespeare dramatizou a idéia no *Rei Lear.* Ali o personagem central, enfrentando a morte na charneca, finalmente admite que sua mão "cheira a mortalidade" e, ao fazê-lo, torna-se, afinal, "um rei polegada por polegada". "Aceitar o fato de que você perece a seu tempo", diz Jung, "é uma espécie de vitória sobre o tempo".[3] Aceitando a mortalidade física, Lear transcendeu as limitações do tempo terreno. Saindo para fora do ego do seu eu, ingressou no mundo sem tempo dos imortais.

Usamos com freqüência a expressão "às portas da morte", a fim de transmitir a idéia de que passamos por uma porta para entrar num mundo radiante de vida nova no futuro. Muitos que estiveram, literalmente, no limiar da morte e voltaram, afirmam que esse vislumbre do "além" abriu-lhes novas dimensões de percepção espiritual. Muitos que jamais estiveram no limiar da morte, descobriram que enfrentá-la através da perda de uma pessoa íntima libertou-lhes o espírito.

3. C. G. Jung, "The Interpretation of Visions", *Spring, 1962,* pág. 156.

Aceitar tanto a morte quanto o nascimento, como parte da vida, é tornar-se verdadeiramente vivo. "Não desejar viver", disse Jung, "é sinônimo de não querer morrer. Vir a ser e deixar de existir são a mesma curva".[4] E mais: "Quem quer que não acompanhe essa curva permanece suspenso no ar e fica paralisado. A partir da meia-idade, só permanece vivo quem está disposto a morrer com a vida."[5]

Se o Enforcado não quiser ficar suspenso no ar, tornando-se espiritualmente paralisado com o correr dos anos, precisará dar o passo seguinte, que conduz, através do vale da sombra, à aceitação da morte. Em reconhecimento da íntima conexão entre a morte e a transformação espiritual, cerimônias religiosas primitivas requeriam, não raro, que o iniciado enfrentasse a morte. Às vezes, como o Enforcado, era abandonado, inerme e só – porventura numa floresta escura. Ou, como *Sir* Lancelot, era obrigado a passar a noite na própria tumba. Tradicional na iniciação do cavaleiro era a confrontação final com o Cavaleiro Negro, guerreiro desconhecido, armado de um machado primitivo, que exigia do iniciado que colocasse o pescoço no cepo. Se o moço tivesse a coragem de obedecer à ordem fatídica, o estranho misterioso lançava de si o machado e erguia a viseira, revelando-se um salvador de radioso semblante.

No Tarô, o rosto do esqueleto semelha uma máscara – pois a Morte usa inúmeras máscaras. As miríades de facetas desse estranho preocuparam artistas de todos os tempos. Lembrando-nos de algumas, podemos ter uma idéia da verdadeira face da Morte – e podemos, por fim, dizer-lhe o nome. Se, à semelhança de Jacó com o Anjo, pudermos atracar-nos com esse personagem, ele poderá até dizer-nos o nosso verdadeiro nome.

A Morte, muitas vezes, é pintada como um crânio que se arreganha e zomba de nós com um diabólico olhar de soslaio ou, como o quarto cavaleiro do Apocalipse, galopando furiosamente de um lado a outro da tela com uma espada na mão. Antes que a ciência médica nos ensinasse a maneira de impedir uma mortandade indiscriminada provocada por epidemias, e tornasse mais compreensíveis as causas da doença fatal, a Morte era vista como um estranho impiedoso, que aparecia inexplicavelmente, vindo não se sabia de onde, matando multidões e devastando o mundo civilizado.

O Triunfo da Morte, tema central dos sonetos de Petrarca para Laura, e tema popular em afrescos e quadros intermináveis do mesmo período, sem dúvida exerceu influência na forma pictórica da carta número treze do Tarô. O triunfo da Morte foi pintado numa infinidade de modos, alguns dos quais repetem os motivos retratados no Tarô de Marselha. Em muitas dessas composições, um esqueleto pálido, montado num cavalo esquelético, cavalga, desenfreado, sobre um grupo de figuras humanas de todas as condições sociais. As figuras caídas estão de tal modo misturadas umas às outras que temos o mesmo senso de desmembramento caótico como o que vemos pintado na Morte do Tarô. Ora aqui, ora ali, vislumbramos uma cabeça ou um pé isolados e uma mão ocasional erecta, "brotada". Por vezes, como no Tarô, uma cabeça decepada aparece ostentando uma coroa.

Nessas representações pictóricas, vê-se a Morte como força impessoal, golpeando toda a humanidade, em lugar de um adversário pessoal que enfrentamos sozinhos.

4. C. G. Jung, *Psychological Reflections*, pág. 287.
5. C. G. Jung, citado por Kristine Mann em "The Shadow of Death", *Spring, 1962*, pág. 95.

Isso pode ser, em parte, porque as pragas e outras catástrofes freqüentemente atacavam e destruíam comunidades inteiras. Pode ser também que, no passado, a Morte não fosse experimentada como algo tão solitário quanto hoje. Os sacramentos da Igreja e os costumes da vida familial e comunitária proporcionavam maneiras rituais de enfrentar a morte, que, de ordinário, ocorria em casa e era uma experiência partilhada por quantos conheciam o falecido. Os serviços associados ao enterro reuniam a comunidade inteira em culto e luto rituais. Com o colapso da religião organizada, esses modos rituais de enfrentar a morte se acabaram perdendo e, uma vez que a idéia da morte é tão monstruosa que não podemos enfrentá-la sozinhos, até há pouco tempo simplesmente a varríamos para debaixo do tapete. Na última década, como discutiremos mais tarde, começamos a explorar novas maneiras de aceitar o problema universal da mortalidade física e de lidar com ele.

Entretanto, a experiência real da morte propriamente dita é, na sua essência, uma experiência individual. Cada um de nós precisa enfrentar, a sós, o seu momento da verdade. O quadro de Böcklin, *A Ilha dos Mortos* (Fig. 56), capta não só a solidão mas também o assombro do momento. Mostra uma figura pequena, envolta num sudário branco, de pé, sozinha, à proa do barco de Caronte, que se abeira, em silêncio, de uma ilha desolada, cujos rochedos tintos de vermelho e cujos ciprestes negros estão enquadrados em completa escuridão. Não há sinal de vida. Uma singela porta de mármore aberta na montanha dá as boas-vindas ao viandante – que demanda o quê? É estranho que a habitação dos mortos seja visionada vazia. Por mais povoado que esteja agora o nosso planeta, a sua população é escassa em relação às legiões de mortos. Mas a abordagem da morte, como mostra Böcklin, é sempre uma viagem solitária. Uma experiência pessoal.

A unicidade da confrontação de cada indivíduo com a morte, às vezes, é pictoricamente dramatizada como um esqueleto que aponta um dedo ossudo direto para a próxima vítima. A despeito do fato de que o morrer é uma experiência comum a todas as coisas vivas, cada um de nós experimenta o chamado da morte como um dedo apontado só para si. Psicologicamente, a morte aponta o dedo para cada um de nós em turnos, exigindo que cada um, à sua maneira própria, encontre o sentido por trás do gesto. A Morte desafia cada ser humano de forma especial. Pois, à diferença dos animais, só o homem tem a capacidade de antever a morte, filosofar sobre ela e experimentar-lhe conscientemente a ocorrência. "Ai de mim, pobre Yorick", significa muito mais do que "Ai de mim, pobres de nós." Conduz-nos, através da experiência do luto, a soliloquiar, à maneira de Hamlet, sobre o sentido da morte e a dar um lugar para ela dentro do espectro da vida.

Em seu poema "Spring and Fall: To a Young Child", Manley Hopkins fala nesse tema. E começa o poema perguntando à criança: "Margaret, are you grieving / Over Goldengrove unleaving?"* e remata com esta copla:

> It is the blight man was born for
> It is Margaret you mourn for.[6]**

* Margaret, você está lamentando / A queda das folhas de Goldengrove?

6. Gerard Manley Hopkins, "Spring and Fall: To a Young Child", *The Poems of Gerard Manley Hopkins*, Oxford University Press, 1967.

** É a desgraça para a qual o homem nasceu / É por Margaret que você está chorando.

Fig. 56 A Ilha dos Mortos (Böcklin, Arnold, 1827-1901. The Metropolitan Museum of Art, Nova Iorque, Fundo Beisinger, 1926.)

A Natureza pouco se preocupa com o indivíduo; seus esforços propendem tão-somente para a preservação da espécie. E o poeta parece dizer que compete ao homem celebrar as folhas que caem e lamentar a transitoriedade da vida. A terrível tarefa do homem consiste em apreciar a vida e honrar o indivíduo, pois é unicamente através do indivíduo que nasce a consciência.

O tipo de cuidado que Hopkins descreve difere muito do agarramento às coisas deste mundo ou do medo da morte orientado para o ego. As lágrimas de Margaret, diz-nos ele, vêm de um nível mais profundo. A sua preocupação infantil com a transitoriedade da vida, ainda que possa parecer uma "desgraça", é um atributo natural e necessário da espécie humana – um atributo ultrapassado com demasiada facilidade. "À medida que o coração envelhece", diz ele à criança, "chegará a estas paisagens mais frio".

Todos sabemos por experiência própria que, à proporção que ingressamos no mundo adulto da ciência médica e da estatística, perdemos contato com a espécie de luto que Hopkins descreve. Oferecemos aos nossos filhos explicações científicas para o cair das folhas em lugar de compartir das suas lágrimas, e esterilizamos o mistério e o espanto da experiência da morte com a eficiência impessoal da rotina do hospital. O nosso medo adulto da morte muitas vezes nos impede de contemplá-la.

"Só os loucos e as crianças", disse Erasmo, "não têm medo da morte". Ainda me lembro de uma ilustração da minha edição infantil de *Peter and Wendy*, de Barrie, que mostrava Peter Pan garboso, de pé, com as mãos nos quadris, as pernas estendidas, os olhos postos acima da lagoa nevoenta. Rezava a legenda: "Morrer deve ser uma aventura tremenda." Com as crianças, a entrada em cada novo momento de existência representa uma grande aventura – uma vigem a terras desconhecidas. Tendo poucas idéias preconcebidas, os jovens podem confiar-se ao futuro desconhecido. São mais capazes do que nós de aceitar a idéia da morte, com as lágrimas e o grande medo que pertencem particularmente a essa "grande aventura".

Muitos adultos acham difícil contemplar o desconhecido em qualquer contexto, seja ele qual for. Preferimos que nos forneçam de antemão um programa de eventos que deve ser seguido, uma sinopse do enredo, uma agenda. Quando lhe perguntaram: "Que acontece depois da morte?" Krishnamurti respondeu: "Saberei quando lá chegar. Por enquanto não preciso saber." *Precisamos saber agora?* A preocupação com o que acontece no próximo capítulo não estragará o prazer que este nos proporciona? Não podemos, como Peter Pan, contentar-nos com ficar na praia e olhar para o mar, com um sentimento misto de temor respeitoso e assombro?

A arte índia e a arte mexicana, que brotam do inconsciente primitivo, captam, não raro, o terrível mistério da morte; mas aqui também, atrás do fascínio, esconde-se um medo. Há dois bons exemplos. O primeiro é um crânio humano adornado de azeviche e turquesa (Fig. 57). Esse objeto de beleza e terror foi originalmente um presente oferecido a Cortez por Montezuma. Destinava-se a ser um sinistro aviso de que o mundo conquistador sofreria também, um dia, o desmembramento? A ser assim, a escura profecia refletida no olhar cego daqueles olhos vazios realizou-se. O dúbio presente de Montezuma repousa agora no Museu Britânico. *Quem teria a coragem de aceitá-lo novamente?*

A segunda ilustração retrata um deus mexicano da Morte (Fig. 58). Lavrada em ouro e ostentando as insígnias da realeza, a régia figura dá-nos as boas-vindas ao seu reino. O seu sorriso, aberto e caloroso, parece o de um alegre etalajadeiro. "Não tendes nada que temer", parece dizer. Não obstante, hesitamos em transpor o limiar. Já sentimos a porta pesada fechar-se e ouvimos o ferrolho deslizando e trancando-a. Sentimos nossa carne delicada esmagada pelo abraço metálico do Rei da Morte.

O pensamento da morte física nos paralisa de horror. Apesar disso, porém, a cada dia que passa, o nosso corpo físico dá passos gigantescos na direção da porta da morte. O problema, naturalmente, consiste em saber como ajudar a alma a mover-se em harmonia com o corpo. Sempre que o espírito fica para trás, obstrui o fluxo natural da vida do nascimento à morte, reprimindo a corrente vital com hábitos "mortos" e conceitos antiquados.

Perguntaram a Krishnamurti como se preparava para a morte. Ao que ele replicou: "Todos os dias morro um pouco." Do contexto da resposta se depreende,

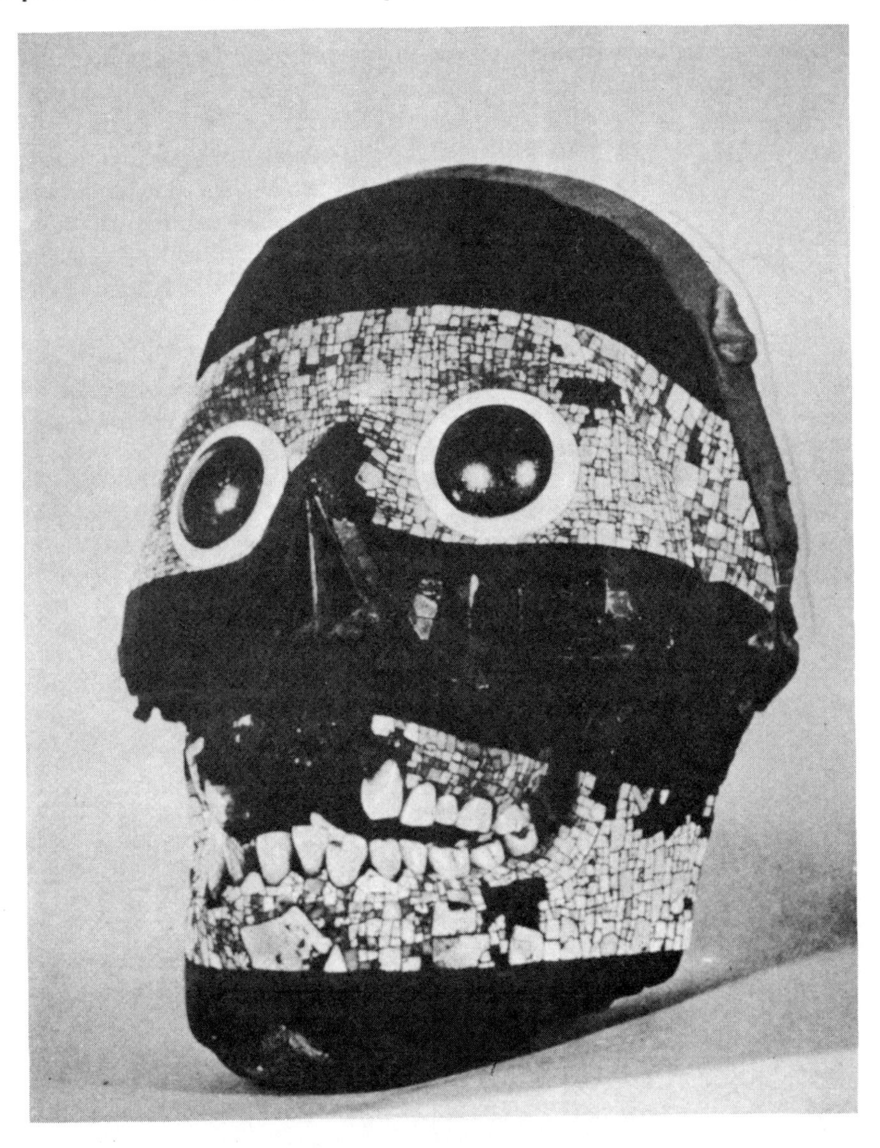

Fig. 57 Crânio humano adornado (Museu Britânico)

obviamente, que o que ele tinha em mente não era uma contemplação mórbida do fato da morte física. A idéia era, antes, enfrentar a mudança diariamente, hora por hora, libertando-se, aos poucos, dos apegos inconscientes. Em vez de antecipar com medo ou até com ansiosa aceitação alguma Grande Transformação que presumivelmente nos espera atrás de alguma porta final, a idéia de Krishnamurti parecia ser a de que cada dia nos oferece muitas portas para uma nova vida, bastando para isso que queiramos abri-las.

Jung também acentuou a idéia de que viver a vida plenamente é a maneira natural de abordar a morte. Como psicólogo viu os sonhos de centenas de pessoas idosas. Descobriu que o inconsciente dos que se aproximam da morte não fala em

Fig. 58 Deus mexicano da Morte

termos de algum grande e iminente final de vida. Ao contrário, os sonhos dos anciãos parecem continuar, como se a própria vida continuasse. Perguntado, então, como nos devíamos preparar para a morte, a resposta de Jung foi que devíamos continuar a viver como se a vida continuasse para sempre.

A melhor maneira de preparar-nos para uma longa jornada, de duração infindável, a uma terra desconhecida seria, provavelmente, livrar-nos de todas as bagagens desnecessárias. Um modo de fazê-lo talvez seja examinar os nossos pertences, escolhendo apenas os artigos essenciais ao nosso bem-estar espiritual e físico, deixando o resto para trás. Está visto que o truque consiste em reconhecer o essencial.

Cada dia nos apresenta múltiplas oportunidades de fazer essa espécie de escolha espiritual e, ao fazê-la, podemos evitar os inúmeros rodeios tentadores que podem seduzir nossas energias, induzindo-as a enveredar por atalhos promissores, ou acalentar-nos para voltarmos ao ventre ocioso da infância. A recusa a cooperar no desmembramento do nosso eu desgastado cria uma paralisação completa no fluxo da vida, que redunda em morte espiritual. Segundo Jung, esse comportamento pode até acabar em morte física. A esse propósito, diz ele:

> Se a demanda do autoconhecimento for desejada pelo destino e recusada, essa atitude negativa pode acabar em morte verdadeira. A demanda não teria chegado à pessoa se esta ainda fosse capaz de guiar para algum atalho promissor. Mas ela está presa num beco sem saída, do qual somente o autoconhecimento poderá arrancá-la.[7]

Ser seduzido, embalado ou tentado a afastar-se de uma participação consciente na vida e induzido a cooperar com a morte é um assunto muitas vezes dramatizado nas artes. A Morte como sedutor é um tema favorito na pintura. *Morte: Soldado Abraçando Moça* de Manuel-Deutsch, por exemplo (Fig. 59), mostra uma mulher presa num abraço obsceno com um amante esqueleto, seduzida por ele a consentir numa união repulsiva e estéril. Às vezes a Morte é retratada como a mãe aparentemente benigna que nos abafa com um meigo acalanto, levando-nos assim para o Grande Sono. Foi, sem dúvida, esse aspecto da Morte que Dylan Thomas tinha em mente ao admoestar o pai:

> Do not go gentle into that good night
> Old age should burn and rave at close of day;
> Rage, rage against the dying of the light.[8]*

E, assim, devemos todos enfurecer-nos contra os carinhos sutis da Morte, a satânica tentadora que pode, embalando-nos, mover-nos a uma desatenção distraída de

7. C. G. Jung, *Mysterium Coniunctionis*, C. W. Vol. 14, § 675.

8. Dylan Thomas, "Do Not Go Gentle Into That Good Night", *The Pocket Book of Modern Verse*, pág. 574.

* Não entre suave naquela boa noite / A velhice deve arder e raivar ao cair da tarde; / Raive, raive contra o morrer da luz.

Fig. 59 Morte: Soldado Abraçando Moça (Nikolaus Manuel-Deutsch. Offentliche Kunstammlung, Basiléia, Suíça.)

modo que nos tornamos propensos a acidentes, ou que pode engodar-nos, conduzindo-nos a um suicídio mais sincero. "Morrer: dormir; . . ." Se a tentação para assassinar o lado da sombra – matar de uma vez por todas esse aspecto problemático, rejeitado de nós mesmos – se tornar demasiado opressora, poderá resultar na autodestruição.

Existem muitas maneiras até mais sutis de nos suicidarmos, tanto física quanto espiritualmente. Se não pudermos suportar as tensões da mudança, se não pudermos aceitar que, em determinados momentos da vida, precisamos permanecer inativos como o Enforcado, de pernas para o ar em relação às nossas atividades anteriores; se tentarmos forçar nossas energias a se enquadrarem em padrões cediços, a morte poderá aparecer sob o disfarce de um ataque do coração, de um derrame cerebral ou de qualquer outra doença súbita. Ou pode acontecer que uma pessoa presa num círculo vicioso de autopreocupações mortais possa simplesmente desvanecer-se, assim espiritual como corporeamente. Como Jung indicou, a natureza encontra um sem-número de modos de apagar uma existência sem sentido.

Conquanto a morte seja um conceito de limitação carnal pertencente ao lado *yin* da vida, é usualmente mencionada como masculina. Na fábula "Encontro em Samarra", assim as feições de uma velha. Exemplos da morte como figura feminina na Arte são relativamente raros. Uma gravura do artista mexicano José Guadalupe Posada mostra uma paródia medonhamente irônica do fascínio feminino sem nenhuma alusão à autêntica sedução oferecida pela morte nem ao chamado poderoso da Grande Mãe, que acena para nós gentilmente, convidando-nos a procurar-lhe o meigo abraço. Esse quadro chama-se *Calavera do Dândi Feminino* (Fig. 60). Nele, um crânio obscenamente namorador, enfeitado de fitas e laços, posa para um retrato, exibindo enorme chapéu rendilhado sobre o qual se empilham flores e penas finas. A boca monstruosa, de dentes imensos, semicerrada, esboça um sorriso voraz. A retratada, ornamentada como alguma ridícula prostituta velha, parodia o aspecto sedutor da Morte. O fato de chamar-se um "Dândi Feminino" sugere um travesti, representando a androginia do eu numa forma distorcida.

A palavra *calavera* significa literalmente "caveira", "crânio", mas, metaforicamente, também tem a conotação de "cabeça-de-vento, sujeito desmiolado,

Fig. 60 Calavera do Dândi Feminino (Posada)

impulsivo". Isto acentua ainda mais o tema do travesti e também a idéia da Morte como entidade irracional, descontrolada, cujo comportamento nos parece estranho, fora dos padrões aceitos da sociedade. A sátira, como a de Posada, é uma técnica que o homem utiliza para enfrentar o medo da morte. Outra maneira com que tentamos enfiar a morte num bolso escondido é lembrar-nos de que ela nada mais é do que um conceito mortal – criação do intelecto humano. William Butler Yeats, que sempre deblaterou, a plenos pulmões, contra a luz morrediça da velhice, conta-nos como um grande homem "escarnece a substituição da respiração". Num poema intitulado "Morte", diz ele:

> Nor dread nor hope attend
> A dying animal:
> A man awaits his end
> Dreading and hoping all;
> Many times he died,
> Many times rose again.
> A great man in his pride
> Confronting murderous men
> Casts derision upon
> Supersession of breath;
> He knows death to the bone –
> Man has created death.[9]*

Embora Yeats talvez tenha estado assobiando um pouco no escuro, é sem dúvida verdade que o homem criou o conceito de morte como *um evento único, que se verifica irrevogavelmente em certo momento do tempo*. Como sabemos, a morte é um processo contínuo que ocorre na natureza. O conceito de vida e morte como dicotomia distinta é simplesmente contrário ao fato observável.

Esta simples verdade, há muito reconhecida filosoficamente, tornou-se agora também uma questão de interesse prático. Em conexão com transplantes de coração e com a reciclagem, por assim dizer, de órgãos humanos, é essencial determinar o momento exato da morte para que os órgãos necessários possam ser removidos e transplantados enquanto ainda viáveis, sem fazer violência aos doadores vivos. (Dir-se-ia, a propósito, que o desmembramento e a reassimilação do homem perfeito, antigamente representados na igreja e no templo, estão agora ocorrendo na sala de operações. É alentador observar, de passagem, que hesitamos em desmembrar um ser humano "vivo" – delicadeza, cumpre notar, não partilhada por muitas sociedades primitivas, incluindo a da Alemanha de Hitler.) A pergunta que a ciência médica está formulando hoje é problemática: *Quando é o momento exato da morte?* É quando o paciente pára de respirar, quando o coração pára de bater ou quando o EEG já não mostra ondas cerebrais? Visto que a natureza não conhece o momento específico da

9. W. B. Yeats, "Death", *The Collected Poems of W. B. Yeats*, pág. 230.

* Nem o medo nem a esperança acompanham / Um animal moribundo: / O homem aguarda o fim / Temendo e esperando tudo; / Muitas vezes morreu, / Muitas vezes se levantou de novo. / Um grande homem em seu orgulho / Enfrentando homens sangüinários / Escarnece da / Suspensão da respiração; / Conhece a morte a fundo – / O homem criou a morte.

morte, o homem precisa criar um arbitrariamente, a fim de responder a essas perguntas práticas. Nesse sentido o homem, literalmente, "cria a morte". A nossa atenção foi chamada para a natureza espúria da suposta dicotomia "vida *versus* morte" de maneira tão dramática que não podemos ignorá-la.

O nosso mundo arrumadinho de opostos também está sendo desafiado na outra ponta do contínuo nascimento-morte. Com a crescente legalização do aborto, a pergunta *Exatamente quando começa a vida humana?* também passou a ser de vital importância. Como estamos começando a compreender, as questões sobre o início da vida na carne e sobre o fim da vida na carne não podem ser decididas no laboratório nem no tribunal de justiça – só podem ser resolvidas de comum acordo escolhendo-se um ponto arbitrário no contínuo espaço-tempo, no qual concordamos em dizer que começa a vida de um ser humano individual, e outro em que decidimos que essa vida humana termina. Nós nos arrogamos o papel de deuses para julgar vivos e mortos. Do começo ao fim de nossas discussões, deliberações e decisões a respeito desses problemas, a própria Natureza, como sempre, permanece em silêncio.

Yeats está profundamente certo. Podemos muito bem enfrentar a suspensão da respiração com o desprezo que ela merece. Em certo sentido, não é mais significativa do que as muitas transformações da carne que acontecem todos os dias, a todas as horas e a todos os momentos. Se "criamos a morte", por que o seu fantasma nos visita? Por que não podemos tratar alegremente do negócio de viver, fiados em que o instinto animal de autoconservação nos protegerá nos raros momentos de crise física, quando a ação defensiva se torna necessária?

Parece que não podemos fazer isso. Em todas as culturas e épocas, o fantasma autocriado tem estado sempre presente nas asas, interrompendo o drama da vida com medos irracionais e desviando a nossa atenção do negócio que está sendo feito. Já se escreveram muitos tratados sobre a arte de morrer. Um deles, o *Artes Moriendi*, provavelmente apareceu ao mesmo tempo que o mais antigo Tarô que se conhece. Uma das ilustrações que se encontram nesse tratado é uma tela de Bosch intitulada *A Morte e o Avarento*, em que o avarento é pintado em seu leito de morte. Vê-se a figura amortalhada da Morte entrando no quarto, enquanto pequeninos trasgos de asas pretas estão em toda a parte, atarefados em despojar o usuário de carteiras e outros tesouros. Atrás dele, um anjo branco aponta para um crucifixo do qual flui um raio luminoso. Abençoado por essa luz, o avarento se volta para enfrentar a Morte, que aparentemente lhe dá as boas-vindas. Torna-se óbvio que a luz vista agora pelo avarento transcende o truísmo: "Você não pode levá-la consigo." Como Bosch e seus contemporâneos sabiam, o medo da morte, inerente aos nossos ossos psíquicos, não pode ser vencido pela lógica e pelos aforismos. Parece estar dizendo que as coisas deste mundo só podem ser abandonadas e a morte efetivamente bem recebida através da iluminação de uma experiência que transcende todas as outras coisas.

No tempo de Bosch, a Igreja e sua simbologia viva atuavam como mediador nesse tipo de experiência. Mas para muitos de nós no século XX, tal mediação já não é muito viável. Os símbolos da nossa herança judeu-cristã perderam o sentido para nós. A morte se tornou, cada vez mais, um fenômeno puramente físico, que se verifica num hospital e é tratado antissepticamente por estranhos de uniformes engomados. Até os aspectos espirituais e emocionais íntimos da experiência da morte são agora enfrentados por estranhos – solenes personagens de preto que aparecem misteriosamente à beira do túmulo, dirigindo as atividades de maneira obsequiosa. Concluídas as cerimônias do sepultamento, os mesmos pássaros pretos são, amiúde, os primeiros a cair sobre a família (que mal conhecem) para dizer que lamentam muito que alguém (que conheceram apenas como cadáver) tenha "partido". Se forem encorajados (e convenientemente recompensados), esses lamentadores profissionais escolherão e lerão poesias ou farão citações da Bíblia consideradas apropriadas à ocasião e chegarão até a preparar um florido panegírico do "falecido" – isto é, de *qualquer* falecido.

As ridículas tentativas da nossa cultura de embalsamar a vida foram competentemente satirizadas no clássico *The Loved One* de Evelyn Waugh. Parece que essa idiotice alcançou agora a última extremidade, como se o pêndulo tivesse começado a oscilar para trás, para uma aceitação emocional da morte e um envolvimento mais pessoal, assim do moribundo como dos desolados, no trato prático e espiritual com ela. Agora já se revelam os fatos aos pacientes que estão a pique de morrer. Encorajam-se e ajudam-se as famílias a tratar desses doentes em casa. Seminários e grupos de discussão oferecem oportunidades às famílias que enfrentam esta experiência a conhecer outras pessoas em situações semelhantes e partilhar-lhes dos problemas e introvisões.

Agora que, afinal, já se pronuncia em voz alta o nome da Morte, descobrimos que o rosto que ela volta para nós é menos assustados do que havíamos imaginado. Talvez, um dia, o esqueleto da carta número treze brilhe para nós com o luminoso fulgor da luz transcendente que ele espargiu sobre gerações passadas.

Em seu livro *Psyche and Death*, Edgar Herzog explora minuciosamente as origens dos dois enfoques básicos da morte: o científico e o religioso. Consoante a sua tese, o confronto do homem com o fato da morte física pode ter fornecido o primeiro impulso para a ciência e para a religião. De acordo com Herzog, a capacidade de horrorizar-se com a morte de outra pessoa é uma das principais características que distinguem o homem dos animais. Esse horror, diz ele, difere do medo específico da própria morte, que opera como um instinto de autoconservação tanto nos homens como nos animais. Indica a pesquisa que a primeira reação do homem primitivo, e do que em nós ainda existe de primitivo, é fugir da vista de um cadáver – reação não característica dos animais. Caracterizando essa reação como "o horror do incompreensível", em contraste com "o medo do específico", Herzog aventa a hipótese de que esse sentimento de horror é, provavelmente, a primeira experiência humana do "totalmente inacessível" – a única experiência que Rudolf Otto denominou um "tremendum".

Herzog prossegue demonstrando que o estabelecimento de um acordo com esse "tremendum" é o trampolim para o desenvolvimento de uma imagem do mundo, expandindo a consciência do homem em duas direções: a da religião, que o ajuda a aceitar a morte e o destino, graças à ampliação da sua percepção para incluí-los, e a da ciência, que encontra os fatos da morte e do destino ao tentar controlá-los. Herzog conclui suas discussões a respeito desse ponto da seguinte maneira:

> Fora ocioso dizer que ambas as tendências operam simultaneamente na psique e exercem influência sobre o comportamento humano: entretanto, o comportamento humano parece sempre levar a um ponto em que uma se diferencia mais claramente e obtém predominância sobre a outra. A segunda tendência (para a defesa contra a morte) sugere uma afirmação do ego em *sua adaptação à realidade externa*; a primeira (aceitação do destino) sugere uma

auto-subordinação à realidade interna. Uma conduz, através da magia, à dominação da ordem física por meio da ciência natural, a outra conduz à religião e à percepção do ser.[10]

Do começo ao fim da nossa recente "idade negra", com sua estéril e científica abordagem da morte e seu insano culto da juventude e da longevidade ao mesmo tempo, os poetas entre nós foram fiéis aos valores religiosos. Apreenderam em palavras a conexão misteriosa entre a morte e o renascimento espiritual, guardando-a para todos nós. Um poema que, para mim, transmite efetivamente a relação entre o nascimento e a morte é o "Journey of the Magi" de T. S. Eliot. Nesse poema, um dos três Sábios fala desta sorte:

All this was a long time ago, I remember,
And I would do it again, but set down
This set down
This: were we led all that way for
Birth or Death? There was a Birth, certainly,
We had evidence and no doubt. I had seen birth and death,
But had thought they were different; this Birth was
Hard and bitter agony for us, like Death, our death.
We returned to our places, these Kingdoms,
But no longer at ease here, in the old dispensation,
With an alien people clutching their gods.
I should be glad of another death.[11] *

Depois desse confronto com a carta número treze do Tarô, o herói da nossa saga também terá dado um passo irrevogável naquele rio do qual nenhum viajante retorna à mesma vida que levava antes. À semelhança do Sábio, já não se sentirá à vontade no velho regime. Ter-se-á tornado um estranho para a própria família e para os amigos de antanho, um exilado na pátria. Mas não lhe é dado retroceder. À maneira do Louco – e à maneira do Sábio – precisa tomar a estrada novamente, à procura de "outra morte". Seja-nos permitido agora acompanhá-lo na procura.

10. Edgar Herzog, *Psyche and Death*, Nova Iorque, C. G. Jung Foundation, 1967, pág. 27.

11. T. S. Eliot, "Journey of the Magi", *Collected Poems 1909-1935*, Nova Iorque, Harcourt, Brace and Company, Inc., pág. 126.

* Tudo isso foi há muito tempo, eu me lembro, / E o faria de novo, mas escreva / Isto escreva / Isto: fomos conduzidos por todo aquele caminho para / O Nascimento ou a Morte? Houve um nascimento, por certo, / Tivemos a prova e nenhuma dúvida. Eu vira o nascimento e a morte, / Mas julgara que fossem diferentes; este Nascimento foi / Uma dura e amarga agonia para nós, como a Morte, a nossa morte. / Regressamos aos nossos sítios, esses Reinos, / Mas já não à vontade aqui, na velha dispensação, / Com um povo estranho deitando a mão a seus deuses. / Eu gostaria de outra morte.

Fig. 61 Temperança (Baralho de Marselha)

17. Temperança: Alquimista Celeste

Cada haste de relva tem o seu Anjo,
que se inclina sobre ela e sussurra:
"Cresce, cresce!"

Talmude

No Trunfo número catorze, um anjo de cabelos azuis, que traz uma flor encarnada na testa, deita o líquido de um vaso azul num vaso vermelho (Fig. 61). O tema desta carta associa a Temperança a Aquário, o carregador de água, o décimo primeiro signo do zodíaco. Aquário rege a circulação do sangue e tem sido correlacionado com a associação de idéias. Simboliza tradicionalmente a dissolução das velhas formas e o desatamento dos laços rígidos, anunciando uma libertação do mundo dos fenômenos.

Retrata-se Aquário, de hábito, segurando apenas uma urna. Quanto aos dois recipientes pintados aqui, Paul Huson, em seu *The Devil's Picture Book* tece alguns comentários interessantes. Recorda-nos que no zodíaco de Denderah, Aquário se identificava com Hapi, o deus do Nilo, cujas águas eram a fonte da vida, tanto agrícola quanto espiritual. À semelhança do seu equivalente egípcio, portanto, o Anjo da Temperança funde dois aspectos ou essências opostas, produzindo energia prodigalizadora de vida. Huson assinala também que uma idéia semelhante foi dramatizada pelo gnóstico do século II, Marcos, que celebrava a Eucaristia usando dois cálices em lugar de um. "Vertendo o conteúdo de um no outro", diz Huson, "ele mistura a água ao vinho, sendo a água equiparada, em seu sistema, a Sofia, 'sabedoria divina', que havia caído na Terra e fora arrastada rodopiando pelos escuros espaços vazios, e sendo o vinho equiparado ao espírito flamante do Cristo Salvador".[1]

O Anjo da Temperança é um personagem crucial na seqüência do Tarô, e inspira boa parte da ação que se segue. Quer pensemos nos opostos vermelho e azul, que ele mistura como símbolos do espírito e da carne, do masculino e do feminino, do *yang* e do *yin*, do consciente e do inconsciente, quer a interação deles seja interpretada como "o casamento de Cristo e Sofia" ou "a união do fogo e da água", isso pouca diferença faz, pois tudo está implícito. O líquido que flui entre os dois jarros não é vermelho nem azul, senão branco puro, a sugerir que representa uma pura essência, talvez energia.

1. Paul Huson, *The Devil's Picture Book*, págs. 183-184.

Claro está que dois opostos elementais, como o fogo e a água, não podem confrontar-se diretamente. Uma confrontação dessa natureza neste ponto seria, sem dúvida, catastrófica. Poderia terminar numa violenta assunção pelos fogosos elementos não controlados, ou na extinção igualmente desastrosa do espírito flamejante por uma onda provocadora de marés, vinda do inconsciente. Para que os elementos vermelho e azul possam encontrar-se com segurança à luz do dia, cumpre que ocorra uma preparação nos escuros recessos da psique. É a este cerimonial que o Anjo preside.

Como em qualquer situação de conflito, um primeiro passo criativo no sentido de uma solução consiste em encontrar um árbitro – alguém cuja sabedoria e compreensão abranja os dois lados. A alada Temperança, que sustém com igual interesse o azul e o vermelho ao mesmo tempo, é uma figura assim. Suas asas nos dizem que ela é sobre-humana – capaz de alçar-se acima das mesquinhas questões mundanas. Habita um reino além do alcance mortal. Nenhuma figura humana está retratada nesta carta, a indicar que, seja o que for que acontece aqui, ocorre no inconsciente do herói, sem a percepção nem a participação do ego.

Faz muito tempo que os Anjos vêm sendo vistos como mensageiros alados do céu, o que significa, psicologicamente, que representam experiências internas de natureza mágica, ligando o homem ao mundo arquetípico do inconsciente. Tais visões aladas aparecem em nossa vida mundana em momentos cruciais, trazendo novas introvisões e revelando novas dimensões da experiência.

Nos relatos bíblicos, os anjos aparecem tradicionalmente para fazer uma anunciação ou uma revelação de importância transcendental. De ordinário, a mensagem do anjo interessa não só ao indivíduo que vê a visão, mas também ao grupo coletivo. Essas experiências visionárias assinalam dramáticos pontos críticos, pessoal e culturalmente. Por vezes pressagiam um nascimento milagroso (como na anunciação feita a Maria) ou proclamam, com toques de trombeta, o renascimento (como no Juízo Final), tema que será abordado mais adiante na série do Tarô.

O Anjo da Temperança não se anuncia com um fulgor de luzes ofuscantes nem com um fragor de címbalos. Em vez disso, posta-se diante de nós tranqüilamente, como uma presença permanente. À diferença do Anjo do Juízo Final, pintado na carta número vinte, que irromperá através da barreira que separa o celeste do terrestre, para surgir num esplendor de glória nos céus, o Anjo da Temperança, como quadra ao seu nome, não encena uma entrada dramática. Na verdade, não encena entrada alguma. Limita-se a estar ali, entretido no afã de verter. Percebemos que aquele ser alado não acabou de descer do céu, mas está ali postado há muito tempo, à espera de que o herói dê tento dele.

Consoante uma crença antiga, cada pessoa, animal e planta viva tinha o seu anjo da guarda. Este talvez seja o anjo bom do herói. Se lhe traz uma mensagem, transmite-a pelos seus atos, que parecem dizer: "Calma, há poderes que operam no universo e em ti e que estão além da tua experiência cotidiana; confia nas correntes mais profundas da vida; deixa-te fluir com elas."

Para Meister Eckhart, os anjos representavam "idéias de Deus". De acordo com Jung, um anjo personifica a conscientização de algo novo que vem do inconsciente profundo. De outra feita, ele definiu os anjos mais especificamente como "transmissores personificados do conteúdo do inconsciente, que anuncia que eles desejam falar."[2] O

2. C. G. Jung, citado por Amy I. Allenby, "Angels as Archetype and Symbol", *Spring 1963*, pág. 48.

Anjo da Temperança, tal como o vemos, ainda não fez um pronunciamento. Mas se o herói deseja ouvir-lhe a mensagem, poderá, provavelmente, encetar um diálogo com ele, estabelecendo assim um relacionamento vivo com o "outro" respondedor lá dentro.

Esse método de dramatizar a nossa conexão com uma figura interior (que Jung denomina "imaginação ativa") era também usado, aparentemente, pelos alquimistas, que lhe chamavam *meditatio*. Ruland, o Lexicógrafo, define *meditatio* como "diálogo interior com alguém invisível, como também com Deus, ou consigo mesmo, ou com o anjo bom da pessoa".

Depois de citar Ruland, Alan McGlashan acrescenta estas palavras: "e com o anjo negro da pessoa".[3] Trata-se de uma adição pertinente, pois (como Jung assinalou) os anjos, à semelhança de todos os arquétipos, são criaturas de moral duvidosa. Na carta do Tarô que se segue a esta, o Diabo, com efeito, ver-nos-emos frente a frente com o mais suspeito e o mais negro de todos, o Príncipe Lúcifer, o anjo caído.

Mas o Anjo da Temperança merece toda a confiança, pois traz uma flor na testa, cuja forma circular, de cinco pétalas, sugere uma mandala, símbolo da quinta-essência. Essa mandala viva está colocada no lugar do terceiro olho, que é, tradicionalmente, a área da consciência suprema e, em termos junguianos, o lugar da individuação. As estátuas de Buda sempre trazem algum sinal na testa. É o sinal da consciência despertada, o símbolo dos nascidos duas vezes.

Conquanto a percepção do Anjo pelo herói ainda esteja enterrada tão profundamente que a sua mente consciente não pode penetrá-la, ele começa a compreender intuitivamente que também está marcado. Emergiu da confrontação com a morte como alguém nascido duas vezes; sente a própria percepção desabrochando para uma vida nova. Tendo vislumbrado o ser angélico, agora se sente escolhido – separado da multidão.

Ser visitado por um anjo assim é uma experiência notável. O poeta Rilke colocou sua experiência com tais seres arquetípicos nestas palavras:

> Quem pode ter vivido sua vida em solidão
> e não se ter maravilhado de como os anjos ali o
> visitarão de vez em quando e o deixarão partilhar
> do que não pode ser dado à multidão,
>
> os dispersos e desintegrados
> que em gritos desataram suas vozes?[4]

3. McGlashan, *op. cit.*, pág. 29.
4. Rainer Maria Rilke, *Poems 1906-26*, Norfolk, Conn., New Directions, 1959, pág. 73.

Uma mensagem compensadora de cura e unidade como a que Rilke descreve geralmente nos vem em ocasiões em que estamos mais sós – quando nossas vidas, interna e externa, parecem mais fragmentadas. Nesses momentos, quando o ego se sente inseguro, figuras do inconsciente profundo se movem em nossa área de percepção.

O herói encontra-se agora numa condição assim. Que esse momento assinala um ponto crítico psicológico é evidenciado pelo fato de ser a Temperança a carta final de sua fileira horizontal do nosso mapa, indicando estar próxima uma mudança dinâmica no fluxo da libido.

Os terrores e introvisões que experimentou ao defrontar com o esqueleto da carta anterior deixaram o herói abalado e só, desorientado e posto de parte. Não pode voltar aos velhos métodos e hábitos; a vida que viveu anteriormente jaz em ruínas. Sua personalidade consciente está temporariamente fragmentada. Embora a casca de sua antiga segurança esteja agora irreparavelmente estragada, através das próprias rachas pode ver-se uma nova luz, uma vaga visão de totalidade potencial.

No meio dos gritos clamorosos das muitas idéias, sentimentos e opiniões conflitantes que rodopiam dentro dele, começa a tornar-se manifesto um centro de silêncio oculto. Às vezes, quando olha com o olho interior, ele consegue captar os contornos indistintos do anjo da guarda, tal como está pintado no Tarô. Às vezes, quando presta muita atenção, consegue ouvir o som apaziguante de suas águas subterrâneas no momento em que começam a fluir outra vez, e pode sentir suas energias se acelerarem e saltarem para uma nova vida. O domínio da morte acabou; uma nova libido está às ordens.

Chegou a hora de deitar a libido num novo recipiente. Mas a mudança não pode ser desejada nem dirigida conscientemente. "A energia psíquica", diz Jung, "é uma coisa muito exigente, que insiste no cumprimento das suas condições. Embora muita energia possa estar presente, só poderemos torná-la aproveitável quando tivermos conseguido descobrir o gradiente certo".[5] As energias criativas da vida não podem ser dirigidas pela simples força de vontade para os canais escolhidos pelo ego consciente, por mais razoáveis, lógicos e apropriados que possam parecer à mente pensante. "A vida só pode fluir para a frente", diz Jung, "seguindo o caminho do gradiente". A equilibração do fluxo dos opostos, de modo que a energia encontre o gradiente apropriado, requer a paciência e a habilidade de um anjo. Visto que este tipo de transformação está além do nosso controle consciente, convém que o herói saia do quadro, confiando em que o seu Anjo desempenhe sozinho essa parte da Grande Obra.

Em qualquer nível de significação, a reconciliação dos opostos não é uma questão de lógica e razão. Gerações de homens vêm lutando em vão por reconciliar a busca do sentido, exemplificada na religião, com a busca do fato, personificada pela ciência. A

5. C. G. Jung, *Two Essays on Analytical Psychology*, C. W. Vol. 7, § 76.

suposta dicotomia entre esses dois impulsos básicos nos homens não se concilia através do intelecto. Como todos os opostos, eles não podem ser resolvidos pela lógica: só podem ser reunidos no ponto da *experiência*. Essa verdade é ilustrada de maneira muito eloqüente numa entrevista filmada de Jung, em que lhe foi perguntado: "Acredita em Deus?" ao que ele respondeu: "Não *acredito*. . . eu sei."

O Anjo da Temperança pode personificar essa espécie de conhecimento interior, que suplantará cada vez mais a "crença" e a "opinião" na resposta do herói à vida. Podemos ver nesta carta o princípio da Idade de Aquário na psique, conduzindo à redescoberta do homem e do seu mundo como um todo. Originalmente a palavra "todo" era sinônimo de "santo", e o verbo "curar" significava "fazer todo". Deve-se a Jung a conclusão de que as neuroses representam uma capacidade perdida para a totalidade e a santidade da experiência religiosa. Na Temperança, restabelece-se o contato com o mistério. Suas duas urnas, como o Santo Graal e o cálice da comunhão, têm poderes mágicos para reunir, conter, preservar e curar. E esse personagem alado permanecerá como uma espécie de guia arcangélico do herói em sua jornada. Ficará com ele como lembrete constante de que seus pensamentos, suas energias e seus planos nunca estão totalmente sob o controle consciente.

O líquido nas urnas do Anjo parece saltar por sua própria vitalidade de alguma fonte inexaurível, como as águas míticas do jarro milagroso. O padrão da trajetória do líquido pode ser visto como uma lemniscata aberta. A lemniscata fechada, que aparece no chapéu do Mago no primeiro Trunfo, sugere o sistema unitário da energia criativa primordial antes da separação dos opostos, o movimento dos uroboros que mordem a própria cauda. Na Temperança a lemniscata desdobrou-se de tal maneira que os opostos estão agora separados e claramente definidos como dois vasos, com o precioso líquido sendo transferido do recipiente mais alto para o mais baixo e gerando uma nova espécie de energia.

Assim revivificada, a libido começa a fluir em outra direção. Após a inatividade forçada do Enforcado e o cruel desmembramento da Morte, a energia do herói agora pula, como corrente elétrica, do potencial mais alto para o mais baixo. Está sendo feita uma nova conexão entre a clareza azul-celeste do espírito e o vermelho sangrento da realidade humana. Aquário, o signo do relacionamento ideal, interessa-se pela interação entre o princípio perfeito e a forma perfeita. Visto que verte e recebe, ao mesmo tempo, num só gesto, o Anjo cria uma nova relação entre o impulso diretivo do *yang* positivo e a tranqüila contenção do *yin* receptivo. Dessa maneira, une a magia do Mago à magia do seu equivalente feminino, a Força.

No Mago e na Força, a lemniscata é pintada como um chapéu. Um chapéu nessas condições é uma espécie de marca registrada ou insígnia da função. Indica que o portador é apenas o zelador dos poderes mágicos ou talentos divinos que simboliza. O Anjo da Temperança não usa chapéu. Os seus poderes divinos estão investidos nele mesmo.

Uma boa forma de compreender o drama desta carta é contrastá-la com o tema da interação dos opostos, retratado em outros Trunfos. No Carro, por exemplo, que é a carta diretamente acima da Temperança no mapa, os opostos azul e vermelho davam a impressão de ser dois cavalos obstinados jungidos juntos. Embora parecessem uma parelha desencontrada, as rédeas misteriosamente invisíveis insinuavam uma orientação divina. Na Temperança, a orientação divina provém do Anjo alado, seu personagem central e único.

O simbolismo da Temperança é mais impessoal e abstrato que o do Carro. Oferece-nos uma visão da situação encarada do ponto de vista da eternidade, colocando-nos em contato com o reino aquariano do conhecimento puro e unitário, que existe atrás do nosso mundo de aparências. Aqui a energia, experimentada anteriormente como duas feras separadas, agora se revela uma corrente vital. No Carro, a tarefa da libido consistia em empurrar o herói para a frente em sua jornada. Na Temperança, a própria libido passa por uma transformação. Os opostos, pintados no princípio do Reino do Equilíbrio como os dois pratos da balança da Justiça, separados por uma barra fixa, são agora apresentados como um recipiente vermelho e outro azul do fluido único do Ser. Tornaram-se formas alternadas que afeiçoam e contêm o *élan vital.*

No capítulo anterior, brandindo a arma do tempo, a Morte ameaçava cortar cerce a existência mortal do herói. O esqueleto, com os dentes arreganhados num sorriso, representava o tempo em seu aspecto mais ameaçador. Enfrentando a monstruosa realidade, o herói principiou a ser alçado para um reino além do tempo, a sair da prisão da limitação humana para o mundo das coisas eternas. O Anjo estabelece uma conexão entre o mundo cotidiano do tempo histórico e o "tempo sagrado", para usarmos a expressão de Mircea Eliade. Eliade descreve esse reino como "uma espécie de presente mítico eterno, periodicamente reintegrado por meio de ritos".[6]

Na Temperança, o ritual da vertedura religa o herói ao mundo sagrado que ele vislumbrava antes como o Enforcado mas que, depois disso, perdeu. No futuro, sem dúvida, haverá épocas em que ele se verá de novo desligado do Anjo e do mundo de verdades imortais deste último. Nunca mais, porém, se sentirá inteiramente despojado, pois agora experimentou, no fundo de si mesmo, o som das águas do Anjo e batizou os seus pequeninos cuidados no ponto mais forte da corrente de energia criativa do mesmo Anjo.

Esse ritual não é, de modo algum, um conceito puramente filosófico. O auxílio oferecido pelo Anjo é prático e vital, não só para a realidade externa como também para a jornada interna. Se tomarmos os dois vasos como representantes do externo e do interno, do consciente e do inconsciente, o Anjo, pela sua vertedura ritual, ajuda o herói a reconciliar os dois aspectos da vida. Como Jung enfatiza, surge diariamente a necessidade de reconciliar o mundo dos sonhos com o mundo da vida cotidiana. A não ser assim, esses dois mundos propenderão a introduzir-se um no outro da maneira mais desconcertante. Quando o inconsciente sai para o mundo externo a fim de tomar emprestados como símbolos de sonhos os eventos, as pessoas e os objetos da

6. Mircea Eliade, *The Sacred and the Profane*, Nova Iorque, Harcourt, Brace, Javonovich, Inc., 1959, pág. 20.

experiência diária, ameaça a ordem habitual da vida de todos os dias. De um modo similarmente desconcertante, a mente do ego racional intromete-se no mundo das imagens do inconsciente, perturbando e rompendo o seu trabalho curativo.

Quando esses dois mundos se misturam inconscientemente, sem anjo da guarda para presidir, a nossa vida se torna desorganizada e confusa, não raro com resultados desastrosos. Se tentarmos viver no lado externo um drama que pertence mais apropriadamente ao lado interno, a trama pode acabar em tragédia. Podemos, por exemplo, projetar o Anjo da Temperança em alguma pessoa das nossas relações, entregando à guarda e aos cuidados dessa pessoa todos os nossos conflitos, problemas, esperanças e sonhos, esperando que esse ser aparentemente superior guarde e regule o fluxo de nossa vida. Em tal caso, fora ocioso dizer que o Anjo da carta número catorze surgirá, um dia, em nosso baralho, como o Diabo da carta número quinze.

É igualmente muito pouco prático tentar colocar à força em nosso mundo interior acontecimentos que pertencem propriamente à realidade exterior. Se tivermos, por exemplo, um problema com a nossa cara-metade ou com o nosso vizinho, será fútil transportar esse drama inteiramente para o plano simbólico, despendendo horas e horas na elaboração de diálogos imaginários com a citada pessoa ou teorizando, em solitário confinamento, sobre as possíveis razões do comportamento do outro. Se bem seja valiosa alguma introspecção, chegará um momento em que teremos de entrar na realidade e iniciar um diálogo ao vivo com a pessoa em apreço. Freqüentemente, quando juntamos a coragem necessária para fazê-lo, descobrimos que a realidade externa é muito menos ameaçadora do que o drama interior que havíamos preparado. Pode até acontecer que o que havia aparecido em nossa imaginação como tragédia de antagonismo venha a revelar-se, na verdade, comédia de equívocos.

Destarte, como o Anjo, precisamos encontrar dois receptáculos para os nossos dois mundos, a fim de que eles não venham a misturar-se acidentalmente e, como ele, precisamos sempre manter um domínio firme sobre ambos. Quando e como misturar o conteúdo desses receptáculos é algo que só poderemos aprender mediante o método do ensaio e erro.

Esta carta número catorze tem sido chamada O Alquimista. A teoria da alquimia era que toda a matéria pode ser reduzida e uma substância, da qual, por processos tortuosos, é possível extrair o baixo e o corruptível, de modo que, finalmente, só o puro e incorruptível, o ouro dos filósofos, seja corporificado. Talvez alguma coisa semelhante esteja começando a ocorrer nas águas mais profundas da psique do herói. Como se a colheita, feita pela Morte, de aspectos parciais, conceitos cediços e modas de comportamento (simbolizados pelas cabeças, pés e mãos sortidas da carta número treze) tivesse sido reduzida a uma substância, da qual começasse a formar-se um novo ser psíquico.

O Anjo que efetua essa alquimia sutil é denominado, com justeza, Temperança. Temperar significa "trazer a um estado adequado ou desejado pela combinação ou pela mistura". Temperamos o aço para torná-lo forte, porém flexível. Idealmente temperamos a justiça com a misericórdia pela mesma razão. A Justiça apareceu na primeira carta do Reino do Equilíbrio do mapa. Vale a pena comparar essa carta com a Temperança, a carta final da mesma fileira. Na Justiça, a figura central está sentada, entronizada, tão rígida e inflexível quanto o ímpeto vertical da espada, ao passo que os pratos opostos da balança são separados por uma travessa igualmente inflexível. Como vimos, ela demonstrou a lei dos opostos e o modo com que eles funcionam juntos de maneira complementar. Os instrumentos empunhados pela Justiça eram dispositivos feitos pelo homem para discriminar e medir. Posto que presidisse a considerações morais, ela sentava-se acima delas; não se envolvia pessoalmente. Aparecia como figura alegórica, que não era humana nem era nenhum dos deuses.

A Temperança, conquanto ser celestial, tem uma aparência mais humana do que a Justiça. É alada, mas está solidamente postada na realidade; dessa maneira, compartilha tanto do reino celeste quanto do terrestre, ligando-os. Diferente da Justiça, parece muito envolvida no processo manual e profundamente preocupada com ele. Em contraste com a rigidez tipificada pela Justiça e sua balança, tudo o que se refere à Temperança dá a impressão de ser tão fluido quanto o líquido mágico que ela verte. O corpo do Anjo oscila e flui numa dança rítmica, que se equipara às ondulações da água. As barras vermelha e azul da saia, suas cores significativamente colocadas em oposição às dos vasos, dão a entender que a transferência da libido aqui mostrada faz parte de um processo contínuo, uma interminável corrente alternada. É um acontecimento natural, que se verifica fora de casa, sobre um fundo de quadro inculto, cujas duas plantas verdes reproduzem a vitalidade contida nos dois vasos. O jogo das águas aqui retratado não poderia ser controlado ou medido nem pelos mais requintados instrumentos da civilização. O drama da Temperança acontece apenas pela graça de Deus e sob a ministração dos anjos.

Tendo chegado agora ao fim do Reino do Equilíbrio, talvez seja proveitoso rever-lhe o padrão global. Tomada como um todo, a fileira do meio dos Trunfos do Tarô enfatiza o que se poderia denominar problemas morais. Na filosofia medieval, a Temperança era uma das três virtudes cardeais, todas as quais aparecem nos Trunfos do Tarô. Conquanto as implicações psicológicas dessa carta nos tenham conduzido muito além do sentido literal de *temperança*, que é simplesmente *moderação*, essa acepção, não obstante, está implícita em tudo o que foi dito. A segunda virtude cardeal, a Fortaleza, pintada como a dama e o leão da carta número onze, demonstra a coragem paciente, a força moral e a resistência usualmente associadas à fortaleza. A terceira virtude cardeal, a Prudência, não está especificamente ilustrada no Tarô de Marselha mas, segundo Moakley,[7] um dançarino chamado Prudêncio ocupa o lugar do Enforcado em alguns baralhos. Parece que o Prudêncio não foi deixado de fora do Tarô; ele foi tão-somente (imprudentemente?) virado de cabeça para baixo.

Outro padrão recorrente da fileira do meio dos Trunfos do Tarô, evidentemente, é o do equilíbrio, ou da harmonia dos opostos. Do princípio ao fim dessa fileira vemos uma interação contínua de energia masculina e feminina. A Justiça é representada por uma mulher, mas esta empunha uma espada, símbolo do Logos masculino. O Eremita apresenta um Sábio arquetípico, mas enverga os vestidos flutuantes da Madre Igreja. A Roda da Fortuna dramatiza a interação cíclica de todos os opostos, e é seguida pela Força, em que uma dama e o seu leão misturam dois tipos de energia em harmoniosa

7. Gertrude Moakley, *The Tarot Cards Painted by Bonifacio Bembo*, Nova Iorque, New York Public Library, 1966, pág. 95.

simbiose. Em seguida, o Enforcado nos mostra alguém conseguindo o equilíbrio entre o celeste e o terrestre. Na Morte, outros opostos, tais como o rei e o plebeu, o macho e a fêmea, estão sendo cortados em pedacinhos e enfiados na terra, enquanto se prepara a reorganização e a reassimilação, processo que principia na derradeira carta dessa fileira, a Temperança.

Vale notar que muito da ação na segunda fileira é iniciada ou presidida por figuras femininas. A Justiça, a esfinge na Roda da Fortuna, a Força e a Temperança, todas claramente femininas, dominam a ação. O Enforcado é passivo, incapaz de agir. Encaixado e imobilizado numa espécie de ataúde, composto de árvores e terra, é mantido cativo pelo feminino. Só o Eremita e a Morte (ambos figuras andróginas) mostram o princípio masculino em ação. O gentil Eremita, armado tão-somente de uma lampadazinha, não inicia ação alguma; apenas faz incidir sua luz suave e inquiridora no que quer que esteja acontecendo. A Morte é retratada como muito ativa, mas não é senhora de si mesma. Sua segadeira, em forma de crescente, pertence à Deusa da Lua, Astarte, senhora do tempo, das marés e da mudança.

Outro padrão descoberto neste Reino do Equilíbrio é o modo com que as cartas alternam seus temas entre o geral e o específico. Primeiro se apresenta o problema geral, ilustrado e amplificado depois por casos específicos de sua aplicação num padrão rítmico alternado. Primeiro, a Justiça retrata o dilema moral universal, o problema de determinar e medir a culpa e a inocência. Depois vem o Eremita, cuja lâmpada ilumina um enfoque mais individual e humano do problema. A carta número dez, a Roda da Fortuna, traz-nos de volta outra vez ao universal. Coloca a eterna questão de destino *versus* livre-arbítrio. Estaremos nós, como os animais, presos para sempre no carrossel, já menos divertido, do comportamento instintual? À maneira de resposta, os dois trunfos seguintes nos mostram duas alternativas. Primeira, a dama com o leão, que revela que a natureza bestial pode ser domada e, segunda, o Enforcado, cujo corpo parece tão indefeso quanto os animais na Roda da Fortuna, mas cujo espírito (diferente do deles) está livre para encontrar sentido no sofrimento. A carta número treze nos traz de volta ao universal, lembrando-nos de que tanto o homem quanto a fera são impotentes para evitar o esqueleto, a Morte. E agora a Temperança limpa nossas percepções defeituosas ligando-nos, de um modo divino e humano ao mesmo tempo, ao mundo imutável além do alcance da foice do tempo. Ao fazê-lo, opera uma graciosa transição entre o mundo dos problemas morais e o mundo da iluminação divina, que será o tema expresso nas sete últimas cartas da série do Tarô. Mas até para um anjo o processo é lento. A obra que ela aqui enceta só estará consumada no fim da jornada do Tarô.

Visto que a Temperança é mencionada como "O Alquimista", talvez valha a pena recapitular algumas das coisas que temos dito na linguagem dos velhos alquimistas. Ao fazê-lo, poderemos observar a exatidão com que este Trunfo do Tarô e as cartas que se seguem a ele refletem a linguagem simbólica dos pioneiros que marcaram os caminhos no rumo da individuação.

Na linguagem alquímica, o "glúten da águia" e o "sangue do leão" eram misturados no "ovo filosófico", ou alêmbico, e depois submetidos ao calor. Vemos, na Temperança, a fase inaugural dessa Grande Obra, quando o interesse compassivo do Anjo fornece o calor necessário ao início do processo de "cozimento". As duas cartas seguintes (O Diabo e A Torre da Destruição) mostrarão os modos com que várias outras espécies de calor – tanto alquímica quanto psicologicamente falando – serão aplicadas.

A ação do Anjo da Temperança enquanto trabalha com as águas da psique do herói é como a do Sol, o alquimista da Natureza, trabalhando com as águas da nossa Terra. O Sol faz do nosso planeta uma retorta alquímica em que as águas do oceano são erguidas ao céu e depois, expurgadas das suas impurezas, devolvidas em gotas de chuva. Esse contínuo processo circular resume a relação entre o celeste e o terrestre – entre as figuras arquetípicas do inconsciente coletivo e a realidade do ego do homem.

É a Temperança quem primeiro introduz esse tipo de discurso fluido entre os reinos celeste e terrestre ou, falando psicologicamente, entre o eu e o ego – um diálogo que será o tema central de todas as cartas seguintes. Significativamente, a Temperança é o único ser alado no Tarô que desce à Terra e se defronta com o homem rosto a rosto. Não nos esqueçamos de que o alado Eros da carta número seis só apareceu nos céus, pairando invisível em segundo plano para desferir a sua potente seta e desaparecer. O fato de o anjo da guarda do herói se colocar à sua frente na realidade terrena, indica que ele agora experimenta a realidade do inconsciente de um novo modo. Nunca mais dispensará personagens do mundo interno como criaturas da sua imaginação. Embora ainda possa pensar no "interior" e no "exterior" como em dois mundos, daqui por diante conferirá ao interior uma validade igual à do exterior. Talvez, à proporção que adquirir confiança, seja capaz de ir para o mundo interior e interagir mais livremente com os seus habitantes.

Em relação a isto, é interessante estudar o desenvolvimento do movimento corporal, tal como é pintado nas cartas do Tarô. A fileira superior de cartas não mostra nenhum movimento recíproco entre céu e Terra, e até no plano horizontal o movimento é restrito. A maioria dos seus personagens ou está sentada ou está de pé em posturas mais ou menos rígidas. Só as mãos do Mago, o seu chapéu em forma de lemniscata e os cavalos que puxam o Carro indicam movimento. Na segunda fileira, todavia, o movimento em todas as direções torna-se um tema importante, como a carta central, a Roda da Fortuna, deixa bem claro. Conquanto a fileira principie com uma figura rígida, a Justiça, e o movimento de certo modo mecânico da balança, a atividade se humaniza no Eremita e na Força, cujos movimentos sugerem uma espécie de dança. A Morte também está empenhada numa dança. Somente o Enforcado se acha imóvel, mas (como sabemos) está realmente dançando.

O motivo da dança é importante no Tarô. A dança é uma forma de arte, em que o corpo e a alma interagem de modo individual e expressivo. O dançarino apresenta uma oferta de ajuda a objetos e a outros seres humanos, expressando um relacionamento no nível terreno; e estende os braços para o céu, invocando os deuses. Existem diversas figuras dançantes no Tarô. O Louco, como de hábito, começa tudo inconscientemente ao curvetear por ali, à sua maneira feliz. O Enforcado, cuja dança é igualmente inconsciente, pode ser visto como o Louco imprudente, fracassado nas realidades da vida. A Dança da Morte do esqueleto é seguida pela dança ritual da Temperança com as águas vivas. Podemos encarar as duas danças, se o quisermos, como um evento só. Se você olhar por um momento para a Morte e a Temperança, verá que os corpos de ambas se inclinam um para o outro de modo que formam uma elipse.

Essa elipse é um símbolo da espécie de intercâmbio entre céu e Terra que estivemos descrevendo. Como veremos nos capítulos subseqüentes, é um tema recorrente na última fileira de Trunfos, culminando em O Mundo, que retrata um Dançarino. Se você olhar para a carta número vinte e um, verá o movimento fluido desse personagem final quase exatamente prenunciado nos movimentos do corpo da Temperança. Note também que a elipse formada pelos corpos oscilantes da Temperança e da Morte aparece em O Mundo como a grinalda elíptica que cerca o Dançarino.

Mas a transição da dança da Temperança para a dança pintada na carta final não é ordenada. Como sabemos, a coreografia da vida não segue a lógica. Segue, antes, um curso espiral, que alternativamente nos levanta bem alto e depois nos derruba.

Estivemos com o Anjo Bom por muito tempo. Agora chegou o momento de fitarmos os olhos nos olhos do Diabo, que está esperando para conhecer-nos na próxima carta.

Fig. 62 O Diabo (Baralho de Marselha)

18. O Diabo: Anjo Negro

Você tem subestimado o diabo
Ainda não posso persuadir-me
De que um sujeito todo enchapelado
Tenha de ser alguma coisa!

Goethe

Chegou o momento de enfrentar o Diabo. Como figura arquetípica importante, ele pertence propriamente ao céu, à fileira superior do mapa do Tarô. Mas caiu... lembram-se? Segundo suas próprias palavras, deixou o emprego e pediu demissão do céu. Disse que merecia uma oportunidade melhor; achava que lhe deviam ter dado um aumento e mais autoridade.

Não é assim, porém, que os outros contam a história. De acordo com a maioria dos relatos, Satanás foi despedido. Dizem que o seu pecado foi a arrogância e o orgulho. Ele tinha uma natureza prepotente, ambição em demasia, e um senso inflado do próprio valor. Não obstante, possuía muito encanto e considerável influência. Seus métodos eram sutis: organizava a rebelião dos anjos às costas do Patrão, ao mesmo tempo que procurava granjear os favores do Amo.

Tinha inveja de todo o mundo – principalmente da espécie humana. Gostava de imaginar-se o filho predileto. Odiava Adão e não lhe tolerava o domínio daquele arrumadinho Jardim do Éden. A segurança complacente era (e ainda é) maldição para ele. A perfeição fazia-o estender a mão para o seu tição. A inocência fazia-o contorcer-se. Como gostava de tentar Eva e arrasar o Paraíso! A tentação era – e continua a ser – a sua especialidade. Há quem diga até que foi ele quem levou o Senhor a atormentar Jó. Visto que Deus é bom, dizem-nos, Ele nunca poderia ter pregado peças tão diabólicas se não tivesse sido induzido a fazê-lo por Satanás. Outros argumentam que, sendo onisciente e todo-poderoso, o Senhor terá de assumir toda a responsabilidade pelas torturas infligidas a Jó.

A discussão sobre a quem cabe a responsabilidade pelo sofrimento de Jó vem-se arrastando há séculos. Ainda não foi resolvida e talvez nunca o seja. A razão é simples: o Diabo arma confusões porque ele mesmo está confuso. Se olharmos para o seu retrato no Tarô (Fig. 62) veremos por quê. Apresenta-se como um absurdo conglomerado de partes. Usa armações de veado e, no entanto, exibe garras de ave de rapina e asas de morcego. Diz-se homem, mas possui seios de mulher – ou talvez mais precisamente, *usa*-os, pois eles têm a aparência de algo pregado ou pintado nele. Esse estranho peitoral proporciona-lhe escassa proteção. É usado talvez como insígnia destinada a camuflar a crueldade do portador; simbolicamente, porém, indica que Satanás utiliza a ingenuidade e a inocência como frente para abrir caminho, com os seus encantos, até o nosso jardim. E, como esclarece a história do Éden, é através dessa mesma inocente ingenuidade em nós (personificada por Eva) que ele opera.

O fato de ser o peitoral rígido e superposto indica também que o lado feminino do Diabo é mecânico e descoordenado, de sorte que nem sempre está sob o seu controle. Significativamente, o elmo de ouro pertence a Wotan, um deus também sujeito a explosões femininas de gênio, que buscava vingança sempre que sua autoridade era ameaçada.

O Diabo carrega uma espada, mas segura-a, descuidado, pela lâmina, e com a mão esquerda. É evidente que o seu relacionamento com essa arma é tão inconsciente que ele seria incapaz de usá-la de forma deliberada, o que quer dizer, simbolicamente, que o seu relacionamento com o Logos masculino é também ineficaz. Nesta versão do Tarô, a espada de Satanás parece ferir apenas o próprio Satanás. Mas a lâmina é tanto mais perigosa quanto não está sob seu controle. O crime organizado opera pela lógica. Pode ser desentocado e enfrentado de maneira sistemática. Até o crimes passionais têm certa lógica emocional, que os torna humanamente compreensíveis e, às vezes, até evitáveis. Mas a destruição indiscriminada, o assassínio injustificado nas ruas, o energúmeno que dá tiros a esmo nas estradas – contra estes não temos defesa. Sentimos que tais forças operam numa escuridão situada além da compreensão humana.

O Diabo é uma figura arquetípica cuja linhagem, direta e indireta, remonta à mais alta antigüidade, quando costumava aparecer como um demônio bestial, mais poderoso e menos humano do que a figura estampada no Tarô. Como Set, deus egípcio do mal, não raro assumia a forma de uma cobra ou de um crocodilo. Na antiga Mesopotâmia, Pazazu (demônio malariento do vento de sudoeste, rei dos espíritos maus do ar) incorporava algumas das qualidades ora atribuídas a Satanás. O nosso diabo pode ter herdado também atributos de Tiamat, deusa babilônica do caos, que assumia a forma de um pássaro armado de chifres e garras. Foi só depois de aparecer em nossa cultura judeu-cristã que Satanás principiou a adotar características mais humanas e a agir de maneira que nós, humanos, podíamos compreender mais prontamente.

No quadro de Blake *Satanás Exultando Sobre Eva* (Fig. 63), por exemplo, Satanás perdeu os chifres e as garras. Ergue-se, majestoso, acima da imensa cobra enrolada em torno de Eva, com a qual ele parece negar qualquer conexão. Em contraste com o Diabo pintado no Tarô, o Satanás de Blake é um guerreiro experimentado, armado de escudo e lança, que empolga com manifesta autoridade. É evidente que séculos de prática lhe aprimoraram a pontaria e a determinação. Mas ainda segura a lança com a mão esquerda, ou "sinistra", pois suas energias continuam a ser dirigidas mais para o conflito do que para a paz, e mais para o poder do que para o amor.

O fato de se haver tornado mais humana a imagem do Diabo no correr dos séculos significa, simbolicamente, que estamos mais preparados agora para vê-lo antes como aspecto umbroso de nós mesmos do que como deus sobrenatural ou demônio infernal. Talvez queira dizer que já estamos prontos para lutar com o nosso próprio lado satânico inferior. Mas conquanto humano – e até bonito – como aparece no retrato de Blake, não se desfez das enormes asas de morcego. Até que elas ficaram mais escuras e maiores do que as usadas pelo Diabo de Marselha. O que indica que a relação entre Satanás e o morcego é particularmente importante e requer a nossa atenção especial.

Fig. 63 Satanás Exultando Sobre Eva (William Blake)

O morcego é um voador noturno. Evitando a luz do dia, recolhe-se, cada manhã, a uma caverna escura, onde fica pendurado de cabeça para baixo, reunindo energia para as suas traquinadas noturnas. É um sugador de sangue cuja mordida espalha a pestilência e cujos excrementos poluem o ambiente. Ataca no escuro e, segundo a crença popular, tem a mania de enredar-se nos cabelos das pessoas, causando histérica confusão.

O Diabo também voa à noite – momento em que se apagam as luzes da civilização e a mente racional adormece. É o momento em que os seres humanos jazem inconscientes, desprotegidos e abertos à sugestão. Nas horas diurnas, quando a consciência humana está acordada e a capacidade diferenciativa do homem é aguda, o Diabo se recolhe aos escuros recessos da psique, onde também fica dependurado de cabeça para baixo, escondendo suas contrariedades, recarregando suas energias e aguardando a sua hora. O Diabo suga metaforicamente o nosso sangue, mina a nossa substância. Os efeitos da sua mordida, contagiosos, infetam comunidades inteiras e até Estados. Assim como um morcego poderia causar um pânico desarrazoado num auditório apinhado se se metesse a atacar a esmo os espectadores, assim o Diabo pode voar às cegas no meio da multidão, ameaçando literalmente enredar-se nos cabelos de todos, lançando confusão no pensamento lógico e produzindo histeria de massa.

O nosso ódio ao morcego é ilógico. Assim também o nosso medo do Diabo – e por idênticas razões. O morcego nos parece uma monstruosa aberração da natureza – um camundongo guinchante dotado de asas. Tendemos a encarar todas as malformações dessa natureza – o anão, o corcunda, o bezerro de duas cabeças – como obra de algum poder sinistro e irracional, e a própria criatura como instrumento desse poder.

Um talento esquisito de que compartem assim o morcego como o Diabo é a capacidade de navegar às cegas no escuro. Intuitivamente tememos essa magia negra.

Os cientistas encontraram maneiras de proteger-se contra os hábitos sujos e perigosos do morcego, de modo que lhes é possível reentrar na caverna e examinar os habitantes de um modo mais racional. Em resultado disso, a forma peculiar e o comportamento repulsivo do morcego parecem menos assustadores do que antes. Descobriu-se até que o seu misterioso sistema de radar opera de acordo com leis compreensíveis. A moderna tecnologia decifrou-lhe a magia negra para criar um dispositivo semelhante por cujo intermédio o homem também pode voar às cegas.

Talvez, por um tipo similar de exame objetivo do Diabo, aprendamos a proteger-nos contra ele; e, descobrindo dentro de nós mesmos uma propensão para a magia negra satânica, aprendamos a vencer os temores irracionais, que paralisam a vontade e nos impossibilitam de enfrentar o Diabo e tratar com ele. Talvez na horrenda iluminação de Hiroxima, com o seu resultado de humanidade retorcida e deformada, possamos, finalmente, ver a forma monstruosa da nossa própria sombra demoníaca.

A cada guerra que se deflagra, em sucessão, torna-se cada vez mais aparente que nós e o Diabo temos inúmeras características em comum. Dizem alguns que é precisamente a função da guerra revelar à espécie humana sua enorme capacidade para o mal de forma tão inesquecível que cada um de nós acabará reconhecendo a própria sombra negra e se atracará com as forças inconscientes de sua natureza interior. Alan McGlashan encara a guerra especificamente como "o castigo da descrença do homem nas forças dentro de si mesmo".[1]

Paradoxalmente, à proporção que a vida consciente do homem se torna mais "civilizada", sua natureza pagã e animal, tal e qual se revela na guerra, torna-se cada vez mais impiedosa. Comentando esse fato, diz Jung:

> As execráveis forças instintuais do homem civilizado são imensamente mais destrutivas e, portanto, mais perigosas do que os instintos do homem primitivo, o qual, num grau modesto, vive constantemente instintos negativos. Por conseguinte, nenhuma guerra do passado histórico poderá rivalizar com uma guerra entre nações civilizadas em sua escala colossal de horror.[2]

Jung continua dizendo que a pintura clássica do Diabo como meio homem e meio fera "descreve exatamente o lado grotesco e sinistro do inconsciente, pois, na verdade, nunca nos atracamos realmente com ele, que, portanto, permaneceu em seu estado selvagem original".[3]

Se examinarmos esse "homem bestial" tal como aparece no Tarô, poderemos ver que nenhum componente individual, em si mesmo, é dominante. O que torna o personagem tão detestável é a conglomeração sem sentido de suas várias partes. Uma reunião tão irracional ameaça a própria ordem das coisas, solapa o plano cósmico sobre

1. McGlashan, *op. cit.*, pág. 35.
2. C. G. Jung, *Psychological Reflections*, pág. 208.
3. *Ibid.*, pág. 208.

o qual repousa toda a vida. Enfrentar uma sombra como essa significaria enfrentar o medo de que não só nós, humanos, mas também a própria Natureza pode ter ficado frenética.

Mas essa estranha fera interior, que projetamos no Diabo é, afinal de contas, Lúcifer, o Portador da Luz. É um anjo – apesar de ser um anjo caído – e, como tal, um mensageiro de Deus. Convém-nos conhecê-lo.

O rosto dele não é despido de atrativos. Sua estranha aparência nos recorda Pã, personagem ligado ao pânico e ao pandemônio. Na realidade, a palavra "pandemônio" foi cunhada por Milton especialmente para descrever as atividades de Lúcifer e suas cortes. Permaneceu em nossa língua e é ainda a que melhor define o tipo de insana e destrutiva confusão que o Diabo causa em nosso mundo e em nós mesmos.

A despeito do fato de estar essa figura do Tarô equipada para lançar-se ao ataque e agarrar a vítima no escuro, ostenta um traço redentor: um par de cornos de ouro. Os cornos são um símbolo antigo de vida nova e regeneração espiritual, e cornos de ouro são, especificamente, símbolos do fogo divino. Os que foram aqui pintados quase se parecem com línguas de chama saídas de cada lado da cabeça da criatura.

Como já se observou antes, esses chifres mágicos não pertencem à pessoa do Diabo; fazem parte de um elmo de ouro rememorativo de Wotan. O fogo dourado, portanto, não é propriedade de Satanás, senão do seu mister divino de mensageiro. Quando ele se lembra disso, o seu fogo ilumina e purifica. Mas quando rouba o fogo do céu para seu próprio enaltecimento, suas atividades podem atrair o raio do céu.

Como Adão e Eva descobriram, o papel do Diabo é tão ambíguo que, muitas vezes, não se pode saber exatamente o que está pretendendo fazer. Por outro lado, ele nos instiga a desobedecer, instando conosco que provemos o fruto proibido e engulamos o bocado agridoce do bem e do mal. Por outro lado, não fosse o seu induzimento à ação e ao conhecimento, estaríamos ainda feito criancinhas, presos na ronda idílica de um paraíso seguro, mas limitado. Sem o envolvimento diabólico nos problemas cruciais do bem e do mal, não teríamos consciência do ego, não teríamos civilização e tampouco teríamos a oportunidade de transcender o ego através da autocompreensão. Como animais, estaríamos aprisionados para sempre dentro das fórmulas rígidas do comportamento automático.

Dir-se-á que, através das atividades de Satanás, nós, seres humanos, fomos expulsos do Éden da obediência instintual e da natureza animal a fim de podermos cumprir o destino de nossa natureza especificamente *humana*. E agora, tendo provado do conhecimento do bem e do mal, enfrentamos, para todo o sempre, a responsabilidade da escolha moral. Já não somos capazes, como crianças obedientes, a permanecer seguramente dentro dos limites de um código superposto de ética. Estamos, segundo Jean-Paul Sartre, "condenados a ser livres".

Sem liberdade para escolher, não pode haver moral verdadeira. O fato é que a maioria dentre nós tem hoje mais escolha livre do que supomos; muitos, porém, ainda inconscientemente aprisionados dentro de *mores* culturais, recusam-se a aceitar a responsabilidade da escolha moral. A maioria simplesmente não faz idéia do que poderíamos ser capazes se fôssemos libertados de todas as restrições superpostas, assim reais como imaginárias. Enquanto a nossa obediência a um código moral for automática, não seremos livres. Enquanto nos recusarmos a virar-nos e a enfrentar nossos próprios diabos interiores – seja qual for a forma que possam assumir – não seremos humanos.

Esta é exatamente a situação do casal de aspecto esquisito estampado na carta número quinze do Tarô. Eles não são nem totalmente humanos nem inteiramente livres. Os rostos que os dois mostram ao mundo parecem humanos, mas os corpos ostentam orelhas, chifres, cascos e caudas de animais. As duas figuras estão amarradas com cordas à plataforma em que se acha o Diabo; mas dão a impressão de estar totalmente incônscias disso. Parecem estar igualmente incônscios dos seus cascos fendidos e de suas caudas. Esses trasgos de Satanás dramatizam um aspecto familiar da condição humana, que Jung amplia da seguinte maneira:

> ... esquecemos sempre que a nossa consciência é apenas uma superfície; a nossa consciência é a *avant-garde* da nossa existência psicológica. A nossa cabeça é apenas uma ponta mas, atrás da nossa consciência, há uma longa "cauda" histórica de hesitações, fraquezas, complexos, preconceitos e heranças, que ignoramos ao fazer as nossas contas.[4]

Os dois escravos do Tarô lembram os assistentes num espetáculo de mágicas que se postam, com um sorriso malicioso, de cada lado do mágico enquanto este faz os seus truques. Nunca se voltam para ver o que ele está pretendendo fazer. Estendem-lhe os implementos necessários como se estivessem executando uma dança ritual, sem nenhuma ligação com o que acontece no palco. Depois se afastam e reassumem sua postura inocente na ribalta.

Enquanto os lacaios não se derem conta do papel que representam nas maquinações do Diabo, poderão continuar executando o seu ritualzinho sem conflitos nem problemas – e sem crescimento. Observem quão diminutas aparecem suas figuras na gravura. São ridiculamente pequenos de estatura porque as energias que se acham em ligação estreita com suas partes animais não foram conscientemente reconhecidas, assimiladas e tornadas utilizáveis para o crescimento. Esses trasgos trazem estampada no rosto a expressão presumida dos que supõem estar em completo controle do seu comportamento. Toda a vez que súbitas explosões emocionais, esquecimentos inexplicados, ou outros lapsos de consciência ameaçam destruir a auto-imagem complacente de tais pessoas, elas nunca olham para trás a fim de observar as compridas caudas que as ligam aos seus antepassados animais. Estão, por via de regra, atarefadas demais apontando o dedo da censura para outra pessoa. Lembram-nos o garotinho que, repreendido por entrar numa briga de socos, gritou: "Mas, mamãe, foi ele quem revidou primeiro!" A filosofia dos apontadores de dedos foi expressa em linguagem mais sofisticada por André Gide. "O mal", assevera-nos ele, solene, "é uma coisa que fazemos em troca". Levará, provavelmente, algum tempo para que os dois escravos do Tarô assumam a responsabilidade pelos seus atos. Talvez seja até necessário um raio como o estampado na carta seguinte para romper-lhes a complacência, e um relâmpago para torná-los cientes dos seus longos rabos.

Que qualidade específica representa o Diabo? É uma tamanha mistura de partes que se torna difícil fixá-lo. Mas é assim que deve ser, pois, de acordo com Jung, qualquer tipo de função psíquica separada do todo e que opera autonomamente é

4. C. G. Jung, *The Symbolic Life: Miscellaneous Writings*, C. W. Vol. 18, § 168.

diabólica. Estar servil e inconscientemente preso, nem que seja ao mais altruístico dos códigos, marca tão seguramente uma pessoa como criatura do Diabo quanto ser vítima dos próprios apetites animais. A inconsciência e a autonomia são cruciais aqui. Tendo em mente o princípio diretor de Jung, examinemos a carta número quinze a fim de estudar algumas das espécies de autonomia inconsciente que podem estar aqui representadas.

O desenho desta carta (uma figura central elevada com dois assistentezinhos a seus pés) não difere muito do desenho do Papa, com algumas diferenças importantes. O Diabo opera nas costas dos assistentes, ao passo que o Papa está de frente para os dois padres. O Papa ergue a mão direita a fim de fazer o sinal da bênção, com dois dedos erguidos para lembrar aos filhos que lhes é preciso haverem-se com o conflito moral; os três dedos restantes, escondidos, simbolizam o mistério da Santíssima Trindade. Em compensação, na carta número quinze, a mão do Diabo, semelhante a uma garra, com quatro dedos erguidos, indica que a sua única preocupação diz respeito às dimensões limitadas do poder terrestre. A mão parece virada numa saudação arrogante, pouco diversa da que se usava para disparar a resposta automática *Heil Hitler*.

O Papa está sentado num trono, como convém ao seu ofício. O Diabo está de pé sobre o que parece uma bigorna cujas cinzas morreram. Quer que pensemos ser ele o fogo celeste. Não contente com o papel de Portador da Luz, gosta de apresentar-se também como A Luz. O Papa segura o cajado à maneira ritual, com a mão enluvada em que se vê o símbolo da cruz a revelar que ele detém o poder em confiança da Igreja. O Diabo, contudo, segura a espada casualmente, com a mão nua, que semelha uma garra, a indicar um uso egocêntrico e inconsciente do poder.

A espada é um instrumento que indica alto grau de civilização. Essa arma, não raro de origem sobrenatural, é um símbolo da honra cavaleirosa e de ação a serviço de um ideal. Na carta número oito, imediatamente acima desta, vemos a Justiça segurando a espada ritualmente, como uma espécie de fio de prumo que liga o que está em cima ao que está embaixo. Podemos ver-lhe a espada como haste de pára-raios, que traz para baixo o fogo divino a fim de iluminar a nossa cega confusão. Em O Diabo, a figura central mete a ridículo tudo o que a espada da Justiça simboliza. Como um menininho que quer mostrar-se, gaba-se de uma invulnerabilidade pessoal e de uma indiferença por todo e qualquer poder que não seja ele mesmo. Sentados defronte dele, onde podemos fitar os olhos nos seus olhos, somos capazes de ver através das suas pretensões. Mas os dois escravos continuam sem consciência da sua existência.

De acordo com Baudelaire, que tinha considerável experiência com esse sujeito, "O artifício mais hábil do Diabo é convencer-nos de que não existe". Para passar a perna no Diabo, os Navajos colocaram-no entre os deuses, onde podiam trazê-lo de olho. As religiões orientais sempre consideraram o aspecto demoníaco como parte da divindade. Na iconografia hindu-budista, até as figuras mais malévolas têm uma das mãos erguidas no mudra significando "Não temas", a fim de comunicar a idéia de que uma aparição dessa natureza é outra forma de *maya*, uma dentre os milhões de máscaras de Deus.

No Antigo Testamento, o mal era visto também como um aspecto de Deus. Para citarmos o próprio Jeová: "Eu sou o Senhor e não há mais ninguém. Formo a luz e crio a escuridão: Faço a paz e crio o mal: Eu, o Senhor, faço todas essas coisas."[5] O

5. Isaías, *Antigo Testamento*.

Cristianismo primitivo também colocava nas mãos de Deus a capacidade para o bem e para o mal. Clemente, bispo de Roma, no primeiro século, ensinava que Deus governa o mundo com a mão direita e a esquerda – sendo que a direita é Cristo e a esquerda, Satanás. Ultimamente, porém, o Cristianismo amputou a mão esquerda de Deus, relegando Satanás às regiões infernais, deixando assim um Deus totalmente benéfico reinar, supremo, no céu. Hoje em dia estamos tão enamorados do aspecto leve e brilhante do poder criativo, que perdemos totalmente de vista o Diabo, cuidando aparentemente que, ao cair do céu, ele já não era ativo em parte alguma, e muito menos em nós.

Muitos psicólogos concordam com que esse descaso do nosso lado diabólico é a causa principal de grande parte do pandemônio solto no mundo de hoje. Nosso emocionalismo, fanatismo, caráter vingativo, violência e confusão individuais (não reconhecidos nem manipulados em nossa vida pessoal) agora explodiram em escala maciça, em forma de guerras mundiais, tumultos, conflagração e destruição geral. Pois, segundo um truísmo da vida, quando os aspectos negativos de nós mesmos não são reconhecidos como nossos no interior, parecem agir contra nós no exterior.

Em face dos acontecimentos mundiais contemporâneos, torna-se cada vez mais imperativo que cheguemos a um acordo com essa força satânica. A palavra hebréia que designa o Diabo significa "adversário", "virado contra", "hostil". No *Dicionário Internacional* de Webster (edição de 1914), o Diabo é descrito como "o adversário de Deus. . . embora subordinado a ele e capaz de agir somente com o Seu consentimento". Em outras palavras, o Diabo é personagem de caráter muito duvidoso, ambivalente. De um lado é hostil a Deus mas, de outro, está sujeito à Sua autoridade, e só age com a tácita permissão da Divindade. Esta parece ser a essência do conflito com que as gerações têm lutado. Ou o Senhor não é onipotente, ou o Diabo pertence à sua criação. Ou uma coisa ou outra. Se adotarmos o conceito do monoteísmo, é evidente que Deus deve ter criado o Diabo como parte do seu plano divino.

Podemos achar o conceito difícil de aceitar conscientemente mas, inconscientemente, quase todos temos vivido com ele toda a vida. Ele nos penetrou a corrente sangüínea como parte da herança cultural. "Não nos deixeis cair em tentação", rezamos. A quem oferecemos a oração? Ao Diabo? O fato de dirigirmos a súplica a Deus só pode significar que, inconscientemente, experimentamos a tentação da desobediência como parte da divindade.

A ambivalência da Divindade está claramente implícita na parte do Gênese da história do Éden. Nesse sentido, Deus criou a árvore do conhecimento do bem e do mal, colocou-a no jardim e, a seguir, deliberadamente, chamou para ela a atenção dos filhos, proibindo-os de comer-lhe o fruto. Essa psicologia lembra o conto familiar acerca de Epimonandas, cuja mãe cozeu no forno algumas tortas saborosas de carne e pô-las no chão para secarem. Ao sair de casa, recomendou ao filho pequeno: "Cuidado Epimonandas, vai me pisar nas tortas de carne!" E Epimonandas, com efeito, pisou com muito cuidado em cada uma delas.

Na história de Jó, o *próprio* Senhor é tentado por Satanás para atormentar Jó. Nesse drama, como faz ver Jung em sua *Resposta a Jó*, até a divindade é retratada como tendo um lado escuro inconsciente – um *alter ego* ou sombra diabólica. É muito difícil aceitarmos a sombra pessoal em nós mesmos e em nossos amigos, mas a idéia de que o próprio Deus pode ter também um aspecto de sombra parece, a princípio, opor-se aos ensinamentos básicos da nossa cultura cristã. Muitos de nós fomos embebidos inconscientemente no Cristianismo do calendário litúrgico, em que um benévolo Deus-Pai, envolto em algodão cor-de-rosa, sorri protetoramente para Seus filhos, pondo para correr o malvado Demônio Negro. A idéia de que a divindade pode abranger todos os opostos, incluindo uma área de escura inconsciência, e de que o Diabo, de sua parte, pode possuir algumas qualidades brilhantes e redentoras, afigura-se-nos chocante.

A maioria dos baralhos do Tarô estabelece nítida distinção entre o Deus Mago do Trunfo número um, pintado como claro, brilhante e positivo, e o Mago Mau da carta número quinze, que carrega todas as qualidades negativas e desinteressantes. Mas não se pode dizer o mesmo do baralho de Marselha, cujos personagens parecem apresentar sempre elementos claros e escuros. Já observamos que o Mago de Marselha, com o chapéu em forma de lemniscata, e o traje de bufão, postado casualmente nas encruzilhadas, surge como um personagem ambivalente, em contraste com o Mago sacerdotal de Waite em seu caramanchão de lírios e rosas. Como seria de esperar, os Diabos retratados nos dois baralhos refletem diferenças similares. No baralho de Waite é um sujeito abominável, terrível, de pernas peludas, cascos fendidos e expressão servera (Fig. 64). O seu signo é o pentagrama invertido, sinal encantado de magia

Fig. 64 Baralho de Waite

negra. Se o Diabo fosse tão completamente repulsivo quanto esse camarada, o pecado não seria problema. Em compensação, o seu equivalente no baralho de Marselha (como o seu Mago) encerra tanto qualidades atraentes quanto qualidades sem atrativos. Podemos imaginar facilmente o nosso envolvimento numa relação de amor e ódio com qualquer um desses personagens de Marselha.

Na arte cristã, essa figura arquetípica é, às vezes, pintada como a sombra de Jesus. No famoso quadro de Duccio, *A Tentação de Cristo na Montanha*, a sombra parece ser, com efeito, muito grande e negra (Fig. 65). Psicológica, bem como fisicamente falando, é verdade que quanto mais brilhante for a luz, tanto mais negra será a sombra. Traduzido em experiência prática, isso quer dizer que, quanto mais conscientes nos tornamos do nosso potencial criativo, tanto mais alertas devemos estar para os truques do nosso lado sombroso e tanto mais responsáveis devemos ser em relação a ele. À medida que se expande, a consciência se torna mais refinada, de modo que ficamos cada vez mais a par da nocividade potencial de qualquer palavra ou ato. Visto que todo impulso humano é essencialmente amoral, o que torna imoral uma ação

Fig. 65 A Tentação de Cristo na Montanha
(Duccio di Buoninsegna. Copyright da Frick Collection, 1937. Reproduzido com autorização.)

instintual é a sua inconsciência. Qualquer impulso que se manifeste inconscientemente é primitivo, descontrolado, compulsivo e, portanto, potencialmente nocivo.

Como podemos verificar por experiência própria, o aumento da percepção, longe de transformar-nos em plácidos vegetais, mergulha-nos mais e mais profundamente no conflito moral, exigindo até uma penetração mais incisiva nos mistérios do bem e do mal. Cristo disse: "Não trago a paz, senão a espada." Empunhar a espada da discriminação moral perturba a nossa pacífica inocência e impõe inevitavelmente sentimentos de transgressão e culpa. À semelhança de Eva, cuja primeira mordida na maçã desfigurou para sempre a simetria da natureza inconsciente, a nossa consciência aguçada nos perturba também a identidade infantil com toda a vida e é experimentada como violação da natureza. Numa escala maior, os heróis culturais (homens e mulheres de consciência, previsão e energia superiores) ferem ainda mais a ordem sagrada quando, à imitação de Prometeu, roubam o fogo do céu em benefício da espécie humana.

Segundo o mito e a lenda, tais atos de desobediência e temeridade são sempre punidos pelos deuses. Tendo dado a primeira mordida fatal, Adão e Eva puderam observar a própria nudez (que significava, simbolicamente, que haviam perdido a sua cega inocência e viam-se forçados a uma nova autopercepção). Em resultado disso, foram expulsos, a fim de procurarem uma nova compreensão de si mesmos. O alimento adequado da sua autopercepção em expansão já não pode ser fornecido passivamente pela natureza; a consciência humana precisa agora sustentar-se por seus próprios esforços.

Prometeu também foi castigado por invadir o território até então celestial da consciência e da criatividade: acorrentado ao Monte Cáucaso, foi obrigado a sofrer uma dor indizível produzida por um abutre que, todos os dias, lhe comia o fígado – o qual, depois, tornava a crescer todas as noites. Simbolicamente, isso indica que as pessoas de gênio têm de sofrer, por força, o destino do isolamento, vivendo em regiões do espírito acima do alcance dos contemporâneos. Acorrentados à sua tarefa única de portadores da luz, essas figuras heróicas são forçadas, dia e noite, a sacrificar o sangue da vida às exigências do gênio.

Sentimentos de transgressão, culpa e punição ligam-se à busca da consciência. Toda a vez que rompemos com a imagem parental de como as coisas "deveriam" ou "haveriam" de ser feitas, sentimo-nos culpados. Tão profundamente enterrados no inconsciente se acham esses sentimentos que atos de nenhuma conseqüência moral evocam amiúde sentimentos de culpa, se ofenderem a propriedade do "pai interior" inconsciente – criatura cujos vestígios podem resistir durante toda uma vida. De maneira semelhante, qualquer rompimento, por inconseqüente que seja, com os costumes predominantes do meio social externo pode ser experimentado como ofensa contra o todo e é, não raro, acompanhado de sentimentos de culpa. Mas se "todo o mundo o estiver fazendo", podemos usar, dizer ou fazer as coisas mais esquisitas – ou praticar atos ilegais e até criminosos sem experimentarmos culpa.

Para colocar algumas dessas idéias em termos psicológicos mais latos: qualquer afastamento da identidade inconsciente original com o eu envolve sentimentos de culpa. Entretanto, para podermos mover-nos na direção de uma relação consciente com o eu, precisamos levar a cabo esse rompimento e absorver a culpa. Paradoxalmente, somos levados pelo eu a afastar-nos da identificação original, a fim de estabelecer uma reunião com o eu num nível diferente de percepção.

O peso da culpa não é apenas pessoal, pois cada um de nós carrega alguma culpa inconsciente pela criminalidade e desumanidade gerais, a cujo respeito lemos quase todos os dias nos jornais. "Ainda que, juridicamente falando, não tenhamos sido cúmplices do crime", diz Jung, "somos sempre, mercê da nossa natureza humana, criminosos em potencial. Na realidade, apenas nos faltou a oportunidade apropriada para sermos arrastados à *melée* infernal. Nenhum de nós fica de fora da sombra negra coletiva da humanidade".[6]

Por essa razão, diz Jung, nós, seres humanos, "não nos sentimos bem quando nos comportamos perfeitamente; sentimo-nos muito melhor quando estamos fazendo alguma coisa errada. Isso acontece porque não somos perfeitos. Quando constroem um templo, os hindus deixam um canto por acabar; só os deuses fazem coisas perfeitas, o homem nunca poderá fazê-las. É preferível sabermos que não somos perfeitos, porque assim nos sentimos muito melhor."[7] Não obstante, a imagem da perfeição está tão entranhada em nossa cultura que nos sentimos culpados quando não podemos atingi-la. Precisamos, às vezes, de um bode expiatório que nos ajude a suportar o peso das nossas imperfeições demasiado humanas. A não ser assim, projetamo-las em nossos amigos e parentes, ou somos esmagados pelo seu peso. "O Diabo me obrigou a fazê-lo", dizemos, quase de boa fé, quando fazemos algo menos do que perfeito, ou "Não sei que diabo tomou conta de mim!". O Diabo é um utilíssimo bode expiatório.

Comentando a função psicológica do bode expiatório, Jung faz esta afirmação profunda: "Este é o significado mais profundo do fato de ter sido Cristo, como o redentor, crucificado entre dois ladrões. À sua maneira, esses ladrões eram também redentores da espécie humana, eram os bodes expiatórios."[8]

De tudo o que foi dito aqui a seu respeito, podemos inferir que o Diabo é um personagem muito complexo e ambivalente. De acordo com a clássica descrição de Goethe, Mefistófeles é "aquele poder que só deseja produzir o mal, mas engendra o bem". É o sujeito que nos atraiçoa, induzindo-nos à criminalidade inconsciente, mas também nos atrai para a consciência total. Como Lúcifer, pode oferecer-nos o fogo do céu para a nossa salvação, ou mergulhar-nos nos fogos do inferno para a nossa destruição. E durante todo o tempo nos passa a perna, aparecendo em tantas formas que o perdemos de vista.

O Diabo cristão, alcunhado de "A Grande Besta", era uma caricatura de Pã e Dioniso, ambos os quais, significativamente, se adoravam em ritos de massa de natureza orgíaca. Hoje, como assinala Jung, a Grande Besta é de novo despertada para a histeria de massa pela crescente coletividade da nossa cultura contemporânea:

> Uma grande companhia composta de pessoas totalmente admiráveis tem a moral e a inteligência de um animal pesado, estúpido e violento. Quanto maior é a organização, tanto mais inevitável é a sua imoralidade e cega estupidez. *(Senatus bestia, senatores boniviri.)* Ao acentuar automaticamente todas as qualidades coletivas de seus representantes individuais, a sociedade concede

6. C. G. Jung, *Civilization in Transition*, C. W. Vol. 10, § 572.
7. C. G. Jung, *The Symbolic Life: Miscellaneous Writings*, C. W. Vol. 18, § 209.
8. *Ibid.*, § 210.

um prêmio à mediocridade, a tudo que se estabelece para vegetar de modo fácil, irresponsável. A individualidade será, inevitavelmente, encostada na parede.[9]

O nome do Diabo é legião, e quando estamos "possuídos do Demônio", o nosso nome também é legião. Cheios de idéias, metas, interesses e emoções conflitantes, perdemos contato com o eu central. Não estar em harmonia com o eu é estar em pecado. Escorraçados do Éden, como Adão e Eva, precisamos pagar pela nossa transgressão, errando pelo vasto mundo em busca de nova conexão com o centro. O Diabo faz quanto pode para impedir essa busca tentando-nos a procrastinar. Utiliza a procrastinação deliberadamente, como uma de suas armas mais eficazes, como o demonstra a narrativa seguinte:

De uma feita, descontente com o modo com que progredia o seu trabalho na Terra, o Diabo reuniu em conselho suas cortes, pedindo voluntários para uma missão na Terra e solicitando sugestões sobre o que se poderia dizer à humanidade que viesse a favorecer-lhe a obra. Um espírito mau sugeriu que se dissesse aos homens que Deus não existia. Outro sugeriu que se propalasse o boato de que não havia alma. O Diabo não gostou.

Finalmente, um diabrete adiantou-se e pediu que a missão lhe fosse atribuída. O Diabo perguntou-lhe o que ele diria ao homem. Respondeu o diabrete: "Eu lhe diria que não há pressa." A tarefa lhe foi prontamente confiada, e os corredores do inferno se encheram de gritos de alegria.

Às vezes, o Diabo é pintado como um esqueleto, ligando-o aos sete pecados mortais da teologia medieval, que eram: o orgulho, a luxúria, a inveja, a cólera, a cobiça, a gula e a preguiça. Uma coisa que torna esses pecados tão mortais é que não são sempre reconhecíveis na base da ação manifesta. Muitas vezes tais pecados podem até parecer virtudes. Identificá-los e combatê-los em nós mesmos é difícil. Como acontece amiúde em questões morais, o fator determinante não é tanto o que fazemos, mas a ocasião.

Por exemplo, quando Satanás apareceu a Jesus na montanha e tentou induzi-lo a converter pedras em pão, o ato manifesto sugerido teria sido assaz inofensivo. Encarado de um ponto de vista puramente material, poderia ter sido até benéfico. Mas a execução, por Jesus, desse feito milagroso, apenas com a intenção de demonstrar o seu poder, teria sido um emprego impróprio da criatividade que Deus lhe dera. A questão que ele enfrentou, e com a qual se houve no encontro com o Tentador, foi o eterno problema dos fins e dos meios, cuja resolução assinala a diferença entre um milagre de verdade e um truque de segunda classe.

Felizmente para a maioria dentre nós a tentação de realizar milagres não é problema, mas a tentação de imaginar que podemos realizá-los está sempre presente. Toda vez que uma força arquetípica rompe através da consciência total, sentimos um influxo de energia e iluminação de dimensões tão sobre-humanas que nos sentimos inclinados a ficar tão inchados com o nosso próprio poder que perdemos contato com as nossas limitações de seres humanos comuns.

9. C. G. Jung, *Two Essays on Analytical Psychology*, C. W. Vol. 7, § 240.

As máscaras usadas pelo Diabo e as tentações que o vemos oferecer variam com a cultura. Para os nossos antepassados o Diabo era a carne sintetizada como paixão sexual. Hoje, o sexo e o corpo já não são considerados pecaminosos. Na verdade, a liberdade sexual tornou-se agora *de rigueur*, de modo que é a restrição pudica que usa chifres.

Qualquer função da psique humana que opera inconscientemente é diabólica. O Mefistófeles de Goethe é a clássica personificação desse tipo de atividade autônoma. "Mefistófeles", diz Jung, "é o aspecto diabólico de toda função psíquica que se tenha soltado da hierarquia da psique total e goza de independência e poder absoluto. Esse aspecto, contudo, só pode ser percebido quando a função se torna uma entidade separada e é objetivada ou personificada"...[10]

O retrato de Mefistófeles pintado por Delacroix é uma objetivação do Diabo desse gênero (Fig. 66), que aqui aparece como "espírito aéreo e ímpio intelecto". Vejam com quanta grandiosidade ele sulca o firmamento noturno, muito acima da humanidade adormecida e seguramente fora do alcance até das mais altas agulhas de igreja. Não é um sujeito feio; às vezes, parece até muito distinto. Afinal de contas, é mister que seja atraente pois, do contrário, não nos atrairia, sujeitando nossas energias ao seu uso. Um dos mais belos e, seguramente, o mais arrogante dos diabos é o que já conhecemos como a figura central da composição de Blake intitulada *Satanás Exultando Sobre Eva* (Fig. 63). Não admira que a "pobre Eva sem mãe" (para citarmos a frase clássica de Ralph Hodgson) se deixasse levar por ele.

Como retrataríamos o Diabo hoje em dia? Em nossa cultura atual, mecanizada, um aspecto diabólico é, sem dúvida, o efeito desumanizador da psicologia do computador. Pictoricamente visualizamos o Diabo de hoje como um robô, um monstruoso computador, que se move com passos inexoráveis, mecânicos, pela Terra, esmagando debaixo do seu peso toda a humanidade e toda a natureza.

Tendo examinado circunstanciadamente o Diabo arquetípico, comparemos rapidamente o seu retrato com o do Mago, que aparece acima dele no topo da primeira fileira vertical do nosso mapa. O Mago pisa chão firme. O Diabo coloca-se acima de nós. O Mago limita sua atenção a certos itens específicos que se acham sobre a mesa diante dele – a ação de suas mãos está coordenada para um único propósito. Não é esse o caso do Diabo, uma de cujas mãos se ergue num gesto rígido, chocarreiro, ao passo que a outra empunha perigosamente a espada. É evidente que a mão direita não tem a menor noção do que a esquerda está fazendo. Ele é tão irresponsável quanto uma criancinha. A sua infantilidade trai-se no sorriso encabulado e na bravata jactanciosa, postura que visa, sem dúvida, a mascarar a manifesta inépcia no manejo da espada. Por ter sido ignorado em nossa cultura judeu-cristã, ele não amadureceu com os anos, continuou imaturo e, como todas as crianças (e como nós também), anseia por reconhecimento. Se continuarmos a ignorá-lo, praticará deliberadamente atos estranhos a fim de atrair-nos a atenção.

Um tarô italiano pinta o Diabo e seus diabretes auxiliares mostrando a língua, como crianças malcriadas (Fig. 67). Nas pinturas medievais do inferno, a língua do Diabo surge, às vezes, semelhante ao falo, sublinhando-lhe a conhecida tendência para

10. C. G. Jung, *Psychology and Alchemy*, C. W. Vol. 12, § 88.

Fig. 66 Mefistófeles (Delacroix)

a libertinagem, e implicando que o uso desenfreado da palavra falada pode ser tão diabólico quanto a promiscuidade sexual. Visto que o falo simboliza o impulso criativo em todos os níveis de expressão, essa representação do Diabo também mete a ridículo a noção de que o gênio, o amor e outros atributos chamados espirituais, descem simplesmente das nuvens brancas que pairam acima de nós. Aparentemente ainda precisamos ser lembrados disso. Não faz muito tempo que a Joana Maluca de Yeats escandalizou o Bispo (e muitos leitores também) com a sua afirmação sem rodeios de que "... o Amor estabeleceu sua mansão no / Lugar do excremento:. . ."

Entre o Mago e o Diabo está a Justiça, cuja balança mostra dois pratos vazios, prontos para pesar e avaliar os potenciais da magia branca e da negra. Ela se preocupa com a harmonia e o equilíbrio. Se sobrecarregarmos um prato da balança com a doçura, a luz, o poder do pensamento positivo e outras imagens que tais de perfeição, deixando vazio o segundo prato, sabemos o que acontecerá: o Diabo carregará o prato vazio com as penalidades do nosso descaso: crimes de rua e tumultos, incêndio premeditado e lesões corporais dolosas. A natureza abomina o vácuo.

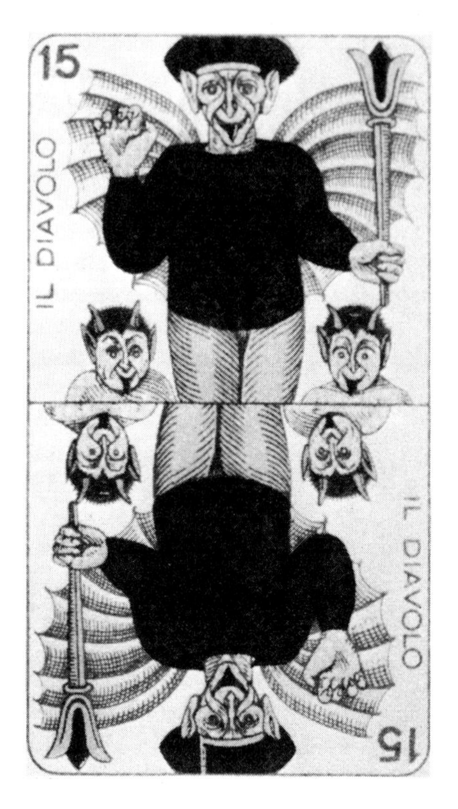

Fig. 67 O Diabo (Tarô Italiano)

Estivemos discutindo Sua Majestade Satânica em escala grandiosa. Antes de deixá-lo, porém, tentemos ligá-lo mais diretamente à nossa experiência pessoal, onde, afinal de contas, nos defrontamos diariamente com ele. A menos que tenhamos sido "possuídos pelo Diabo", a idéia da possessão nos parece tão fantástica que não podemos aceitá-la. Para o não-iniciado, a palavra "possessão" não passa de uma metáfora que descreve o estado psicológico de certas personalidades perturbadas. Gostamos de pensar que isso não acontece conosco – que a ciência moderna, com o seu conhecimento da psicologia preventiva, da endocrinologia e das vitaminas equilibradas, previne tal possibilidade. Mas pode acontecer a qualquer um em determinadas condições de estresse suficiente; e de fato ocorre, em aspectos menores, mais amiúde do que supomos.

No retrato perturbador de Paul Klee, *Uma Menina Possuída* (Fig. 68), vemos o que uma dessas invasões da psique parece a quem está de fora. Talvez o olhar no rosto da menina nos recorde amigos que nos fazem discursos bombásticos sobre política. Ou talvez o estudo do retrato nos coloque em contato com a maneira com que nos sentimos, por instantes, quando todas as nossas energias se concentram num projeto e excluem tudo o mais. O que há de sutil nesse tipo de possessão é que o que nos engoliu, seja lá o que for, pode ser, em si mesmo, um interesse integralmente louvável e digno, como a ecologia, a paz mundial (ou até mesmo a associação de pais e mestres!). A assunção inconsciente é que é tão diabólica. O comentário de Jung sobre essa virtude profana é pertinente: "Esquecemo-nos de todo que podemos ser tão deploravelmente dominados por uma virtude quanto por um vício. Existe uma virtuosidade frenética e orgíaca tão infame quanto o vício, que nos conduz igualmente à mesma dose de injustiça e violência."[11]

Todos passamos, sem dúvida, pela experiência de sermos abordados na rua ou à porta de nossa casa por um estranho que, a exemplo do Velho Marinheiro, fitando em nós os olhos cintilantes, exortou-nos a levar uma vida limpa e a praticar o amor fraterno. Nosso primeiro instinto foi o de retrair-nos, não por sermos a favor do pecado e contra o amor mas porque, instintivamente, tememos a possessão. Ela cheira a Diabo. Inversamente, um bom indício de que podemos ser possuídos por uma força arquetípica é o olhar de pânico nos olhos dos outros quando nos concentramos na nossa "coisa" com exclusão dos outros valores importantes.

O Diabo é repulsivo mas, como vimos, também é atraente. Oscilando entre os seus poderes alternados de atração e repulsão, tecemos o nosso caminho espiralado para a autopercepção. Até como crianças, sentimos essas forças gêmeas trabalhando dentro de nós. Encontra-se um relato bonito e revelador de uma experiência dessa natureza no romance de Hermann Hesse, *Demian*. A história, sensível, liga o leitor, pessoal e emocionalmente, ao dúbio papel do Diabo em todo o correr da nossa vida.

Abundam na literatura as personificações do Diabo, tão variadas quanto esclarecedoras. Destas, a mais familiar é talvez o Iago de Shakespeare. Na história popular de Stephen Vincent Benet, "O Diabo e Daniel Webster", o Diabo aparece como um cidadão contemporâneo de encanto e poder de persuasão consideráveis. Como a história se passa na Nova Inglaterra, a virtude triunfa no fim. Mas na história arrepiante de Thomas Mann, "Mário e o Mágico", retrata-se o Diabo como um mágico profissional, que utiliza poderes hipnóticos sinistros de maneira impiedosa e destrutiva. Nas polêmicas religiosas, Satanás era visto como o autor de todos os vícios. As cartas de jogar eram até chamadas "o livro de figuras do Diabo". Na criação dos Trunfos do Tarô é mais do que evidente a mãozinha de Satanás, que assiste, divertido, ao nosso aturdimento quando tentamos abrir caminho através dos seus mistérios.

Nenhuma discussão de Sua Majestade Satânica seria completa sem uma análise do papel desempenhado pelas duas vítimas subumanas pintadas no Tarô número quinze. É muito fácil ver que o Diabo contribui para a delinqüência delas, impedindo-lhes o crescimento e o desenvolvimento; mas já não é tão fácil imaginar essas duas criaturas, relativamente impotentes, contribuindo para a delinqüência do Diabo e obstando seu caminho para a consciência total. Em nossa vida pessoal também costumamos pensar em "diabolismo" em termos de ação manifesta, passando por alto, muitas vezes, a verdade menos óbvia de que a aquiescência passiva e a ingenuidade cega podem ser igualmente diabólicas.

11. C. G. Jung, *Psychological Reflections*, pág. 211.

Fig. 68 Uma Menina Possuída (Paul Klee)

Por exemplo, é fácil para nós reconhecer que a manipulação de nós mesmos ou dos outros é obra do Diabo. Estampado aqui está o *Diabo Com Garras*, de Richter (Fig. 69). Olhando para ele, sentimos as monstruosas qualidades desse manipulador, que constrói uma teia para apanhar alguma vítima incauta. Nos momentos de sondagem da alma, tentamos deveras deslindar essas qualidades monstruosas em nós mesmos e expulsar a tentação de engodar outros para que sirvam aos nossos propósitos. Mas quando nos vemos enredados nesse tipo de teia, presos e amarrados pelas maquinações alheias, a busca da alma não raro cessa e principia o apontar de dedos. Geralmente nos imaginamos vítimas totais e totalmente sem culpa. Protestamos inocência em voz alta, ostentando-a com orgulho, como se fosse uma bandeira, sem parar para perguntar se a ingenuidade inocente é, com efeito, uma virtude.

Gerald Heard, o falecido filósofo britânico, costumava dizer que todo assassínio (psicologicamente falando) geralmente requer dois co-conspiradores – um assassino e um assassinado. É difícil acreditar que o nos deixarmos vitimar é tão diabólico quanto representar o papel do agressor. Mas outro olhar dirigido ao clássico manipulador de Richter demonstra a verdade da tese de Heard. Esse Diabo não nos persegue: parece estar inteiramente absorto na construção da sua armadilha. Para nos emaranharmos em suas teias teremos, por força, de dar, pelo menos, um passo inocente para a frente.

O Diabo, cujas formas são legião, apresenta muitos problemas sérios. Não devemos tomá-lo à ligeira. Ao tratar com ele, porém, aprendemos a rir um pouco; pois o humor funciona como ponte para ligar o mundo dele ao nosso de modo que humanize a ambos. No emprego que fazem do humor como abordagem do Diabo, os orientais têm um toque de mestre. Embora medrosos, seus demônios sempre dão margem ao humor zombeteiro. Até suas máscaras mais grotescas possuem uma absurdidade de Halloween que os faz parecerem abordáveis.

Concluamos, portanto, este capítulo com um pouco de sabedoria chinesa, não tirada de Confúcio, mas copiada de uma tabuleta contemporânea de estrada, que reza: "Ande com calma na estrada escorregadia, pois nela se embosca o demônio do desastre."

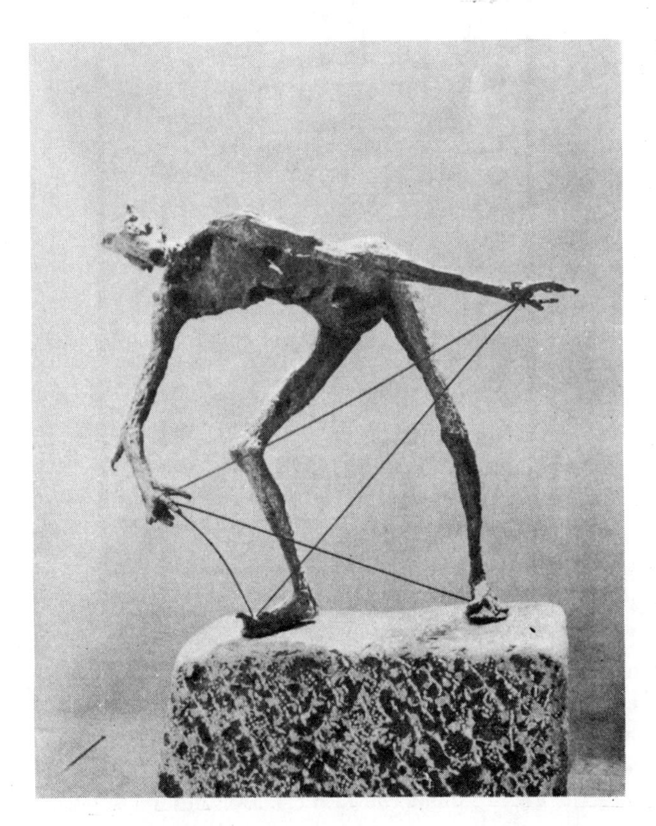

Fig. 69 O Diabo com Garras
(Richier, Germaine, 1952, bronze, 34 1/2 x 37 1/4". Coleção do The Museum of Modern Art, Nova Iorque. Fundação Wildenstein.)

Fig. 70 A Casa de Deus (Baralho de Marselha)

19. A Torre da Destruição: O Golpe da Libertação

Eu sou o Senhor e não há outro.
Eu formo a luz e crio a treva.
Faço a paz e crio o mal. Eu, o Senhor,
faço todas estas coisas.

Isaías

O Trunfo número dezesseis retrata duas figuras humanas que estão sendo violentamente lançadas de uma torre atingida por um raio (Fig. 70). A sua expressão é de aturdimento, mas elas não parecem feridas. A própria torre não foi demolida, mas a língua de um relâmpago, com aspecto de chama, fez pular fora a coroa de ouro que lhe servia de teto.

Talvez a primeira associação do leitor com essa imagem tenha sido a Torre de Babel, edifício construído por Ninrode para escalar o céu. De acordo com o relato bíblico, o ato ímpio de Ninrode suscitou a cólera e a vingança de Deus, acarretando a desarmonia e a confusão das línguas na Terra. A conexão entre o Tarô e a Torre de Babel é apropositada, pois se diria que os dois humanos aqui pintados incorreram na ira celeste e estão sendo lançados de uma posição de altiva segurança para outra de exposição e confusão.

O que tornou o ato de Ninrode duplamente ímpio foi o fato de que as torres da antiga Mesopotâmia, longe de serem erguidas como fortalezas para desafiar o céu, eram geralmente criadas como templos de adoração. Competia-lhes elevar a mente e o coração do homem e proporcionar meios aos deuses de descerem à Terra, assegurando assim a intercomunicação entre os reinos celeste e terreno. Consoante antigo mito, ocorrera em outros tempos um rompimento entre os Pais do Mundo (o céu e a Terra), e esperava-se que, pela edificação das torres se pudesse desfazer o rompimento e restaurar a fecunda interação entre as duas potências primárias.

Simbolicamente, portanto, a torre era concebida, a princípio, como veículo para ligar o espírito à matéria. Fornecia uma escada, pela qual os deuses poderiam descer e o homem subir, dramatizando assim o conceito de que existe uma correspondência entre as ordens terrena e celeste. A antiga idéia sumeriana da ordem cósmica é ampliada por Alfred Jeremias da seguinte maneira:

> Considera-se o cosmo todo como penetrado de uma vida só, de maneira que há uma harmonia reconhecida entre os modos superior e inferior do Ser e do Vir-a-Ser. O pensamento informativo da visão sumeriana do mundo é: "O

que está em cima está embaixo"; e dessas duas direções de movimento espiritual são projetados: o Superior desce, o Inferior sobe. . .

De mais disso, julga-se a inteireza do Superior e do Inferior cheia de divinas presenças espirituais, que passam como "energias celestes" para cima e para baixo.[1]

É evidente que a torre do Tarô não foi construída como escada para as "energias celestes". Parece tratar-se de uma torrezinha particular, habitada por duas pessoas. Selada no topo, não convidava visitas do céu nem permitia que o calor ou a iluminação entrassem por cima. Os dois que ergueram o edifício coroaram-no rei, indicando assim que não reconheciam autoridade alguma acima da sua própria criação. Não há portas pintadas na estrutura, por meio das quais os habitantes pudessem entrar ou sair à vontade ou receber convidados, e as janelas são muito pequenas.

Podemos fazer uma idéia de quão escura e isolada deve ter sido a vida dos dois habitantes da torre, elevados acima da terra da natureza, separados dos semelhantes e barricados contra os deuses. Hão de ter vivido como prisioneiros. Não há dúvida de que suas mentes e corações também eram tão frios e escuros quanto o seu ambiente e tão firmemente cerrados à possibilidade de uma intervenção milagrosa. Nesses casos, os deuses devem achar um modo de entrar – à força, se necessário. Pois, como afirma o dito antigo: *"Vocatus atque non vocatus, deus aderit."* (Chamado e não chamado, Deus estará ali.)

O título francês dessa carta é, de fato, *La Maison Dieu*. Dizem alguns comentadores que o título apareceu acidentalmente, através de uma transcrição faltosa do nome original da carta, que seria *La Maison De Feu*. A ser assim, foi um acidente feliz, pois, como sucede amiúde, com escorregadelas da língua ou da pena, esta traz consigo um significado oculto, lembrando-nos da verdadeira função da torre como local de adoração e habitação terrena dos deuses. Todas as "casas de Deus" (templos, igrejas, mosteiros) oferecem tradicionalmente um refúgio seguro para os doentes do corpo ou da alma. Até a criminosos que buscam abrigo na casa de Deus se concede asilo. Por essa razão, *La Maison Dieu* carrega o significado de "hospício", "hospital" e "asilo". Encarando as coisas por esse prisma, podemos ver que as duas almas doentes nesta gravura estão sendo libertadas de um encarceramento forçado, muito mais do que expulsas da própria casa. Retrospectivamente, o efeito do raio na vida deles parecerá quase mágico. Que o relâmpago aqui pintado tem poderes mágicos é sublinhado pelo chuveiro de bolas multicores, iguais às utilizadas por um mágico ou malabarista, a indicar que o que quer que esteja acontecendo aqui é um evento milagroso, arranjado pelo grande mago. As cores do arco-íris dessas bolas sugerem a aliança do arco-íris

1. Joseph Campbell (citando Jeremias), *The Mythic Image*, Princeton, Nova Jersey, Princeton University Press, 1974, Parte II, pág. 87.

entre Deus e o homem no Antigo Testamento, e parecem sugerir que, a despeito das aparências, a Divindade se interessa pelo bem-estar dos dois desgraçados da estampa.

O relâmpago tem sido sempre experimentado como símbolo da energia divina, força misteriosa emanada de Deus. Representa o poder e iluminação em sua forma mais primitiva e imediata. Vem do céu para tocar diretamente a vida dos dois mortais do Tarô, sem a influência mediadora do Mago e da sua vara, do Imperador e do seu cetro, ou do Papa com o seu báculo.

Os heróis gregos e os deuses menores tinham pavor do raio, que emanava de Zeus; e velhos diagramas da Árvore Cabalística da Vida pintam o relâmpago como a força divina que liga o Sefiró. Na arte cristã, o Espírito Santo é retratado, às vezes, como chama vinda do céu. Ser atingido pelo raio significa, simbolicamente, ser tocado pela mão de Deus; marca a pessoa para sempre como alguém que merece atenção especial. Esculápio, morto pelo raio de Zeus, veio a ser conhecido mais tarde como o deus da medicina. Referindo-se ao seu destino, diz Artemidoro: "Nenhum morto por um raio se queda sem fama. Destarte, ele é também honrado como um deus."[2]

Os dois mortais do Tarô podem não estar destinados a ser deuses, mas é verdade que não permaneceram desconhecidos, pois gerações têm estudado esta velha carta e ponderado sobre o seu significado. Graças a um relâmpago, segundo parece, as personalidades dos dois se tornarão conhecidas para nós – e possivelmente também para eles mesmos – de um modo iluminativo.

Segundo Plutarco, o relâmpago foi o originador de toda a vida. Ele o via como um falo celeste fertilizando as águas primevas com a sua energia primitiva. Suas intuições foram confirmadas hoje por alguns cientistas, consoante os quais a primeira vida a emergir das águas pode ter sido, com efeito, inflamada por um relâmpago. A idéia do raio como poder da dor de vida encontra eco nesta gravura do Tarô, onde a torre concreta, como a casca externa dura de uma noz, está sendo quebrada e aberta para libertar as duas "sementes" internas vivas, que parecem cair na direção do solo. Elas, ali, presumivelmente, deitarão raízes e começarão nova vida.

Na maioria dos baralhos do Tarô, o relâmpago é pintado com pinceladas irregulares, em ziguezague, que golpeiam o céu como dentes irados, levando a destruição a tudo o que está por baixo. O baralho de Marselha pinta o relâmpago em seu aspecto mais benigno e criativo. Ele aqui parece ter uma qualidade espiritual plumosa, não dessemelhante da expressa pelo raio visto nesta fotografia (Fig. 71). A pluma é suave ao toque, embora seja surpreendentemente forte e duradoura. "Você poderia ter-me derrubado com uma pluma!" – exclamamos nas ocasiões em que a nossa imagem da realidade se revela muito diferente da verdadeira realidade. Toda a vez que empregamos essa metáfora, revelamos ao mundo (conquanto não necessariamente a

2. C. A. Meier (citando Artemidoro), *Ancient Incubation and Modern Psychotherapy*, Evanston, Illinois, Northwestern University Press, 1967, pág. 30.

nós mesmos) que já estamos num estado precário de desequilíbrio psíquico antes do toque da pluma – que estamos maduros para a queda.

Isso também se aplica aos habitantes da torre do Tarô, cujo recente encarceramento indica obviamente um estado de desequilíbrio psíquico. Parece evidente que, se esse espírito plumoso não lhes tivesse tocado a vida, eles estariam destinados a uma queda mais drástica do que a que aqui se retrata. É fácil para nós reconhecer a saída forçada dos dois muito mais como graça salvadora do que como castigo horrendo. Podemos compreender que, à semelhança de Fáeton, eles foram derrubados a fim de impedir a destruição do seu universo. Essas figuras cadentes diriam que o seu universo

Fig. 71 Fotografia de um raio (Foto de M. Brassai)

está sendo destruído; mas bem no fundo do inconsciente há uma sabedoria que lhes transcende o conhecimento. A linguagem corporal deles diz-nos o seguinte: *Eles estão dando saltos-mortais!* Lembramo-nos do Enforcado retratado no Tarô número doze, o qual, visto pelo aspecto da eternidade, está "realmente" dançando uma jiga.

Se perguntássemos aos moradores da torre por que estão dando saltos-mortais, eles provavelmente negariam que o estivessem fazendo. As pessoas desse tipo vivem tão cerebralmente que não dão tento do corpo e nem lhe compreendem a linguagem. Mas nós, sentados na platéia, por assim dizer, assistindo ao bailado, observamos a coreografia dos saltos-mortais, que expressam a liberdade e a alegria juvenil do verão; seu movimento circular sugere a energia e o potencial do Louco para a totalidade e, o que é mais importante, indica uma *meia-volta* qualquer. O acrobata que executa tais acrobacias emerge com o lado direito para cima, impelido para a frente *numa nova direção.*

Algumas das idéias aqui expressas são novamente sublinhadas na Torre da Destruição número dezesseis, o qual (como o quatro, o sete, o dez e o treze) é um desses números mágicos que se reduz a um, marcando o fim de uma fase de desenvolvimento e o advento de uma nova fase. A fase psicológica que está sendo tão abruptamente encerrada aqui é simbolizada pela torre.

Estrutura feita pelo homem, a torre é alta, rígida, durável e não se deixa penetrar pelos elementos. É útil à defesa, à proteção, à observação e à retirada. Uma torre como essa também pode ser utilizada como farol para advertir do perigo, uma plataforma para chamar os fiéis ao culto ou um pedestal de onde é possível arengar à multidão. Hoje perorações políticas e outras espécies de propaganda são irradiadas de torres que emitem constantemente redes de sons e imagens para engodar nossas mentes.

As torres também têm sido usadas como prisões, de maneira às vezes muito consciente e, em outras épocas, de modos mais sutis. Hoje, por exemplo, em nossas cidades, milhões de seres humanos estão quase literalmente aprisionados em concreto. É chocante pensar nos inúmeros funcionários de escritório cujos pés nunca tocam a grama verde e que não têm contato com a terra quente e úmida. Essa gente desce todas as manhãs dos seus prédios de apartamentos, que semelham torres, para uma garagem subterrânea da qual se dirigem para outras garagens em porões, subindo pelo elevador para escritórios altíssimos onde passam os dias. À noite, inverte-se o padrão e, como ratos aprisionados num labirinto de concreto, cada qual encontra o seu caminho, no escuro, de volta ao cubículo em que mora.

Imagine-se o efeito dessa rotina diária sobre um organismo vivo. Pois quem quer que viva exclusivamente num plano acima da terra perde contato com ela, com seus semelhantes e, inevitavelmente, com o seu próprio aspecto instintual, terreno. Isola-se. A visão panorâmica, estatística e intelectual, tende a obliterar os quentes contatos pessoais da vida cotidiana. Não admira que tais habitantes solitários da torre se matriculem, às centenas, em classes de sensibilidade, encontros de grupos e reuniões de hippies, onde, mediante pagamento, lhes é permitido caminhar descalços sobre a relva e recebem lições sobre a perdida arte de se tocarem e comunicarem uns com os outros.

Psicologicamente falando, muitos de nós vivemos "no ar", aprisionados em torres ideológicas feitas por nós mesmos; pois a torre pode simbolizar qualquer construção mental, política, filosófica, teológica ou psicológica, que nós, seres humanos, construímos, tijolo por tijolo, com palavras e idéias. Como os seus equivalentes físicos, as torres são úteis para nos proteger contra o caos, para uma retirada ocasional, e como situação favorável para determinar nossa posição em relação à visão mais ampla. São úteis enquanto damos espaço a uma remodelaçãozinha de tempos a tempos e mantemos as portas abertas de modo que possamos entrar e sair à vontade. Mas quando construímos um sistema rígido de uma espécie qualquer e o coroamos rei, tornamo-nos seus prisioneiros. Já não temos a liberdade de mover-nos e mudar com o momento, tocar a terra vital e sermos tocados pelas suas estações.

Alguma coisa parecida com isso deve ter acontecido aos dois moradores da torre na gravura, pois o edifício deles não tem porta alguma. Emparedaram-se dentro dele. Em tais casos, só um ato de Deus poderá libertá-los. A libertação pode assumir a forma de grave doença física ou espiritual, uma mudança violenta da fortuna, ou qualquer outro acontecimento cataclísmico que dê com eles, de repente, "em terra".

Todas as mudanças psíquicas importantes são experimentadas como atos de violência. Se mantivermos uma posição rígida, poderá ocorrer um colapso. Os dois humanos aqui retratados ainda estão em estado de choque. Ainda não sabem o que aconteceu; observe-se, porém, que, como animais doentes, estendem instintivamente a mão para as duas plantinhas verdes na base da torre. Note-se também que não se destruiu a torre propriamente dita, apenas a sua coroa foi derrubada. Como Ninrode, os dois, aparentemente, imaginavam a torre capaz de alcançar o céu. Agora conhecem as próprias limitações. A torre de Ninrode foi reduzida a uma "babel" insana e sem sentido. A torre deles não foi demolida, mas já deixou de ser rei. Agora está aberta, por cima, à iluminação superior.

Aos humanos nesta estampa o que está acontecendo se afigura a uma catástrofe. Experimentam apenas o choque e não podem ver a iluminação, que ainda está atrás deles (no inconsciente). Como Fáeton, filho de Apolo, golpeado por Zeus por correr alucinadamente com o carro do Sol, os dois experimentam este acontecimento catastrófico como retaliação e castigo infligidos a eles por um deus irado. Mas este talvez não seja o caso. Como quer Ovídio, Fáeton não foi derrubado num assomo de cólera nem por castigo, senão para salvar o universo da destruição.

Olhando para esta carta do nosso privilegiado ponto de observação, vemos que os dois mortais são similarmente salvos da destruição psicológica e libertados da prisão do seu orgulhoso egocentrismo. Simbolicamente falando, tinham construído para si um altaneiro edifício de pensamento racional, com o qual esperavam erguer-se acima do mundano. Temendo as complexidades caóticas e a responsabilidade individual envolvida na escolha moral, haviam-se retirado para um rígido sistema de filosofia, cujas leis gerais concretas determinavam que todas as decisões fossem tomadas automaticamente.

Na carta anterior deparamos com dois subumanos em inconsciente servidão ao Diabo. Ali a ameaça era vista como instinto animal diabólico (simbolizado pelas asas, garras, chifres e caudas de morcego). Se bem os dois subumanos não dessem tento de suas partes animais ou das maquinações do Diabo, estas se achavam claramente presentes na gravura, o que significa simbolicamente que eles estavam próximos da consciência total. Bastava aos dois virarem ao contrário ou olharem num espelho para vê-las. Aparentemente, todavia, não estavam preparados para fazê-lo. Em vez disso construíram para si – ou talvez tomassem emprestada já feita – uma filosofia eminente, uma síntese mental de idéias, rígidas como tijolos e ajustadas umas às outras num padrão permanente e imutável. Encaixaram-se no sistema, preferindo viver dentro dos seus limites restritos a expor-se a problemas e escolhas morais, que de outro modo encontrariam. Dentro do edifício, os dois perderam até o contato que tinham antes (embora inconsciente) com suas características animais, pois estas já não aparecem na gravura.

Na carta anterior, os dois estavam nus, o que significa psicologicamente que sua natureza primitiva se achava exposta. Na Torre da Destruição, cobriram sua verdadeira identidade com o uniforme da civilização. Enquanto anteriormente eram escravos do seu instinto diabólico, na torre se tornaram prisioneiros do seu intelecto igualmente diabólico. Como o próprio Satanás, o orgulho intelectual os levara alto demais e, como ele, tinham de cair. Talvez, como ele também, trarão consigo nova iluminação.

É manifesto que esses decaídos estão por tal forma envolvidos em sua situação imediata que não podem enfrentar o raio. Têm as costas voltadas para ele. Quando chegarem ao chão, passarão provavelmente muito tempo lambendo as feridas e lastimando o destino. Como Jó, dedicarão, sem dúvida, muitas horas se queixando da injustiça de Deus e recriminando-O. É possível que se passem anos até que possam ver a luz no raio. Quando isso acontecer, a sua experiência do Divino, como a de Jó, transcenderá toda a lógica e moralização humanas. Mas a semente já está no fundo do inconsciente. No entender de Jung, o raio significa "mudança súbita, inesperada e irresistível da condição psíquica".[3] Podemos esperar ver os frutos da experiência em cartas futuras, três das quais (A Estrela, A Lua e O Sol) retratam formas de iluminação celestial.

Um dos possíveis resultados da meditação sobre a Torre da Destruição pode ser ajudar a aumentar a percepção de áreas em nossa própria vida, em que corremos o risco do aprisionamento psíquico; de atitudes ou idéias que coroamos rei. Onde apertam elas a nossa liberdade? De que maneiras utilizamos sistemas religiosos, psicológicos ou filosóficos a fim de elevar-nos acima da espécie humana?

As Torres, assim externas como psicológicas, às vezes se juntam de um modo interessante. William Butler Yeats, por exemplo, no fim da vida, recolheu-se a uma torre onde, em absoluto isolamento, examinou sua alma e escreveu belas poesias. Mas também passou grande parte do tempo indignando-se com a velhice. Pode-se dizer que, psicologicamente, estava aprisionado no culto da juventude. Em seu poema denominado "A Torre", escreve Yeats:

3. C. G. Jung, *The Archetypes and the Collective Unconscious,* C. W. Vol. 9, Parte 1, § 533.

What shall I do with this absurdity –
O heart, O troubled heart – this caricature,
Decrepit age that has been tied to me
As to a dog's tail?...
. . . .
I pace upon the battlements and stare...[4]*

Muitos em nossa cultura ocidental estão, da mesma forma, aprisionados na adulação da mocidade. Ouvem-se observações de pessoas idosas: "Bem, vivi uma boa vida." No passado. Falam como se a vida já houvesse terminado, o que, de fato, será verdade se eles se sentirem assim. Com um pouco de sorte, um golpe de iluminação poderá, algum dia, livrá-los da tendência para "percorrer a passo as ameias" e ficar olhando indefinidamente para a mocidade perdida.

Muitas vezes, em pequena escala, podemos quedar-nos momentaneamente aprisionados numa rígida síntese mental que nos atalha o livre gozo da vida. Por exemplo, quando espera um trem ou um ônibus, você cai na armadilha de imaginar que não passa de "uma pessoa que está esperando"? Fica rígido como uma torre, perscrutando à distância, impermeável a tudo o mais que esteja acontecendo ao seu redor? Ou se relaxa, aberto às imagens e sons do ambiente, e interessado em observar os transeuntes?

Às vezes, quando nos envolve uma nuvem densa, que estorva temporariamente a comunicação, somos sacudidos para fora da nossa preocupação – não por um raio, mas por uma sacudidelazinha parecida com um choque elétrico, pequeno mas ainda com força suficiente para abrir-nos a casca e colocar-nos em contato, mais uma vez, com a realidade. Alguns anos atrás isso aconteceu comigo de maneira que abriu novas dimensões de significado em relação a este Trunfo do Tarô e me mostrou uma aplicação prática para o seu emprego.

O incidente ocorreu numa conferência de fim de semana a que eu comparecera sobretudo porque uma das conferencistas era a Dra. X, mulher que eu conhecia ligeiramente, mas que admirava muito. Na segunda manhã da conferência, um pequeno grupo nosso, que incluía a Dra. X, viu-se envolvido em animada discussão acerca de novas técnicas na terapia do câncer. O tópico me interessava de modo especial, como também, sem dúvida, à Dra. X, que tinha muita coisa para contar-nos a respeito de novas pesquisas nesse campo. Para pesar de todos, suas observações foram interrompidas pela sineta do almoço.

Pouco depois, sentada ao lado dela à mesa do almoço, voltei ao assunto da conversação anterior, sabendo que se tratava de algo que nos atraía às duas. Para meu

4. W. B. Yeats, "The Tower", *The Collected Poems of W. B. Yeats*, pág. 192.

* Que farei com esta absurdidade – / Ó coração, ó perturbado coração – esta caricatura, / A decrépita velhice que amarraram em mim / Como no rabo de um cachorro?. . . . / .... Percorro a passo as ameias e olho. . .

profundo pasmo, a Dra. X virou-se para mim com certa brusquidão e disse: "Por favor, prefiro não falar sobre isso no momento. Minha mente está com vontade de girar em plena liberdade." Como ela própria me contou mais tarde, no mesmo dia, tencionara acrescentar uma palavra de explicação da sua mudança repentina de humor, mas não tivera a oportunidade de fazê-lo porque, imediatamente depois de haver falado, alguém lhe chamara o nome na outra ponta da mesa e ela se afastara, passando a discorrer com outras pessoas de vivas reminiscências de viagens à Itália. Visto que a pessoa sentada do meu outro lado também se envolvera numa discussão, fiquei sentada, sozinha, com muito tempo para analisar minha suscetibilidade ferida. Sentia-me atordoada e chocada, exatamente como se tivesse sido atingida por um choque elétrico. Tinha a impressão de haver levado um soco e de estar voando pelo ar como os dois moradores da Torre do Tarô. E, como eles, imaginei-me uma vítima – senti-me como uma pessoa "inocente" irracionalmente escolhida para ser castigada e humilhada. Rezei para que a refeição terminasse logo e eu pudesse arrastar-me para um canto, sozinha, e lamber minhas feridas.

Aconteceu, contudo, que fora programada uma conferência para logo após o almoço, de modo que precisei adiar minha orgia de autopiedade e seguir com os outros para o auditório. O que foi uma sorte, pois quando me sentei e vi a Dra. X na plataforma esperando para ser apresentada como a próxima conferencista, compreendi instantaneamente o que acontecera durante o almoço. É evidente que, momentos antes de pronunciar uma conferência, a mente dela teria preferido "girar em plena liberdade" pela Itália ensolarada a tratar de um assunto sério e deprimente! Enquanto falou, diante de nós, durante uma hora, de improviso, e, mais tarde, respondeu a perguntas difíceis feitas pelos espectadores, senti-me agradecida por haver tido ela o bom senso de proteger o espírito da minha estupidez e de manter o equilíbrio em face da minha unilateralidade. Quando a Dra. X e eu voltamos a conversar, mais tarde, senti que era eu quem devia pedir desculpas por ter sido desatenciosa e não ela por haver sido brusca.

O leitor poderá pensar que este é o fim da minha história. E muitas vezes, de fato, esse tipo de história termina no ponto em que ela se resolve em realidade manifesta. Afinal de contas, que mais haverá para dizer? Quando ocorre um desentendimento momentâneo, que é imediatamente esclarecido, restabelecendo-se o relacionamento, é muito fácil esquecer o acidente – varrê-lo para baixo do tapete como se nunca tivesse acontecido. Mas alguma coisa *havia* acontecido naquele dia ao almoço, e eu queria sentir o pequeno evento enquanto continuava fresco na minha memória. Portanto, minha história continua.

Chegada ao meu quarto, peguei na Torre da Destruição do Tarô e estudei-a. Forcei-me deliberadamente a reviver a sensação que tivera, na hora do almoço, de ser atingida por um raio vindo do espaço. Tornei a experimentar o que experimentara logo depois de estar desorientada como se estivesse caindo. Lembrei-me de que me sentira pessoalmente escolhida como alvo. Mas, ao estudar a estampa do Tarô, compreendi que o raio não fora dirigido aos seres humanos da gravura, mas à torre.

As torres *(towers)* atraem o raio. Estivera eu, acaso, encaixada numa torre ao almoço? Usamos simbolicamente a palavra *towering* (profundo, intenso, violento) e outras semelhantes para denotar alguma coisa desproporcionada – além da escala humana. Falamos de uma "profunda raiva", de uma "intensa ambição", de um "ego monumental", e assim por diante. Enquanto pensava nisso, comecei a ver que a minha "violenta preocupação" com o tópico aprisionara momentaneamente minha existencialidade humana. No interior da formidável fortaleza do meu interesse imediato, eu estivera espreitando através de frestas minúsculas – ou, melhor dizendo, manipulando através delas um raio pesquisador. Exatamente como uma lanterna elétrica, minha mente inquisitiva localizava apenas alguns fatores do ambiente, deixando tudo o mais na obscuridade. Se a abertura da minha percepção fosse maior, eu poderia ter aproveitado alguns minutos para apreciar o pátio ensolarado em que estávamos sentadas, sentir o estado de espírito da minha companheira e lembrar-me do programa de eventos em meu bolso, que a indicava claramente como a conferencista seguinte!

Tendo revivido o drama do meu ponto de vista, tentei imaginar como a situação devia ter sido sentida do ponto de vista da Dra. X. Como poderia ela comunicar-se com alguém encerrado numa "torre"? Não teria precisado falar vigorosamente para ser ouvida?

Utilizando as cartas para sentir o significado de qualquer acontecimento, descobri ser útil estudar a carta em apreço na medida em que se relaciona com as outras em sua fileira vertical, as quais, no caso a Torre da Destruição, são o Eremita e a Papisa. Descobri que essa técnica é particularmente útil ao meditar sobre o meu pequeno mas significativo contratempo com a Dra. X. Estudando o Eremita, fiquei impressionada com a mobilidade fluente do frade e o seu olhar de franca indagação. Como parecia vivo para todas as imagens e sons do ambiente! Notei que a sua luz não era um projetor com um feixe luminoso penetrante, mas uma lanternazinha que lançava a sua difusa claridade em várias direções ao mesmo tempo. Observei que a lanterna tinha obturadores para proteger os outros do seu brilho quando havia necessidade disso.

Olhei, a seguir, para a Papisa, no topo da segunda fileira vertical, símbolo de paciência, receptividade e obediência ao verdadeiro espírito. Sentada calmamente, absorve a atmosfera que a rodeia. Raramente iniciaria uma conversação e só o faria depois de haver primeiro sentido o estado de espírito do outro.

Depois que ocorreu o *affaire* X, mantive diversas conversações com a Papisa semelhantes à registrada no quinto capítulo deste livro. Mais introvertida do que eu, ela me ajuda a estabelecer contato com minha própria introversão. Com ela estou aprendendo a sentar-me tranqüilamente ao Sol com alguém – até mesmo um novo conhecido – sem me sentir compelida a conversar. Ela também me ensinou que, até numa reunião de comitê ou numa conferência de negócios, em que o tempo é valioso (talvez especialmente aí) é importante partilhar com alguém de alguns momentos de "giros em plena liberdade" antes de mergulhar no assunto em pauta.

Às vezes, travo também conversações com o Eremita. Com ele aprendi a distinguir a verdadeira introversão criativa, que tem o seu próprio brilho especial, do negrume estéril de uma torre fria e pétrea. Antes que eu aprendesse a emular o Eremita, o inconsciente me obrigou a compensar minha extroversão unilateral enviando-me repetidos resfriados ou outros achaques menores, que me proporcionaram a introversão necessária à harmonia e saúde internas. Nos últimos anos, porém, graças a conversações com o Eremita, aprendi a manter um equilíbrio mais consciente e voluntário entre os meus lados introvertido e extrovertido.

Ainda não conversei com os dois habitantes da torre. Em primeiro lugar porque estão demasiado presos no próprio infortúnio para se disporem a um diálogo dessa natureza. Porventura mais tarde, depois que tiverem digerido o maná com as cores do arco-íris que vemos cair dos céus, serão capazes de falar sobre essa experiência. A menos de nos sentirmos tentados a oferecer-lhes a elevada teologia dos confortadores de Jó, olhemos mais uma vez para essas pobres almas e tentemos empatizar com a sua situação. Todos lá estivemos, de uma forma ou de outra. E cada vez volta a ser um choque o sermos derrubados e lançados fora da nossa imaginada segurança. Às vezes o aturdimento é tão grande que não nos deixa reagir; outras, reagimos de maneira surpreendentemente inadequada e, não raro, cômica.

Ilustração disso é a piada que me foi contada como história verdadeira. Caindo ao chão, derrubada por um terremoto da Califórnia, ouviu-se gritar uma mulher: "Por favor, salvem-me primeiro; sou de Nova Iorque e não estou acostumada com essas coisas!"

Fig. 72 A Estrela (Baralho de Marselha)

20. A Estrela: Raio de Esperança

Céu em cima
Céu embaixo
Estrelas em cima
Estrelas embaixo
Tudo o que está em cima
Está embaixo também.
Entende isto
E rejubila-te!

Texto alquímico

Na carta anterior, vimos duas figuras humanas expelidas à força de uma torre. Embora tivessem perdido o seu ponto de vista anterior e suas paredes protetoras, ainda se tinham uma à outra e ainda envergavam as roupas que representavam a sua identidade social. Em A Estrela vemos, pela primeira vez, um ser humano nu (Fig. 72). Despojado de toda e qualquer identificação e roubado de todas as suas pretensões, o seu eu essencial está exposto aos elementos. Não usando nenhuma *persona* ou máscara, revela sua natureza básica.

A mulher está ajoelhada à beira de um rio, despejando água de um modo ritual de duas urnas vermelhas, de sorte que um jato de água flui de volta para o rio e o outro cai na terra. Ela aparece no ponto em que a água viva do inconsciente coletivo toca a terra da realidade humana individual. Interessa-se por ambas e, através das suas ministrações, as duas interagem criativamente. A água que cai na terra nutre todas as sementes que ali jazem adormecidas. A água do outro jarro, arejada e purificada, flui de volta ao rio comum para revivificá-lo e enchê-lo de novo.

Psicologicamente falando, a figura ajoelhada pode estar dividindo e separando introvisões recentemente acessíveis à consciência total, e separando o pessoal do transpessoal. Talvez esteja ruminando o acontecimento catastrófico pintado em A Torre da Destruição. Meditando sobre o seu significado, relaciona o acontecimento externo à situação psíquica interna a que ele corresponde.

Deste ponto na série do Tarô, como veremos, entramos numa nova dimensão de compreensão, dentro da qual as vicissitudes da vida serão vistas sob o aspecto da eternidade. Não mais contemplado pelas estreitas aberturas da Torre, o mundo desdobrará novas vistas sob um amplo céu estrelado. Aspectos da psique, anteriormente aprisionados no interior de paredes de pedra e agora liberados, descerão ao solo onde poderão começar a operar de maneira mais realística. Em A Estrela, uma sacerdotisa da natureza inicia a tarefa de descobrir nos acontecimentos da existência terrestre um padrão correspondente ao do desenho celeste. Sentimos que o ritmo com que despeja a água se harmoniza com o da dança cósmica no alto.

As duas urnas indicam um parentesco com o Anjo da Temperança, ligando-a aos poderes arquetípicos. Ela, no entanto, é uma figura humana sem asas, e as urnas são de um vermelho de sangue, símbolo da natureza física e do sentimento humano. Ajoelha-se no chão, ao pé do rio, brincando com as águas com a grave concentração de uma criança. Estando nua, o contato com a natureza é imediato e direto. Ela pode ajudar o raio da carta anterior a tocar o chão, trazendo-o à realidade e ligando-o às águas primevas e à terra básica da existência.

A sua postura e conduta geral sugerem humildade, estado de ser muito diverso da humilhação experimentada pelas duas figuras que estão caindo da torre atingida pelo raio – a humilhação que todos experimentamos quando uma auto-imagem muito querida é arrancada da sua fortaleza. Como todos sabemos, a laboriosa transformação dessa penosa humilhação num sentimento próximo da humilde auto-aceitação é uma tarefa pesada – que requer ajuda sobre-humana.

Atrás e acima da figura ajoelhada, sete estrelas variadamente coloridas giram em torno de uma estrela dupla central. Entre as sete não há duas iguais; cada qual parece ter uma personalidade única. São arrastadas de um jeito vigoroso, à mão livre, o que sugere o cintilar das estrelas como estas realmente aparecem nos céus. O padrão alternativo das cores dá-nos a impressão de que estão girando em torno da estrela dupla maior. Em compensação, a estrela central é desenhada com geométrica exatidão. Criou-se a estrela dupla pela sobreposição de uma estrela amarela de oito pontas a uma estrela vermelha, de maneira que as duas parecem emitir centelhas alternadas de luz. Linhas brancas ligam as oito pontas da estrela amarela a um centro, para o qual convergem como os raios de uma roda. O ponto preto no eixo dá a entender que a estrela dupla está presa nos céus, onde permanece fixa, mas as cores alternadas das dezesseis pontas indicam que a roda gigantesca gira sobre o próprio eixo. Em essência, esse sistema estelar representa uma roda do sol ou mandala.

Um centro estabilizador ou imagem da totalidade desse gênero surge amiúde em sonhos e visões durante os períodos de caos e confusão, que se seguem tipicamente a acontecimentos catastróficos como o descrito na carta precedente. O súbito aparecimento da grande estrela no céu sugere que uma nova visão da totalidade se ergueu das profundezas e logo estará ao alcance da consciência total. Retrata um centro fixo, que une o amarelo do espírito, da intuição e da luz, ao vermelho do corpo, da emoção e da carne. Em torno desse ponto focal, as luzes menores, os diversos fragmentos da personalidade, podem começar a girar.

Textos alquímicos retratam, não raro, configurações similares, que mostram uma estrela gigante fixa (descrevendo o processo da iluminação). Os alquimistas chamavam a esse processo a Grande Obra, pois acreditavam que o inestimável "ouro dos filósofos" só poderia ser conseguido mediante o labor do homem, em contraste com a idéia cristã de salvação pela graça de Deus. Segundo a idéia central dos alquimistas, não somente a humanidade mas toda a natureza estava imbuída do espírito divino, e a tarefa principal do homem consistia em libertar o espírito assim aprisionado na matéria. Somente se empenhando na Grande Obra poderia o espírito humano libertar-se. Os alquimistas viam a redenção do homem mais como subproduto desse trabalho de uma vida inteira do que propriamente como sua meta. Era deles a tarefa solitária, que havia de ser praticada na solidão ou com um companheiro dedicado do sexo oposto. Entendiam que a reunião com a divindade nunca poderia ser levada a cabo *en masse*, mas só poderia ocorrer no interior de cada indivíduo, como resultado do seu esforço dedicado.

A concepção junguiana da individuação, como o sugere o próprio nome, semelha o ponto de vista alquímico. Sustenta Jung que a salvação do homem reside nas profundezas da sua psique, e que cada um de nós precisa trabalhar à sua maneira individual para descobrir e libertar a essência áurea que jaz sepulta na nossa natureza psicofísica. Os alquimistas, para os quais o mundo interior era um mistério, projetavam os elementos da sua psique nos elementos da natureza externa, com os quais trabalhavam constantemente. Restava a Jung e aos psicólogos que o seguiam descobrir meios de retirar projeções dos objetos e pessoas externas e confrontá-las como elementos psíquicos arquetípicos.

Vista nesse contexto, A Estrela representa um passo importante na direção de uma participação mais consciente e ativa no processo de individuação. Em A Torre, a iluminação ocorria num clarão cegante, ofuscante e cataclísmico demais para ser enfrentado diretamente, quanto mais assimilado. Em outras cartas, a ação foi levada a efeito por figuras aladas ou outros personagens celestiais. Em A Estrela, a figura central é pintada como um ser humano nu, humildemente ajoelhado. No cenário calmo e natural há lugar para contemplação e espaço para o crescimento silencioso.

No fundo do quadro vêem-se duas árvores verdes, numa das quais está empoleirado um pássaro preto. À diferença das águias que adornam os escudos reais da Imperatriz e do Imperador, esse pássaro, criatura viva, indica que a conexão entre céu e Terra se tornou viva realidade. As árvores também são vivas e florescentes. As árvores adormecidas, truncadas, que antes aprisionavam o Enforcado, lançaram novos rebentos, liberando-o para um novo desenvolvimento e oferecendo-lhe vistas mais amplas.

Simbolicamente, as árvores expressam o transpessoal e o individual de uma bonita maneira. Profundamente arraigadas no solo e erguendo-se na direção do céu, ligam céu e Terra. A estrutura de uma árvore, desde as extremidades do complicado sistema radicular, elevando-se através do tronco e dos galhos para chegar à vergôntea e à folha, apresenta um diagrama paradigmático, por assim dizer, da interconexão e da interdependência inerentes a toda a natureza. As árvores puxam para dentro de si mesmas os quatro elementos, sintetizando-os e transformando-os numa nova vegetação vital. Daí o serem as árvores símbolos do eu transpessoal universal. No entanto, a forma e o modelo de cada árvore individual diferem de todas as outras. Destarte, as árvores podem representar o único modo com que o eu transpessoal se torna manifesto em cada indivíduo.

As duas árvores em A Estrela também nos recordam uma das gêmeas do Jardim do Éden: a Árvore da Vida e a Árvore do Conhecimento do Bem e do Mal. Como as do Éden, talvez as duas que se vêem nesta gravura representem impulsos gêmeos enraizados na psique humana, que nos impelem para a ação – uma que nos leva a *viver* a vida e a outra que nos leva a *conhecer* a vida.

Quando um símbolo aparece em duplicata em sonhos ou em outro material inconsciente, indica, não raro, que um novo aspecto da psique, até então inconsciente, está-se movendo para a consciência. No inconsciente, os opostos não estão separados; todas as qualidades e essências se entremisturam. Mas quando damos tento, pela primeira vez, de uma essência nova, esta principia a diferenciar-se, aparecendo amiúde, a princípio, como duas – duas da mesma espécie. Ao depois, quando a essência arquetípica se torna mais consciente, as duas figuras que a encarnam podem mostrar-se como duas entidades similares, mas não idênticas.

No quinto Tarô, por exemplo, O Papa, o espírito investigativo do homem, era representado por dois prelados. Essas figuras gêmeas ajoelhavam-se ao lado uma da outra e usavam trajes idênticos, a indicar que suas características como seres humanos individuais estavam ainda escondidas da consciência total. Na carta seguinte, O Enamorado, vimos duas mulheres, que não eram idênticas em roupas, idade, ou caráter, o que indicava uma diferenciação entre os vários aspectos do princípio feminino aqui dramatizado. Falando aproximadamente, elas representavam os aspectos da "virgem" (anteriormente encarnada na Papisa) e os da "mãe" (anteriormente retratada pela Imperatriz).

De maneira semelhante, o Carro mostrava a libido animal como dois cavalos. Conquanto os dois, idênticos em tamanho e caráter, estivessem jungidos como uma parelha, suas cores contrastantes (vermelho e azul) revelavam nítida diferenciação entre as duas espécies de libido que simbolizavam: o cavalo vermelho representava o impulso para a atividade física (o instinto de *viver* a vida) e o azul representava uma tendência mais espiritual (o instinto igualmente poderoso de *conhecer* a vida). Em A Estrela, vemos agora os dois impulsos retratados como duas árvores. À diferença dos cavalos, não são vistas como uma parelha indisciplinada cujos animais não se entendem. Conquanto estejam amplamente separadas, ambas se acham arraigadas na mesma Mãe Terra, e o pássaro preto voa de uma para a outra, ligando as duas.

O tema dos "gêmeos" repete-se nos dois vasos, similares em tamanho, forma e cor. Mas se bem sejam quase idênticos, suas funções são diferentes. Como observamos, um derrama a água de volta no rio e outro a derrama na terra. As ações da Mulher Estrela aqui podem dramatizar a idéia de Jung de que as duas espécies de libido – a espiritual e a física – são, na realidade, uma essência, mas cada qual adaptada a um propósito diferente.

Significativamente chamada A Estrela, esta carta dirige nossa atenção para os céus e supõe uma conexão entre os corpos celestes e o que quer que esteja acontecendo aqui embaixo. As estrelas costumam simbolizar forças condutoras. Os marinheiros utilizam-nas para encontrar o rumo através de mares não mapeados. Os astrólogos utilizam-nas para predizer tendências futuras e ajudar seres humanos a harmonizar o ritmo de suas vidas com as revoluções dos planetas. A estrela de Belém guiou os Magos à manjedoura. Parece que, assim prática como simbolicamente, o mapa estrelado estendido nos céus corresponde às nossas constelações interiores. Esse mapa celeste está vivo, vibra de energia. Quer o estudemos conscientemente, quer lhe voltemos as costas como a Mulher Estrela está fazendo, suas emanações não deixam de ser emitidas para influírem na nossa vida.

As estrelas são pontas iluminadas de alfinete representadas em escala correspondente às dimensões humanas. À diferença do raio da carta anterior, a luz da estrela não cega nem destrói o homem. À diferença da luz do Sol, não murcha nem queima. Como a lâmpada do Eremita, cada estrela nos oferece uma iluminação limitada e controlada – introvisão espiritual – desmembrada em fragmentozinhos apropriados à assimilação humana. Esse padrão sempre mutável e, contudo, predestinado derrama luz sobre o momento único do tempo ordinário; mas a luz que hoje nos chega das estrelas encetou sua viagem à Terra há milênios. Dessa maneira, as estrelas ligam cada momento individual ao tempo transcendental. Deixam cair a sabedoria dos velhos conhecimentos sobre os nossos dilemas atuais.

As estrelas estão ligadas também à imortalidade. Conta antiga lenda que, ao morrer, a alma é alçada ao céu, onde reluz eternamente como estrela. Figuras heróicas de deuses foram, muitas vezes, imortalizadas como planetas ou constelações, que, até o dia de hoje, levam os nomes dos assim homenageados. Outra crença popular sustentava que, ao nascer, a cada ser humano era dada sua estrela pessoal, que representava seu equivalente transcendental ou estrela-guia. Acreditava-se que a estrela velava pelos negócios do seu custodiado terrestre, guiando-lhe o destino e protegendo-o do mal. Essa idéia encontra eco hoje em dia na superstição popular de que, quando pedimos qualquer coisa a uma estrela, o nosso desejo se realiza e, quando isso acontece, agradecemo-lo às nossas "estrelas felizes".

Outra lenda antiga se refere mais especificamente à correspondência entre o reino que está em cima e o que está embaixo ou, para usarmos termos psicológicos, entre o eu e o ego. Acreditava-se que, ao nascer, a alma descia à Terra através das esferas planetárias, apanhando, à medida que progredia, as qualidades pertencentes aos vários planetas. Ao morrer, todavia, invertia-se o movimento descendente, de modo que as qualidades eram devolvidas aos respectivos planetas a fim de serem usadas novamente pela geração seguinte de almas recém-nascidas. Num ritmo circular contínuo, portanto, não diferente do despejar da Mulher Estrela, nós, seres humanos, tomamos emprestadas a iluminação, a energia e os talentos das estrelas para completar nossos eus terrenos, devolvendo-os aos céus (talvez enchidos de novo e destacados?) quando se acaba a nossa vida na Terra.

A idéia de que as estrelas estavam intimamente ligadas ao destino humano precedeu a astrologia. Quando o homem descobriu que se podiam prever os movimentos dos planetas, animou-se com a idéia de que o seu destino também pode ser guiado por alguma ordem divina. Já não se sentia como uma criatura atirada de um lado para outro, mau grado seu, pelos deuses. A partir de então, para todo o sempre, as estrelas passaram a brilhar para ele, como faróis, proclamando que cada vida individual estava ligada ao padrão divino, oferecendo a esperança de que os eventos aparentemente fortuitos da vida cotidiana criavam uma parte significativa no plano universal. Por meio da empatia com as estrelas, o homem, que deixara de ser um brinquedo da sorte, passou a ser inspirado por um sentimento de destino. Como se as estrelas cintilantes fossem janelinhas ou olhos através dos quais o homem vislumbrasse a eternidade.

Disse Meister Eckhart: "O olho com o qual vejo Deus é o olho com o qual Ele me vê." As estrelas são vistas como os olhos do céu, com os quais os deuses observam o que fazemos. Em termos junguianos, simbolizam os arquétipos que são as imagens que influem em nossa vida e através das quais experimentamos as miríades de aspectos da divindade. À proporção que nos movemos ao longo do caminho da individuação, esses muitos pontos discretos de luz estilhaçada tendem a fundir-se até serem vistos como luz gigantesca, cujo brilho é mais constante. Pode-se imaginar a grande luz escondida atrás de uma cortina celeste, através da qual brilha sobre nós por intermédio de minúsculos buraquinhos de alfinete até que a cortina, afinal, cai de todo e podemos sentir a fonte mais diretamente.

As estrelas no Tarô não estão pintadas num escuro céu noturno, tais como apareceriam na natureza, mas silhuetadas contra um fundo de quadro branco. Como aconteceu com o raio na carta anterior, isto sugere que esses fenômenos hão de ser vistos simbolicamente, mais como manifestações que ocorrem dentro da psique do que como eventos que ocorrem na natureza exterior. A Mulher Estrela não ergue os olhos para os céus. Talvez lhes veja os reflexos na água. Seja como for, o estado de espírito dela é reflexivo; sentimos que ela se dá conta dos planetas como presenças interiores e de que eles influenciam as ações dela.

Significativamente, o próprio herói não aparece na gravura. Neste momento, está perdido para si mesmo e para nós. A torre esguia e rígida que o encerrava já não o contém. O alto edifício de palavras, máximas e conceitos que construiu, tijolo por tijolo, para defender-se, já não o protege. Antigamente, sentado, orgulhoso, na torre, cuidara-se um ser superior, sólido e seguro – alguém. Agora descobre que é ninguém. Perdeu todo o contato com o intelecto do seu ego. Sua auto-imagem foi derrubada. Quebrou-se a vigilância com que ele, outrora, conferia os acontecimentos de sua vida; a bússola que lhe norteava a jornada perdeu-se. Até o carro, o veículo de ouro com que contava para "levá-lo para casa", já não está à sua disposição. A consciência do seu ego e sua motilidade jazem impotentes. Somente através das ministrações da Mulher Estrela poderá salvar-se.

A mulher é uma criatura arquetípica das profundezas. Vive e move-se no mundo eterno dos planetas – um mundo que existiu há milênios, muito antes do advento do homem e dos seus relógios. O conceito de tempo do nosso ego está tão engrenado com as invenções feitas pelo homem que é difícil lembrar que os cronômetros são uma invenção relativamente recente. Durante séculos, junto com todas as outras criaturas, o homem viveu e se moveu orientado tão-só pelo tempo sideral. No interior de cada um de nós, profundamente enterrada no inconsciente, ainda vive uma Mulher Estrela primitiva, cujo equivalente é aqui retratado. Ela se move além do tempo, sujeita apenas ao ritmo da natureza. Como a mulher nesta gravura, a nossa mulher interior harmoniza o seu ritmo com os movimentos das estrelas. Figura arquetípica, é parte importante da psique mas, quando o ego é superativo, perdemos, às vezes, o contato com ela: quando o ego é despotenciado, como acontece em A Estrela, podemos encontrá-la de novo.

Na psicologia de um homem, essa figura feminina representa a sua *anima*, ou lado feminino inconsciente. Na jornada de uma mulher, sendo do mesmo sexo, simboliza um aspecto sombroso da personalidade. Visto que a Mulher Estrela é delineada em escala grandiosa, maior do que a vida, poderia personificar uma qualidade muito além da sombra pessoal e mais próxima do eu, arquétipo oniabrangente que é a estrela central da nossa constelação psíquica. Seja como for, a figura ajoelhada representa um aspecto até então inacessível da psique, a qual, como a princesa do conto de fadas, esteve outrora aprisionada numa torre pelo cruel Rei Logos, governador da nossa sociedade orientada para o masculino.

Na Força do Tarô encontramos uma figura feminina semelhante, que dominava a tela. Ali, vestida à moda da época, representava um aspecto mais pessoal do arquétipo – uma influência humanizante. Enfrentando o leão, ajudou o viajante solitário a reconhecer e domar as emoções de modo que não se soltassem, desenfreadas, de uma forma destrutiva. Aqui, como Mulher Estrela, mostra como se podem empregar essas energias recuperadas de maneira mais criativa. Emoções que, em outro tempo, podiam ter explodido com violência, irregulares como o raio, em raivas contra o destino, são agora derramadas como bálsamo nutriente e curativo.

Uma porção dessa energia transmudada flui de volta ao rio. Pertence às profundezas inconscientes que nunca poderão ser inteiramente compreendidas ou assimiladas. A outra porção rega o solo fértil da realidade de todos os dias. Ela trabalha com os opostos simultaneamente, ligando-lhes os dois mundos através da atividade do seu corpo e da devoção do seu espírito.

Na psicologia de uma típica mulher do século XX, isolada do contato com a natureza e do seu sentimento natural, inato, de temor religioso, o aparecimento da Sacerdotisa da Natureza talvez pressagie uma religação com o eu transcendental. A Sacerdotisa está-se ajoelhando numa atitude de oração. A posição dos seus membros sugere a suástica, forma primitiva da cruz. Chamada o "martelo da criação", a suástica simbolizava o movimento contínuo do cosmo, ligando mais uma vez o padrão do derramamento circular da mulher à circulação dos planetas num plano superior. Sua atmosfera é profundamente religiosa.

Como assinalou Jung, a origem latina da palavra "religioso" significa "considerar cuidadosamente". A Mulher Estrela parece imersa em cuidadosa consideração dos imponderáveis. Enquanto medita, verte as águas de maneira ritualística, como se estivesse fazendo uma libação aos deuses. Sua tarefa consistirá em iniciar o ego nas camadas inorgânicas da psique. Aqui a consciência dará acordo de regiões interiores mais remotas e misteriosas do que as simbolizadas pelo leão; camadas mais profundas e elementares do que as habitadas pelos insetos e vermes encontrados pelo Enforcado.

Ver-se-á a importância psicológica da Mulher Estrela se se colocar em contraste o Tarô com o conhecido quadro de Van Gogh intitulado *A Noite Estrelada* (Fig. 73). A tela foi pintada em 1889 em St. Rémy, asilo mental a que o artista foi recolhido nos últimos anos. Removido à força do mundo da vida comum, Van Gogh, como o herói do Tarô, viu-se atirado a um lugar perigoso e solitário. Na sua tela, todavia, não aparecem figuras mediadoras para ajudá-lo a lidar com a súbita investida de essências elementares, vindas das profundezas do inconsciente. Nos céus, tampouco, nenhuma estrela central brilha para segurar os planetas em suas órbitas. Aqui as estrelas aparecem como massas de fogo a girar num céu turbulento, cada uma das quais é lei por si mesma. Uma estrela açoitada pelo vento, semelhante a um cometa, parece ter rebentado as amarras, pois aderna loucamente através dos céus, ameaçando até invadir o reino terreno lá embaixo.

Em primeiro plano, contorcendo-se em agonia, escuro cipreste projeta-se, à semelhança de uma chama, para o céu, como se os limites naturais do céu e da Terra se tivessem fragmentado e toda a criação houvesse enlouquecido. A única imagem de unidade e harmonia na tela caótica aparece no canto superior direito, onde se unem o Sol e a Lua, numa união simbólica de opostos. Mas essa imagem não é central; dir-se-ia distante e inatingível. Sem a intervenção da imaginação humana, simbolizada pela Mulher Estrela, os elementos do ser psíquico de Van Gogh parecem ter voltado ao caos primordial do inconsciente profundo – ao tempo anterior à Criação, quando "a Terra era sem forma e vazia; e a treva pairava sobre a face das profundezas".

Em compensação, a Estrela retrata um mundo harmonioso, ordenado. Vemos aqui representados, pela primeira vez, os quatro elementos da criação: a terra, a água, o ar e o fogo. Ajoelhada na terra, a mulher trabalha com a água, ao passo que, atrás dela, no céu aéreo, as estrelas ardentes dominam. É através do contato com esses elementos na natureza externa que experimentamos a natureza elementar no interior. Em termos junguianos, os quatro elementos naturais podem simbolizar as quatro funções da psique humana. Nem todos os psicólogos analistas concordam em

Fig. 73 A Noite Estrelada
(Van Gogh, Vincent, 1889, óleo sobre tela, 29" x 36 1/4". Coleção do The Museum of Modern Art, Nova Iorque. Adquirido do Espólio de Lillie P. Bliss.)

determinar qual dos elementos simboliza melhor determinada função. No meu entender, o ar e a água representam o pensamento e o sentimento: ao passo que o fogo e a terra simbolizam a intuição e a sensação. Não há dúvida de que o nosso tipo de função influi no modo com que experimentamos e classificamos as funções. O leitor talvez ache proveitoso fazer aqui uma pausa e ponderar na classificação que lhe parece certa. Embora essa atividade possa não revelar nada de novo acerca dos quatro elementos da natureza exterior, pode produzir novas introvisões a respeito das quatro funções da natureza interior.

Em O Carro, os quatro elementos básicos foram pintados como quatro postes ou conceitos fixos, que sustentavam um dossel para proteger o auriga dos elementos. Em A Estrela, a figura central não tem essa proteção. Está exposta a toda a natureza. Os quatro elementos da psique, que já não são sentidos como conceitos rígidos estacionários, passaram a viver. Vibrantes de energia, revelam sua verdadeira natureza de maneira tão completa quanto o faz a própria Mulher Estrela.

Como Aquário, o Portador de Água, essa mulher, ajoelhada na terra, despeja água de duas urnas. Como ele, dedica sua atenção ao inconsciente e à natureza. O seu aparecimento assinala nova fase no desenvolvimento do herói, semelhante à Era de Aquário, na qual acabamos de ingressar. Nessa fase, o herói, como inúmeros buscadores atuais, se afastará da fascinação pela natureza exterior para a exploração da natureza interior, dos interesses do ego para as relações, combinando e unificando toda a experiência, interna e externa, para criar um novo mundo.

A Mulher Estrela, com efeito, parece ter encetado a tarefa. Pois conquanto concentre suas atividades na água e na terra, as estrelas e o amplo céu são também conspicuamente retratados na gravura. Sentimos que, com a sua ajuda, as quatro funções da psique rumarão para a integração. Apesar de estar o ego "fora da figura", e talvez até por ser esse o caso, ele pode agora dar-se conta passivamente de um universo que se expande com dimensões até aqui não sonhadas. Deitado de costas, o ego não participa da atividade humana comum; só lhe é dado quedar inerte numa depressão profunda. Imobilizado o ego, as intuições estão livres para voar. Nesse ponto o ego principia a encher-se de um novo sentido de destino e a sentir a sua sorte individual como parte do esquema universal. Ambições puramente centradas no ego perderam-se na contemplação das estrelas, e a vida começa a girar em torno de um novo centro.

É somente através das imagens interiores do inconsciente que tais realizações podem brilhar. A luz noturna da fantasia, mais do que o facho perscrutador da consciência, nos religa à eterna sabedoria de nossas constelações interiores. Os olhos internos nunca dormem; brilham dentro de nós o tempo todo. Às vezes, porém, perdemos contato com eles. Só por intermédio de Eros, o nosso lado de Eros, podemos contatar os céus psíquicos. Essa maneira de ligar – mais fluida do que estática, mais contemplativa do que racional – é descrita aqui como *vertedura*.

Na Temperança, vimos um anjo derramando uma essência branca de um recipiente azul num recipiente vermelho, no intuito de determinar um novo gradiente para a energia psíquica. A Mulher Estrela faz coisa muito diferente. Verte água azul de duas urnas vermelhas semelhantes. A tarefa da Temperança consistia em coligir e amalgamar as partes díspares da psique desmembradas pela Morte e em dirigir a recém-descoberta essência para novos canais: a tarefa da Mulher Estrela parece ser de separação e redistribuição. Ela talvez esteja separando os elementos arquetípicos do inconsciente da essência mais pessoal, para que a consciência do ego não permaneça inundada por material com o qual não está presentemente em condições de lidar. Devolve a essência arquetípica ao rio coletivo compartilhado por toda a espécie humana; derramando a mais pessoal na terra seca da realidade cotidiana para estimular nova vida e crescimento. À medida que se molha, o solo seco a seus pés se torna maleável como o barro. Dessa nova substância pode afeiçoar-se um novo mundo – um mundo mais seguramente baseado na realidade natural do que a alevantada estrutura de tijolos construída pelo intelecto, que convidava o raio do alto.

A mulher age e sofre a ação, ao mesmo tempo. Move-se com uma graça que lembra a de uma pessoa em transe. Dela é a absorção divina de uma criança criando um novo mundo da água e da lama. Sua intensa dedicação e sua participação total nesse ato de criação não são dessemelhantes das da própria Divindade, descritas na ilustração já apresentada d'*As Metamorfoses* de Ovídio (Fig. 14). Ali vimos Deus chamando do caos o grande mundo redondo. Mas o Criador, diz-nos Ovídio, não afeiçoou o mundo diretamente do caos; teve, primeiro, de separar os quatro elementos. Só então pôde recombiná-los para formar o todo universal da realidade absoluta.

De maneira semelhante, a Mulher Estrela está agora separando das águas elementais em ordem a criar nova realidade. O ritmo da dança da criação, tal como se apresenta na gravura de Goltzius, é ativo, franco e masculino; o ritmo da Mulher

Estrela é calmo, introspectivo e feminino. Sentimos aqui a serenidade saudável da mulher e a tranqüilidade da natureza silente. Consoante antiga máxima, "O silêncio é o espaço interior de que precisamos para crescer". Esse momento de crescimento interior não se presta a atos extrovertidos: sua essência é a visão interna.

Um estudioso do Tarô, meditando sobre essa carta, escreveu o dístico seguinte:

> Mulher atingida pela estrela ao pé do rio
> Derramando água sobre um sonho . . .

Os nossos sonhos mais íntimos precisam ser regados, cultivados e plantados na realidade exterior. Toda a vez que trabalhamos com o inconsciente por meio da imaginação ativa ou da meditação, "derramamos água em nossos sonhos". Alimentamo-los e ligamo-los à consciência, redimindo potenciais até então ocultos, de modo que possam ser usados em nossa vida diária. Estabelecendo o contato entre nossas fantasias inconscientes e nossas intenções conscientes, liberamos o espírito aprisionado na matéria, libertando novas intuições e introvisões outrora encerradas em nossas profundezas inconscientes, de modo que possam florescer na realidade. Damos a vida no aqui e agora a idéias e sonhos que anteriormente mantínhamos cativos em elevadas racionalizações, transformando, ao fazê-lo, não só a nós mesmos senão também à natureza. Em outras palavras, mudamos, ao mesmo tempo, a qualidade da nossa vida pessoal e o caráter do inconsciente coletivo. No sítio sagrado em que se encontram a terra e as águas, tanto o pessoal quanto o universal são tocados e transformados.

É evidente que as águas com que a mulher está trabalhando são alteradas pela sua atividade. A inclusão nas duas urnas parece tê-las tocado com uma vida nova, de modo que os cursos ora fluem das urnas com renovada energia. No processo da vertedura, as águas se arejam e purificam. O ar e a água, o fogo e a terra juntam-se agora de um modo novo. Psicologicamente falando, os quatro elementos funcionais da psique são revivificados e recarregados através do contato com o lado de Eros, ou lado do sentimento. Parece conveniente que o elemento aqui enfatizado seja a água, pois a água, diz Jung, "ocupa uma posição mediana entre o volátil (ar, fogo) e o sólido (terra), visto que ocorre tanto em forma líquida quanto em forma gasosa, e também como sólido, em forma de gelo".[1]

A Mulher Estrela parece triste. Talvez junte umas poucas lágrimas às águas que derrama. As lágrimas limpam e purificam. Lavam a poeira que a vida nos atirou aos olhos, de modo que podemos olhar para o mundo mais claramente. Costumamos dizer que nos "desmanchamos em lágrimas", que fomos "reduzidos às lágrimas", ou que estamos "alquebrados pela emoção". Quando choramos, nossas superficialidades são bateadas, por assim dizer, de modo que o ouro essencial brilha através delas. Liquefazem-se os aspectos rígidos da personalidade, deixando-nos mais receptivos e maleáveis. Quando a emoção nos inunda, a represa entre o consciente e o inconsciente cede e a consciência sobrenada com novas imagens, potencialidades e idéias. Algumas iluminam, outras terrificam, mas todas trazem consigo nova energia e novo poder.

1. C. G. Jung, *Mysterium Coniunctionis*, C. W. Vol. 14, § 717.

A princípio nos sentimos atolados nessa repentina inundação. A Mulher Estrela, que é também criatura das profundezas, compreende-o. E é por isso que divide e derrama as águas com tão carinhoso zelo. Por natureza, contudo, é inconsciente. Não tardará que volte a afundar na água, que é o seu elemento, deixando o herói privado das suas ministrações – totalmente só no mundo silencioso do ser elemental para enfrentar as monstruosas profundezas da melhor maneira que puder. Em seguida, imerso em mais trevas, ser-lhe-á preciso sofrer o enfrentamento de águas mais escuras antes de emergir à luz de um novo dia, batizado e renascido.

Talvez o pássaro preto no fundo traga aziagas premonições de que este será o seu destino. Os pássaros, todavia, simbolicamente, são mensageiros dos deuses. Enquanto o pássaro permanece na gravura sabemos, pelo menos, que os deuses existem e que se interessam pela vida deste planeta. Como o corvo de Elias, o pássaro traz alimento e sustento para o herói sofredor. Como a pomba de Noé, pode trazer a esperança de uma terra prometida.

O pássaro parece agora estender as asas para erguer-se, em carne e osso, acima do chão. Mas não deixará a terra permanentemente, pois é também uma criatura do jardim, sustentado por suas águas e alimentado por seus frutos. Por mais alto que voe na direção da luz, forçoso lhe será voltar ao ninho humilde: e sejam quais forem as regiões do ar a que possa alçar-se, terá de carregar sempre consigo o seu pequenino eu preto. As asas que o transportam, de corpo e alma, a paragens desconhecidas, lhe pertencem. À diferença das de Ícaro, não são apêndices artificiais presos com cera destinada a derreter-se ao Sol. As penas do pássaro são parte integrante da sua natureza, destinadas especialmente a resistir aos elementos. Dentro em pouco o pássaro, elevando-se e pairando sem esforço no ar, será levado cada vez mais alto até parecer planar entre as estrelas. Enquanto reflete nisso, o herói reza para que, um dia, ele também possa aprender a entregar-se aos ventos do espírito desse modo simples e natural. Espera também poder explorar regiões desconhecidas do ar e da luz, mas sem perder o contato com o lar terrestre, de modo que, à semelhança do pássaro, venha a mover-se facilmente entre o céu e a Terra. Por enquanto, porém, ainda há trabalho para ser feito.

Parece significativo que os alquimistas se refiram ao seu trabalho como a Grande Obra. Hoje também falamos em "trabalhar com um analista" ou "trabalhar os nossos sonhos". Toda a vez que realizamos esse trabalho com o inconsciente, destilamos-lhe a essência. Esse trabalho é uma espécie de meditação ativa. Não é guiado por dogmas escritos nem por fórmulas proscritas. Como podemos ver, a Mulher Estrela não consulta livros; lida simplesmente com o material que a natureza lhe apresenta. "A imaginação", dizem os alquimistas, "é a estrela do homem, o corpo celeste ou superceleste". Jung também acreditava que a nossa imaginação deveria ser a estrela-guia no trabalho com o inconsciente. Não estabeleceu regras específicas para a meditação criativa, nem sugeriu imagens específicas para as quais deveríamos dirigir nossos pensamentos. Entendia que o ritmo de cada psique individual era único, e que nos cumpre trabalhar com as imagens, sejam elas quais forem, que o inconsciente apresenta, seguindo o ritmo que melhor se apropria à nossa natureza.

Entretanto, o método de Jung de imaginação ativa e amplificação do sonho não é, de forma alguma, "associação livre". Na associação livre, como o nome está dizendo, usamos a imagem original tão-só como trampolim para vôos fantasiosos que, muita vez, nos levam muito longe da idéia central. Podemos, por exemplo, começar com a imagem "estrela", saltando daí para "estrela de cinema", depois para "Hollywood", "celulóide", e assim por diante, numa trajetória que nunca tem fim. Em compensação, o método junguiano de amplificação segue um curso circular. Mantendo no centro a imagem original, move-se ao redor da periferia, ampliando-lhe o significado pela analogia e pelo contraste, usando associações que dela procedem e lhe permanecem ligadas diretamente, como os raios de uma roda. No método de Jung, as imagens secundárias giram à volta da imagem central, como os planetas pintados em A Estrela giram em derredor do seu sol central. O movimento circular do repetitivo mergulhar e derramar da Mulher Estrela dramatiza de modo eloqüente a maneira de Jung trabalhar com material inconsciente.

A Estrela do Tarô enfatiza a natureza autônoma da psique. Até essa deusa da natureza é impotente para controlar a corrente que flui livre, o que constitui um fenômeno natural a operar com independência e cujo movimento e direção são governados pela gravidade. Significativamente, ela não faz esforço algum para dirigir o curso da corrente. Aceita as águas como vêm, manipulando apenas as que é capaz de colher em suas urnazinhas. Através da sua ação, contudo, ela efetua uma mudança, ainda que pequena, no caráter e na qualidade da corrente. A técnica de Jung da imaginação ativa afeta a corrente principal do inconsciente de maneira semelhante.

Como o demonstra a Mulher Estrela, essa forma de meditação não é, de modo algum, apenas um processo passivo. Conquanto não faça nenhuma tentativa para controlar a direção e o fluxo da corrente, ela não fica sentada ociosamente à sua beira, deixando-se hipnotizar pela sua música. Como sugere a expressão de Jung "imaginação ativa", ela *interage* de maneira imaginativa com as águas, relacionando-as com o ponto de vista terreno delas.

De maneira semelhante, Jung sugere que nunca devemos aceitar passivamente o que quer que uma figura do inconsciente possa dizer ou fazer, como se fosse um evangelho transmitido do alto. Pois, como já vimos, figuras arquetípicas, como seres humanos, possuem características assim positivas como negativas. Às vezes, elas nos oferecem um bom conselho; às vezes, dizem bobagens; e, em dadas ocasiões, são capazes de fazer sugestões diabólicas. Segundo afirma Jung, precisamos enfrentar esses personagens arquetípicos de forma ativa e direta, formulando perguntas ou apresentando objeções, exatamente como fazemos com algum estranho que apareça de improviso para oferecer-nos sugestões ou conselhos. Somente se nos empenharmos num diálogo vivo, em que tanto o ponto de vista consciente quanto os impulsos do inconsciente encontram expressão, poderemos esperar resolver nossos conflitos e problemas de um jeito prático e humano. Tendo tomado essa resolução, é importante que procedamos de acordo com ela, pois a função desse tipo de meditação é ajudar-nos a encontrar um modo criativo de viver a vida, em lugar de empregar a meditação como fuga soporífica da vida.

Às vezes, contudo, o problema com que nos defrontamos parece insolúvel, inatingível pela ação *manifesta*. Nesses casos, não raro, alcançando a harmonia interior, resolvemos surpreendente e automaticamente problemas exteriores também. Assim como a Mulher Estrela, por meio das suas ações, efetua uma mudança, ainda que pequena, no caráter e na qualidade da corrente, assim também a imaginação ativa leva a cabo alterações milagrosas na corrente principal do inconsciente. Ou, para empregarmos outra analogia: o inconsciente coletivo é como um vasto mar cheio de peixes arquetípicos. Cada peixe trazido à luz ajuda a aliviar a densidade das águas escuras embaixo. Não é tanto o número de pescadores que conta (de qualquer maneira, aliás, o número será relativamente reduzido); mas de suprema importância é que novos habitantes das profundezas são conhecidos e identificados, e áreas cada vez maiores do mar insondável são exploradas e diferenciadas. A imaginação ativa de Jung é um modo de conduzir uma exploração dessa natureza.

Como deixa claro a Mulher Estrela, esta não é uma técnica de grupo. Pratica-se melhor na solidão. Pois, afinal, é apenas através do indivíduo que novas idéias passam a existir. Mais tarde, essas idéias serão adotadas pelo público em geral e sua influência se espalhará pelo mundo. Mas, como asseveram artistas, músicos, escritores e cientistas, a "expedição de pesca" inicial faz-se melhor quando se faz sozinho. É uma cerimônia particular, cujo mistério só pode ser compreendido no interior dos recessos secretos da psique.

Os comentários de Jung acerca da importância desse mistério no desenvolvimento humano, assim cultural como individual, afiguram-se-nos pertinentes.

> À medida que cresceu a importância da vida interior, decresceu de valor o significado dos mistérios públicos da antigüidade. A posse de um mistério confere estatura, transmite unicidade e assegura que não submergiremos na massa . . . O mistério é essencial à experiência da pessoa como personalidade única, distinta das outras, e ao crescimento através do conflito repetido.[2]

O mistério representado em A Estrela não pode ser partilhado com outros, nem mesmo, aliás, com o nosso próprio intelecto crítico. Até esse ponto da jornada, o herói, governado pelo intelecto, tem tido escasso contato com o seu lado imaginativo. Agora, porém, a Mulher Estrela brilha claramente para ele. Conforme um dito cabalístico, "Quando tiveres encontrado o princípio do caminho, a estrela da tua alma mostrará a sua luz". Parece que, finalmente, o herói encontrou o princípio do caminho.

Antes de deixar A Estrela, talvez valha a pena contrastá-la com a carta anterior, sumariando algumas características salientes de cada uma delas, de modo que possamos observar com clareza a relação entre as duas. Em A Torre da Destruição, vimos duas figuras humanas expelidas, à força, do seu edifício. Estavam atordoadas, tinham sofrido a ação e permaneciam passivas. Toda a ação nesta carta veio dos céus – tradicionalmente o reino do espírito, do Logos, da energia *yang*. A forma fálica da torre enfatizava ainda mais o princípio masculino, indicando que os dois moradores eram prisioneiros de suas aspirações intelectuais e de suas lutas pelo poder. Viviam muito acima das sensações da sua natureza terrena, animal. Tinham perdido contato com o solo do seu ser e com as águas fluidas da sua natureza mais íntima. A luz da introvisão intuitiva estava afastada da vida deles pela coroa maciça que lhes cobria o topo da morada. Vestiam roupas da moda, simbólicas das suas *personae* ou posições na sociedade, mas que só serviam para fazê-los parecer ridículos ao enfatizar a impropriedade de todas as pretensões humanas em face dos poderes

2. C. G. Jung, *Conversations with C. G. Jung,* Margaret Ostrowski-Sachs, Zurique, Juris Druck & Verlag, 1971, pág. 30.

elementais da natureza. O vestuário das duas figuras era quase idêntico, o que dava a entender que nenhum dos dois tinha um sentido forte de sua natureza única; nem mesmo sua identidade sexual era clara.

Em A Estrela todos os envoltórios feitos pelo homem e todas as pretensões haviam sido retirados e revelavam uma mulher nua e exposta aos elementos. Embora esteja apenas obscuramente ciente das estrelas fatais que pairam acima da sua cabeça, ela não é passiva. Como observamos, age. O seu é um reino da terra e da água, símbolo do princípio feminino de Eros. À diferença do raio arremessado violentamente para abrir, inseminar, expor e destruir, as estrelas derramam uma luz suave e passiva, cuja influência acalma e cura.

Em A Torre, as figuras humanas estavam tão aturdidas pelo clarão tonitruante dos céus e tão preocupadas com a própria sorte que não puderam observar o que lhes estava acontecendo. Mas na calma seqüência da tempestade, o herói, despotenciado e inativo, está aberto a uma nova percepção. Ao observar a Mulher Estrela, maravilha-se da sua nudez, de que ela própria não tem consciência. Exposta a si mesma e ao mundo inteiro, não se esforça nem por esconder suas imperfeições nem por acentuar suas características positivas. Sem pudor e sem orgulho, aceita-se e aceita as circunstâncias em que se encontra. Não faz tentativa alguma para elevar-se acima dela. Dir-se-ia absorta em sua tarefa, não como meio para um fim, mas como algo útil e interessante por si mesmo. Oferece-se completamente à situação que a vida apresentou.

Enquanto a observa, o herói começa a aceitar-se e a aceitar a impotência da situação. Entra a compreender que tal aceitação é necessária à mudança – e é, de fato, a única motivação para toda a mudança. Compreende que, exibindo outrora uma agradável *persona*, e aprisionado em altas racionalizações e defesas, não somente escondia sua verdadeira natureza dos outros, mas também de si mesmo. Encapsulado como o morador de uma torre, não poderia saber quem era nem onde estava em relação aos fatos elementares da vida. Agora a energia antes empregada em fingir e defender-se está livre para observar o universo mais objetivamente e encontrar seu verdadeiro lugar nele.

Enquanto observa a Mulher Estrela na vertedura cíclica, principia a compreender que a jornada para a consciência é um processo contínuo e circular. Assim que um se descobre, reconhece e integra um aspecto do lado escondido da sombra, outro, até então não reconhecido, salta à luz. Cada brecha repentina de iluminação, como a brecha desastrosa retratada em A Torre, traz consigo novas essências arquetípicas para serem assimiladas e integradas. Agora o herói se põe a encarar a jornada como uma série dessas brechas, seguida por períodos de calma e integração relativas. Já não lhe passa pela cabeça que o raio é um ato irracional dos deuses, uma flecha imerecida caída do céu. Nem o experimenta como um castigo vingativo pelos seus muitos pecados. Aceita, antes, sua situação atual como parte de um plano expressivo, uma necessidade, um desafio e uma oportunidade. No mais profundo do seu coração brilha um sentido do significado da vida para iluminar-lhe o sofrimento e torná-lo suportável.

O sofrimento é agudo; não pode negá-lo. Mas já não luta para fazê-lo. Começa a compreender que só através da angústia, da ferida, o insignificante ego satisfeito consigo mesmo será espicaçado a seguir para a frente na jornada rumo ao eu. Já não se julga um proscrito; sente-se, afinal, *incluído* como parte do desenho da vida. Jung descreve com as seguintes palavras esse tipo de experiência: "Você já não se vê como um ponto isolado na periferia, mas como o Um no centro. Só a consciência subjetiva se isola; quando se relaciona com o centro, integra-se na totalidade e encontra, no meio do sofrimento, um lugar tranqüilo, além de todos os envolvimentos."[3]

Passando revista aos acontecimentos da jornada até aquele momento, o herói entra a descobrir-lhes na natureza aparentemente fortuita muitos padrões recorrentes. Observa que o seu pêndulo psíquico oscila constantemente para trás e para a frente, entre os opostos, na tentativa de alcançar o equilíbrio, e que a sua impotência humana suscita invariavelmente a ajuda inesperada do inconsciente. Como o Enamorado, por exemplo, confrontado pelo lado feminino inconsciente, foi inspirado por Eros e partiu em busca do rei no Carro de ouro. Em face dos enigmas da Justiça com a espada e a balança impessoais, foi levado a um encontro mais pessoal com o suave Eremita. Desalentado pelas revoluções sem fim de uma Roda da Fortuna mecanizada, foi capaz de extrair novas reservas de energia através da Força. E de maneira semelhante, sua paralisação como o Enforcado e seu desmembramento pelo anjo negro da Morte, foram aliviados com a ajuda do anjo claro, a Temperança. Agora sente que as humilhações dramatizadas em O Diabo e na Torre da Destruição estão sendo banhadas e suavizadas nas águas curativas da Estrela.

Se as Parcas tivessem bondosamente fornecido ao herói um mapa da jornada semelhante ao que estamos usando, ele seria capaz agora de erguer os olhos para cima, como nós, e estabelecer a conexão entre A Estrela e as duas cartas colocadas diretamente acima dela no mapa. A Imperatriz, no topo da fileira vertical, retrata a Grande Mãe em seus aspectos positivos de Mãe Natureza, cuja imaginação criativa trouxe toda a vida à realidade. Logo abaixo dela, na Roda da Fortuna, vemos a esfinge, que representa a Grande Mãe em sua fase mais negativa, mantendo cativa toda a libido, acorrentada aos seus propósitos. Agora, na Estrela, vemos a libido liberada da Roda de circulação predeterminada, repetitiva, livre para interagir com ela de maneira criativa.

Ao passo que os animais estão acorrentados à Roda e vestidos com um grotesco disfarce de humanidade impotente, a Mulher Estrela é um ser independente, capaz de haver-se com o seu destino de modo especificamente humano. A Mulher Estrela mostra que, mediante a nossa imaginação criativa, podemos ser libertados da servidão a um padrão cíclico, para cada um de nós viver o seu potencial individual. Como os planetas, somos todos mantidos dentro de uma órbita específica por um poder que se encontra além do nosso controle mas, dentro dos nossos limites prescritos, cada um de nós está destinado a um brilho que é só nosso.

De acordo com uma velha máxima, "O que a alma imagina . . . acontece apenas na mente, mas o que Deus imagina acontece na realidade". Ajudando o herói a pôr as imaginações de sua alma em harmonia com a natureza, a Mulher Estrela dá-lhe nova realidade. Ligando o herói à imaginação da divindade, criadora do mundo, impregna-lhe a vida de um novo significado e um novo propósito.

3. C. G. Jung, *Psychology and Religion: West and East*, C. W. Vol. 11, págs. 427-428.

Fig. 74 A Lua (Baralho de Marselha)

21. A Lua: Donzela ou Ameaça?

Um sítio selvagem! tão sagrado e encantado
Quanto o que, alguma vez, sob a lua minguante, foi assombrado
Por uma mulher chorando o seu amante-demônio.

Coleridge

A carta número dezoito apresenta uma paisagem desolada, sobrenatural e aterradora, vista no escuro da Lua (Fig. 74). Bem diante de nós, nas águas sombrias, enorme lagostim, com as garras estendidas, parece barrar-nos o caminho. Do outro lado dessa água (talvez um fosso) dois mastins, ladrando furiosos, guardam o acesso às duas torres de ouro que marcam a entrada da Cidade Eterna, destino do herói.

Como em A Estrela, o próprio herói está ausente. O intelecto do seu ego, que continua submerso, mergulhou ainda mais fundo na depressão, pois nessa estampa nenhuma figura humana aparece para ajudá-lo a enfrentar a escuridão. Psicologicamente, isso significa que ele perdeu o contato com todos os aspectos do seu eu humano. Afundado ao nível do reino animal, está tão inteiramente submerso no inconsciente aquoso quanto o lagostim pré-histórico aprisionado no fosso. Nenhuma mão auxiliadora se estende a fim de puxá-lo para cima. Nenhuma estrela-guia lhe ilumina o céu. Este é o momento mais desolado da sua jornada.

Tudo o supõe perdido no vasto deserto cujas areias amarelas se estendem em todas as direções, não atenuadas sequer por árvores ou moitas verdes. Na verdade, duas plantinhas de ouro foram pintadas à distância, mas não são verdes como apareceriam na natureza, o que indica que devem ser vistas mais simbólica do que literalmente. Sua cor de ouro sugere a flor de ouro da imortalidade, a preciosa flor tradicionalmente procurada pelos heróis da mitologia antiga. Quer existam na realidade as duas plantas, quer apareçam apenas como miragem, o fato é que agora são inacessíveis. O nosso herói não poderá alcançá-las enquanto não tiver cruzado as águas e passado entre as duas feras ululantes.

O fato de serem as plantas vistas em duplicata, como o são também os dois cães e as duas torres, reitera o motivo "gêmeo" que, como observamos, assinala o advento de novas essências, emersas pela primeira vez do inconsciente. O território do outro lado da água é, de fato, uma estranha terra nova, um país estrangeiro até então desconhecido e inexplorado. A partida para esse lugar de terrores abismais e infinita promessa requer grande coragem. A transição decisiva terá de enfrentá-la o herói nu e só. Deixando para trás o mundo familiar, precisa aventurar-se às cegas, sem nenhuma garantia de alcançar as torres de ouro que o chamam.

O herói não pode voltar atrás. Já expulso da torre mundana das idéias cediças e dos padrões convencionais, privado da Mulher Estrela, acha-se entre mundos, numa espécie de terra de ninguém, sem nenhuma ponte aparente que lhe facilite a travessia. É um proscrito da civilização e, na verdade, da espécie humana. Como uma besta, só pode sujeitar-se ao fado, confiando em seu instinto animal para chegar ao seu destino.

Faz-se mister coragem e fé para sair, como Abrão, "da sua terra, da sua parentela e da casa de seu pai, para a terra que eu lhe mostrarei". (Gen. 12:1) Ainda maior fé e maior coragem se requer do nosso herói, que ainda não pode ouvir a voz do Senhor. Sua única esperança reside no rosto dentro da Lua escurecida, emoldurado num colar de arco-íris, símbolo de esperança e promessa. Como a Lua, renascida da escuridão, se transformará para brilhar outra vez, assim possa ele também emergir renascido dessa noite de terror. Mas outros protentos nos céus não são favoráveis, pois as gotículas multicoloridas que ali aparecem (à diferença do maná, que caiu sobre a Terra para alimentar os moradores da torre) parecem erguer-se na direção do céu. Como se a Deusa da Lua, qual mãe devoradora, sugasse para si toda a energia criativa da Terra, deixando-a desolada e infecunda. O próprio herói se sente exaurido, hipnotizado pelo lagostim que espreita nas profundezas do fosso.

Esta é a hora da verdade do herói, tempo de terror e reverência. A experiência da travessia é familiar a quantos fizeram a jornada rumo à autocompreensão. Os místicos lhe chamavam a "Noite Negra da Alma". Em mitos e lendas, aparece como a "Jornada Noturna do Mar", onde, tradicionalmente, como Jonas na barriga da baleia, o herói precisa vencer o monstro que pode devorar-lhe a consciência e mantê-lo cativo. Em termos psicológicos, isso lhe simboliza a vitória sobre os aspectos devoradores do inconsciente, o qual, de outro modo, engoliria a consciência do seu ego, acarretando a psicose.

Na Lua, o puxão regressivo da Mãe Natureza é simbolizado pelo lagostim, que vive nas profundezas e anda para trás, pelos mastins rapaces e pela própria Lua, que parece sugar-lhe as energias, desviando o herói da ação deliberada. A Deusa Lua é feiticeira e encantadora. Como Luna, pode levar o homem à loucura. Como Circe, sua magia transforma seres humanos em porcos e, como Medusa, o seu olhar hipnótico paralisa a vontade.

Não se deve esquecer que Ártemis, a tranqüila deusa da Lua, é prima e companheira de Hécate, a negra feiticeira das encruzilhadas, cujos cães babosos podem rasgar, um por um, os membros do herói, ou remetê-lo, hidrófobo e escumante, para a noite perpétua. Um enfrentamento dessa natureza ou significa morte espiritual ou pressagia renascimento. Só na região do maior terror se encontra o áureo tesouro.

O motivo do cão de guarda como guardador do inferno é-nos familiar. A entrada para o inferno védico, o Reino de Yama, era guardada por dois mastins. De acordo com a mitologia grega, a entrada das regiões infernais era vigiada por Cérbero, o cão tricéfalo. Tradicionalmente, o herói não deve matar o animal; cumpre-lhe encontrar outras maneiras de chegar a um acordo com esse lado instintual, a fim de prosseguir na busca. Orfeu adormeceu Cérbero tangendo a lira. A Sibila que conduziu Enéias através do inferno fez dormir o cão com um bolo temperado com papoulas e mel. Hércules subjugou a fera com as mãos e, ao depois, consoante uma versão da lenda, trouxe-a de volta consigo para o mundo superior. Psicologicamente, esse mito parece dizer que o herói – na procura da individuação – não fará a travessia da realidade mundana, orientada para o ego, até a terra do eu imortal, enquanto não tiver conquistado o seu lado intelectual, trazendo-o para a consciência. Ignorada ou suprimida, a natureza animal do herói pode virar-se contra ele e desmembrar-lhe a percepção crescente. Ele, contudo, não se abalança a destruir os animais porque precisa da energia e da ajuda deles para chegar à Cidade Eterna, cujos portais guardam com tanto zelo. Sabe que não lhe basta apaziguar as feras; força lhe é fazer amizade com elas. Bons cães de guarda não se peitam nem se iludem. Talvez, se lhe for possível descobrir um jeito de abordá-los, os olhos deles, que rondam a noite, ajudarão a guiar-lhe os passos através da escuridão da Lua até às torres de ouro.

À proporção que o herói do Tarô se entrega ao encantamento da paisagem lunar, o horrendo ladrar dos animais parece menos ameaçador. Talvez estejam apenas ladrando à Lua. Ele principia a sentir uma afinidade de criatura com os dois mastins, acorrentados, como ele, ao feitiço da Deusa da Noite. Agora os seus uivos, já não rancorosos, começam a soar-lhe aos ouvidos como pedidos de socorro. Ocorre-lhe que, assim como ele necessita da orientação instintual deles para alcançar a meta, assim eles talvez precisem da ajuda da sua consciência superior para se tornarem livres.

Descer às profundezas significa ser privado da costumeira orientação diurna. Nessa condição, descrita em algumas culturas primitivas como "perda da alma", só po demos ser guiados e finalmente salvos por intermédio do conhecimento instintual. Somos atirados de volta à sabedoria primitiva do corpo. Como "o melhor amigo do homem", o cão simboliza a sabedoria instintual de forma simpática ao homem.

A idéia de que o homem e o cão têm uma empatia inconsciente é antiga. Recorda-se que, na *Odisséia*, o cachorro de Ulisses, Argos, foi o único ser terreno que reconheceu o herói quando este voltou para casa, depois de longa viagem. Embora Ulisses se apresentasse disfarçado e muito mais velho, o focinho aguçado do cachorro farejou a verdadeira essência do amo. O cão não pode ser enganado por uma *persona* superposta. Fariscando tudo o que não pertence às nossas naturezas, mantém-nos fiéis a nós mesmos e nós, por nosso turno, damos um novo significado à sua "vida de cachorro".

Como vimos, cuidavam os alquimistas que a tarefa do homem consistia em redimir a natureza. Achavam que a criação fora deixada incompleta, cabendo ao homem a tarefa de rematar o serviço que a natureza deixara por fazer. Entendiam eles que não somente a natureza interior bestial do homem, como também as bestas da realidade externa, procuram nele a redenção. Para o alquimista, até os objetos inanimados suplicam ao homem reconhecimento e salvação. Em suas *Elegias de Duino,* Rilke expressou idéia semelhante:

> Essas coisas que sobrevivem à partida
> compreendem quando você as elogia: transitórias, procuram a salvação através de algo em nós, os mais transitórios de todos. Querem que as mudemos inteiramente, dentro dos nossos corações invisíveis, em – oh, interminavelmente – em nós mesmos! De quem quer que seja, somos.
>
> Não é isto, Terra, o que queres: um invisível
> reaparecer em nós? Não é o teu sonho
> ser um dia invisível? Terra! invisível!
> Qual é a tua ordem urgente, se não a transformação?[1]

1. Rainer Maria Rilke, *Duino Elegies,* Nova Iorque, W. W. Norton and Co., Inc., 1939, pág. 77, 11. 63-71.

Agora o herói vê com mais bondade o lagostim, encarando-o com os olhos recém-encontrados do seu eu primitivo e noturno. A criatura lhe bloqueia o caminho, ou busca também a redenção? À diferença da Mãe Carangueja que, de uma feita, tentou puxar Hércules para dentro d'água, o lagostim parece estar-se aproximando da praia oposta. O herói vê agora a criatura como um companheiro de viagem, que busca, como ele mesmo, sair da água e do lodo. Sente que o lagostim, cuja armadura o protegeu da mudaça através dos milênios, está pronto para lançar de si o incômodo envoltório e marinhar pela escada da evolução como outras criaturas já fizeram.

Mas enquanto observa, o herói compreende que isso é impossível. O peso dos séculos é excessivo para a criaturinha. Repetidamente, a casca desajeitada puxa-o de volta às águas; as garras desacostumadas não encontram apoio para o dedo na areia. Observando a luta do lagostim, o herói principia a empatizar com a pobre criatura, a qual, como ele mesmo, é ambivalente: com as garras estendidas tenta alcançar a Cidade Eterna, mas a armadura habitual resiste à mudança.

À diferença do homem, cuja carne está exposta aos elementos e, quer queira quer não, sujeita à mudança, o lagostim protege sua carne tenra com uma armadura tão impenetrável que a sua forma permaneceu intacta desde os tempos pré-históricos. Até parece exibir com orgulho o esqueleto, como prova muda da estrutura resistente que sustenta toda a vida. Observando-o, o herói sente que talvez seja o destino singular do lagostim ficar para sempre preso às águas, a fim de tranqüilizar viandantes como ele a respeito da estabilidade básica por trás de toda a vida, sem a qual a inovação criativa seria impossível.

Como que em resposta às reflexões do herói, a criaturinha começa a emitir um brilho incandescente. Preso e brasonado na água azul, brilha como símbolo de transcendência. O lagostim, fiel a si mesmo através dos milênios, agora se afigura ao herói um símbolo da sua própria essência indestrutível. Mediante a empatia com o lagostim, ele se sente ligado à própria pré-história de animal de sangue frio e ao seu futuro, que se tornará manifesto nas gerações vindouras. Através dessa criatura desprezada das profundezas, o herói se sente afim dos imortais. Adquire coragem para prosseguir na busca, pois sabe que nunca mais caminhará só. Deste momento em diante, os deuses o acompanharão.

Entre os povos primitivos, as criaturas de sangue frio simbolizam, não raro, a imortalidade e são adoradas como deuses. O escaravelho egípcio é um símbolo assim. Outro exemplo é o amuleto em forma de lagosta de ouro da Costa Rica (Fig. 75), que parece carregado da mesma intensidade espiritual evocada pelo lagostim do Tarô.

Longe de bloquear o caminho do herói, o lagostim agora dá a impressão de uma rocha estável para sustentar-lhe a fé, alpondras para ajudá-lo a realizar a travessia perigosa. Também vê a sua busca a uma nova luz. Não mais preocupado com a própria segurança, experimenta a jornada como uma responsabilidade sagrada, uma tarefa atribuída a ele pela natureza. Vê a evolução do homem para a consciência como um aspecto inacabado da criação – um aspecto que a natureza o incumbiu de ajudar a terminar. Sua jornada e seus terrores brilham com um sentido novo.

Enquanto o herói dá tratos à bola, o lagostim sobe à superfície da água. Rígido e imóvel, oferece manifestamente o dorso ao pé do herói, como se urgisse com ele para que se adiantasse. O herói principia a sentir-se tranqüilizado. Confia em que, com o auxílio desse amigo vetusto, recém-encontrado, pode chegar à outra margem, levando no coração o "renascimento invisível" pelo qual esta criatura e toda a natureza anseiam.

Nem mesmo a Lua escura o aterroriza agora, pois ele recorda uma lenda segundo a qual todas as noites, a Senhora Lua reúne todas as lembranças jogadas fora e todos os sonhos esquecidos da humanidade, guardando-os em sua taça de prata até o despontar da aurora. A seguir, aos primeiros albores, continua a história, todos os sonhos esquecidos e todas as lembranças desprezadas são devolvidos à Terra como seiva da Lua ou orvalho. Misturado às *lacrimae lunae*, "as lágrimas da Lua", o orvalho nutre e retempera toda a vida sobre a Terra. Graças ao desvelo compassivo da Deusa Lua, nada de valor se perde para o homem.

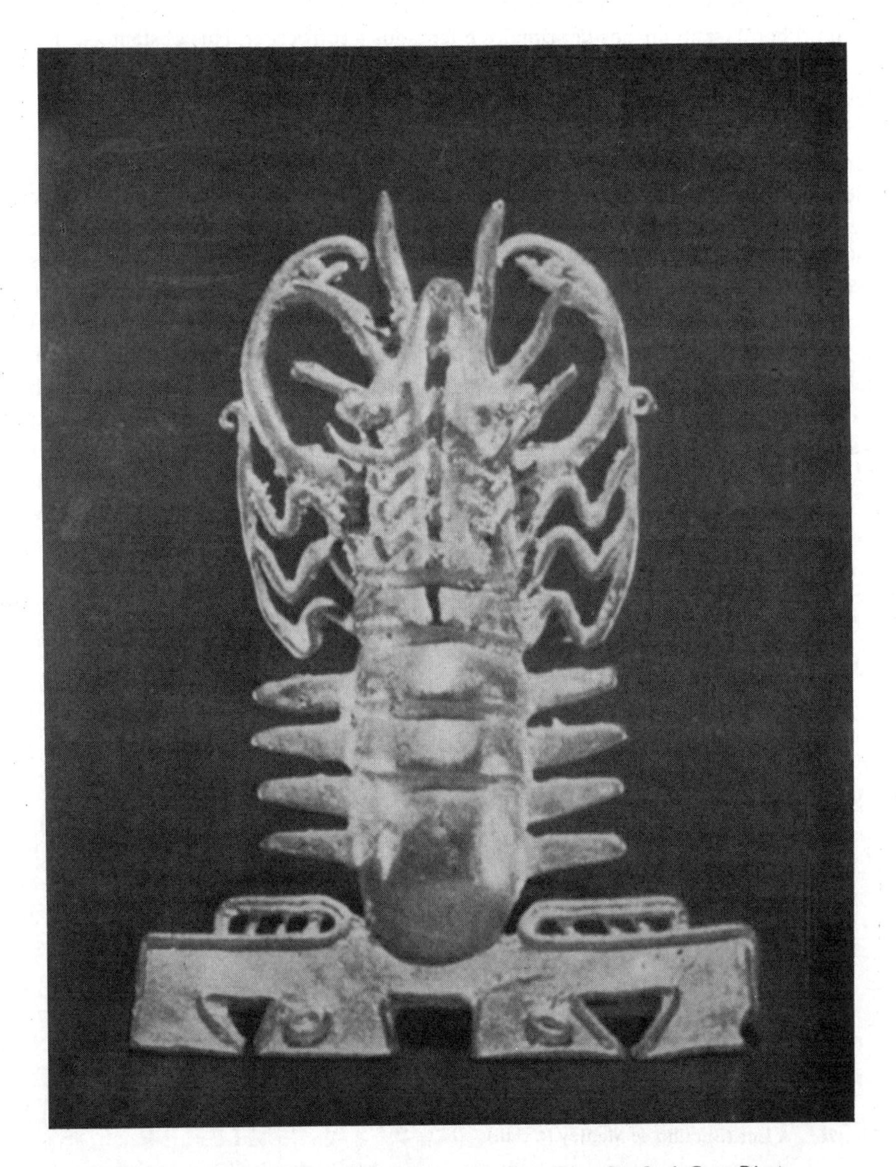

Fig. 75 Lagosta de Ouro (Banco Central da Costa Rica, São José, Costa Rica)

Vistas a essa luz, as gotículas multicoloridas, que já não lhe sugam as energias, oferecem, em vez disso, esperança de futuro nutrimento. O colar de arco-íris que emoldura o rosto da Lua lembra-lhe agora o Louco, cujo rosto pensativo parece ter sido revelado e escondido dentro da treva do orbe. Ele acha que talvez o próprio Bufão, o amiguinho de Deus, o esteja observando. Com a ajuda do dorso que lhe oferece o lagostim, está pronto para dar o salto que o levará à praia desconhecida.

O herói levou muito tempo preparando-se para a transição. Confrontados com esta carta, a quase todos nós se nos deparam dificuldades para encontrar o caminho até ela. A princípio, ficamos aterrados, hipnotizados, imobilizados. Não empatizamos com nenhuma das suas figuras, e não vemos jeito de transpor o rio de uma margem à outra. Como o herói, sentimo-nos deprimidos e tentados a retroceder. Não obstante, as torres de ouro são sedutoras; temos vontade de progredir, a fim de descobrir o que há atrás delas. Nenhum desvio é possível. O caminho está claramente à nossa frente.

Em alguns baralhos de Tarô, o caminho é desenhado mais explicitamente. No baralho de Manley Hall, por exemplo, está bem definido e é evidente que foi bem trilhado, dando-nos a impressão de que outros passaram antes por ele (Fig. 76). Aqui o lagostim é também menos ameaçador. Não foi pintado de atalaia, no meio das águas, com possíveis más intenções; está, obviamente, procurando alcançar a margem oposta. Esta carta mostra outras mudanças significativas. As duas feras, vistas no baralho de Marselha como dois cachorros, aparecem na carta de Hall como um lobo negro e um cachorro de coloração clara, que até usa coleira, o que indica que é totalmente domesticado. Hall parece estar dizendo que o nosso caminho fica entre os dois impulsos instintuais, que precisamos manter contato com a besta fera existente em nós mesmos e também com o animal domesticado, sem nos identificarmos com nenhum deles. Regredir ao nível do lobo uivador significaria insanidade; em compensação, ficar

Fig. 76 A Lua (Baralho de Manley P. Hall)

totalmente domesticado, com coleira e trela, significaria distorcer e violentar o nosso lado instintual. Somente mantendo contato com as duas tendências animais progrediremos ao longo do caminho.

O motivo dos opostos diferenciados reflete-se de novo nas torres de Hall, mas aqui a da esquerda é clara e a da direita, escura. Isso talvez simbolize a relatividade de todos os opostos depois de atravessarmos as águas e enfrentarmos os instintos uivantes. Pois mais adiante, no caminho, Hall pinta uma figura minúscula. Tudo indica que o herói realizou com êxito a travessia, enfrentou os cães e está chegando. Apropriadamente, Hall mostra as lágrimas da Lua caindo sobre a Terra, pois a noite escura já passou. Aproxima-se a alvorada. No canto superior direito a taça da Lua aparece num escudo.

Podemos dizer que a carta de Marselha e a de Hall se completam. Na primeira, estamos à beira da Noite Negra da Alma e, na segunda, a escuridão ficou para trás de nós. Realizamos a travessia. Na carta de Hall, a cor do lagostim é um realístico vermelho-lagosta. A despeito de toda a armadura antiga, parece um sujeito contemporâneo, cuja forma estranha não encerra terrores para a nossa faca de cozinha, e cuja carne inocente adorna com freqüência a nossa mesa. A Lua de Hall, que também não é parenta de Hécate, dá igualmente a impressão de ser bem domesticada – até benévola.

Em compensação, o lagostim do baralho de Marselha espreita, ameaçador, no meio das águas, besta mitológica tão antiga quanto o tempo. O seu lar fica nas profundezas escuras, onde continuará a brilhar para sempre sob a Lua tenebrosa, nas horas feiticeiras da noite. Só o baralho de Marselha sugere desesperança e, ao mesmo tempo, espiritualidade.

Mas como a própria Dama Ártemis, a Lua de Marselha não comparte prontamente dos seus segredos. Na verdade, relutou tanto em deixar que a pintassem, que principiou a desaparecer no alto da carta antes que o artista do Tarô pudesse terminar-lhe o retrato. A mim também ela me pareceu difícil de tratar. Quando me aproximei pela primeira vez dessa carta, quedei-me perplexa. Nenhuma quantidade de pesquisas sobre o lagostim, os cães, as torres ou as luas me pôs em contato com ela. Depois, um dia, ignorando as notas que coligira com tanta dificuldade, deixei simplesmente a imaginação brincar com os símbolos. O poemeto em prosa que se segue foi o resultado.

> Este é o escuro da Lua. Um tempo de mistério, assombro e terror. A hora feiticeira em que Hécate assombra as encruzilhadas e seus mastins permanecem de guarda, latindo. Nenhum deus e nenhum ser humano se vêem. Estamos perdidos até para nós mesmos. Na profundeza das águas, de alcatéia, um lagostim tem as garras estendidas. Atrevemo-nos a prosseguir? Ou essa monstruosa criatura estenderá a pata a fim de puxar-nos para trás? A Lua a todos contempla – em silêncio. De quem é a máscara que ela ostenta? Talvez a do Louco, pois ela usa uma faixa de cores do arco-íris não dessemelhante da do Bufão, a recordar-nos que a Lua se preocupa com o bem-estar do homem. Ao romper da alva, chorará suas lágrimas de Lua, com poderes mágicos para nutrir e curar. A Deusa da Lua da Noite Terrível é também a dadora de sonhos, a reveladora de mistérios ocultos.

É realmente o lagostim nosso inimigo? Ou também luta para chegar às torres distantes? Como se parece com o esqueleto da Morte! Usa os ossos do lado de fora, que nem uma armadura, para proteger a carne de dentro contra a mudança. E com que sucesso monstruoso! O lagostim, como o escaravelho egípcio, é exatamente a mesma criatura que era o seu antepassado há uns dez milênios.

Como o escaravelho, é imortal. Veja, agora, como a sua verdade lampeja escuramente sob a Lua fosforescente. Uma revelação . . . O terror se dissolve em assombro. A criatura já não parece ameaçadora. Como a mosca imobilizada no âmbar, queda-se empalada na água azul, embrasonada ali como a águia no escudo real, escorpião que se levanta. Estende as garras para abraçar a Lua, a Lua sempre mudando e imutável. Erecta, saúda o Homem na Lua. *Le Mat, Le Fou, L'Ami de Dieu,* o Amiguinho de Deus, e nosso.

E agora, por fim, os cães estão quietos. A sua sede de sangue logo será saciada pelas lágrimas da Lua. O lagostim oferece o dorso para o nosso passo. Vamos, amigos, tomem as mãos, tenham coragem. É agora ou nunca. Para a frente! Ousemos ou morramos.

O Louco sorri e desaparece da gravura. O seu trabalho está feito. No escuro da Lua, o Sol se prepara para nascer.

Embora eu cite por último este ativo imaginar, ele, na verdade, veio primeiro. Foi, de fato, desse fragmento que evolveu o capítulo inteiro. Assim como no enfrentar uma depressão na vida real, assim também no enfrentar a escuridão dessa carta, o intelecto não tem utilidade alguma. Somente através da introvisão intuitiva podemos descobrir a iluminação das profundezas. Como disse Jung com tanto acerto: "Não nos iluminamos imaginando figuras de luz, porém tornando consciente a escuridão."

Tendo cruzado as águas da Lua, façamos uma pausa momentânea para determinar a nossa posição em relação ao Imperador e à Força, as duas cartas diretamente acima dela no Mapa da Jornada. Dissemos que o Imperador representa a civilização, a ordem do logos que o homem tenta impor à natureza primitiva. A Força representa a cultura, um modo mais feminino e individual de lidar com a natureza. A Lua representa a própria Natureza, dentro de cujo caos aparente existe ordem de um tipo muito diverso das categorias conscientes impostas por um regente masculino. Sua iluminação difusa nos revela muitos aspectos da realidade não visíveis sob a consciência solar.

À diferença do Sol, que é brilhante, merecedor de confiança e quente, a Lua é pálida, inconstante e fria. No entanto, pela sua iluminação podemos ver sombras até então desconhecidas. Ao passo que à luz do Sol os objetos se destacam, nítidos, como entidades separadas de formas agudamente definidas, sob o brilho pálido da Lua essas categorias feitas pelo homem se dissolvem, oferecendo-nos uma nova experiência de nós mesmos e do nosso mundo. Transformada pela magia da Lua, uma moita vira urso, tigre, rocha, casa ou ser humano. É assustador, a princípio, encontrar o nosso mundo tão bem compartimentalizado dissolvido no fluxo bruxuleante do luar; à medida, porém, que os nossos olhos se afazem às revelações da Lua, nossos temores também começam a dissolver-se em assombro e reverência.

Fig. 77 A Lua (Baralho do século XV)

Simbolicamente, e na realidade real, a Lua não se desvela para a curiosidade intelectual do homem. Conserva o rosto sempre desviado da Terra. Gerações de homens têm-se sentido intrigados e desafiados pelo seu recato virginal. Eis uma versão do século XV da Lua (Fig. 77). Aqui uma figura monacal, talvez um alquimista, com a ajuda de um assistente do sexo feminino, tenta, em vão, capturar o mistério da Lua com compassos e equações. Mas a Lua esquiva-se dele. Continua a pairar, serena, acima das nuvens, e muito distante do alcance dos seus insignificantes instrumentos e intelecto.

Hoje o homem moderno lançou, através das nuvens, em seu espaço, navios destinados a pousar, impudentes, no lado escuro da Lua. Mas sem nenhum proveito. O segredo do seu brilho interior ainda permanece oculto. Os homens do espaço não trouxeram de volta nenhum raio mágico de Lua para iluminar nossos sonhos e espantar nossos filhos. Não estabeleceram nenhuma colônia de filhos da Lua. Partiram carregando consigo um saco cheio de rochas monótonas e deixando para trás, na superfície virgem da Lua, a marca registrada do homem moderno – uma área de estacionamento!

Não admira que a Senhora Lua apresente apenas a máscara de feiticeira marcada de varíola ao olhar do homem e lhe ofereça um corpo inóspito e estéril. Ela tem carradas de razão para resistir à sua aproximação. Teme, e com bons motivos, que ele polua e envenene a sua natureza como vem assolando e espoliando, há muito tempo, a da Terra.

A Lua Virgem não se entrega a homem nenhum. Sua essência é a reflexão. Parece apropriado, portanto, que o único presente de valor que os homens do espaço trouxeram de volta à Terra foi uma nova imagem emocionante da própria Terra – uma fotografia excepcionalmente bela do nosso planeta flutuando como um grande balão nos céus (Fig. 78). Um poeta italiano, Giuseppe Ungaretti, registrou sucintamente essa experiência:

> Que estás fazendo, Terra, no
> céu?
> Diz-me, que estás fazendo, Silenciosa
> Terra?[2]

É como se a Lua, à sua maneira tranqüila, estivesse, ao mesmo tempo, desafiando a temeridade do homem em escalar o céu e dirigindo-o para buscá-lo em seu próprio planeta e dentro de si mesmo. "Olhe para a sua própria Terra e achará a resposta à sua busca impaciente", parece dizer. "Por que haveria o homem de aspirar a conquistar as regiões superiores quando ainda lhe falta resolver os problemas ecológicos da Terra? Por que haveria o homem de ansiar por desvelar os mistérios dos céus quando ainda precisa descobrir os segredos da própria geografia interior?"

As cartas do Tarô parecem estar fazendo essas perguntas também, pois a carta intermediária entre O Imperador e A Lua é A Força, que se move em harmonia com o seu leão e dá a entender que o véu da natureza não pode ser furado com aeronaves de aço, nem o seu coração arrombado com pés-de-cabra. Os segredos da natureza, diz-nos ela, só se revelarão através do contato íntimo de mãos delicadas e de um coração compreensivo.

2. Campbell (citando Ungaretti), *The Mythic Image*, Parte VI, pág. 498.

A mensagem da Força é muito bem exposta, pictoricamente, na fotografia da nossa Terra tirada pelo astronauta. Refletindo nela, podemos religar-nos aos valores perdidos que a Deusa Lua guardou por tanto tempo para nós.

No Mapa da Jornada, o Louco, andando, livre, pelo topo, parece fazer uma pausa sobre a fileira vertical da Lua. Ele e o seu cãozinho já se entenderam com os mastins ladrantes e aprenderam os segredos da Lua, pois o Louco é o próprio filho lunático de Luna – vaga criatura de possibilidades de arco-íris com pendor para a loucura. Alguns chegam até a dizer que o Louco é o apaixonado da Lua, aquele esquivo Homem da Lua!

Fig. 78 A Terra (Fotografia da NASA)

Fig. 79 O Sol (Baralho de Marselha)

22. O Sol: Centro Brilhante

Nem indistinto, nem vermelho, como a própria cabeça de Deus,
O glorioso Sol nado . . .

Coleridge

Contemple o Sol! A negra depressão da carta anterior dissipou-se. O lagostim ameaçador e os cães uivantes desapareceram. O Sol aparece em toda a glória, derramando bênçãos sobre duas crianças que brincam (Fig. 79). Usa um benévolo rosto humano semelhante ao pintado nos manuscritos dos alquimistas, em que personifica a "áurea compreensão". O Sol do Tarô possui características humanas inerentes com as quais o homem pode estabelecer uma relação consciente. O motivo da relação humana é ainda mais enfatizado pelas duas crianças que brincam amorosamente juntas.

Saímos agora da escura complexidade da paisagem lunar inumana, impessoal, para o mundo simples da infância ensolarada, onde a vida já não é um desafio que precisa ser vencido mas uma experiência para ser desfrutada. Um mundo de folguedos inocentes, onde recapturamos a espontaneidade perdida dos nossos eus naturais. Aqui redescobrimos a harmonia interior que sentíamos quando crianças, antes que os opostos nos partissem tão cruelmente em pedaços, separando-nos de nós mesmos e um do outro. Este é o mundo dos *Cantos da Inocência* de Blake, onde o cordeiro e o tigre se movem em harmonia e onde vemos o mundo com novos olhos de assombro.

Em seu livro *The Savage and Beautiful Country,* Alan McGlashan chama a esta área de experiência o "clima do deleite". No passo seguinte, ensina-nos entrar no jardim ensolarado:

> O deleite é um segredo. E o segredo é este: crescer em silêncio e prestar atenção; parar de pensar, parar de mover-se, quase parar de respirar; criar uma quietude interior em que, como camundongos em casa deserta, as capacidades e percepções demasiado inconstantes e fugitivas para o uso diário podem emergir delicadamente. Oh, dêem-lhes as boas-vindas! Pois estes são os filhos há muito perdidos da mente humana. Dêem-lhes íntima e amorosa atenção, pois eles estão enfraquecidos por séculos de descaso. Em troca disso, eles lhes abrirão os olhos para um novo mundo, dentro do mundo conhecido, tomar-lhes-ão as mãos, como fazem as crianças, e os levarão para onde a vida está sempre nascendo e o dia está sempre despontando.[1]

1. McGlashan, *op. cit.*, pág. 156.

McGlashan descreve perfeitamente o estado interior dramatizado em O Sol, recordando-nos, como faz a própria gravura do Tarô, que o "clima de deleite" não é uma terra distante que se encontra nos céus mas é, antes, simplesmente um novo modo de experimentar o mundo conhecido. Não chegamos ao jardim secreto conduzidos pelo intelectualismo estéril, senão através do jogo imaginativo. Quando esse novo sol nasce dentro de nós, faz que todo o espectro da realidade externa brilhe para nós com maior clareza do que nunca. Em A Lua, o herói do Tarô começa a ligar-se ao seu "filho" interior; aqui o faz mais conscientemente.

Em *The Creative Process*, já mencionado, muitos cientistas, escritores e artistas – entre os quais Einstein, Jung, Yeats e Henry Moore – descrevem o modo com que atinaram com suas mais profundas introvisões simplesmente brincando com palavras, idéias ou imagens. Em reconhecimento do seu valor como meio de sondar profundezas criativas, os psicólogos de hoje empregam a ludoterapia como técnica de análise. Um método assim é descrito por Dora Kalff, analista junguiana, em seu livro *Sand Play*.[2] Nesse método, dá-se ao analisando uma grande caixa de areia, água e dúzias de figuras de brinquedo (pessoas, casas, animais, pássaros, veículos, etc. em miniatura) com que ele pode criar um mundo novo. Significativamente, um elemento importante desse tratamento é o tamanho da própria caixa de areia, que define uma área limitada, porém livre, dentro da qual o analisando deixa que os seus aspectos infantis não desenvolvidos brinquem livremente, sem medo de ofensa nem censura. O jardim murado em O Sol cria um tipo semelhante de cercado seguro – um sagrado *têmeno*, ou local sagrado, onde alguma coisa escura e escondida pode ser seguramente apresentada à luz. Só dentro de um recinto consagrado dessa natureza poderiam os opostos instintuais (retratados antes como bestas ululantes) emergir transformados em crianças nuas.

As crianças representam amiúde a função inferior, infantil e não desenvolvida – próxima da natureza. Através dessa função inferior, que permaneceu espontânea, natural e vizinha do inconsciente, pode vir a renovação. Uma boa maneira de alguém relacionar-se com o lado inferior é por meio do jogo. Comentando o assunto, diz von Franz:

> Você não pode organizar a função inferior. Terrivelmente dispendiosa, demanda um tempo enorme, e essa é uma das razões de ser ela uma cruz tão grande em nossa vida, de nos fazer tão ineficazes quando tentamos agir através dela. Exige de nós domingos inteiros e tardes inteiras de nossos dias, sem nenhuma garantia de que alguma coisa poderá redundar disso tudo – a não ser que a função inferior volta à vida . . . Tenho para mim que ninguém pode realmente desenvolver a função inferior antes de haver criado um têmeno, a saber, um bosquete sagrado, um lugar oculto onde possa brincar.[3]

As crianças simbolizam algo recém-nascido, vital, experimental, primitivo e integral. Não têm consciência de si mesmas. Quando temos consciência de nós mesmos somos divididos – crivados de dúvidas. Sentimo-nos como se cada uma de nossas ações

2. Dora Kalff, *Sand Play*, São Francisco, The Browser Press, 1971.

3. Marie-Louise von Franz, *The Problem of the Puer Aeternus*, Nova Iorque, Spring Publications, 1971, Parte V, págs. 5, 6.

estivesse sendo observada e avaliada por um crítico severo. Embora tendamos a projetar a voz crítica em outros que nos cercam, o fato é que ela reside, pelo menos em parte, dentro de nós mesmos. É o nosso censor interno, que submete cada ato e cada palavra a um exame minucioso, matando a criatividade espontânea.

As crianças nesse Tarô brincam juntas livre e naturalmente. Porque cada qual está em harmonia consigo mesma, move-se em harmonia com a companheira e com a natureza. Cada qual estende a mão à outra sem medo de repulsa e, visto que cada gesto nasce, espontâneo, do coração, não é rejeitado ou mal compreendido. Confrontem-se as duas figuras, por exemplo, com os subumanos retratados como discípulos do Diabo na carta número quinze. Esses dois, cada um dos quais ostenta um perpétuo sorriso afetado, mantêm-se rigidamente separados, assumindo posturas inflexíveis. Não se atrevem a esboçar sequer um movimento espontâneo com medo de estragar o desempenho estabelecido e expor as longas caudas, que decidiram ignorar. Em O Sol, as crianças não têm nada para esconder; brincam juntas tão livremente como dois filhotes de animais.

Sentimo-nos instintivamente atraídos para as crianças porque elas simbolizam o eu natural. Quando fitamos os olhos de uma criança, religamo-nos brevemente à inocência e à pureza de nossa natureza fundamental. A criança simboliza o eu arquetípico, a força dirigente central da psique humana com a qual estávamos todos sintonizados quando crianças. À proporção que o ego se desenvolve, afastamo-nos por força dessa identificação com a natureza inconsciente e, não raro, ao fazê-lo, perdemos contato com ela. A primeira metade da vida costuma ser uma viagem do ego, uma fase necessária de desenvolvimento em nossa cultura ocidental. Mas depois de fazermos a nossa marca no mundo e quando o Sol está no zênite, voltamo-nos para o interior, a fim de redescobrir a criança perdida dentro de nós e relacionar-nos com ela de maneira mais consciente, curando o estado de alienação interna imposto pela civilização. O Sol retrata a reconexão do herói com o seu eu negligenciado, que traz consigo uma experiência direta da divindade iluminadora e da vida transcendente.

Em *The Psychology of the Child Archetype*, Jung fala da "Criança eterna" da seguinte maneira:

> É assim, a um tempo, princípio e fim, criatura inicial e terminal. A criatura inicial existia antes que o homem fosse, e a criatura terminal será quando o homem já não for. Psicologicamente falando, isso significa que a "criança" simboliza a essência pré-consciente e a essência pós-consciente do homem. A sua essência pré-consciente é o estado inconsciente da infância mais remota; sua essência pós-consciente é uma antecipação, por analogia, da vida após a morte. Nessa idéia está expressa a natureza oniabrangente da inteireza psíquica ... A "criança eterna" no homem é uma experiência indescritível, uma incongruidade, um *handcap* e uma prerrogativa divina ...[4]

Como Jung indica claramente, sendo uma imagem arquetípica a "criança eterna" abrange muitos opostos. O seu aparecimento em nosso Tarô poderia simbolizar uma regressão ao "estado inconsciente da infância mais remota" onde o ego se acha contido,

4. C. G. Jung, *The Archetypes and the Collective Unconscious*, C. W. Vol. 9, Parte 1, §§ 299, 300.

imaturo e dependente; ou representar "a natureza oniabrangente da inteireza psíquica" de um ego maduro, relacionando-se naturalmente com o eu. No primeiro caso, caracterizamos o estado psicológico do herói como "infantil" e, no segundo, vemo-lo "acriançado". Mas a figura do Tarô oferece diversas pistas indicativas de que o herói não corre o risco de uma regressão desastrosa ao comportamento infantil. As crianças brincam num recinto murado, o que garante que as introvisões acessíveis aqui não serão inundadas nem levadas de roldão pela invasão do inconsciente. Aos pés das crianças jazem duas pepitas de ouro remanescentes da pedra filosofal, a essência indestrutível que era o desiderato da Grande Obra dos alquimistas. (Na carta anterior, essa substância preciosa foi pintada como duas plantas de ouro, que podem murchar debaixo do calor do Sol.) E finalmente, o arquétipo da criança se apresenta como *duas* crianças, um menino e uma menina, símbolos de todos os opostos em harmoniosa e criativa interação.

Que a criança atarracada à nossa esquerda e a mais esguia à nossa direita são de sexos opostos é sublinhado pelo fato de estarem suas partes sexuais escondidas por tangas. Como acontecia com Adão e Eva, cujo sexo era similarmente escondido por folhas de figueira, as tangas não são usadas por vergonha ou falso recato, mas por uma percepção emergente das naturezas individuais dos dois e em reconhecimento dos opostos criativos como mistério sagrado cuja essência precisa ser protegida e preservada. Como Adão e Eva, esses gêmeos, já diferenciados e encerrados num Éden que semelha um útero, criarão juntos um novo mundo.

Em nossa série do Tarô temos visto os opostos pintados de muitas maneiras. Traçamos-lhes a evolução dos dois pilares aos dois padres; vimo-los como dois cavalos, dois pratos da balança da Justiça, os dois animais da Roda da Fortuna, os dois vasos da Temperança e da Estrela, e assim por diante. Até agora não os tínhamos visto retratados como dois seres humanos de sexos opostos, nus, e de frente para nós. Até agora não tínhamos ainda observado esses impulsos gêmeos interagindo diretamente e não mais por via de outra figura (como, por exemplo, o papa e o anjo) ou por via de um artifício mecânico (como, por exemplo, o carro, a roda ou os pratos da balança). Em O Sol, pela primeira vez, todos os opostos (macho-fêmea, espírito-carne, alma-corpo, etc.) podem interagir diretamente e de um modo humano.

O motivo dos filhos gêmeos é familiar na lenda e no mito, e surge com freqüência em nossos sonhos. Geralmente simboliza um potencial criativo de proporções inusitadas. Por exemplo: Rômulo e Remo, irmãos gêmeos, fundaram Roma. Nos mitos americanos, duas figuras (uma das quais representa as potências celestiais, ao passo que a outra representa as escuras forças subterrâneas) são, por vezes, apresentadas como co-criadores do mundo. Um grupo famoso de gêmeos da mitologia grega, Castor e Pólux, ainda podem ser vistos em nosso firmamento noturno, onde foram imortalizados como estrelas. Diz-se que um desses irmãos representa o homem e o outro, o seu equivalente celeste. Todas as vezes que os encaramos, eles podem lembrar-nos de que nós também somos "gêmeos". Cada qual tem um ego, e cada qual tem por companheiro uma figura, uma parte imortal, que corresponde ao eu na terminologia junguiana. A percepção *do outro* sempre aparece com a força de uma revelação. No Tarô, a percepção estoura, súbita como repentina refulgência do Sol surgindo entre nuvens.

Conquanto esta carta descreva um momento de tremenda iluminação espiritual, é significativo que o seu significado seja representado – *encarnado* – por corpos físicos reais, pintados num cenário terra-a-terra. Consoante um velho dito dos alquimistas, "A mente deveria aprender a amar compassivamente o corpo". Aqui o corpo e a alma estão representados como iguais, cada qual estendendo a mão ao outro, em gestos de amor compassivo.

O sentimento do corpo e da alma como iguais interagindo harmoniosamente não é logrado com facilidade. Como vimos, o herói chegou a este ponto depois de muitas voltas e regressões. Em sua jornada do Tarô, recapitulou o desenvolvimento psicológico do homem em nossa cultura ocidental da infância à maturidade. Por ocasião do nascimento, o espírito se identifica com o corpo – enterrado, por assim dizer, na carne. Em grande parte, o infante é o seu corpo; as exigências da carne (fome, etc.) predominam. À proporção, porém, que a criança amadurece, necessidades espirituais (de pertencer a, de identidade, de sentido) principiam a surgir. Estas, muitas vezes, conflitam com os instintos corporais, de modo que precisam ser separadas e reconhecidas, a fim de que se possam fazer escolhas conscientes. (Os santos, por exemplo, jejuavam e negavam a si mesmos a prática de atividades sexuais no intuito de "separar o espírito do corpo".) Toda a vez que trabalhamos com os sonhos, apanhamos o espírito engastado no inconsciente e lhe destilamos a essência. Só depois de ter sido separado, clareado e purificado, pode o espírito juntar-se ao corpo de maneira mais consciente, quando as necessidades assim do espírito como da carne, do Logos e de Eros, do consciente e do inconsciente, recebem o reconhecimento e relacionam-se de forma que confere a cada qual o que lhe é devido.

O motivo do *hierosgamos*, ou casamento místico dos opostos, familiar no simbolismo alquímico, é amiúde retratado (Fig. 80) como crianças gêmeas – o par irmão-irmã – abraçados nas águas do inconsciente. Nessa figura, o *têmeno* sagrado não é um jardim como no Tarô, mas um vaso alquímico selado, que contém e protege a experiência, impedindo-a de derramar-se na vida manifesta. Que o *hierosgamos* é mais um acontecimento interior do que uma aliança sexual exterior é enfatizado pela sua natureza incestuosa. Psicologicamente, o incesto simboliza a nossa relação conosco. Verifica-se, por assim dizer, dentro da nossa própria família psíquica.

Claro está que uma experiência interna de unidade dessa natureza transformará as relações do herói no mundo externo também. Se o *hierosgamos* for experimentado e contido, o herói emergirá com um sentido renovado de totalidade, capaz de relacionar-se mais consciente e criativamente com a esposa ou a amante. Mas se projetar a metade perdida de si mesmo em outro ser humano, permanecerá incompleto para sempre.

A iluminação abrasadora do Sol pode ser perigosa para seres humanos. Quem quer que tenha criado este baralho do Tarô usou todas as cores à sua disposição para criar os raios multicoloridos do Sol. Os próprios raios são pintados como lanças aguçadas alternadas e como ondas colubrinas, apresentando o Criador não como totalmente beneficente, senão como a corporificação de todos os opostos. Uma idéia semelhante está expressa no Antigo Testamento, onde o primeiro nome de Deus era "Eloim", substantivo plural, em reconhecimento do fato de conter a divindade tanto o masculino quanto o feminino. No Tarô, atrás da aura multicor do Sol, divisamos um colar de linhas pretas que confere uma ilusão de movimento enérgico ao refulgir do Sol entre as nuvens. (Compare-se ao colar mais estático usado pela Lua na carta anterior.) Visto que se cria o preto combinando todas as cores, essas linhas pretas simbolizam a união final de todas as forças opostas para criar a energia pura.

Fig. 80 Gêmeos alquímicos num vaso

O Sol é a fonte de toda a vida neste planeta. Recebemos energia diretamente dos seus raios e também indiretamente do carvão e do gás natural, que guardam em depósito a força do Sol absorvida há muitíssimo tempo. Toda a força do vento também vem diretamente do Sol, pois é causada pelo calor do Sol que se espalha desigualmente sobre a superfície da Terra.

À diferença das pontas de luz tremeluzentes das estrelas, o brilho do Sol é amplo e constante; e, à diferença da Senhora Lua, o Sol nos revela plenamente o rosto. Sua influência sobre a vida terrena está sempre presente. Assim como o eu é o centro dos nossos céus interiores, assim o Sol é o centro ao redor do qual gira o sistema planetário. Todas as noites fechamos os olhos seguros de que, enquanto a consciência dorme, o Sol conservará o mundo seguramente em órbita. Nem mesmo na meia-noite mais escura nos sentimos abandonados, confortados pela convicção de que, nesse mesmo instante, o Sol está encetando sua ascensão rumo ao nosso horizonte, trazendo consigo um novo dia.

Muitos povos – sobretudo os egípcios, os astecas e os índios americanos – têm adorado o Sol como criador supremo. Nas culturas matriarcais, o Sol é visto como feminino, símbolo do princípio da mãe protetora. Nas culturas patriarcais, o Sol tem atributos masculinos. Em todas as culturas, porém, o Sol tem carregado a valência de um Ser central superno, ao qual nós, humanos, nos sentimos intimamente ligados e em relação ao qual sentimos algo semelhante a uma responsabilidade divina. Jung conta que os índios de Pueblo, por exemplo, se levantam todas as manhãs, à primeira luz, para adorar o Sol e ajudá-lo a nascer – não somente para eles, mas para o mundo todo.

> "Aquele que ali vai" (explicaram, apontando para o Sol) "é o nosso pai. Precisamos ajudá-lo todos os dias a erguer-se acima do horizonte e a caminhar pelo Céu. E não o fazemos apenas por nós; fazemo-lo pela América, fazemo-lo pelo mundo inteiro. E se esses americanos interferirem na nossa religião com as suas missões, verão o que vai acontecer. Daqui a dez anos o Pai Sol não tomará a nascer, porque, então, já não poderemos ajudá-lo."[5]

No entender desses índios, o homem ocidental destruiu sua íntima conexão com a natureza, em detrimento não só da espécie humana mas também da natureza. Quando se rompe a relação entre o homem e a natureza, o mundo se torna tão estéril, escuro, frio e desolado quanto se o Sol, literalmente, não tornasse a nascer. Segundo a expressão de Jung, "Só a vida simbólica expressa a necessidade da alma – a necessidade diária da alma, bem entendido!"[6]

Em nossa cultura judeu-cristã estamos perdendo contato rapidamente com a vida simbólica. Somente uma vez por ano, no Domingo de Páscoa, os fiéis cristãos se reúnem no pico de uma montanha para saudar o Sol e celebrar-lhe o nascimento como símbolo da ressurreição de Cristo.

A maioria dentre nós, todavia, sem embargo dos nossos antecedentes religiosos ou científicos, particular e inconscientemente, experimenta o momento do arrebol

5. C. G. Jung, *The Symbolic Life: Miscellaneous Wrirings*, C. W. Vol. 18, § 629.
6. *Ibid.*, § 627.

como um momento de mistério, assombro e promessa. Cada dia o Sol traz consigo um novo dia com um novo dia com um novo calor, uma nova luz e novas oportunidades. Quando, fiel à sua promessa, ele regressa, cada manhã, da sua escura Jornada do Mar Noturno, renova a nossa fé num cosmo ordenado. À medida que, alçando-se no céu, estende seus raios como os raios de uma roda, torna-se uma mandala gigantesca, símbolo da ordem radial existente no inconsciente e em toda a natureza. Observar a grande roda do Sol a mover-se, solene, pelos céus é transcender brevemente o tempo linear da nossa existência cotidiana com suas categorias de causa e efeito e para tocar o mundo acausal dos arquétipos. Ali os eventos não aparecem seqüencialmente "no tempo", mas parecem, ao contrário, agrupados em cachos à roda de um centro, como se fossem os raios do Sol. Nos momentos de intensa iluminação, divisamos um princípio de ordem cujo motivo não é linear como os trilhos de uma estrada de ferro, senão radial como os raios de uma roda. Nesses momentos de percepção intensa, sentimos que é mais uma *coincidência significativa* do que a causa e efeito que atrai os cachos de eventos e os mantém juntos.

Conquanto o materialismo científico tenha feito o possível para matar a nossa conexão espontânea com a roda do Sol, e a névoa e a fumaça nos obliterem, por vezes, a visão, o grande Sol redondo que viaja no alto do céu continua a ser um símbolo poderoso através do qual nos religamos ao nosso sol interior. A sua fiel preocupação com o bem-estar do planeta evoca em nós um sentimento recíproco de dedicação e responsabilidade para com o eu transcendente, que o Sol tem simbolizado para o homem desde os primórdios do tempo.

Talvez pareça estranho que uma entidade tão ofuscante e sempre presente quanto o Sol seja um dos últimos símbolos do eu a aparecer na série do Tarô. Nas figuras dos alquimistas, também, o *splendor solis* (como era chamada às vezes a iluminação retratada no Sol) geralmente aparecia tarde na seqüência pictórica. Porventura uma explicação disso é que, a fim de experimentar o pleno esplendor desse tipo de iluminação precisamos, primeiro, ter construído ou encontrado um jardim murado ou sagrado *têmeno* dentro da psique para receber a luz. De outro modo, os raios do Sol poderiam murchar e destruir. Mas de todas as razões que se podem dar para explicar por que a "áurea compreensão" chega tão tarde para o herói em sua jornada, a mais convincente está encerrada num velho dito, às vezes atribuído ao Buda: "Todos os seres nascem iluminados, mas é preciso uma vida inteira para descobri-lo."

Como se poderia esperar, O Sol, cujo número dezenove é redutível a um, constitui uma de nossas "cartas-semente", que assinalam o fim de uma fase de desenvolvimento e o princípio de outra. Como O Imperador, O Carro, A Roda da Fortuna, A Morte e A Torre da Destruição, O Sol anuncia um novo período de iluminação e nutrição. Essa qualidade é corroborada pelas gotículas multicores que caem dos céus. Agora as lembranças e energias, reunidas e armazenadas pela Lua, são libertadas para revitalizar a Terra. É um tempo de efetuação. As duas cartas anteriores (A Estrela e A Lua) retrataram um período de profunda depressão. Aqui o Sol anuncia um renascimento para a luz. Tradicionalmente, "o terceiro" assinala o renascimento numa nova percepção. No terceiro dia, Jonas saiu da barriga da baleia. Assim, também, no terceiro dia Jesus ergueu-se do sepulcro.

O motivo da fileira vertical também parece claro. No topo, o Papa, porta-voz terreno de Deus, está sentado, erecto, no trono, enquanto, a seus pés, os dois padres ajoelhados prostram-se diante dele como símbolo externo do eu. Abaixo dessa carta, o

Enforcado, de cabeça para baixo em relação à religião codificada, pende precariamente sobre o abismo da inexpressividade, suspenso apenas pela própria e limitada compreensão humana – cortado fora da humanidade. Mas agora, tendo suportado a solidão e a experiência, descobre "o outro", seu companheiro interior, e emerge como gêmeo para folgar na glória do Sol.

À diferença dos padres ajoelhados, as duas crianças não dependem da fé nem do testemunho de outrem para acreditar na existência do Criador; experimentam diretamente a iluminação da divindade. Com efeito, todos os Trunfos desta fieira inferior ilustram graus variados de iluminação direta. Primeiro Lúcifer, a estrela caída, apareceu no Éden do herói como o Diabo, depois o raio, as estrelas e a Lua revelaram sua luz única. Agora, em O Sol, a iluminação alcança um crescendo. O Sol retrata o momento em que o herói, deixando para sempre o mundo das opiniões estéreis e dos dogmas formais, ingressa no mundo ensolarado da experiência direta e do conhecimento puro.

Fig. 81 O Julgamento (Baralho de Marselha)

23. Julgamento: Uma Vocação

> Eis que vos digo um mistério: Nem todos dormiremos, mas transformados seremos todos, num momento, num abrir e fechar de olhos, ao ressoar da última trombeta. A trombeta soará, os mortos ressuscitarão incorruptíveis, e nós seremos transformados. Porque é necessário que este corpo corruptível se revista da incorruptibilidade, e que o corpo mortal se revista da imortalidade.
>
> I Coríntios

Na carta número vinte, um grande anjo com uma trombeta de ouro aparece no céu, trazendo uma bandeira brasonada com uma cruz de ouro. Debaixo dele estão três figuras humanas nuas, uma das quais se ergue do túmulo (Fig. 81). O título desta carta, Julgamento, liga-a à narrativa bíblica do Juízo Final quando, ao ressoar da trombeta de Miguel, os justos serão chamados à vida celestial, ao passo que os maus serão lançados para todo o sempre no inferno. O ponto importante dessa ressurreição não é, evidentemente, os justos serem recompensados com a imortalidade em algum lugar do céu, senão serem redespertados para uma vida nova e "celestial" na Terra. Psicologicamente, serão agora chamados a ingressar numa nova dimensão de percepção, até então desconhecida.

O Julgamento dramatiza o momento de ressurreição espiritual de diversas maneiras. Aqui, pela primeira vez, uma figura humana (a que está saindo do túmulo) se vê diante da fonte de iluminação. Não foi este o caso em O Enamorado, A Torre da Destruição, A Estrela, A Lua ou O Sol, onde a atividade no reino arquetípico ocorreu acima e atrás das figuras terrenas, que lhe sentiram os efeitos, mas apenas indiretamente, por intermédio do inconsciente. No Julgamento, a figura central percebe conscientemente e ouve o chamado. A imediação dessa conexão é enfatizada pelo tamanho do anjo, pelos raios compridos e pontudos da sua auréola, que quase parecem furar o chão, e pela sua enorme trombeta, cujo som promete estilhaçar os tímpanos dos que estão embaixo.

O som é uma forma de comunicação muito mais direta, impressionante e primitiva do que a iluminação, como todos sabemos por experiência própria. Um dorminhoco preguiçoso poderá desviar o rosto do Sol matutino para continuar seus sonhos sem ser perturbado; mas o som persistente de um despertador ou de um clarim não pode ser ignorado. Dentro dos sonhos o som também tem um efeito eletrizante. Atinge-nos de modo mais sobressaltante, visceral, do que uma série de imagens visuais.

Ouvir qualquer som num sonho – música, uma palavra sussurrada, um gongo ou um grito – é uma experiência inesquecível. *Que foi isso? Quem chamou?* Somos instantaneamente mobilizados para a ação. Não podemos acreditar que fosse um sonho. Cuidamos ter sido convocados por um poder além de nós mesmos.

A música de qualquer espécie liga o mundo interno ao externo de maneira mística. Incita-nos à ação ou abranda o peito selvagem; coloca o espírito desordenado em harmonia com o universo, ou despedaça vidros; estimula plantas a crescerem ou faz que regridam e feneçam.

Parece significativo que nos dois relatos bíblicos da Criação, o som represente papel importante. No Gênese, Deus *disse*: "Haja luz." E João nos afirma que "No princípio era o *Verbo*". Nas duas narrativas, o som da palavra precede a criação. Pondo de parte o seu significado, a palavra falada é som. Cria vibrações a que toda a natureza responde. No O Julgamento, o som da trombeta de Miguel, como as espigas da sua auréola, parece ter violentado o solo, que reage levantando grandes ondas encapeladas. Como se a Mãe Terra, tendo expelido a figura que se ergue do seu ventre, ainda se contorcesse em convulsivo trabalho de parto com outro nascimento por vir.

Em pé ao lado do sepulcro aberto, um homem e uma mulher saúdam o recém-erguido em atitudes de devota ação de graças. Dão as boas-vindas àquele que estava morto (sepultado no inconsciente) e que volta a uma vida nova. Sentimos que ele está intimamente ligado a eles. Agora se reuniu a trindade terrena. A figura angélica completa a quaternidade, juntando o céu e a Terra para formar uma nova realidade. Esse tema é reiterado na bandeira com a cruz de ouro, para a qual o anjo parece apontar de maneira significativa.

O motivo da descida ao túmulo e a ressurreição final do "nascido duas vezes" (psicologicamente a morte do antigo Adão e o nascimento do novo) é um motivo familiar na tradição judeu-cristã e em muitas outras culturas também. Nos mistérios de Elêusis, por exemplo, o enterramento e a ressurreição eram representados simbolicamente. Nos períodos finais da iniciação, o candidato descia a uma cripta, onde permanecia num estado de animação suspensa, vigiado por um sacerdote e uma sacerdotisa. Ao cabo de três dias, despertado do seu transe por um arauto, erguia-se, renascido, como novo membro da Ordem. Na série do Tarô, o Julgamento proclama o início de nova ordem – uma nova interação entre o consciente e o inconsciente, que se tornará manifesta na carta derradeira, O Mundo.

A figura central da gravura é, evidentemente, o herói. Quando vistos pela última vez, ele e a dama que o acompanhava foram retratados caindo, derrubados da torre aparentemente inexpugnável por um raio. Nas três cartas seguintes (A Estrela, A Lua e O Sol) ele desaparece da nossa vista. Nós o imaginávamos jazendo na lama pegajenta de uma depressão profunda. Agora ressurge da sua longa noite para juntar-se às duas figuras que estão de pé, vigiando-lhe a tumba.

Uma reunião, de qualquer espécie, sempre inaugura um novo princípio: nunca resulta no restabelecimento do *status quo* anterior. Quer tenha partido para uma jornada externa, quer tenha partido para uma jornada interna, volta o viandante muito diferente do que partiu. E o mesmo acontece com os que ficaram para trás. Todos terão mudado neste ínterim. E a vida dos que conservaram a fé sofrerá novas mudanças em contato com o viajante de regresso de reinos desconhecidos. Isso é vividamente ilustrado pelos depoimentos de pessoas declaradas clinicamente mortas que reviveram, e cujas visões de uma realidade mais ampla acrescentaram novas dimensões à vida de todos os que elas tocaram. Quando alguém renasce, todas as pessoas que o cercam despertam para uma nova vida.

A vitalidade da figura que se ergue da tumba é aparente. Pintado como jovem, sólido e musculoso, sua carne reluz de saúde. Se bem que, do ponto de vista da consciência cotidiana, tenha parecido "perdido" e "morto", volta renovado assim de corpo como de espírito, revitalizado pelo contato com a terra e pelas aventuras nas profundezas subterrâneas.

Uma vez que há quatro figuras aqui, sentimo-nos tentados a explorá-las à luz das quatro funções da psique, que Jung denominou sensação, intuição, pensamento e sentimento. Eu gostaria de arriscar a hipótese de que o herói (o homem pintado no momento de sair do túmulo) identificou-se com a sua função superior, e que essa função era provavelmente pensar, porque o seu lado sentimental parece pouco desenvolvido. Tenho para mim que esse jovem representa tanto a consciência do ego quanto a função pensante, e vejo-as agora erguendo-se para uma nova vida, depois do longo sono subterrâneo. Antes de desenvolver ainda mais a tese, parece boa idéia recapitular a teoria de Jung acerca das quatro funções.

Como já observamos, elas representam os quatro modos característicos que tem o ser humano de perceber a realidade e lidar com ela. A sensação (o testemunho dos cinco sentidos) e a intuição (a informação derivada do sexto sentido) são as duas funções por cujo intermédio apreendemos o mundo da experiência interior e exterior. Jung lhes chamava *funções irracionais*, porque nos trazem informações que nada têm a ver com a lógica. Por exemplo: a despeito das garantias dadas por um entendido de que a minha máquina de escrever está agora em perfeitas condições, minha sensação me diz que uma tecla ainda está presa. Ou, embora o Sr. X tenha acabado de chegar com excelentes cartas de recomendação, minha intuição me diz que ele não merece confiança. Essas conclusões simplesmente *são*. Ser-me-ia difícil sustentá-las com lógica.

Em compensação, a informação derivada do pensamento e do sentimento é racional. São as duas funções com as quais tratamos o material apresentado pela sensação e pela intuição. Classificam-se como *funções racionais*, porque envolvem uma discriminação racional. No caso do pensamento, fazemos avaliações baseadas na reflexão lógica e, no caso do sentimento, fazemos escolhas de acordo com uma hierarquia igualmente racional de valores sentimentais. Para usar o caso da máquina de escrever com funcionamento defeituoso como ilustração: deparando com o problema, um tipo reflexivo procura imediatamente a maior e a mais anunciada oficina de consertos da cidade e leva a sua máquina, já que o primeiro mecânico falhou no serviço; ao passo que um tipo sensível pode sentir-se inclinado a devolver a máquina ao primeiro mecânico para dar-lhe a oportunidade de retificar o erro.

Não se confunda esse tipo de decisão consciente pelo sentimento, tal como Jung a concebe, com a emoção inconsciente; trata-se, ao contrário, de um julgamento de valor muito preciso, baseado muito mais no que sentimos a respeito de alguma coisa do que no que pensamos a respeito dela. As conclusões alcançadas através das funções racionais (à diferença das que derivam da sensação e da intuição) podem ser descritas e sustentadas de modo racional. Vendo-se diante de uma máquina de escrever que não funciona bem, o tipo reflexivo nos diz: "Pensei nisto, e nisto, e nisto e cheguei à conclusão de que a coisa mais lógica para fazer era consultar o jornal e achar o melhor anúncio." Ao passo que um tipo sensível diria: "Senti que devia ao mecânico outra oportunidade. Se eu calçasse o sapato no pé errado, gostaria de ter uma oportunidade de corrigir o engano. Não me pareceria certo fazê-lo de outra maneira."

Jung realizou outra observação acerca das funções que têm importância aqui. Descobriu que as duas funções racionais (pensamento e sentimento) se excluem mutuamente, como, aliás, acontece também com as duas funções irracionais (sensação e intuição). Quando estamos ocupados pensando em alguma coisa, não podemos, ao mesmo tempo, estar sentindo o que quer que seja em relação a essa coisa; e, se estamos concentrados na obsevação de alguma coisa com os sentidos, não podemos, ao mesmo tempo, ser receptivos a mensagens que nos chegam através do sexto sentido. Disso se segue que, se a nossa função superior for uma das funções racionais, a inferior será, necessariamente, o seu equivalente racional; ou se a função superior for uma das funções irracionais, a função inferior há de ser, por força, a outra função irracional.

Visto que propendemos a usar com mais freqüência a função superior, esta se aprimora constantemente com a prática, ao passo que a sua função incompatível sofre cada vez mais com o descaso. Em alguns casos, a função superior – o braço direto, digno de confiança, da personalidade – se torna tão proficiente e tão forte que parece quase tomar conta de todo o corpo psíquico. Em resultado disso, atrofiam-se para o uso consciente os outros três membros (sobretudo o inferior). Depois de anos de associação bem-sucedida e feliz com a função superior, o ego, virtualmente, identifica-se com ela.

A nossa identificação com a função superior não é uma experiência incomum. Em nossa cultura, isso é particularmente verdadeiro quando a função superior acerta de ser o pensamento. Hoje supervalorizamos o pensamento lógico (ignorando-lhe, não raro, a função antitética, o sentimento). Em conseqüência disso, o tipo reflexivo é às vezes solicitado a se firmar quase que exclusivamente no pensamento, deixando o lado sentimental e outros aspectos de si mesmo relativamente não-desenvolvidos. Desde o princípio, uma pessoa nessas condições é classificada pela família e pelos amigos de "a que é boa na escola". As tarefas que envolvem reflexão são automaticamente passadas para ela. Estimulam-na a desenvolvê-la ainda mais por meio de estudos especializados, talvez de física ou filosofia. Uma pessoa assim acabará provavelmente num negócio ou numa profissão que exija uso constante de sua mente raciocinante, com poucas oportunidades de desenvolver outros talentos. Quando chegar à meia-idade, é identificada por outros (e, o que é mais importante, por si mesma) como "o pensador". Entra a perceber-se como alguém cuja única missão na vida é *pensar*. Topamos amiúde com o pensador no clássico clichê do professor distraído, capaz de recordar prontamente equações abstrusas, mas incapaz de lembrar-se do aniversário da esposa.

Se esse professor tiver êxito no trabalho, a identificação do ego poderá continuar a vida toda. Com a ajuda de uma função auxiliar, ele capengará muito feliz pela vida afora. Sua calma estóica só será interrompida, ocasionalmente, por súbitas explosões de sentimentos reprimidos, ou por desentendimentos com os ofendidos pela sua falta de sensibilidade.

Às vezes, porém, a torre de marfim da lógica em que o professor se encerrou é atingida por um raio vindo do céu e, como as figuras na Torre do Tarô, ele é derrubado da sua segurança isolada e vai dar com os costados, inerme, na lama. De hábito, o raio aparece como mudança totalmente inesperada na vida exterior: Ele é inexplicavelmente despedido do emprego que tivera por muitos anos; ou o seu "feliz" casamento é jogado para o ar por um bilhete espetado no travesseiro, que começa com as palavras: "Querido John"; ou ele próprio se enrabicha de repente por uma loira estonteante. Seja qual for o golpe do destino, o professor se vê indefeso e exposto, alijado para sempre da sólida estrutura de sua antiga vida e incapaz de dirigir o pensamento e a vontade para planejar uma nova.

Se o golpe for severo, ele poderá quedar-se num estado confuso e deprimido por muito tempo. Idealmente, com um pouco de sorte, e talvez com alguma ajuda profissional, sua retirada forçada da vida ativa não será de apática estagnação, mas um intervalo de renovação criativa. Se a sua jornada pelas profundezas for bem sucedida, o pensador deposto voltará à vida renascido. Daqui por diante, será capaz de operar não somente através do pensamento, mas também com outros aspectos de si mesmo, agora disponíveis para uso consciente. O pensamento continuará sendo a função superior, mas ele também terá se transformado – revitalizado pelo contato com os mananciais de que flui toda a criatividade. Então, a personalidade do ego e todas as funções da psique experimentarão a espécie de reunião pintada no Julgamento. Quando isso acontece, o que antes era sentido como punhalada nas costas ou raio destruidor do céu, será visto como anjo de assombro e de glória.

A sua teoria dos tipos psicológicos é tão complexa que Jung dedicou um livro inteiro ao assunto. Obviamente, o resumo acima não lhe faz justiça. Mas pode servir de útil trampolim para ver o Julgamento. Se tivermos de ligar o rapaz nesta carta a uma das quatro funções, parece provável que ele deva representar a função superior do herói – aquela com a qual esteve mais intimamente associado durante toda a vida. O modo com que é pintado no Julgamento parece confirmar a hipótese. A figura que se ergue do túmulo não é um bebê recém-nascido, mas um homem adulto, que está renascendo, a indicar que esteve outrora vivo e ativo no mundo exterior. É tão parecido em estatura e idade com o herói que não poderíamos distingui-los um do outro, o que indicaria que ambos estão bem identificados um com o outro. Em tal situação, é fácil compreender que, quando se derruba a função superior, o ego também sofre um golpe drástico.

É o que parece ter acontecido ao herói. Na verdade, a história do professor distraído bem poderia ser a história da sua própria vida, pois há evidências de que, à semelhança do professor, o herói é um tipo pensante. Podemos observá-lo primeiro no Enamorado. Ali, diante de uma escolha que envolvia uma discriminação consciente na área sentimental, ele estava completamente indefeso; o seu pensamento lógico era inútil. Incapaz de chegar aos sentimentos submersos, quedou petrificado. Dir-se-ia miseravelmente inconsciente do deus alado, cujos dardos eróticos estavam a pique de ferir-lhe as costas.

Isto, naturalmente, não quer dizer que somente as pessoas do tipo pensante se vêem metidas em tamanho apuro. Mas o jovem enamorado parecia singularmente inconsciente de Eros – inconsciente, poder-se-ia dizer, de sua própria existência. Quase todos nós, se tivermos sorte, podemos, pelo menos, vislumbrá-lo com o canto dos olhos, antes que ele golpeie. De qualquer maneira, a tolerância do enamorado a tais feridas era limitada. Como observamos, ele não optou por nenhuma das damas que lhe pleiteavam as atenções. Na verdade, partiu sozinho em seu carro. Ali o vimos, defendido pelos quatro postes, protegido pelo dossel que tinha sobre a cabeça, e correndo nas alturas acima dos instintos, da Terra e da espécie humana.

O tema é ainda mais desenvolvido na Torre da Destruição, onde o carro, relativamente frágil e móvel, se transforma numa fortificação fixa de tijolos sólidos, dentro da qual o herói se encapsula bem acima de toda a natureza e se afasta da vida. É verdade que ele, agora, adquiriu uma companheira, mas ela também é prisioneira na construção erguida pelo homem.

Todos nós, sem dúvida, tendemos a identificar-nos primeiro com a nossa função superior, mas quando a prisão não é tão eminente e rígida, o raio não precisa ser tão violento, nem a depressão que se segue tão severa. A psique é um sistema que se auto-regula; forceja constantemente por corrigir qualquer desequilíbrio surgido entre os seus vários aspectos. Se o desequilíbrio for menos pronunciado, a força necessária para restaurar o equilíbrio não precisa ser tão cataclísmica. Às vezes, por exemplo, a correção necessária não se faz por intermédio de algum acontecimento externo, senão da função superior, que, gasta pelo uso constante, jaz simplesmente ali e não arreda pé.

Minha própria experiência é um caso pertinente. Como eu disse antes, sou do tipo intuitivo, o sentimento é minha segunda função e a sensação, minha função inferior. Depois de alguma análise, cheguei aos sentimentos com relativa facilidade, e já estabelecera um conhecimento cerimonioso com a função pensante. Mas a sensação – a capacidade de perceber e relacionar-me com a realidade por intermédio dos cinco sentidos – ainda estava inconsciente e mal desenvolvida. Encontrei o jeito de lidar com as pessoas e objetos em grande parte através do sexto sentido, minha intuição superior, ajudada pelo sentimento.

Eu andara dirigindo seminários de educação de adultos em literatura e humanidades, primeiro sob os auspícios de uma universidade e, depois, por conta própria. Gostei muitíssimo dos seminários e o mesmo aconteceu com os alunos. Tínhamos iniciado um estudo do drama shakespeariano, e eu organizara extensa biblioteca sobre o assunto na preparação do que prometia ser uma carreira de desafio e inspiração intermináveis.

No nível manifesto, tudo parecia ir muito bem. Tínhamos acabado de completar o estudo do *Rei Lear* e pretendíamos estudar *A tempestade* depois. Todos os membros do grupo estavam ansiosos por continuar, e diversos membros em perspectiva tinham solicitado admissão ao curso. Então uma bela manhã acordei com o sentimento: *Não posso mais fazer isso.* Tudo morrera para mim. Não que o material propriamente dito se houvesse tornado batido pela repetição. Eu nunca ensinara *A tempestade* antes e antegozava a nova experiência. Mas, fosse como fosse, já não conseguia mobilizar a libido para continuar. Ela simplesmente desaparecera – enfiara-se debaixo da terra, levando consigo boa parte de mim mesma mas, felizmente, nem toda a consciência do meu ego. Eu poderia continuar a funcionar no mundo; mas a vida perdera o gosto e a alegria.

Senti-me como um zumbi, executando os movimentos da vida, esperando por Godot. De vez em quando, fazia um esforço para dragar minha libido perdida e interessá-la numa empresa útil qualquer. Debalde. De uma feita, fiz uma tentativa gorada de estudar as obras de Marcel Proust, que me prendera, brevemente, a imaginação; mas isso também redundou em nada. Em outra ocasião, decidi embarcar num grau de doutoramento em literatura, mas não demorei em largar o programa porque achei os professores pedantes e o material pouco inspirador.

Então, um dia, um amigo íntimo deu-me um baralho de cartas do Tarô e minha imaginação foi espicaçada pelas suas curiosas figuras. Essa Gente do Tarô parecia "pertencer-me", mas não pude identificar especificamente os personagens nem aproximar-me intelectualmente deles. Para fazê-lo, ser-me-ia preciso usar minha função inferior da sensação a fim de estudar-lhes a realidade em minuciosos detalhes, e meu pensamento para organizar o material. Sendo uma intuitiva, a realidade objetiva não me interessava e os pormenores me entediavam mortalmente. Se a minha intuição não pudesse estabelecer contato imediato com alguma coisa, eu perdia o interesse. Afinal de contas, eu lidava com imagens e palavras. Amava as palavras. O som das palavras, as imagens evocadas por elas, as reverberações do significado inerente às suas origens – eu amava tudo isso. Mas aquelas cartas esquisitas de figuras não-verbais? Não, muito obrigada. Apesar disso, gostava delas porque me tinham sido dadas pelo meu amigo, e minha intuição continuava insistindo em que existia a chave do seu significado; bastar-me-ia poder encontrá-la.

Vários anos depois assisti a uma conferência em que Jung foi citado como tendo dito que o Tarô oferecia uma representação pictórica dos arquétipos. Ali estava a chave! Depois disso minha libido despertou e os sucos da vida principiaram a fluir para novos canais. Minha intuição se erguera do túmulo revitalizada num corpo novo e saudável. Comecei a estudar as gravuras minuciosamente e a encontrar significado nelas. Mais tarde, reconquistei suficiente confiança em mim mesma para começar a dar seminários sobre o assunto e a disciplinar minha sensação e meu pensamento com a intenção de empreender um estudo mais rigoroso, necessário para escrever este livro.

Mas a sensação continua a ser minha função inferior. Por exemplo: conquanto eu tenha examinado o Julgamento inúmeras vezes com muitos grupos diferentes, só hoje observei, enquanto escrevia este capítulo, que a terra amarela no fundo da gravura não é plana, mas parece estar-se movendo em ondas convulsivas.

Na discussão acima da experiência do herói e da minha, demos ampla volta em torno dos elementos específicos da carta que temos à nossa frente. (Esse tipo de volta é próprio dos tipos intuitivos; tendemos a usar a realidade presente como trampolim para vôos de imaginação em outros mundos.)

Se você for psicólogo, ou mesmo que não seja, poderá discordar da minha hipótese fantasista sobre a identificação do herói com a função superior. Provavelmente, porém, todos poderíamos concordar em que, no Julgamento, ele experimentou um renascimento. Um momento de liberação desses é sempre experimentado como um resgate.

Quando resgatamos um artigo da casa de penhores, compramos de volta algo que anteriormente nos pertencia e que foi mantido em garantia. A individuação é *au fond* um processo de resgate. Sua meta não consiste em criar algo inteiramente novo – algo além de nós e alheio a nós – mas, antes, resgatar e liberar aspectos pertencentes, por justiça, a nós mesmos e que foram mantidos como garantia no inconsciente. Em alemão, "resgatar" é *erlösen,* que significa, literalmente, "livrar da fixação". Mas a liberdade da fixação não quer dizer liberdade de todos os cuidados e problemas. Toda a vez que resgatamos alguma coisa precisamos pagar um preço.

Conquanto o herói pareça ter sido resgatado, sua vida daqui por diante não deve ser encarada como uma vida de paz perfeita e harmonia eterna. Ele também precisa pagar um preço. O aumento da sua percepção lhe imporá, inevitavelmente, um aumento de responsabilidade. A sua longa provação na escura masmorra acabou: mas ele precisa enfrentar agora o desafio da nova luz.

Ao termo de um julgamento num tribunal exara-se uma sentença, que assinala a conclusão do ordálio atual do acusado. Se a sentença for favorável, o prisioneiro será libertado – não libertado para fazer o que quiser, mas libertado da culpa. Embora possa andar pelo mundo como bem entender, descobrirá que suas opções e seus valores mudaram durante o encarceramento. Sua percepção aumentada traz consigo áreas mais vastas de escolha e um sentido mais agudo de responsabilidade.

Isso é claramente retratado no Julgamento, onde o que está sendo libertado do aprisionamento solitário já não está só. Tem agora dois íntimos companheiros humanos e uma presença celestial cujas necessidades e desejos precisa considerar. Se falhar em cumprir as novas obrigações, poderá voltar para a prisão. Ser resgatado é uma honra. Significa ser chamado para uma nova vocação. "Quem tem vocação ouve a voz do homem interior; é chamado", diz Jung.[1]

A gravidade do momento evidencia-se com clareza na atmosfera emocional do Julgamento. O casal de pé à beira do túmulo não recebe o camarada que volta à vida com hurras e transportes de Júbilo; a sua postura é solene e de oração. Em seus rostos se reflete a ação de graças pelo regresso do outro a salvo, mas também de gravidade ante a perspectiva de vê-lo ingressar numa nova vida de mais ampla percepção. Olham para o jovem, que é central para a sua família em matéria de orientação. Ele, por seu turno, encara no anjo apavorante. O herói, que antigamente se erguia acima de todos os que contemplava, agora, numa sepultura, ergue os olhos para o céu à procura de orientação. Ele, que antes se julgava superior, ouve agora o chamado para servir a um poder acima e além de si mesmo.

Se for capaz de responder ao chamado da trombeta, dará um passo à frente para uma vida desdobrada, além de tudo o que conheceu ou imaginou. Se não conseguir enfrentar o desafio, será lançado de novo na masmorra, talvez para nunca mais sair. A gravidade da situação é desenvolvida por Jung no seguinte trecho:

> Quando a libido deixa o mundo superior da luz, seja por decisão individual, seja pelo declínio da energia vital, afunda de novo nas próprias profundezas, na fonte da qual fluiu outrora, e volta ao ponto de corte, o umbigo, através do qual, certa feita, entrou em nosso corpo. O ponto de corte é chamado "a mãe", pois foi partindo dela que a fonte da libido chegou a nós. Por conseguinte, quando há algum grande trabalho para ser feito, do qual o ser humano se esquiva, duvidando da própria força, a sua libido volta para aquela fonte – e esse é o momento perigoso, o momento da decisão entre a destruição e a nova vida. Se a libido permanecer presa no país das maravilhas do mundo interior, o ser humano torna-se mera sombra no mundo superior: não é mais do que um homem morto ou um homem gravemente enfermo. Mas se a libido conseguir libertar-se e lutar para chegar outra vez ao mundo superior, ocorre um milagre, pois a descida ao mundo inferior terá sido um rejuvenescimento para a libido, e da sua morte aparente despertou uma nova fertilidade.[2]

No Julgamento, um anjo irrompe, de improviso, de parte alguma para fazer um pronunciamento desafiador. O advento de um libertador nessas condições assume dimensões catastróficas, que Jung descreve da seguinte maneira:

1. C. G. Jung, *Psychological Reflections*, pág. 283.
2. *Ibid.*, pág. 293.

O nascimento do libertador equivale a uma grande catástrofe, visto que uma nova e poderosa vida surge onde não se antecipava nenhuma vida, nenhuma força ou nenhum desenvolvimento novo. Flui do inconsciente, isto é, da parte da psique que, quer o desejemos, quer não, é desconhecida e, portanto, tratada como nada por todos os racionalistas. Dessa região desacreditada e rejeitada vem o novo tributário da energia, a revivificação da vida.[3]

A partir de tudo o que foi dito acerca do Julgamento, é fácil fazer conexões entre ele e as duas cartas que ficam diretamente acima dele no eixo vertical (Enamorado e Morte). Poder-se-ia dizer que o tópico versado na fileira vertical é a morte e o renascimento; a morte do velho ego e sua ressurreição numa forma nova. O que está envolvido em primeiro lugar é o sacrifício da vontade do ego e sua dedicação a um poder além de si mesmo.

Em O Enamorado, o jovem ego do herói recebeu o primeiro ferimento. Mas o dardo de Eros foi apenas uma alfinetada. Como vimos, ele se coroou rei e partiu para a conquista do mundo. Na Morte ocorreu um desmembramento mais completo do ego e de outros aspectos psíquicos. Desta catástrofe ele também emergiu incólume. Mas já não estava só; conseguira uma companheira. Os dois apareceram em O Diabo como subumanos nus, relutantes em virar e confrontar os seus diabólicos (e luciferinos) potenciais. Vimos que cobriram as caudas e os cascos com as roupas que "todo o mundo está usando", e escaparam do Diabo, encerrando-se na Torre.

Agora, afinal, no Julgamento, o herói e seus dois companheiros estão nus juntos, expostos uns aos outros e à influência dos poderes celestiais. Como se os corpos desmembrados que a Morte enfiara na terra houvessem germinado de um modo novo e mais humano. A figura angélica no céu também se humanizou. Conquanto possua cabelos e dois pares de asas de ouro, sua expressão denota mais intensidade e sentimento humano do que se poderia observar no rosto das figuras celestes pintadas em cartas anteriores. E, o que é significativo, ela se comunica diretamente com as figuras embaixo.

O fato de todas as figuras no Julgamento terem sido humanizadas e estarem em comunicação umas com as outras assinala uma brecha importante na percepção psíquica do herói. É uma promessa de que as qualidades de cada uma podem ser reunidas e consolidadas num ser completo – um ser *humano*. A terra ecoa a promessa de um novo nascimento. Talvez o barro terreno em que o herói se embebeu tenha sido aceso para a vida nova pelo fogo angélico, e uma nova criação emergirá na carta seguinte e final, O Mundo.

3. *Ibid.*, pág. 293.

Fig. 82 O Mundo (Baralho de Marselha)

24. O Mundo: Uma Janela para a Eternidade

> No ponto imóvel do mundo que gira. Nem
> carne nem sem carne;
> Nem de nem para; no ponto imóvel, lá está
> a dança,
> Mas nem parada nem movimento.
>
> T. S. Eliot

Chegamos à culminação da longa jornada. Nesta gravura final vemos uma dançarina nua emoldurada por uma grinalda viva de ramos entrelaçados (Fig. 82). Nos cantos estão pintados um leão, um boi, uma águia e uma figura angélica com um halo. A carta se chama O Mundo.

A dançarina tem rosto, cabelos e seios de mulher, mas as ancas finas e as pernas fortes dão a entender que se trata de um ser andrógino, que combina e integra, dentro do corpo, os elementos masculino e feminino. Os opostos, cujo desenvolvimento vimos traçando aqui, se combinam numa entidade só. O sexo neutro afasta-a do mundo do pessoal para o reino do transcendental, mas a cor da pele marca-a como humana. A dançarina move-se numa área de percepção descrita como "Tu és *aquilo*". E "Eu sou *aquilo* que sou". A chapa que flutua sugere a presença do espírito sempre móvel. A dançarina segura dois bastões, um em cada mão, representando os pólos positivo e negativo de energia. Quando ela se move, os dois se movimentam em relação recíproca de modo compensatório, a simbolizar a interação dinâmica e constante de todos os opostos.

A grinalda natural que emoldura a dançarina indica um entrelaçamento harmonioso de todos os aspectos da natureza, consciente e inconsciente, para formar um todo contínuo e integrado. A grinalda cria um *têmeno* sagrado, dentro do qual a dançarina está protetoramente encerrada. No Sol, os gêmeos se achavam parcialmente fechados por um muro semicircular de tijolos de ouro; aqui o *têmeno* é vivo, natural e completo. Separa a dançarina de tudo o que não é significativo e essencial – de tudo o que não lhe pertence. Sem embargo disso, ela tem espaço para mover-se – o seu próprio espaço – dentro do qual está livre para expressar-se sem esforço. Em termos junguianos, ela simboliza o eu, centro da totalidade psíquica.

Parece surpreendente que, se bem a dançarina nua se exponha livremente, sem recato exagerado e sem pudor, suas partes sexuais permaneçam ocultas. Simbolicamente, ela nos diz que o impulso criativo no coração de toda a vida não pode ser revelado. Não no sentido (como disse a rainha a propósito do sexo) de que é "bom demais para camponeses", mas simplesmente porque é um segredo místico, um segredo que não pode ser totalmente desvelado. Nesse sentido, parece significativo recordar que os gêmeos que apareceram no Sol também conservavam escondidas as suas partes sexuais. Esse recato é um sentimento instintual, arquetípico, nascido do eu central, e não um falso puritanismo causado por restrições culturais superpostas. Confirmação disso é que, até na sociedade permissiva de hoje, as crianças pequenas relutam em expor-se. Se, tomando-lhes o recato inato por afetação de virtude, nós as pressionamos a se exporem, podemos violentar-lhes a conexão natural com o eu. A dançarina pintada em O Mundo está-nos dizendo que, embora a nudez seja de fato natural, expor-se uma pessoa ao mundo não o é necessariamente. Momentos há em que o eu precisa ser protegido e contido.

O eu é o centro do equilíbrio psíquico. Quando perdemos contato com a dançarina dentro de nós, perdemos o equilíbrio. Sempre que perdemos contato com a natureza – nossa natureza interior – experimentamos, no fundo de nós mesmos, um sentimento de inferioridade. Estarmos em contato com o eu natural, diz-nos Jung, é não nos sentirmos nem inferiores nem superiores. Idéia semelhante vem expressa no seguinte:

> Na paisagem da primavera
> não há melhor nem pior.
>
> Os ramos floridos crescem naturalmente,
> alguns compridos, outros curtos.

A grinalda da dançarina cria um asilo seguro para o eu recém-emergente, de modo que sua unidade nunca pode ser rompida pela invasão vinda de fora. Cria também um limite para conter-lhe as energias e protegê-las da dissipação. A proteção é pintada como natural, a indicar que ocorre espontaneamente nessa fase do desenvolvimento psicológico. O que significa, simbolicamente, que o eu está agora plenamente realizado como entidade incorruptível. Daí que os alquimistas chamassem a fase final do processo de *fixação*, onde o consciente e o inconsciente estão unidos, e o instinto e o espírito fluem juntos como um ser cuja percepção abrange e inclui os dois.

A grinalda não é o *uroboros* redondo do caos primevo; sua forma é elíptica. Um círculo fechado sugere o útero dentro do qual se contém o feto no fluido amniótico; uma elipse relembra a vulva, ou lábios da vagina, através dos quais, ao nascer, emerge o novo ser, agora completo, num novo mundo de luz e de ar. Enquanto o círculo é um redondo contínuo com um centro ou ponto focal, a elipse tem dois focos – um no topo e outro no fundo – a sugerir a junção de duas metades discretas para formar um todo. No Tarô, essa idéia é ainda indicada pela maneira com que as duas metades da elipse parecem ligadas nos pontos focais. A uma elipse nessas condições dá-se o nome de *mandorla*. Recorda-nos uma semente, um ovo, e o movimento dos planetas em órbita. À diferença do *uroboros* e da roda, ambos os quais se repetem interminavelmente, a mandorla traz consigo a sugestão de desenvolvimento futuro. Simboliza a interpenetração criativa das duas esferas do céu e da Terra. Está ligada também ao Ovo do Mundo, o qual (de acordo com a crença mitraísta) produziu o Criador, e ao Ovo Filosófico em cujo interior o ouro era incubado e revelado. Sua forma segue o caminho da circulação da luz, a luz criativa em permanente renovação descrita pela filosofia chinesa. Dentro da grinalda, a charpa flutuante sugere ainda mais a circulação. Um novo espírito toca a figura, que dança à medida que o espírito se move, contida no espaço sagrado em que a realidade roça a eternidade.

Esse estado de percepção é retratado como *dança*. Quando dançamos, movemo-nos no espaço segundo um ritmo que marca o tempo, juntando-se os dois em harmonia com a música, símbolo do sentimento. A dança nasceu como arte sagrada, forma de oração, por cujo intermédio o homem se afina com toda a natureza e com os deuses. Por meio da dança rítmica, o homem lançou uma ponte sobre o abismo entre o tempo mortal e o tempo transcendental e experimentou-se como parte de um processo em perpétua mudança. Através da dança ritual, o xamã pôs-se em harmonia com o universo, para restaurar o equilíbrio da natureza de modo que pudesse chamar a chuva necessária ou efetuar curas. Através da dança extática, o dervixe saltou fora do tempo mortal, harmonizando o seu ritmo com o das estrelas girantes.

A dança simboliza a arte da criação. Na doutrina ortodoxa grega, Sofia (a divina beleza) dança. A filosofia Zen encara toda a vida como dança gentil, cuja arte consiste em nos movermos pela vida comum de maneira natural e integrada e, no entanto, espontânea. Dizem-nos os físicos que o mundo, e nós mesmos, não passamos de uma dança de partículas. No nível microscópico, todas as dicotomias – interior e exterior, meu e teu, subjetivo e objetivo – perdem o sentido. O dançarino no Tarô *é* o Mundo. Yeats expressou a mesma idéia da seguinte maneira:

> O chestnut tree, great-rooted blossomer,
> Are you the leaf, the blossom or the bole?
> O body swayed to music, O brightening glance
> How can we know the dancer from the dance?[1]*

A dança tem sido um símbolo freqüente nestas cartas. Tudo começou com o Louco dançando com o seu jeito alegre e arrebatando-nos consigo com sua energia sem limites. Sua dança, todavia, era incontida e não-enfocada. Sem dar atenção ao presente, ele cabriolava para a frente enquanto olhava para trás, com escassa percepção de si mesmo na realidade do *agora*. O Enforcado também era uma espécie de dançarino. Mas conquanto se pudesse ver que os pés executavam uma jiga, não se escoravam na realidade; e o resto do corpo permanecia imóvel. Aprisionado no caixão das árvores truncadas e pendente de cima como uma boneca, só podia executar uma jiga mecânica. Os movimentos da Força com o leão e da Temperança com os dois vasos sugeriam uma dança, mas tais personagens apareciam como figuras alegóricas; não eram seres humanos. As limitações da tarefa específica a que se dedicavam as suas energias restringiam o movimento de cada um. Na carta número treze vimos a dança da Morte, outro poder alegórico sobre-humano que, como Xiva, executava a dança eterna da criação e da destruição.

1. W. B. Yeats, "Among School Children", *The Collected Poems of W. B. Yeats*, pág. 214.

* Ó castanheiro, florescedor de grandes raízes,/ És a folha, a flor ou o tronco?/ Ó corpo que oscila com a música, ó olhar iluminador,/ Como havemos de distinguir o dançarino da dança?/

A dançarina retratada em O Mundo é muito diferente de todos estes. Aparece nua, absorta em nenhum ato ou propósito específico senão o de *ser* – ser ela mesma. Não focalizada no passado nem no futuro, move-se ao ritmo do presente sempre mutável. Como indica o título, não a aprisionam as restrições de uma classificação alegórica limitada (como na Força, na Morte e na Temperança). Abarca todas elas e muito mais. À diferença do Enforcado, que executava às avessas a jiga do boneco do Destino, a dançarina se move livremente com um pé sempre tocando a terra. Apesar de estar em constante movimento, permanece ligada à base do seu ser – dourada e indestrutível.

Von Franz descreve isso de modo muito bonito quando diz: "A experiência do Eu traz um sentimento de estarmos em terra firme dentro de nós mesmos, num trecho de eternidade interior que nem mesmo a morte física pode tocar."[2]

Até aqui, o herói teve breves intimações do eu como força central condutora da sua jornada. Agora, no Mundo, o eu está completamente revelado de forma inesquecível. Quando se verifica, uma revelação dessa natureza acarreta profunda e permanente mudança. O resultado não é tão-só uma ampliação maior da personalidade anterior – é como se tivéssemos sido recriados como um ser inteiramente novo. A partir desse momento, torna-se o eu uma realidade consciente, sempre presente, que Jung descreve desta maneira:

> Experimentar o eu significa estar sempre consciente da própria identidade. Então você fica sabendo que nunca poderá ser outra coisa senão você mesmo, que nunca poderá perder-se e que nunca se alienará de si. Isto é assim porque você sabe que o eu é indestrutível, que é sempre um e o mesmo, que não pode ser dissolvido nem trocado por nenhuma outra coisa. O eu lhe permite permanecer o mesmo em todas as condições de sua vida.[3]

Entretanto, como Jung também deixa claro, o fato de estar em contato com o eu não significa estar alheado do mundo ou não ser afetado por ele. Reagimos emocionalmente, mas de modo mais profundo. Assim descreve ele as dimensões do eu:

> A consciência ampliada já não é aquele feixe suscetível, egoísta, de desejos, temores, esperanças, ambições pessoais, que precisa sempre ser compensado e corrigido por contratendências inconscientes; ao invés disso, é uma função de relação com o mundo dos objetos, que traz o indivíduo para a comunhão absoluta, constringente e indissolúvel com o mundo em geral. As complicações que surgem nessa fase já não são conflitos de desejos egoístas, senão dificuldades que tanto dizem respeito a outros quanto a nós mesmos. Nessa fase se trata fundamentalmente de uma questão de problemas coletivos, que ativaram o inconsciente coletivo porque requerem antes uma compensação coletiva que uma compensação pessoal. Podemos ver agora que o inconsciente produz essências válidas não só para a pessoa em apreço, mas

2. Marie-Louise von Franz, *C. G. Jung, His Myth in our Time*, Nova Iorque, C. G. Jung Foundation, 1975, pág. 74.

3. C. G. Jung, "The Interpretation of Visions", *Spring, 1969*, pág. 72.

para outras também, na verdade para grande número de pessoas e, possivelmente, para todos.[4]

Muitas dessas idéias estão representadas no Mundo do Tarô. Pela primeira vez vemos pintado simbolicamente *o conjunto da criação:* a terra, a planta, o animal, o pássaro, o homem e o anjo. A figura no centro não é nenhuma dessas: entretanto, sendo andrógina, abrange muita coisa que transcende o ser humano comum. Não é meramente a soma de todos os seus muitos aspectos mas, antes, a *quinta-essência,* um estado de ser além das quatro dimensões da realidade comum. Ao mesmo tempo, é representada em termos *humanos.* Não foi pintada como um desenho abstrato – um tubo oco, um instrumento através do qual o Divino flui inalterado; revela-se como um indivíduo dotado de características físicas únicas. Dá luz a um corpo – *o seu corpo* – e expressa-o à sua maneira individual.

As quatro figuras nos cantos, que montam guarda em eterna vigilância, simbolizam o estado de desenvolvimento que Jung descreve acima, em que a abertura da nossa percepção está agora mais aberta para problemas coletivos do que para os do mero interesse do ego. Como os quatro pontos da bússola, assinalam as novas dimensões deste mundo mais amplo. Posto que seguramente colocados, estão vivos e a dançarina se acha em constante movimento em relação a eles. Não estando presa a nenhuma regra superposta de comportamento, não sendo fantoche de nenhum "ismo" ou culto, vê-se livre para mover-se à própria maneira individual, dentro dos confins do seu espaço, definido pela mandorla protetora.

A dançarina não precisa preocupar-se com ser congruente: Não precisa lembrar-se do que pode ter dito ou feito ontem para adequar o comportamento de hoje ao de ontem. Enquanto mantiver contato com os quatro posicionados nos cantos, mover-se-á espontaneamente no presente, segura no conhecimento de que suas reações de hoje estão em harmonia com as de ontem, porque ambas vieram do seu centro mais profundo. Como tão bem mostra o Tarô, ela está em constante movimento em relação ao meio, e o meio (as figuras dos quatro cantos e a grinalda de ramos), estando vivo também, interage como parte de um padrão evolvente. Sua reação hoje já não será tão análoga à de ontem, quanto os eventos que a suscitaram tampouco serão idênticos aos que se lhe depararão hoje.

A gravura do Tarô mistura a idéia de espontaneidade e estabilidade de forma bonita. Não se vê a dançarina com os dois pés solidamente plantados no chão, que só é tocado por um pé: o outro, no ar, está pronto para entrar em contato com ela de modo novo a cada passo sucessivo. À proporção que a dança se desdobra passo a passo, vemos que ela nunca perderá contato com a sua áurea pedra de toque, nem se prenderá a ela de modo rígido, inflexível. A sua abertura para a mudança é também representada pela charpa esvoaçante, a indicar que o espaço dentro da mandorla não é um vácuo, um espaço de ar morto. Nele se movimenta um espírito gentil, que traz sempre novo vigor, novas idéias e, com estas, novas dimensões de conflito, que desafiarão a dançarina a procurar sua resolução num nível mais profundo.

A dançarina não é uma estátua de pedra, impermeável ao conflito. Assim como está livre para mover-se, assim também está livre *para ser movida.* Segura os bastões

4. C. G. Jung, *Two Essays on Analytical Psychology,* C. W. Vol. 7. § 5.

das energias positiva e negativa, e sua dança abrange não só a criação mas também a destruição, sem a qual a criação não seria possível. Por se achar libertada do conflito neurótico, está ainda mais aberta à experiência fundamental dos opostos. Apelidando esse estado de tensão de "conflito divino", assim o descreve Jung:

> Como todos os contrários são de Deus, o homem precisa sujeitar-se a esse fardo; e, ao fazê-lo, descobre que Deus em sua "contrariedade" tomou posse dele, encarnou-se nele. Torna-se um vaso cheio de conflito divino.[5]

Como Jung enfatizou com freqüência, e como o Tarô dramatiza, ser um vaso cheio de conflito divino é um previlégio e um fardo especificamente humanos. Não oferece escapatória para "outro mundo", mas nos apresenta o desafio de viver neste mundo de maneira significativa. Contente no interior da estrutura dos seus limites naturais, a dançarina do Tarô não sonha com nenhum tesouro a ser procurado no fim de algum arco-íris visionário. Para tomar emprestada a linguagem dos alquimistas, não lhe interessa traduzir os vis metais da sua existência de todos os dias na experiência dourada de valor duradouro.

O eu pode ser pintado de inúmeras maneiras: como flor, rocha, árvore, criança, como um desenho abstrato, e como um rei ou um deus. No Apocalipse, a meta final é apresentada como a Cidade Celeste, a eterna Nova Jerusalém, na qual, após o Juízo Final, os fiéis se erguerão para a vida eterna e para a luz. Na Lua, as torres de ouro da cidade celeste eram vistas como a meta distante guardada por duas feras. Neste O Mundo, de um Tarô italiano do século XV, a cidade se mostra plenamente revelada (Fig. 83) apresentada e sustentada pelos dois gêmeos alquímicos do Sol, cuja união lhe possibilita a revelação.

Parece significativo que a versão de Marselha desta carta tenha abandonado o simbolismo tradicional, coletivo, da Jerusalém Celeste em favor de um enfoque mais individual e mais humano. Se, como dizem alguns, os albigenses criaram o Tarô como protesto velado contra a dominação da Igreja e suas fórmulas coletivas, afigura-se-nos provável que possam ter resolvido desenhar a revelação como a única experiência individual pintada na versão de Marselha. Em protesto contra a sociedade coletiva de hoje, Jung também sublinha a importância do ser humano individual como o único portador da consciência – o único instrumento dentro do qual e através do qual o eu se manifesta. "Só o indivíduo", diz ele, "faz história". O interesse de Jung, em todo o transcorrer da sua vida, centrou-se no destino do ser humano, "a unidade infinitesimal da qual depende o mundo, e na qual, se interpretarmos direito o sentido da mensagem cristã, o próprio Deus procura a sua meta".[6]

Muitas vezes aparece o Cristo na arte como símbolo do eu. Cristo foi expressivamente mencionado nas Escrituras tanto como Filho de Deus quanto como Filho do Homem, grifando assim a idéia de que o deus interior só pode ser trazido à luz através da consciência humana e manifesta-se de modo humano através das vidas de seres humanos individuais.

5. C. G. Jung, *Psychology and Religion: West and East,* C. W. Vol. 11, § 659.
6. C. G. Jung, *General Bibliography of Jung's Writings,* C. W. Vol. 19.

Fig. 83 O Mundo (Tarô Sforza)

A dançarina do Tarô não foi pintada contra um fundo específico. Sua iluminação não vem do raio, de alguma estrela, do Sol, da Lua, nem de uma presença angélica. Simbolicamente, o seu fundo de quadro é toda a parte e sua luz é universal. Tudo nesta carta se vê pelo prisma da eternidade no sempre presente agora. Quando ela se revela, o herói, como o poeta, não a vê *com* os olhos senão *através* dos olhos. Sua grinalda, com efeito, tem a forma de um olho, por cujo intermédio o homem vislumbra o milagroso. Para citar Fausset: "Só há um milagre no mundo: o do renascer da divisão para a totalidade." Individuação significa ser totalmente revelado como pessoa total – não perfeita, senão *completa*. Ser eterno, a dançarina já existia antes que existisse o homem, e representa a essência do homem, não um alvo chamando de fora, mas uma emanação que se desdobra desde o interior. Nela, o espírito está encerrado na carne – carne espiritualizada de tal forma que os dois interagem como um só. Sua presença não se manifesta através da morte do ego, mas através de uma humanização do eu arquetípico. Os seus dois bastões sugerem autofertilização – um diálogo constante entre todos os opostos, com o ego e o eu interagindo em equilíbrio dinâmico.

Embora andrógina, a figura do Tarô é retratada como predominantemente feminina, o que representa uma verdade psicológica, eis que o lado feminino tanto nos homens quanto nas mulheres está ligado à experiência do eu. No homem, a iniciação vem através da *anima;* na mulher, o eu é personificado em sonhos e outros materiais inconscientes na forma de figura feminina. Como mulher, o Mundo encerra dentro em si a semente de novo nascimento, pois a autocompreensão é um processo sempre evolvente, assim no indivíduo como na espécie humana em geral. A dançarina destina-se a continuar em movimento e desenvolvimento durante o tempo todo. Assim como a imagem do eu tem-se encarnado de várias maneiras no correr da história, assim este símbolo, sem dúvida alguma, passará também por muitos renascimentos e metamorfoses em gerações futuras. Visto ser uma figura arquetípica, as formas que assume a evolver serão sempre compensatórias para o ponto de vista consciente do meio cultural corrente. O atual renascimento da figura feminina talvez seja uma reação compensatória à degradação do elemento feminino em nossa cultura ocidental.

Em resposta a um desequilíbrio cultural semelhante, os alquimistas pintavam, não raro, uma figura feminina na mandorla. Chamavam-lhe *anima mundi*, ou alma do mundo. Concebiam-na como força engastada na matéria, que animava todos os corpos, desde as estrelas do céu até os animais, as plantas e os elementos da Terra. A tarefa de toda a vida do alquimista consistia em libertar a *anima mundi* do seu encarceramento na *prima materia* da natureza inconsciente. Que ela representava qualidades não dissimilares das do Mundo do Tarô evidencia-se pelo comentário de Jung a seu respeito: "A idéia da *anima mundi*", diz ele, "coincide com o inconsciente coletivo, cujo centro é o eu". Ele a caracteriza mais como "o guia da humanidade" que é, por sua vez, "guiado por Deus".

A despeito da ênfase que dá ao indivíduo como o único portador da consciência, Jung acentua repetidamente os efeitos dessa percepção individual sobre a comunidade. Individuação não é isolamento. A autocompreensão num indivíduo modificará, invariavelmente, aqueles com quem ele vive, e influirá na comunidade, acarretando também mudanças sociais. Não que uma pessoa que se autocompreende parta para criar uma nova sociedade; mas a sua iluminação interior brilhará inevitavelmente de tal sorte que arrastará outros em sua órbita. Uma nova compreensão do eu numa pessoa única lhe acenderá a reencarnação no meio coletivo.

"O aprofundamento e alargamento da consciência", diz Jung, "produz esse tipo de efeito, a que os primitivos davam o nome de 'mana'. É uma influência não intencional sobre o inconsciente de outros, uma espécie de prestígio inconsciente, e o seu efeito dura apenas enquanto não o perturba a intenção consciente."[7] Jung destaca a idéia de que, para ser eficaz, a influência do indivíduo precisa ser *não propositada*. O que não quer dizer, naturalmente, que tenha de ser caótica ou desorganizada. Pois, alhures, diz ele: "A resistência à massa organizada só pode ser levada a cabo pelo homem tão organizado em sua individualidade quanto a própria massa."[8]

Tanto a espontaneidade quanto a solidez desse tipo de influência são dramatizadas no conceito da *anima mundi*, muitas vezes representada por uma mulher nua no interior de uma elipse, cujos raios partem em todas as direções como explosão de energia (Fig. 84). Idéia semelhante se encontra na arte cristã, onde o Cristo é amiúde emoldurado por uma mandorla de raios de ouro, apresentando-se como revelação espiritual para a contemplação de todos. Em nenhum dos casos a figura central *cria* a própria auréola ou mesmo parece cônscia da sua existência.

Fig. 84 *Anima Mundi*

7. C. G. Jung, *Civilization in Transition*, C. W. Vol. 10, § 583.
8. *Ibid.*, § 540.

Às vezes surge o Cristo dentro de uma elipse formada pela Árvore da Vida. As duas metades da grinalda da mandorla de O Mundo talvez simbolizem os ramos da Árvore da Vida e da Árvore do Conhecimento seguramente entrelaçados para criarem um padrão unificado. Em A Estrela vimos as duas árvores ligadas, diretamente, apenas pelo enraizamento na terra comum e, indiretamente, pelo pássaro preto que voa de uma para a outra. Em O Mundo, os ramos dos dois opostos aparentes formam uma mandorla viva, símbolo da relação vital duradoura entre o corpo e o espírito, entre o prazer natural que proporciona ao homem o seu ser físico e o seu desejo, igualmente natural, de apreender o sentido da vida.

A idéia de que o espírito e a carne, o céu e a Terra, se relacionam um com o outro como partes iguais de um todo unificado é pictoricamente reiterada nos quatro cantos de O Mundo. Nos superiores, vêem-se dois seres alados e, nos inferiores, dois animais terrestres. Mandorlas do Cristo ostentam, não raro, figuras similares nos cantos. São as quatro "bestas" do Apocalipse. Simbolizam muitas coisas, entre as quais podem citar-se: as quatro direções, os quatro elementos, os quatro humores, as quatro funções junguianas, os quatro signos fixos, cardeais e mutáveis do zodíaco, os quatro Profetas e os quatro Evangelistas. Aqui estão uns poucos elementos específicos, que enriquecem o significado das figuras:

> O BOI representa a terra, Taurus, a estabilidade, a paciência, a perseverança e a substância pura. Está ligado a São Lucas, porque o Evangelho de Lucas enfatizou o trabalho de Cristo na Terra.
>
> O LEÃO representa o fogo, Leo, a criação, o espírito encarnado e a ressurreição. Está ligado a São Marcos.
>
> O ANJO representa o ar, Aquarius, a relação ideal, a busca da verdade, a fraternidade universal e a interação entre o conhecimento perfeito e a perfeita forma. Está ligado a São Mateus, e aparece em forma humana porque São Mateus pôs em destaque a genealogia de Cristo.
>
> A ÁGUIA representa a água e Scorpio (pois é Scorpio erguido). Representa o poder emocional, a morte e a regeneração. Está ligada a São João, visto que o seu interesse especial eram a inspiração e a natureza divina de Cristo.

Os quatro montam guarda e testemunham a dança da vida. Juntos formam um quadrado que contém, no interior, a mandorla. O desenho global da carta, que é essencialmente um círculo dentro de um quadrado, reúne a realidade terrena e a celeste, o desenvolvimento presente e o potencial futuro. Nas palavras de Walt Whitman:

> I am an acme of things accomplished
> And I am an enclosure of things to be.[9*]

9. Walt Whitman, citado por Ira Progoff em *Depth Psychology and Modern Man,* Nova Iorque, The Julian Press, Inc., 1959, pág. 90.

* Sou um ápice de coisas realizadas/E sou um cercado de coisas que serão.

Na alquimia, o milagre da autocompreensão, a união harmoniosa da verdade terrena e da celeste, chamava-se "a quadratura do círculo". Significava a idéia de que o impossível, pela graça de Deus, se realizava, que o misterioso poderia, de fato, ser "enquadrado" na realidade física. Eis um exemplo, uma representação alquímica (Fig. 85) da quadratura do círculo. Aqui um homem e uma mulher aparecem dentro do círculo, e a idéia era de que, quadrando o círculo, o alquimista uniria os dois num todo só. Motivo semelhante se retrata nesta antiga versão francesa de O Mundo (Fig. 86). A filosofia e a ciência moderna caminham agora para a quadratura do círculo, para a síntese do mundo milagrosamente intuído dos místicos e do mundo científico da observação explícita.

Fig. 85 Quadrando o círculo

O princípio da Incerteza de Heisenberg destruiu muitos limites fixos com que o homem marcava vários aspectos da realidade, e a incerteza se reflete na linguaguem da ciência de maneira surpreendente. Visto que agora se aceita que as partículas subatômicas não podem ser definidas com exatidão no tempo e no espaço, os físicos dizem hoje delas que têm "tendência para existir". Seguindo esse raciocínio até a sua conclusão lógica, chegamos à aterradora compreensão de que nós também temos "*tendência* para existir". As diminutas partículas que constituem nossos corpos estão em constante interação com as que compreendem as pessoas e objetos que nos cercam. Assim como interagimos constantemente com o meio através da respiração, da transpiração e da eliminação, assim também nossos corpos, aparentemente sólidos, estão em constante interação com tudo o que nos cerca. Nossa existência como entidades individuais passou a ser, na melhor das hipóteses, mera probabilidade estatística.

Fig. 86 O Mundo (Antigo Tarô Francês)

Além disso, os físicos nos dizem que esse deprimente estado de coisas está aqui para sempre. Já que o homem, pelo simples fato de observar a matéria, a altera e distorce, não sabemos, e *nunca poderemos saber*, o que existe lá fora, se é que existe alguma coisa. Em resultado disso, até o conceito de um mundo "real" externo, como estímulo que "causa" o modo com que vemos o mundo, é tão místico e não-científico quanto as outras maneiras de encarar a realidade.

Hoje se perderam todas as nossas distinções entre interior e exterior, meu e teu, passado e presente. A física moderna tornou-se cada vez mais mística, ao passo que os sonhos, as visões e outras experiências chamadas místicas se tornaram cada vez mais aceitas como fatores importantes da realidade. Ao que parece, toda a experiência humana está-se fundindo para transformar-se num mundo.

Esse mundo é agora compreendido como um estado contínuo de vir-a-ser, um processo constantemente evolvente, do qual faz parte cada entidade aparentemente discreta (rocha, planta, animal ou humano). Isso, não no sentido de que o universo é um gigantesco quebra-cabeça do qual cada um de nós representa um pequeno segmento, senão que cada entidade discreta é, de fato, *o mundo inteiro*. Assim como, por meio da técnica da holografia podemos criar uma imagem inteira partindo de um minúsculo segmento, assim também, dentro de cada um de nós está contido o universo inteiro.

Muito antes do advento da física subatômica, místicos, poetas, artistas e filósofos de muitas culturas ligavam-se intuitivamente ao *unus mundus* que jaz debaixo das "dez mil coisas" da nossa experiência cotidiana. Que cada indivíduo *é* este mundo em microcosmo foi belamente expresso na escrita cabalística. Vale observar que, ao tentarem registrar essa experiência espiritual, escritores de todos os antecedentes culturais parecem empregar metáforas semelhantes para captar a essência indescritível do coração de toda a vida. É também surpreendente – embora compreensível – que escritores de uma disciplina recorram à linguagem de outra, totalmente estranha a eles, a fim de conciliar os opostos. Isso é particularmente evidente nos escritos contemporâneos, em que físicos que chegaram à experiência por meio da observação do mundo exterior escrevem sobre ele em linguagem mística, ao passo que os psicólogos analíticos (notadamente Jung) que chegaram às suas conclusões pela observação do mundo interior recorrem, não raro, à metáfora da ciência física para descrever seus descobrimentos.

De vez em quando, tanto o físico quanto o psicólogo escrevem como poetas, ao passo que os próprios poetas tentam, por vezes, casar o quadrado com o círculo na linguagem da geometria. O denominador comum de tudo isso, como mostra o nosso Tarô, é a imagem: Um Mundo.

No nível mais profundo do ser, é, de fato, um mundo. Aqui estão uns poucos exemplos da sua linguagem universal. O primeiro foi escrito por Erwin Schrödinger, físico, vencedor do prêmio Nobel pela sua pesquisa nesse campo:

> ... por inconcebível que isso possa parecer à razão comum, você – e todos os outros seres conscientes – são de suprema importância. Daí que a vida que você está vivendo não é tão-somente uma peça da existência inteira, mas é, em certo sentido, o *todo*; só que esse todo não se constitui de modo que possa ser inspecionado num único olhar. Isso, como sabemos, é o que os brâmanes expressam com a fórmula sagrada, mística, que é, na realidade, tão simples e tão clara. *Tat twam asi*, isto é você. Ou, assim: "Estou no leste e no oeste; estou embaixo e em cima, *sou todo este mundo*."[10]

10. Erwin Schrödinger, *My View of the World*, Cambridge University Press, 1964, págs. 21, 22.

Abandonando para sempre o conceito de uma realidade física externa confirmada pela observação objetiva, Schrödinger opta pelo mundo psíquico. Diz ele: "Se decidirmos ter apenas uma esfera, terá de ser uma esfera psíquica, visto que ela existe como um dado para toda a experiência." E amplia a afirmação no trecho seguinte:

> ... se, sem nos envolvermos numa tolice óbvia, formos capazes de pensar de modo natural a respeito do que acontece num ser que vive, sente, pensa ... então a condição para o fazermos é pensar em *tudo* o que acontece como se acontecesse em nossa *experiência* do mundo, sem atribuí-lo a nenhum substrato material como se fosse o objeto do *qual* é uma experiência; um substrato, na verdade, total e inteiramente supérfluo.[11]

Ouçam agora C. G. Jung, muitas vezes chamado de místico (e isso quando o misticismo era considerado por alguns um pecado mortal):

> A unicidade da psique é de tal magnitude que nunca se poderá imaginá-la inteiramente real, pois só pode ser compreendida aproximadamente, embora ainda seja a base absoluta de toda a consciência. As "camadas" mais profundas da psique perdem a unicidade individual à medida que se recolhem cada vez mais à escuridão. "Descendo mais baixo" – isto é, à proporção que se aproximam dos sistemas funcionais autônomos – tornam-se cada vez mais coletivas até que se universalizam e extinguem na materialidade do corpo, ou seja, nos corpos químicos. O carbono do corpo é simplesmente carbono. Portanto, "no fundo", a psique é simplesmente "mundo".[12]

À diferença de Schrödinger, no entanto, Jung não abandonou um aspecto do mundo em favor do outro. Caracteristicamente, conseguiu encontrar o *tertium non datur* na camada psicóide do ser, onde os dois mundos poderiam conciliar-se. Diz ele:

> Claro está que há pouca ou nenhuma esperança de que o Ser unitário possa um dia ser concebido, visto que os nossos poderes de pensamento e linguagem só nos permitem asseverações antinômicas. Mas isto, pelo menos, sabemos fora de qualquer dúvida: a realidade empírica tem um fundo transcendental – fato que, como *Sir* James Jeans demonstrou, pode ser expresso pela parábola da caverna de Platão. O fundo comum de microfísica e psicologia de profundidade é tão físico quanto psíquico e, portanto, nem uma coisa nem outra mas antes uma terceira coisa, uma natureza neutra que pode, quando muito, ser apreendida em insinuações, uma vez que em essência é transcendental.[13]

11. *Ibid.*, págs. 66, 67.
12. C. G. Jung, *Psychological Reflections*, pág. 39.
13. C. G. Jung, *Mysterium Coniunctionis*, C. W. Vol. 14, § 768.

Gerações de homens e mulheres tentaram conciliar o quadrado fixo da realidade terrena com o movimento circular do infinito. Aqui Dante descreve sua luta com o enigma do universo. Como quase todos nós, primeiro tentou aproximar-se dele através da mente pensante:

> Como o geômetra aplica a mente
> A quadrar o círculo e, apesar de toda a inteligência
> Não encontra a fórmula certa, por mais que tente,
>
> Assim lutei com aquele prodígio – como adequar
> A imagem à esfera: assim busquei ver
> Como mantinha nele o ponto de repouso.

E, como quase todos nós, chegou a um impasse. Depois, quando já havia aberto mão da esperança, a iluminação surgiu de improviso, pela graça de Deus. E ele descobriu que o Amor divino era a chave do mistério da vida:

> Minhas, porém, não eram as asas para um vôo desses.
> Entretanto, como eu desejava, a verdade apareceu
> Fendendo-me a mente com um grande fulgor de luz.
>
> Aqui meus poderes descansam da alta fantasia
> Mas eu já podia sentir meu ser feito
> Instinto e intelecto igualmente equilibrados.
>
> Como numa roda cujo movimento nada fere
> O amor que move o Sol e as outras estrelas.[14]

Quadrar o círculo é o problema universal da humanidade. Temos visto poetas, filósofos, cientistas, artistas e psicólogos lutar com ele, e sabemos que cada um de nós também precisa encontrar sua própria chave para a geometria da vida. Observamos que as cartas do Tarô apresentaram a confrontação do herói com essa charada eterna. E acompanhamos os motivos dos opostos quando se defrontaram com ele em várias fases da jornada, até alcançarem a solução em O Mundo.

Se olharmos para o Mapa da Jornada (Fig. 3), veremos que a carta final de cada uma das três fileiras horizontais dramatiza uma fase específica do progresso do herói, e que as três cartas em seu eixo vertical estão ligadas uma à outra e a outras ao longo do caminho. No topo da fileira vertical está O Carro, cuja figura central não é um ser humano nu, mas um rei a ostentar as insígnias reais, rigidamente colocado acima da terra, separado dos opostos da natureza instintual (representados pela parelha mal combinada de cavalos) com os quais não tem contato direto. Os quatro pontos da sua bússola foram pintados como quatro postes rígidos que o aprisionavam dentro de um pequeno espaço quadrado. O seu dossel protetor interceptava a iluminação vinda do

14. Dante, "O Paraíso", *A divina comédia*, Nova Iorque, W. W. Norton Co., Inc., 1977, págs. 139-146.

alto. Parecia óbvio que, se bem o nosso herói houvesse embarcado numa jornada, esta era, nesse ponto, uma excursão do ego. Se ele se supunha o auriga real, estava destinado a experimentar muitas humilhações ao longo do caminho.

Vimos algumas dramatizadas pelo Enforcado e pela Morte. Na Temperança, porém, a carta que fica imediatamente abaixo do Carro, tudo o que estava de pernas para o ar, estagnado e desmembrado, parecia fluir mais uma vez na figura de um anjo que derramava uma essência líquida de um recipiente em outro. Nesse ponto, as energias do herói, anteriormente dedicadas ao desenvolvimento do ego e à conquista do mundo exterior, principiaram a voltar-se para o desenvolvimento interno. Mas a figura que presidia à mudança não era um ser humano; era um anjo, figura arquetípica simbolizando um movimento que se verifica no inconsciente profundo. Antes de poder dar tento dessa presença divina em seu interior, o herói precisa passar por nova depressão e treva, até pelo perigo da psicose, como vimos em A Lua, cujo nome, Luna, pode significar lunatismo.

A última fieira do mapa retratava diversas fases de iluminação, desde a confusão luciferina até a ofuscante luz solar da áurea compreensão. Agora o herói emerge num mundo novo, cujo brilho delicado reflete elementos de tudo o que ocorreu antes. Visto que esta carta remata a série, pode parecer curioso que o seu número, vinte e um, não a assinale como uma das cartas-semente numericamente redutíveis a dez, concluindo assim uma fase específica de desenvolvimento. Mas pensar nesses termos seria não contar com a influência do Louco, cujo número zero lhe conferia privilégios e poderes especiais. Ele nos iniciou na jornada, e apareceu rápida e inesperadamente nas outras cartas, de tempos a tempos, às vezes para caçoar do herói, às vezes para sustentá-lo ao longo do caminho. Neste momento, sem dúvida, está esperando, invisível, nas asas que conduzirão o viajor de volta a nova confrontação com o Mago, e a novo começar no labirinto interminável da individuação.

Observamos que o Louco conseguiu estar presente em momentos importantes da jornada do Tarô; é fácil, portanto, imaginá-lo por perto, fora do alcance da câmara, para testemunhar o nascimento do eu. Nas pinturas que representam o nascimento de Jesus, um louco, de fato, aparece muitas vezes de várias maneiras, em atitude de adoração diante da manjedoura. A *Adoração na Manjedoura,* de Ferrari (Fig. 87) mostra o Louco maravilhado diante da Natividade. Expressivamente, esse momento de iluminação espiritual não acontece em algum cimo nu de montanha, mas nasce numa manjedoura. Nesse sentido, é importante observar que o cachorro do Louco também participa da experiência. Num certo nível de compreensão isso parece apropriado porque, sem a proteção e o guiamento do seu equivalente animal, o Bufão jamais encontraria o caminho da manjedoura. A pintura de Ferrari, todavia, também oferece outra introvisão possível: se o Louco tivesse rejeitado o seu "eu bestial" nesse momento supremo, ele mesmo teria ficado incompleto e deficiente. O artista pode estar-nos dizendo que só os puros de espírito e perfeitos de coração podem entrar no Reino Celestial com os Sábios.

Mas, como sabemos, o Louco nunca fica por muito tempo no mesmo lugar. Não tardará que o nosso mascotezinho, *l'ami de Dieu,* o amiguinho de Deus – e nosso – se mostre impaciente por partir, induzindo-nos a fazer com ele uma nova viagem por novas dimensões da percepção. Como nos mostrou o Tarô, a vida é processo, a vida é movimento; a serenidade não consiste em estar livre da tempestade, mas em equilíbrio no centro. Daí que O Mundo não possa ser o produto final das viagens do herói. É, antes, a imagem que o inspirou a empreendê-las. Jung resumiu-o desta maneira:

Fig. 87 Adoração na Manjedoura (Gaudenzio Ferrari, c. 1545-6)

A completa redenção dos sofrimentos deste mundo é, e precisa continuar sendo, uma ilusão. A vida terrena de Cristo também não terminou em bem-aventurança complacente, mas na cruz. A meta só é importante como idéia; o essencial é o *opus* que conduz à meta: *essa* é a meta de toda a vida.[15]

15. C. G. Jung, *The Practice of Psychotherapy*, C. W. Vol. 16, § 400.

25. Ao Deitar as Cartas

Nos capítulos anteriores discutimos o simbolismo do Tarô e sugerimos algumas técnicas para usar as cartas a fim de ajudar-nos em nossa vida de todos os dias. Outra maneira de usar o Tarô para introvisão e crescimento pessoais é deitar e "ler" as cartas. Ao lê-las, fazemos uma pergunta, em seguida distribuímos um número específico de cartas segundo determinado padrão e estudamos o seu simbolismo e sua relação umas com as outras, no intuito de encontrar uma resposta à nossa pergunta. Aqui discutiremos as implicações filosóficas do carteamento, algumas técnicas para interpretar as respostas das cartas e sugeriremos um método de dispô-las com essa finalidade.

É CARTOMANCIA?

A sua primeira associação com o "carteamento" ou "leitura" das cartas foi, provavelmente, a *cartomancia*. De qualquer maneira, foi a minha. Nunca, porém, usei as cartas para predizer acontecimentos específicos futuros para mim ou para outrem. Acho que fazê-lo, de um modo ou de outro, sobre não ser útil, pode revelar-se prejudicial. Ao invés disso, vejo as cartas como imagens simbólicas de forças arquetípicas que operam em todos os aspectos da vida em várias ocasiões – forças que exigem nossa atenção *agora* no momento presente. A página 370 mostra um diagrama do carteio que utilizo, em que vocês verão posições assinaladas como Passado Recente, Presente, Futuro Imediato e O Ano que Vem. Seja qual for a carta que caia no Passado Recente tomo-a como símbolo de uma força arquetípica dominante nos últimos meses. Vejo o Presente como força atualmente ativada, e a carta marcada Futuro Imediato como influência que está principiando a surgir no horizonte. Essa imagem futura, por seu turno, logo cresce e declina, dando lugar à carta marcada O Ano que Vem, que fala de uma influência mais consistente, que brilhará no fundo durante todo o ano seguinte.

Localizada no centro das quatro cartas está uma posição marcada como A Sua Carta, que representa a situação psíquica do perguntador em relação à vida de um modo geral no momento presente. Fica no centro porque é de especial importância, e porque sua relação com as outras cartas é fundamental para a leitura como um todo. As cinco cartas falam principalmente da situação geral do perguntador em todos os aspectos de sua vida, incluindo, naturalmente, a pergunta formulada; mas não respondem especificamente a ela.

As quatro cartas marcadas como O Oráculo dizem respeito à pergunta feita. A carta que está sozinha no grupo, chamada O Indicador, responde à pergunta. As outras modificam, expandem ou ampliam a resposta.

Quando digo que não uso as cartas para predizer eventos futuros, não quero dizer que uma interpretação simbólica não tenha relação com acontecimentos externos que possam verificar-se no futuro. Naturalmente, qualquer técnica que expanda a autocompreensão no presente terá profundas implicações para o futuro. Quando emergimos de um encontro iluminador com o inconsciente, já não somos, literalmente, a pessoa que éramos uma hora antes. Às vezes, avançamos resplandecendo com um grande Aha! – com luzes coruscando e sinos bimbalhando. Mais freqüentemente, contudo, experimentamos uma reação retardada, voltando ao nosso curso diário com o bolso cheio de pequenas introvisões – minúsculas mudas que se desenvolvem devagarinho nos dias e semanas que se seguem. Sejam quais forem, porém, as idéias e intuições que chegarem, efetuarão, sem dúvida, uma mudança em nossas imagens interiores e em nosso comportamento manifesto, e essas novas maneiras de sermos e nos comportarmos suscitarão novas reações das pessoas e situações à nossa volta. O que é mais importante, à medida que evoluímos e mudamos, novas avenidas de interesse, novos contatos e novas opções se abrirão, de modo que não somente tornaremos à antiga vida de um modo novo, mas também começaremos a atrair, de muitas formas, uma vida inteiramente nova. Vendo as coisas desse jeito, podemos dizer que a leitura do Tarô, mais simbólica do que literalmente, não prediz um futuro determinado; antes, nos oferece oportunidades de participarmos da criação de um futuro novo e imprevisível.

INTERPRETAÇÕES: PROFÉTICA VERSUS SIMBÓLICA

Existem, é claro, muitos casos em que podemos observar retrospectivamente que uma interpretação profética das cartas teria sido absolutamente correta se o acontecimento assim "previsto" viesse, de fato, a acontecer. Sinto, todavia, que uma interpretação profética, por mais verdadeira que possa revelar-se no nível manifesto, não capta a verdade interior que buscamos numa leitura do Tarô, e desvia-nos a atenção da verdadeira autocompreensão.

Permitam-me ilustrar o que acabo de dizer com um exemplo específico tirado da minha experiência pessoal como consulente do Tarô. Ele envolve o naipe de Moedas ou Dinheiro, o qual, com exagerada presteza, se presta a uma interpretação profética de "boa sorte" no nível literal. Lembro-me de um carteamento assombroso em que as moedas apareceram três vezes: uma vez como o Futuro Imediato, outra vez como O Ano que Vem, e uma terceira vez como O Indicador. Embora a tentação de fazê-lo fosse quase irresistível, nem a minha cliente nem eu discutimos as moedas como predições de riqueza monetária futura. Encaramo-las como representações simbólicas de energia outrora engastada na terra preta do inconsciente, mas agora extraídas, cunhadas, polidas e prontas para o uso. Minha cliente interpretou o desenho da mandala das moedas como símbolo do eu mais profundo. Observou que o Ás de Moedas tinha duas "alças" e, a seu ver, as duas alças poderiam ajudá-la a captar uma nova "compreensão áurea" e usá-la de maneira criativa. Notou que havia uma alça de cada lado da moeda, o que lhe dava a entender que a nova compreensão poderia ser captada e mantida conjuntamente com outra pessoa. Ligou essa interpretação a uma pessoa específica com a qual se desaviera. Visto que a sua relação com a pessoa envolvia, entre outras coisas, problemas financeiros, discutimos as moedas como se representassem dinheiro; mas ainda não as encarávamos profeticamente como arautos de uma boa sorte futura inesperada. Interpretamo-las como se o Tarô estivesse apresentando as moedas de modo que lhe chamasse a atenção para a necessidade de tornar-se mais consciente no tocante ao dinheiro. Uma carta sobretudo, o Valete de Moedas, parecia à minha cliente estar segurando uma moeda para a sua inspeção, como se lhe perguntasse: *Como é que você se sente em relação ao dinheiro? Anseia por ele, despreza-o, tenta erguer-se acima dele, ou o quê?* Enquanto ela procurava respostas às perguntas, descobriu que nunca, até então, explorara realmente os seus sentimentos a respeito do dinheiro. Se bem não fosse rica, sempre vivera em boas condições financeiras, sem receio de uma pobreza abjeta e sem perspectivas de riqueza futura. Nunca se detivera para pensar como seria ver-se desesperadamente pobre, e tampouco examinara as oportunidades que uma grande riqueza poderia oferecer-lhe e as responsabilidades que o fato de possuí-la acarretaria.

Enquanto começava a tecer fantasias acerca dessas coisas, chegou à conclusão de que, de certo modo, talvez lhe fosse mais fácil enfrentar a pobreza do que uma enorme fortuna. Conquanto lhe parecesse que, em certas áreas da vida, acolheria com prazer a oportunidade de um aumento de lazer e as escolhas mais amplas que a riqueza oferece, também se lhe afigurava que acharia os horizontes mais dilatados tremendamente ameaçadores e desconcertantes. Para ela, o ser capaz de dizer *sim* a cada oportunidade que se apresentasse a racharia, como ela mesma disse, "em dezessete direções". Contou-me, por exemplo, que adorava viajar e estava certa de que, se tivesse recursos para fazê-lo, sentir-se-ia tentada a passar a vida em cruzeiros intermináveis em detrimento da sua jornada interior, que era agora o foco principal de sua vida. Achava também que poderia não apreciar esses cruzeiros porque se sentiria sempre culpada por gastar todo aquele dinheiro consigo mesma "enquanto tantos milhões estavam morrendo de fome".

Passamos os poucos minutos restantes da hora discutindo esse sentimento de culpa. Dar-se-ia (especulamos) que ela se sentiria culpada pelos "milhões que morriam de fome" (e pelos quais poderia fazer relativamente pouco)? Ou o sentimento de culpa estaria mais ligado ao seu descaso do eu mais profundo (e pelo qual poderia fazer muita coisa)? Ficamos as duas tão absortas na discussão que passamos juntas o tempo sem um único olhar na direção da "herança inesperada", que é o trunfo mais do que esperado de toda cartomante cigana.

O mais interessante é que, nesse determinado caso, uma predição cigana dessa natureza teria sido verdadeira. Poucos meses após a leitura do Tarô, minha cliente recebeu, com efeito, substancial importância em dinheiro, não através de alguma herança, mas de uma fonte totalmente inesperada. Quando ela me telefonou para dar-me a notícia da boa fortuna, também me fez uma queixa. *Por que você não me disse?* perguntou-me. A resposta é dupla e muito simples. Primeiro que tudo, eu não sabia. No que concerne aos sonhos proféticos, apenas a retrospecção oferece 20/20 de visão. Mas, o que é mais importante, ainda que estivéssemos absolutamente certas do seu resultado, que utilidade teria, *especificamente, uma predição dessa natureza?*

Como meio de responder à pergunta, passamos revista, juntas, às cartas do Tarô que ela tirara em seu carteamento e à nossa discussão anterior sobre elas. Parecera-lhe útil em relação à riqueza recém-descoberta? (perguntei). Não teria sido possível que uma interpretação profética tivesse um efeito negativo? Não teria sido possível, por exemplo, que isso a induzisse a devanear naquele pote de ouro na ponta do arco-íris, podendo ter começado a levar o que Jung denominou "a vida provisória", em vez de voltar simplesmente às atividades usuais com umas poucas introvisões novas (como de fato aconteceu)?

Ainda que a minha amiga achasse que a nossa discussão anterior havia sido, com efeito, excelente preparação para o seu ganho financeiro inesperado, não conseguia aceitar a idéia de que uma leitura profética teria sido prejudicial. Havia um ponto, contudo, a cujo respeito estávamos ambas perfeitamente de acordo: se eu tivesse feito predições de riqueza futura que não viessem a concretizar-se, ela teria, de fato, razões de queixa!

Há muitas situações em que uma interpretação literal ocasiona um mal muito maior do que no caso supracitado. Uma delas é um carteamento em que aparece uma carta que nos lembra vigorosamente alguém que conhecemos e que se comporta de maneira tão característica que a imaginamos real. Se, de acordo com a nossa interpretação, essa carta significar que a pessoa em apreço está agindo, ou agirá, como a figura parece indicar, estaremos em dificuldades. Em primeiro lugar, porque a falsa suposição alterará nosso próprio comportamento em relação a ela e acionará uma reação em cadeia que poderá revelar-se prejudicial ao nosso relacionamento.

Quando digo "falsa suposição" não quero dizer necessariamente que a pessoa em tela não possa comportar-se, em certos sentidos, da maneira que o Tarô parece indicar que ela se comportará. Pode ser ou pode não ser esse o caso; mas essa não é a questão mais importante. Quando me refiro a "falsa suposição", refiro-me à idéia enganosa de que a carta diante de nós apresenta uma relação direta com uma pessoa real na vida exterior. Claro está que ela não é esse ser humano; nem é sequer uma fotografia dele. O que aqui vemos espelhado é a *nossa própria* experiência subjetiva – a *nossa* imagem dessa pessoa, baseada em *nossa* reação a experiências passadas que tivemos com ela.

Quando nos sentimos tentados a encarar uma carta demasiado literalmente, é importante não esquecer que nem nós, nem o Tarô, temos o poder de predizer o comportamento futuro. Não podemos prever as ações de outra pessoa; não podemos alterar-lhes diretamente o curso; não podemos preparar-nos especificamente, de forma antecipada, para lidar com elas. Mas podemos modificar-nos. Podemos alterar nossas imagens a respeito de outros e, ao fazê-lo, modificar nosso comportamento em relação a eles. Ao fazê-lo, influímos na atitude deles para conosco. O caso hipotético seguinte ilustrará alguns problemas envolvidos em confundir um personagem do Tarô com um ser humano específico, e explorará algumas técnicas para alterar imagens interiores que as cartas suscitaram.

Imaginemos que o Cavaleiro de Espadas apareça em seu carteamento. Você já está familiarizado com o significado simbólico do interrogativo Cavaleiro tal como surgiu em nossa discussão a propósito do Cavaleiro de Ouros; e nos capítulos sobre o Imperador, a Justiça e o Carro, tocamos no simbolismo das espadas e dos cavalos. Embora tenhamos excelente trampolim para contemplar o Cavaleiro de Espadas simbolicamente, acharemos difícil fazê-lo neste caso porque (vamos supor) essa figura do Tarô nos parece o retrato vivo de uma pessoa com a qual estamos atualmente envolvidos. Digamos que o Cavaleiro do Tarô é, para nós, um homem muito decidido, agressivo, que investe cegamente com a lança em riste, e cujo temperamento e procedimento nos lembram muitíssimo determinada pessoa, que, a nosso ver, nos atacou e feriu em muitas ocasiões.

Imaginemos ainda que o Cavaleiro de Espadas caiu na posição marcada Futuro Imediato, bem à direita de A Sua Carta, de modo que parece estar carregando, com a lança erguida, diretamente – contra nós! Nessa situação, a tentação de interpretar a carta literalmente é quase irresistível. Parece ser tão convincente quanto uma fotografia real da pessoa em questão procedendo, ou preparando-se para proceder, exatamente como a vemos retratada.

"Oh, oh", dizemos a nós mesmos, "lá vamos nós outra vez!" Concluímos que o Tarô predisse outro ataque contra nós, e começamos a reviver ocasiões passadas em que essa pessoa ofendeu o nosso ego, feriu o nosso orgulho, machucou os nossos sentimentos ou, de outro modo, "acabou conosco". Enquanto estamos ali sentados, lambendo velhas feridas, sentimos que a cólera, a hostilidade, a vingança e outras emoções dessa ordem nos sobem à garganta. Com esse espírito começamos a preparar-nos para o próximo ataque (que agora tomamos por um resultado inevitável).

A maneira com que nos aprestamos para o ataque dependerá, naturalmente, do nosso temperamento e do nosso estado de espírito no momento. Poderemos, por exemplo, montar a cavalo com os olhos chispando e a lança na mão, decididos a procurar aquele "sujeitinho desprezível" e fazê-lo em pedaços "em legítima defesa". Está claro que, se seguirmos esse curso, nós mesmos começaremos a ficar parecidos com aquele "inimigo desprezível", o qual (como acabamos de observar) está prestes a infligir dano – não a si mesmo – mas a nós!

Se formos uma pessoa de temperamento mais retraído, preparar-nos-emos, provavelmente, para o suposto ataque do Cavaleiro de outras maneiras. Por exemplo, em lugar de mobilizar nossas energias para investir, podemos retirar-nos completamente da luta. Tendo isso em mente, começamos a arquitetar planos complicados para evitar, a qualquer preço, o encontro com o adversário. Se optarmos por um procedimento dessa natureza, o custo será deveras elevado. Ver-nos-emos, provavelmente, privados de muitas oportunidades criativas e torceremos nossa vida até deformá-la, e sem vantagem nenhuma. No fim, acabaremos encontrando o "Cavaleiro de Espadas", ou alguém muito parecido com ele. As matas estão cheias dele. Vive em toda a gente, em toda a parte, e até em nós, em você e em mim! Exatamente por isso sua imagem é tão compulsiva.

É manifesto que essa carta do Tarô não tem relação com nenhum ser humano específico. Retrata um tipo instintual de comportamento típico de todos os seres humanos, em toda a parte, entre os quais se incluem, sem dúvida, o nosso adversário e nós também. Esse Cavaleiro, portanto, retrata uma imagem arquetípica, uma imagem que, neste caso, projetamos numa pessoa específica.

Quando discutimos o mecanismo da projeção num capítulo anterior, notamos que se tratava de um mecanismo automático, inconsciente, e que as qualidades projetadas eram, de ordinário, as que existiam em nós mesmos e das quais estávamos relativamente inconscientes. Um bom primeiro passo para nos havermos com o Cavaleiro de Espadas é fazer uma pausa momentânea e darmos tento dessas qualidades latentes, que se encontram dentro de nós mesmos. Todo o mundo se sente agressivo e hostil em determinadas ocasiões. *Você está se sentindo assim agora?* Se não está, sem dúvida lembra-se de casos em que esteve. Se pode entrar em contato com alguns desses sentimentos em si mesmo, não deixará de mudar seus sentimentos a respeito da pessoa que você associa à carta. Mas carregando nas costas alguns desses sentimentos negativos, você aliviará a carga que ela andou carregando em seu lugar, e mudará sua imagem dela. Se puder fazê-lo, verá seu adversário a uma luz diferente. E agora talvez chegue à conclusão de que já não pensa nele como "o inimigo", senão como o "companheiro de sofrimentos", o "amigo" e até o "irmão".

Outra técnica para tratar dessa situação de maneira criativa é estudar o Cavaleiro de Espadas com muito cuidado em todos os pormenores. Se a associação que você estabeleceu entre ele e o seu adversário tiver sido instantânea, o mais provável é que você tenha tirado conclusões precipitadas, perdendo muitos detalhes importantes. Por exemplo, se presumiu que o Cavaleiro estava apontando a sua lança para você, olhe outra vez. *É esse mesmo o caso?* Visto menos emocionalmente, ele talvez pareça agora estar segurando a arma de maneira casual, com a mão esquerda (inconsciente). Os olhos dele talvez agora já não pareçam cravados em você como num alvo mas, ao contrário, dêem a impressão de estar perscrutando horizontes distantes. Afinal de contas, ele é um Cavaleiro empenhado numa busca. É até possível que esteja tão absorto em certa meta distante que não tem a menor consciência da presença de A Sua Carta em seu primeiro plano imediato. Ou, então, é tão dedicado a essa meta que, na medida em que se dá conta da existência de alguma coisa no primeiro plano, só a vê indistintamente, como algum objeto no caminho da sua "santa cruzada".

Um modo de explorar algumas dessas idéias mais plenamente pode ser escrever um dramazinho a respeito da gravura. Em que imagina você que pode consistir a busca do Cavaleiro? A figura central pintada em A Sua Carta tem consciência de estar no caminho do Cavaleiro? Poderia o "Sua" sair do caminho do Cavaleiro? Se não puder, não seria melhor que se pusesse a gritar e tornar o Cavaleiro ciente da sua existência antes de ser espezinhado e morto pelos cascos do cavalo? Se ele o fizesse, o Cavaleiro lhe daria atenção? Como procederia o cavalo se alguém em seu caminho gritasse por socorro? Você poderia até parar aqui e escrever um diálogo dramático que envolvesse o personagem Sua, o Cavaleiro e o cavalo.

Tendo refocilado o espírito com um pouco de fantasia, você pode agora voltar a atenção para o problema com o "Cavaleiro de Espadas" externo. Essa pessoa está metida também numa busca qualquer? A ser assim, qual supõe você que é a sua meta? Você será capaz de imaginar um jeito de ficar inadvertidamente no caminho dele? Você mesmo, em alguma ocasião passada, já "cavalgou" com tamanha intensidade que chegou a ter a visão de túnel? Pode lembrar-se de algum caso em que teria ferido inconscientemente alguém que se tivesse colocado em seu caminho?

Ser ferido por uma lança aguçada, naturalmente, dói, ainda que o golpe tenha sido sem querer. Mas se você tiver vagar para seguir algumas técnicas aqui descritas, provavelmente chegará à conclusão de que há muita inconsciência dos dois lados do problema. Se a relação for alguma a que você dá valor, e é muito provável que o seja, pois, caso contrário, a figura do Tarô não lhe teria despertado emoção tão profunda, o passo seguinte talvez seja ver a pessoa em apreço e partilhar com ela de alguns sentimentos que isso despertou em você.

Seguindo algumas técnicas aqui descritas, você descobrirá por si mesmo que, se se aproximar das cartas simbólica e não literalmente, provocará mudanças práticas e com os pé no chão, em sua vida de todos os dias. Quando projetamos uma qualidade arquetípica em outra pessoa e/ou nós mesmos reagimos a alguma situação de modo inconsciente, arquetípico, o Tarô nos oferece uma técnica para separar o arquetípico do pessoal e ajudar a todos os que estão envolvidos em sua própria humanidade.

Como já sabemos, as estampas do Tarô podem tornar-se alvos de toda a sorte de projeções; às vezes, parecem personificar qualidades diabólicas; outras, se diriam imbuídas de qualidades divinas. Em qualquer um desses casos, é importante desenredar o humano do arquetípico. No caso hipotético acima, o Cavaleiro de Espadas era visto como síntese de certas qualidades negativas (agressão, hostilidade, falta de consideração, e coisas assim). Para algumas pessoas, todavia, o mesmo Cavaleiro de Espadas pode apresentar-se como figura benigna ou até prestante. Uma pessoa assim veria no Cavaleiro a figura de um salvador, um corajoso cavaleiro que corresse na direção da Sua Carta para livrar o indagador de uma situação ameaçadora.

Você talvez seja uma dessas pessoas que encara o Cavaleiro de Espadas de maneira positiva. Você talvez imagine que isso "significa" que algum "cavaleiro" em seu meio exterior está prestes a salvá-lo de qualquer apuro em que você possa encontrar-se no momento. Pois imaginá-lo seria improdutivo de várias maneiras. Primeiro, porque a sua expectativa poderá não se cumprir e, segundo, porque, quando confia a alguém o papel de salvador está automaticamente confiando a si mesmo o papel de "vítima indefesa das circunstâncias", de alguém que pede a outros que o salvem, em lugar de procurar a própria solução aos seus problemas.

Aqui também a interpretação simbólica seria mais útil que a interpretação literal. Suponhamos que você tome esse Cavaleiro de Espadas por uma figura salvadora. Simbolicamente, portanto, isso representaria uma qualidade ou potencial arquetípico dentro de você. Sua tendência para projetá-la em outros indica provavelmente que essa qualidade jaz adormecida e não reconhecida em seu interior. O aparecimento da carta neste instante significa que o momento está maduro para você começar a reconhecer e desenvolver a qualidade inata. Como se lhe afigura que o "salvador" interior poderá ajudá-lo na situação, seja ela qual for, em que você se encontra? Poderia você usar a coragem dele só para colocar atrás de si alguma segurança desgastada e arremessar-se, temerário, à frente? Terá você mergulhado de tal maneira na rotina sem sentido da vida cotidiana que perdeu o contato com o espírito inquisitivo? De que modo, especificamente, poderia o Cavaleiro de Espadas interior ajudá-lo neste momento?

A fim de responder a essas perguntas, volte para a carta e estude-a minuciosamente, como descrevemos acima. Examine-a em conexão com A Sua Carta. A figura central desta última está precisando de ajuda? Se assim for, que pode fazer o Cavaleiro para ajudar? Imagine um diálogo entre as duas figuras, encarando os dois personagens como potenciais dentro da psique. Ou tente desenhar um retrato do Cavaleiro interior. Ele é parecido com o Cavaleiro retratado no Tarô ou é diferente dele? Se for diferente, em que sentido difere um do outro?

Às vezes, ao tentarmos dramatizar a situação apresentada pelo Tarô vemo-nos em dificuldade porque o personagem central de determinada carta não é pintado como ser humano. Na Roda da Fortuna, por exemplo, o personagem central é a Roda, e os demais parecem animais. Não importa. Escolha um dos animais, ou a própria Roda, e ensine-a a falar. O Tarô pinta um mundo mágico. Ao ingressar nesse mundo, nós nos tornamos mágicos e, quando voltamos mais uma vez à nossa realidade diária, permanecemos em contato com os muitos poderes mágicos disponíveis dentro da psique humana. Depois de uma jornada interior dessa natureza, costumamos não achar mais que somos vítimas das circunstâncias, como antes cuidávamos ser. Depois de estabelecermos contato com o salvador interior já não nos sentimos indefesos, à espera de uma salvação vinda de fora. Talvez o Cavaleiro interior, tão cheio de recursos, nos tenha mostrado um caminho para sairmos do aperto ou, se o problema for insuperável, talvez nos tenha infundido coragem para suportar o destino.

E A CARTA DA MORTE?

Toda a vez que a Morte do Tarô aparece num carteamento, propendemos a sentir-nos intranqüilos. É a carta que mais tememos tomar ao pé da letra; no entanto, é também a que mais nos tenta a fazê-lo. Para que você não tenha medo dessa carta, deixe-me tranqüilizar-lhe a mente relatando minha experiência com ela. Fazia muitos anos que eu lia o Tarô profissionalmente para clientes de todas as idades. Mantendo um registro de todos os carteios. A Morte surgiu neles inúmeras vezes, mas *nunca se soube que alguém que tirou essa carta viesse a morrer fisicamente.* Os dois únicos que, de fato, realizaram a transição não haviam tirado a Morte em seus carteamentos. Esses dois clientes eram duas mulheres idosas de introvisão e sabedoria inusitadas. Uma delas tinha noventa anos na ocasião da leitura. Quando olhamos para as cartas que ela tirara, minha cliente se mostrou surpresa pelo não-aparecimento da Morte, já que esta se achava tão obviamente "nas cartas" para ela. Depois de dar tratos à imaginação para decifrar-lhe o significado, chegamos à conclusão de que isso se dera porque ela, de fato, estava tão preparada para enfrentar a morte, e tão aberta a todas as formas de transição em sua vida, que o Tarô se escusara de apresentar o Sr. Inominável à sua consideração.

Em resultado das experiências (e outras foram, por exemplo, o aparecimento da Morte como Passado Recente, sem conexões correspondentes na realidade externa) tem-se a impressão de que o Tarô não quer que consideremos a carta em seu sentido literal, mas, antes, simbolicamente, no contexto da transformação em nossa vida neste planeta. Nada obstante, visto que a morte física é um fato da vida que todos teremos de enfrentar mais cedo ou mais tarde, parece também apropriado usar essa carta como trampolim para explorar nossos sentimentos em relação à morte. Existe, contudo, um mundo de diferenças entre preparar-nos para o fato conhecido da morte de um modo geral, e sermos aterrorizados por predições fantasmagóricas de condenação iminente, que podem não ter conexão imediata com a realidade.

PREDESTINAÇÃO OU LIVRE-ARBÍTRIO?

Se devêssemos prosseguir na discussão de leituras proféticas até a última conclusão, nós nos veríamos enredados no problema secular do fatalismo *versus* livre-arbítrio. As limitações deste livro impossibilitam tal discussão; mas eu gostaria aqui de formular algumas perguntas para que você refletisse sobre elas e partilhasse comigo de algumas das minhas respostas especulativas a elas. Essas perguntas nasceram de um breve encontro com um estranho e surgiram da seguinte maneira.

Certa noite, durante um jantar, vi-me sentada ao lado de um moço afável e extrovertido, que parecia muito à vontade consigo mesmo e com a vida em geral. Fiquei, portanto, muitíssimo surpresa quando ele me solicitou uma consulta do Tarô. Foi-me tão difícil imaginá-lo consultando as cartas que lhe perguntei, à queima-roupa, como imaginava que o Tarô poderia ajudá-lo.

"Oh", replicou ele, "é muito simples. Jogo na Bolsa de Valores e queria que o Tarô me indicasse as ações que devo comprar!" Repliquei, e não sem alguma aspereza, que o *meu* Tarô não se prestava a predições desse gênero e que, se o fizesse, eu não estaria ali sentada ao lado dele. Estaria, provavelmente, a bordo de um dos meus iates em algum lugar qualquer. O resto da noite se passou agradavelmente, sem novas solicitações de consulta ao Tarô.

Mais tarde, quando voltei para casa, passei parte da noite ruminando aquela conversação despreocupada. Que havia, exatamente, perguntei a mim mesma, de errado na expectativa do meu companheiro de jantar de que o Tarô pudesse predizer o movimento do mercado de ações? Claro o perigo manifesto de uma leitura incorreta das cartas mas, presumindo que pudéssemos afinar-nos exatamente com o conselho do Tarô, que mal haveria na idéia de que uma consulta ao Tarô a respeito de ações poderia torná-lo rico da noite para o dia?

Enquanto eu remoía o assunto, pareceu-me que a falha óbvia era esta: se as atividades futuras do mercado de ações fossem, de fato, predeterminadas e se informações exatas sobre o mercado do dia seguinte estivessem hoje à nossa disposição através do Tarô, nossos atos individuais em relação ao mercado de ações (e de tudo o mais) estariam, por força, programados e predeterminados de maneira semelhante. E, nesse caso, uma previsão do Tarô sobre o mercado seria inútil, visto que não possuiríamos a necessária liberdade de escolha para agir de acordo com os conselhos das cartas.

Deixem-me ilustrar o exemplo com o seguinte caso hipotético: Suponhamos que o meu antigo companheiro de jantar (que chamaremos de Jim) tivesse deitado as cartas do Tarô, recebido a clara mensagem de que as ações X quadruplicariam de valor no dia seguinte, e saísse dali imediatamente para o escritório do seu corretor com a firme intenção de aplicar suas economias naquelas ações. Consoante a nossa hipótese atual, Jim só poderia levar a efeito sua intenção *se estivesse predestinado a fazê-lo*. Se não fosse o seu destino prescrito comprar as ações X, ele *não* o teria feito, apesar do claro conselho do Tarô e da sua intenção confessada. Alguma coisa teria intervindo *en route* "por acaso" a fim de obstar-lhe ao exercício do "livre-arbítrio" na questão. Ou, inversamente, se o seu destino fosse comprar ações X, ele seguramente as compraria, tivesse ou não consultado o Tarô.

É claro que, fosse qual fosse o modo com que isso acontecesse, Jim teria conservado a ilusão do "livre-arbítrio". Digamos que ele *não* comprasse ações X. Ao ser interrogado mais tarde, dir-nos-ia, sem dúvida, que "mudara de idéia" e "escolhera outro curso de ação", e que o fizera voluntariamente e por excelentes razões. E passaria a enumerar as "excelentes razões" da maneira mais convincente possível.

Quer-me parecer que a dificuldade existente nas explicações racionais de Jim é esta: se tivermos de conceder-lhe a preciosa "liberdade de escolha", teremos de conceder ao mercado de ações um privilégio semelhante de "mudar de idéia" na hora H, e de favorecer ações diferentes daquelas cujo valor prometera o Tarô fazer subir. É evidente que não podemos esperar que o mercado, neste intervalo, permaneça imóvel para Jim, deixando-o perfeitamente livre para vagabundear pelo país, com liberdade para fazer todas as novas escolhas que acertem de atrair-lhe a "lógica" e o "intelecto"! Ou (para olharmos por um momento para o outro lado da moeda), se presumirmos que as futuras atividades do mercado de ações serão predeterminadas – e pudermos confiar no que quer que elas prometam ao Oráculo do Tarô – teremos, forçosamente, de figurar que as atividades do nosso amigo em relação a mercado serão da mesma forma predeterminadas. Não vejo como poderemos tê-lo de ambos os modos.

Mas agora chega de casos hipotéticos. Estou certa de que cada um de nós pode lembrar-se de escolhas que fez e que (por mais racionais que parecessem na ocasião), vistas retrospectivamente, parecem (já que estamos pensando nisso) emaranhadas numa teia de coincidências impressionantes. De ordinário, contudo, só "vamos pensar nisso" muito mais tarde.

A eterna questão do destino contra o livre-arbítrio vem sendo ventilada há muitíssimo tempo. Está visto que não poderá ser resolvida por nós aqui e agora – nem nunca talvez por nenhum ser humano. Na medida em que o assunto não se presta a um exame em condições controladas, parece que, seja qual for o lado para o qual nos voltarmos, teremos pela frente uma hipótese não resolvida. Estamos, portanto, destinados (ou predestinados?) a escolher o que quer que nos pareça certo.

Eu, por mim, não poderia viver criativamente (talvez nem pudesse viver de maneira alguma) com a idéia de um universo em que todas as ações – macroscópicas e microscópicas – estivessem fixadas *a priori* desde sempre. Não poderia medrar, a menos de sentir que havia alguma área, por limitada que fosse, dentro da qual eu estivesse livre para mudar, crescer e mover-me de maneira nova e imprevisível. E quanto a eventos no nível macroscópico, se eu tiver de imaginá-los instigados e mantidos por uma Força ou Inteligência Central Criativa, não consigo imaginar que as ações de um Criador assim sejam irrevogavelmente estabelecidas e para sempre fechadas a novos atos de criatividade!

Seja como for que decidamos visualizar e rotular esta Energia Central Criativa, parece evidente que já não podemos pensar no universo *tendo sido* criado por Seja Quem For, ou por Seja O Que For – quando quer que fosse. À luz da física moderna, vemos agora toda a espécie humana e tudo o que a rodeia mais como parte de um sistema de energia sempre mutável do que como produto acabado, produzido de uma vez por todas há muitos e muitos séculos. Se tivermos de conceder aos nossos eus humanos a latitude necessária para excogitar novas invenções – descartando-nos das velhas e produzindo as novas por combustão espontânea –, assim também devemos visualizar o universo como em permanente expansão, no eterno afã de destruir e recriar. Parece evidente que precisamos conceder à Energia Criativa a mesma latitude que concedemos a nós mesmos, nem que seja pela razão egoísta de que essa Energia Central – esse Atma – é o único manancial da nossa própria criatividade.

Dizer que achamos inaceitável a idéia de predestinação não quer dizer que optamos necessariamente por uma filosofia que pode ser descrita com a expressão "Livre-arbítrio". Como Jung deixa claro em toda a parte, e como este livro tentou demonstrar, nós, seres humanos, não somos inteiramente livres para escolher o nosso destino, nem pode a criatividade ser conscientemente alcançada pela força de vontade.

Pondo de parte o fato evidente de que o número de escolhas oferecidas a qualquer indivíduo durante a sua vida é necessariamente limitado, está-se tornando também cada vez mais patente que o nosso intelecto pensante e a nossa força de vontade desempenham um papel mínimo nas opções, sejam elas quais forem, que fazemos.

Se tivermos de rejeitar a hipótese da predestinação e também a noção de que a vida pode ser guiada pela razão, devemos então supor que vivemos à mercê de acontecimentos fortuitos onde (para parafrasear Einstein) "Deus joga dados com o universo"? Ou podemos, como Jung sugere, aceitar o fato de que a nossa mente raciocinante não é suprema e encontrar meios de interagir com o mundo irracional do inconsciente que, agora o compreendemos, desempenha um papel tão importante em nossa vida?

Isso não significa que, entrando em contato com o inconsciente através da análise dos sonhos, do I Ching, da astrologia, do Tarô, ou de outro meio qualquer, podemos evitar todas as doenças, tristezas, conflitos ou outros problemas angustiosos herdados pela carne. Mas é evidente que todos possuímos mais liberdade do que supomos para escolher, atrair e compreender os eventos que nos cercam, e que, quando começamos a crescer na percepção da nossa identidade, podemos também começar a escolher mais sabiamente e a aceitar situações em que, aparentemente, não temos escolha.

Voltando mais uma vez, que será a última, ao amigo Jim: Lamento agora tê-lo dissuadido de consultar o Tarô. Claro está que, se ele o tivesse feito, poderia ficar decepcionado ao saber que as cartas não são reguladas de acordo com as figuras na Mesa Grande e, portanto, não estão em condições de dar-lhe aquele "palpite quente sobre uma coisa segura" que ele supunha desejar. Mas é concebível que, consultando as cartas, ele entrasse em contato com aquilo a que anelava num nível mais profundo do seu ser. Não é improvável que emergisse de uma consulta ao Tarô nessas condições com mais perguntas – e estas mais relevantes para a sua vida do que aquelas com as quais começou. A experiência, pelo menos, tem-me ensinado que, embora um perguntador tenha, de início, achado a resposta das cartas decepcionante ou inexistente em função da pergunta formulada, acaba descobrindo (e isso, de ordinário, muito cedo) que a pergunta por ele apresentada ao Tarô já não lhe interessa tanto.

A conversa à mesa do jantar com Jim, acima descrita, registrou-se há muitos anos. Em resultado dela e das ruminações que evocou, nunca mais procurei desconvencer ninguém que quisesse fazê-lo de marcar uma hora para consultar as cartas, por mais frívolas que parecessem as razões da consulta. Há ocasiões em que os problemas de nossa vida só podem ser abordados, de início, na ponta dos pés, por assim dizer, e com um sorriso nervoso. Como também há decisões manifestas que talvez só possam ser encaradas com irreverência – decisões com tanta coisa para ser dita de ambos os lados que bem poderíamos tomá-las tirando, literalmente, cara ou coroa. Nessas ocasiões, lembro-me do axioma discutido em relação ao Enamorado do sexto Tarô: *O que* você faz é habitualmente menos importante do que *onde* você o faz. Quer-me parecer que o Tarô nos oferece a sua ajuda mais eficaz quando nos aproximamos dele menos em busca de conselho a respeito de opções externas, e mais com a idéia de aprofundar a plataforma para fazer tais escolhas.

Tendo esboçado a nossa filosofia pessoal em relação aos poderes oraculares do Tarô, apresentamos agora o nosso método de deitar as cartas. O método que emprego é o do Oráculo das Nove Cartas. Nunca tentei outro. Topei com ele "por puro acaso" no folheto de instruções que acompanhava um baralho do Tarô criado para fazer propaganda de certa marca de papel *couché*. Experimentei o carteio, gostei dele instantaneamente, e pronto! É evidente que, à semelhança do nosso amigo Jim, sou capaz de citar "razões" lógicas para a escolha, a principal das quais é que para carteamentos elimino todas as cartas de pintas (desde os 2 até os 10) dos quatro naipes, deixando apenas 42 cartas no baralho. Daí que me parecesse importante encontrar um carteamento que use um número relativamente pequeno de cartas. A razão que me levou a eliminar as pintas foi o serem essas cartas, tais como aparecem no baralho de Marselha, muito pouco interessantes. Só podem oferecer-nos o simbolismo dos números, que já encontramos nos vinte e dois Trunfos.

Se você, até o presente momento, nunca deitou cartas, pode começar com o Oráculo das Nove Cartas. Se esse carteio não lhe agradar, sugiro-lhe que consulte outros livros sobre o Tarô na biblioteca pública até encontrar um carteio que lhe agrade. Tudo leva a crer que existem tantos sistemas para deitar as cartas quantos livros existem sobre o assunto. Na minha maneira de pensar, escolher o modelo que você porá em prática é exatamente tão importante (ou desimportante) quanto decidir a respeito do traje que usará para consultar as cartas. O importante, em ambos os casos, é encontrar alguma coisa ajustada e que o faça sentir-se à vontade.

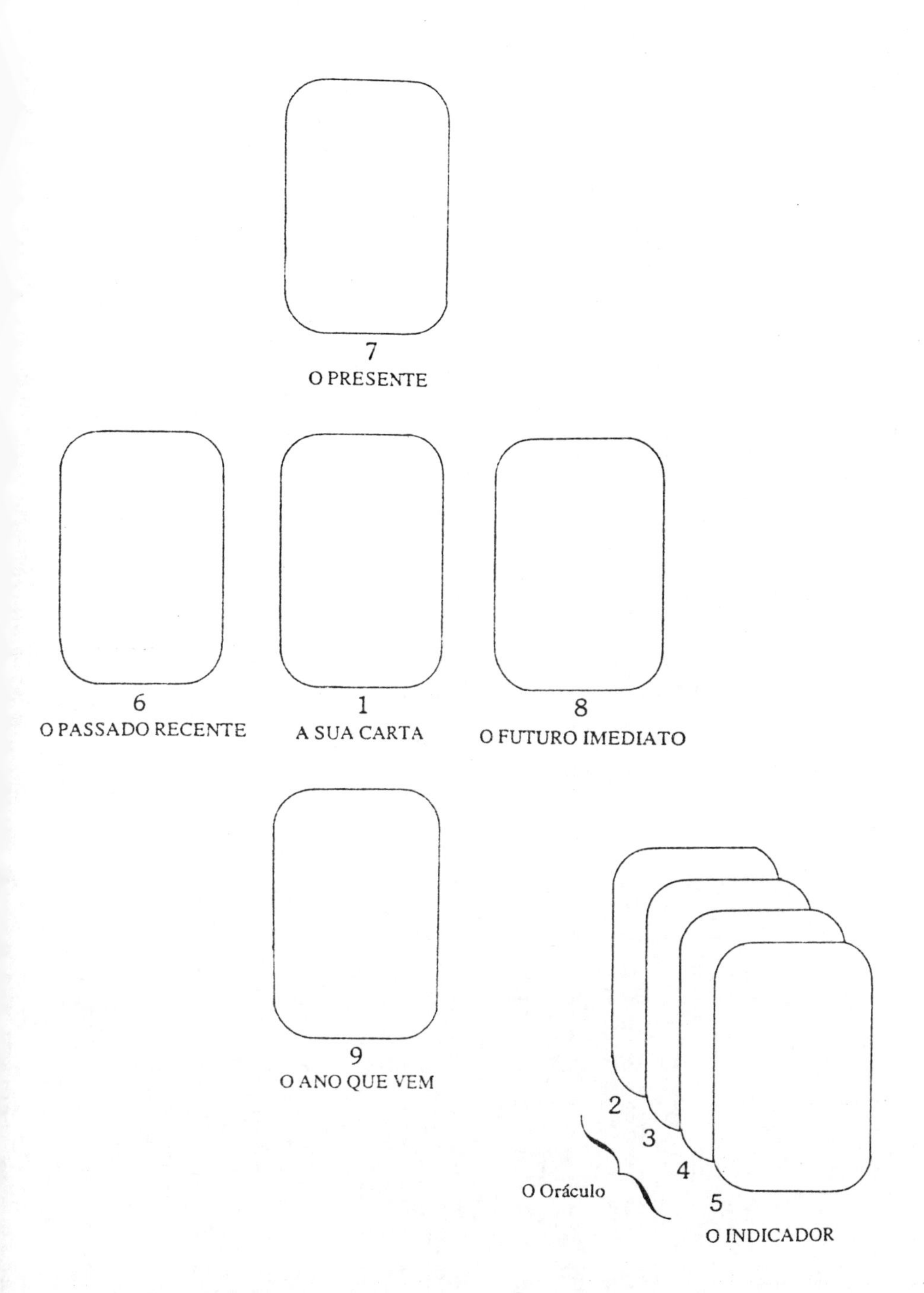
7
O PRESENTE
6
O PASSADO RECENTE
1
A SUA CARTA
8
O FUTURO IMEDIATO
9
O ANO QUE VEM
2
3
4
O Oráculo
5
O INDICADOR

O ORÁCULO DAS NOVE CARTAS DO TARÔ

MÉTODO 1: DISPOSIÇÃO DAS CARTAS VIRADAS PARA CIMA

(NOTA: Esta disposição só é útil quando você *não está familiarizado* com o Tarô. Mas se já tiver conhecimento do simbolismo das cartas, achará o Método 2 mais interessante.)

Coloque as cartas com a face virada para cima sobre uma grande superfície lisa. Se não lhe for possível encontrar uma mesa suficientemente grande, use o chão.

Apanhe as nove cartas que mais lhe interessam ou que mais lhe atraiam a imaginação. Escolha-as com cuidado, mas não intelectualmente. Não tente decifrar o título da carta nem lhe descodifique o simbolismo. Responda espontânea e emocionalmente. A gravura o deixa intrigado? Fere, acaso, uma corda sensível em você?

Ao escolher as nove cartas, é importante lembrar que não existem cartas "más". Como acontece com os sessenta e quatro hexagramas do I Ching, cada qual pertence ao seu tempo e à sua estação. Além disso, como também acontece com o I Ching, o seu significado é mais simbólico do que literal – de modo que podemos escolher, digamos, A Morte ou O Enforcado sem nenhuma implicação de que isso "signifique" a morte literal, a tortura física, o suicídio, etc.

Tendo escolhido as nove cartas, ponha de lado as outras, deixando as escolhidas com a face para cima. Agora estude-as com cuidado e escolha, entre elas, a que lhe parecer mais próxima da sua idéia de si mesmo *no momento presente*. Esta será conhecida, daqui por diante, como A Sua Carta (posição 1 no diagrama). Ao escolhê-la, não se esqueça de que essa carta representa a sua auto-imagem neste momento. Você não está grudado à escolha para sempre. No mês que vem – ou até na semana que vem – poderá escolher outra carta.

Tendo escolhido A Sua Carta, deixe-a com a face virada para baixo e junte as oito cartas restantes. Mantendo-as com a face voltada para baixo, embaralhe-as. Enquanto as estiver embaralhando, pense em alguma coisa que deseja ou faça uma pergunta ao Tarô – de preferência sobre um assunto pendente. *Assim que tiver encontrado o seu desejo ou a sua pergunta, pare de embaralhar.* Corte as cartas e complete o corte.

Agora dê quatro das oito cartas e coloque-as ao lado, numa pilha, *com a face para baixo*. São as Cartas do Oráculo, que falam especificamente ao seu desejo ou pergunta. Serão discutidas mais tarde.

Visto que o enunciado exato do seu desejo ou pergunta é importante, uma boa idéia é deter-se aqui e escrevê-lo exatamente como você o enunciou para si mesmo. Lembre-se de que o Tarô, à diferença da Mesa Ouija, não tem meios de responder com um inequívoco "Sim" ou "Não". Por isso, é melhor enunciar o desejo ou a pergunta de modo que não requeira uma resposta definida. Será interessante poder iniciar a pergunta com frases como: "O que é que você pode me dizer a respeito de. . ." ou "O que é que estou deixando passar nesta . . . (situação)?" Ou ainda, "Quer fazer o favor de ampliar . . .?"

A essa altura, você tem A Sua Carta virada para cima no centro da mesa, as quatro Cartas do Oráculo viradas para baixo numa pilha a um lado, e as quatro cartas restantes ainda na mão. Depois que tiver escrito o desejo ou pergunta, terá chegado o momento de deitar as quatro cartas. Coloque-as de face para cima, na direção dos ponteiros do relógio, como mostra o diagrama incluso, começando pela Carta número 6 à esquerda da Sua Carta.

Agora você terá uma história em imagens sobre a mesa à sua frente, com A Sua Carta completamente enquadrada pelas cartas número 6, 7, 8 e 9, como no diagrama. Estude as imagens para ter uma *impressão geral*. (Favorável? Desfavorável? Agradável? Desagradável?)

Tome nota de qualquer modelo recorrente que lhe pareça significativo. (Repetição de símbolos? Alternância de ritmos Yin e Yang? Ênfase dada a certas cores, formas ou movimentos corporais?)

Em seguida, estude cada carta individualmente, começando com A Sua Carta. Faça a si mesmo este tipo de perguntas acerca de cada uma delas: que foi o que primeiro me atraiu nesta carta? De que maneira ela pode "pertencer-me"? Ela me recorda algum incidente em minha vida? Uma pessoa ou uma situação? Tome nota de quaisquer descobertas para futuras consultas.

Ao mover-se na direção dos ponteiros do relógio da carta número 6 (Passado Recente) para a carta número 7 (Presente), e para a carta número 8 (Futuro Imediato), e para a carta número 9 (O Ano que Vem), confronte cada uma com a precedente. Que semelhanças e/ou que diferenças em tom, sabor, cor, humor e ação consegue encontrar? Que cartas olham uma para a outra? Quais são as que parecem rejeitar as outras ou afastar-se delas? Você pode descobrir algum "plano" ou progresso nas cartas, à proporção que aparecem em seqüência numérica?

Olhe especialmente para a carta número 9 (O Ano que Vem). Sua ação parece ser uma culminação gradativa de eventos pintados em outras cartas? Ou ela se lhe afigura totalmente diferente? A ser assim, em que sentido é diferente?

As cinco cartas que acabamos de considerar falam, de um modo geral, da situação da sua vida. Está claro que elas também, necessariamente, projetarão luz sobre o seu desejo ou pergunta, porém menos diretamente do que as quatro Cartas do Oráculo, que falarão especificamente às suas esperanças e sonhos.

Chegou a hora de consultar O Oráculo. Vire a carta de cima (número 5) primeiro. Esta é o Indicador – assim chamada por ser a mais indicativa das quatro. Refere-se diretamente ao seu desejo ou problema. Qual é a sua primeira reação diante do Indicador? (Favorável? Desfavorável?) A seguir, vire para cima as três outras

Cartas do Oráculo. Estas representam influências em ação tocantes ao seu desejo ou à sua pergunta. Faça aqui uma pausa para captar as primeiras reações às Cartas de Influência.

Se você formulou um desejo e o Indicador lhe parece vigorosamente positivo, o seu desejo tem boas probabilidades de realizar-se – contanto que tome em consideração as influências, personalidades e/ou tendências internas retratadas nas três Cartas de Influência. Se o Indicador lhe parecer fortemente negativo, então é possível que o seu desejo ainda não esteja pronto para a maturação na realidade, caso em que as Cartas de Influência podem oferecer uma pista das forças internas e externas que precisam ser primeiro superadas ou utilizadas nessa situação.

Se você fez uma pergunta, o Indicador lhe proporciona uma resposta direta ou uma pista velada, e as Cartas de Influência fornecem detalhes adicionais ou novas pistas. Sua própria intuição é a melhor chave para decidir sobre o significado das cartas.

Agora estude as nove cartas juntas como parte de um drama. Que conexão pode encontrar entre os dois grupos de cartas? Preste especial atenção à Sua Carta e à carta que representa O Ano que Vem. Estão viradas para as Cartas do Oráculo, ou estão olhando em outra direção? Como podem as posturas, ações ou atmosferas das duas cartas afetar a resposta, seja ela qual for, que o Oráculo possa ter dado?

MÉTODO 2: DISPOSIÇÃO DAS CARTAS VIRADAS PARA BAIXO

Nessa disposição as cartas são manipuladas exatamente na mesma ordem e colocadas de acordo com o mesmo diagrama supra. A única diferença entre as duas disposições é que, nesta, *você não escolhe as cartas que vai distribuir.*

Depois de baralhar seja qual for o baralho, coloque as cartas numa pilha *viradas para baixo* e escreva o seu desejo ou a sua pergunta. Agora corte as cartas. Em seguida, vire a carta de cima do baralho e coloque-a, virada para cima, no centro da mesa na posição número 1, como antes. Depois de tirar as quatro Cartas Oraculares e deixá-las empilhadas com a face virada para baixo, tire, ato contínuo, as de números 6, 7, 8 e 9 e coloque-as viradas para cima, de acordo com o diagrama.

Passe agora a estudar as cartas exatamente como descrevemos há pouco, registrando quaisquer idéias ou associações para futura referência.

SUGESTÕES: Seja qual for a disposição das cartas que empregar, não deixe de fazer um mapa delas para que, dali a uma ou duas semanas, possa dispô-las, mais uma vez, segundo o mesmo modelo. Entrementes, conserve em mente as figuras e o drama e medite neles de vez em quando.

Esteja atento a fotografias, recortes de jornais, personalidades, reações emocionais ou qualquer outra coisa que pareça estar ligada, de um modo ou de outro, às cartas que apareceram no seu carteio. Você ficará surpreso com os lampejos de introvisão que poderão acudir-lhe nos momentos em que o Tarô está, aparentemente, mais distante dos seus pensamentos conscientes.

Se registra os sonhos, procure neles também personagens ou incidentes que possam estar ligados às "suas" cartas. Tome nota até das conexões que lhe pareçam mais insignificantes; juntas, muitas vezes, elas criam um padrão significativo. Registre a disposição seguinte que fizer e veja se encontra conexões entre esta disposição e a nova. Você tirou, por exemplo, algumas das mesmas cartas na segunda disposição? Se tirou, algumas caíram nos mesmos lugares que ocupavam na disposição anterior? Se caíram (ou não), que conclusões pode sacar do que quer que tenha aparecido?

Enquanto escrevo estas palavras, o Oráculo do Tarô murmura que este livro, que estivemos escrevendo juntos, chegou à *sua* conclusão. Desejamos ao leitor bom êxito em sua jornada do Tarô. Que as cartas lhe tragam boa sorte!

Leia também

O TARÔ DE MARSELHA

Carlos Godo

O que são as cartas do Tarô? O que as faz diferentes das cartas comuns? Elas podem, realmente, predizer o futuro? Qualquer pessoa pode interpretá-las? Estas são apenas algumas das muitas perguntas que o público leitor costuma formular em relação ao misterioso sistema divinatório conhecido por Tarô.

Desde a época em que surgiu e se popularizou, o Tarô é conhecido principalmente como um sistema de adivinhação, um passatempo ou distração. Mas os ocultistas vêem nessas cartas, principalmente nas vinte e duas que integram os chamados Arcanos Maiores, alguma coisa muito mais importante que uma simples série de emblemas ou alegorias destinada à distração ou adivinhação.

O Tarô, mesmo sob o aspecto de um sistema de adivinhação, é hoje considerado um dos mais bem elaborados métodos que integram o vasto campo da simbolomancia — a adivinhação através dos símbolos. O sistema é válido. Tem inegável eficiência prática e resiste perfeitamente à análise a partir dos parâmetros teóricos da moderna parapsicologia, que estuda os mecanismos dos processos paracognitivos.

Num momento histórico em que os processos que estabelecem a ponte consciente-inconsciente aparecem como a grande alternativa para subtrair o homem da grande crise filosófica e psicológica que submerge a humanidade, um sistema como o Tarô merece ser considerado pelo que de fato ele é: um grande trampolim para mergulhar no inconsciente.

OS ARCANOS MAIORES DO TARÔ

G. O. MEBES

De acordo com nossas pesquisas sobre literatura esotérica em diversos idiomas, o presente livro é um dos estudos mais profundos e mais amplos já publicados sobre os Arcanos Maiores do Tarô.

G. O. Mebes, mestre da sabedoria oculta, cujos ensinamentos são aqui transcritos, além de possuir uma vasta cultura e conhecimentos excepcionais, havia chegado ele próprio — segundo o testemunho de seus discípulos — a um alto grau de realização espiritual, que fez dele um dos maiores ocultistas de nossa época.

A excelência de sua doutrina, contudo, não impedirá que os que procuram nos Arcanos um simples meio para adivinhar o futuro, no primeiro contacto com este livro, fiquem desapontados. No entanto, à medida que procurarem estudar os Arcanos "em profundidade", eles também chegarão a uma melhor compreensão do entrelaçamento do Passado com o Futuro e a um maior desenvolvimento de sua intuição.

EDITORA PENSAMENTO